PHILOLOGISCHE STUDIEN UND QUELLEN

Herausgegeben von

Wolfgang Binder · Hugo Moser · Karl Stackmann · Wolfgang Stammler

HEFT 21

Parzivals tumpheit

bei Wolfram von Eschenbach

von

Alois M. Haas

ERICH SCHMIDT VERLAG

Druck: A. W. Hayn's Erben, Berlin 36
Printed in Germany

Vorwort

Die vorliegende Arbeit ist aus einer Anregung Professor Max Wehrlis (Universität Zürich) entstanden und durfte unter seiner Führung werden, was sie sein soll: ein Versuch, Parzivals *tumpheit* in ihrer kaum abschätzbaren Bedeutung für den gesamten ‚Parzival' zu erläutern, ein Versuch also, von einem in der Parzivaldichtung vereinzelten ‚Stigma' her gleichsam ‚in Spiegelbild und Gleichnis' ein Ganzes und Umfassendes aufzuspüren. Wenn es der Arbeit gelungen sein sollte, wenigstens eine erläuternde Vision des Parzivalromans, durch alle stilistisch-ästhetische, motivisch-materielle, soziologisch-geistesgeschichtliche und religiöse Komplexheit hindurch, zu liefern, dann hat sie ihren Zweck erfüllt. — Jegliche *linge* ist aber Herrn Professor Wehrli zu danken, der dem Verfasser vielfach geholfen und ihm durch seine immerwährende schlicht menschliche Anteilnahme die Arbeit leicht gemacht hat.

Zu danken bleibt dem Verfasser auch den Professoren Jean Marx (Ecole Pratique des Hautes Etudes, Paris) und Jean Frappier (Sorbonne, Paris), deren Kurse er im Schuljahr 1960/61 besuchen konnte.

Für verschiedene Hinweise gebührt auch Dom Jean Leclercq OSB (Abbaye de Clervaux, Belgien) bester Dank, nicht zuletzt aber auch für dessen vorbildliche, schlechthin maßgebende, weil Luzidität und Begeisterung ineinsfassende Werke über monastisch-mittelalterliche Spiritualität.

Schließlich obliegt dem Verfasser noch die angenehme Pflicht, seinem theologischen Mentor, Herrn Dr. Hans Urs von Balthasar, seinen Dank auszusprechen: aus seinem so unendlich vielseitig gewendeten literarischen und theologischen Werk ergaben sich methodische und spirituelle Inspirationen mannigfachster Art.

Ohne wesentliche finanzielle Beihilfe von seiten seiner Eltern und der Erziehungsdirektion des Kantons Zürich wäre die Drucklegung der Arbeit für den Verfasser eine Unmöglichkeit gewesen. Beiden fühlt er sich in tiefer Dankbarkeit verpflichtet, wobei er genau weiß, daß er seinen Eltern für das Empfangene in keiner Weise mit seinem Dank entsprechen kann.

Für die ehrenvolle Aufnahme dieser Arbeit in die Reihe ‚Philologische Studien und Quellen‘ möchte ich den Herausgebern im allgemeinen und Herrn Professor Dr. Wolfgang Stammler und Frau Dr. E. Kahleyss im besonderen meinen ehrlichen Dank aussprechen.

Zürich, August 1963

Alois Haas

Inhaltsverzeichnis

Einleitung

Est autem omnis superbia stulta,
quamvis non omnis stultitia superba.
Wilhelm von St. Thierry

Es wäre widersinnig, wenn der Interpret einer Dichtung vom Glauben getragen wäre, er sei es, der in seiner Reflexion über Dichtung restlos einholen könne, was die Dichtung im Letzten viel ganzheitlicher und totaler zu sagen versteht. Der abgeschlossene Prozeß der Wortfindung, in dem eine *tihte* gestaltet wurde, hat als Resultat schon hervorgebracht, woran sich die Sinnsuche der Späteren erst noch erproben wird. Insofern hinkt alle wissenschaftliche Bemühung um das ‚sprachliche Kunstwerk' diesem nach und kann apriori nur nachstammelnd um jenes sich bemühen, was ‚Poesie' immer schon eingebracht hat: die gelungene Form zu benennen, quer zu allen Tücken eines kruden Sprachmaterials. Die gelungene Wortgestalt, mittelhochdeutsch die *tihte*, liegt der Interpretation restlos voraus: der Interpret heimst ‚vom Späteren her' ein, was er immer neu beglückt als ein Geschenk apriorischer Sprachform empfängt. Gäbe sich Interpretation also nicht bescheiden als Lesefrucht und verhärtete sich zu einem Vorfindlichen, ohne das Dichtung nicht mehr ‚gemacht' werden könnte, sie müßte illusorisch im Dickicht ihrer angemaßten ‚Apriorität' verenden. Denn dann wäre Dichtung nurmehr überholbarer Anlaß einer interpretatorischen Bemühung, die in leerer Reflexion um das Gelingen eines längst Geglückten sich mühte. Das Einzige, was daher die ‚Kunst der Interpretation'[1]) legitimiert, ist ein stählernes Bewußtsein vom absoluten Vorrang der Vorlage, dem Sprachkunstwerk, in dem *matière* und *san*, *rede* und *meine*, Gestalt und Gehalt, zu einzigartiger künstlerischer Vorfindlichkeit zusammengebunden sind. Damit sei allerdings nicht jener ‚Interpretation' das Wort geredet, die meint, ihr Ziel einer erläuternden

[1]) E. Staiger, Die Kunst der Interpretation, Zürich 1955.

Erklärung von Dichtung zu erreichen, indem sie sich mit dem Text derart eng verfilzt, daß sie schließlich unheilvoll und singulär nachsagt, was ganz und geformt im Ganzen der Dichtung liegt. Im Gegenteil, soll auch der Interpretation als einer beschränkt eigenständigen Art der Reflexion über ein vor-findliches Sprachkunstwerk Wert eingeräumt werden dürfen, dann muß solche Reflexion auch die Grenzen achten, die sich das Kunstwerk kraft seines Schmelzes einer einzigartigen Neuheit gegen jeden Versuch regressiver, nach rückwärts hin Abhängigkeiten schaffender ,history fiction'[2]) totalitär gebildet hat. Mit anderen Worten: die Interpretation hat sich in jener schwebenden, Nähe und Ferne gleicherweise artikulierenden Differenz zum Gegenstand, dem Sprachkunstwerk, zu halten, die es unmöglich macht, daß zum Beispiel ein bloß verhinderter Dichter sich über Dichtung ausläßt.

Gerade diese Orientierung am Gegenstand involviert aber eine intensive (nicht bloß extensiv-stoffhuberische) Rücksichtnahme auf psychologische, soziologische, geistesgeschichtliche und (für ein Werk des Mittelalters in besonderem Maß) religiöse Faktizitäten zeitgenössischer Art, deren ,Entdeckung' im Sprachkunstwerk zwar weniger etwas über dessen Wesen denn über dessen Tendenzen aussagen, aber gerade als solche Ausflüsse des Wesens darstellen. Die Evidenz einer gefundenen ,Quelle' als nambare Interpretation schlechthin auszugeben, ist ein Selbstbetrug; das gilt insbesondere für die Interpretation mittelalterlicher Werke, wo solches Vorgehen sich anbietet und daher immer wieder versucht wird. Andererseits ist aber mit Nachdruck auf den für den mittelalterlichen Dichter glückhaften Zwang der Überlieferung hinzuweisen, dem damals schlechterdings musische Qualitäten zukamen[3]). „Im Mittelalter ... erscheint sie (die Literatur) als dichter und fester Traditionszusammenhang, hinter dem die Person des Dichters, aber auch die Selbstherrlichkeit seiner Schöpfung stark zurücktritt. Der Dichter ist Diener am Wort. Er überliefert und deutet das, was mit einem bezeichnenderweise etwas vagen Ausdruck

---

[2]) Der Ausdruck stammt von Herrn Dr. phil. Kurt Forster, Universität Yale.

[3]) Vgl. Galfried von Vinsauf in seinem ,Documentum de modo et arte dictandi et versificandi' (§ 132): Post praedicta est notandum quod difficile est materiam communem et usitatam convenienter et bene tractare. Et quanto difficilius, tanto laudabilius est bene tractare materiam talem, scilicet communem et usitatam, quam materiam aliam, scilicet novam et inusitatam. Zitiert nach E. Faral, Les arts poétiques du XIIe et du XIIIe siècle, Recherches et documents sur la technique littéraire du Moyen Age, Paris 1924, 277.

mittelhochdeutsch ‚daz maere' heißt: die gleichsam objektiv existierende, noch nicht zum ‚Ausdruck' entwertete oder zum unberührbaren Kunstgebilde isolierte ‚Geschichte'. Sie wiederzugeben, den gegenwärtigen Umständen entsprechend zu assimilieren, zu deuten, zu illustrieren, fortzusetzen — das ist das Amt des Dichters. Es handelt sich dabei nicht nur um Stofftradition, sondern um die Gesamtheit einer in Erzählungen, Liedern und Lehren bestehenden symbolischen Welt, die auch als die ‚wârheit', d. h. die durch Quellen belegte und vom richtigen Geist getragene Tradition bezeichnet wird. Ein Wolfram, obschon wahrscheinlich einer der originalsten Dichter des deutschen Mittelalters, sucht noch das letzte Motiv seiner Vorlage im neuen Werk unterzubringen, auch wenn er es umständlich umdeuten und an andere Stelle verpflanzen muß"[4]).

Dieser im Werk selbst tradierten Überlieferung suchen wir in unserer Interpretation von Parzivals *tumpheit* Rechnung zu tragen. Nehmen wir an, das Wort *tumpheit* habe im ‚Parzival' Wolframs von Eschenbach den Stellenwert eines *Kennwortes* (als Wort häufigsten Vorkommens)[5]) und *Schlüsselwortes* (als Brennpunkt einer intensiv gestalteten Thematik), so drängt sich vorerst eine Wortsinnstastistik für die Vokabel *tump(heit)* im ‚Parzival' auf, eine Arbeit, die von Heinz Rupp meisterlich geleistet worden ist[6]). Handelt es sich aber um die *tumpheit* Parzivals schlechthin, so wie sie komplex und einmalig im ‚Parzival' erscheint, dann geht es nicht mehr bloß um eine bedeutungstechnische Studie über ein Wort, sondern um die Interpretation eines durch ein Wort hindurch erscheinenden, dem ‚Parzival' selber immanenten Bedeutungsgehalts, der sich stellenwertig als ein integrierendes Moment des Dichterischen durchhält. Die Konstanz des *maere*, Wolframs Vorliebe und eine gewisse Konstellation des Zeitgeistes wachsen so zu jener Mentalität der *tumpheit* zusammen, die nicht nur in einem statistisch-lexikalischen Befund dingbar gemacht werden kann, son-

---

[4]) Max Wehrli, Zum Problem der Historie in der Literaturwissenschaft, Trivium 7 (1949) 53.

[5]) „‚Um die Seele eines Dichters zu durchschauen, muß man in seinem Werk diejenigen Worte aufsuchen, die am häufigsten vorkommen. Das Wort verrät, wovon er besessen ist.' Diese Sätze Baudelaires enthalten ein ausgezeichnetes Prinzip der Interpretation", Hugo Friedrich, Die Struktur der modernen Lyrik, Hamburg 1956, 33.

[6]) H. Rupp, Die Funktion des Wortes ‚tump' im Parzival Wolframs von Eschenbach, GRM NF. 7 (1957) 97—106. Hier auch das Zitat Friedrichs (siehe Anm. 5).

dern interpretationsweise zugunsten eines Gesamtverständnisses des ‚Parzival' erschlossen werden muß[7]).

Parzivals *tumpheit* erschließt sich in immer weiter greifender Analyse als komplex. Soviel Banales diese Feststellung impliziert, soviel Überraschendes läuft ihr mit.

Nach der schon erwähnten Wortsinnstatistik ist eine bedeutungsgeschichtliche Erfassung dieses Wortes[8]) vonnöten, eine Untersuchung, die in unserem Fall ganz in die Interpretation eingegangen ist, da jeder Stellenwert eines Wortes tiefer umfaßt ist von der ‚Geschichte', in der es erscheint. Parzival selbst vereitelt die künstliche Herausnahme und Besprechung seiner *tumpheit* im Rahmen einer bedeutungsgeschichtlichen Studie dadurch, daß er eben *Träger* dieser *tumpheit* ist und daher eine solche Vereinzelung einer seiner ‚Eigenschaften' verunmöglicht. Wortgeschichtliche Vor- und Rückgriffe haben sich von daher wenig empfohlen. Auch die dem deutschen Wortschatz eigene Fluktuation des Bestandes, das Leben der geschichtlich veränderbaren Wörter, ihr Auftauchen und Verschwinden, ihr Wirkendes, oder mit Wilhelm von Humboldt: ihre ‚Energeia', bleibt deshalb außerhalb der gestellten Aufgabe. Wolframs Werk interessiert uns unmittelbar als Sprach-Werk, das sprachgeschichtlich einen synchronen Querschnitt der mhd. Sprache um den Beginn des 13. Jahrhunderts bietet, als ‚Ergon' also, das seinerseits allerdings entstanden ist aus dem tieferen Wesen der Sprache, das Energeia ist.

Und so wird denn Parzivals *tumpheit* als Moment des Dichterischen selbst interessant, als ein Einzelnes, das eventuell eine synthetische Erfassung des ganzen ‚Parzival' ermöglicht. Auerbach meint: „Wenn es unmöglich ist, alles einzelne zur Synthese zu sammeln, so ist es vielleicht möglich, vom charakteristisch Einzelnen durch Entfaltung zur Synthese zu gelangen"[9]). Damit ist jedoch — um von vornherein jedes Mißverständnis auszuschalten — nicht präjudiziert, die Interpretation des ‚Parzival' habe in jedem Fall von Parzivals *tumpheit* auszugehen; im Gegenteil, die vorliegende Arbeit möchte eigentlich nur darlegen, wie vom ‚charakteristisch

---

7) Zu einer genauen Wertung der lexikographischen Arbeit tragen Rupps grundsätzliche Äußerungen zur Wortgeschichtsforschung bei: Einiges Grundsätzliche zur Wortforschung, DU 3 (1951) Heft 1, 53—57.

8) Über die Bedeutungsgeschichte mhd. Wörter siehe reiche Literaturangaben bei E. Wiessner, Höfisches Rittertum, in: Deutsche Wortgeschichte I, Berlin ²1959, 174 f., 203.

9) E. Auerbach, Literatursprache und Publikum in der lateinischen Spätantike und im Mittelalter, Bern 1958, 19.

Einzelnen' der *tumpheit* her eine (gewiß beschränkte und unvollständige) synthetische Vision von Wolframs großer Dichtung möglich ist, derart, daß mit der Ermöglichung dieses einzelnen Interpretationsweges gleich deren viele frei werden.

Nach Wortsinnstatistik und Klärung des Bedeutungsumfangs (des Wortes *tump(heit)* und dessen sinnverwandter oder antithetischer Vokabeln) drängt sich schließlich eine interpretatio ex eventu auf, eine Interpretation aus dem ‚Hergang' der ‚Geschichte' selbst. In einem umfänglichen phänomenologischen Aufweis der *tumpheit* Parzivals wird solches versucht, damit einerseits das ‚Material' für eine weitere Erläuterung bereitet und andererseits dieses Material überhaupt gefördert ist (im Sinn eines induktiven Aufweisens von *tumpheit*).

Eine nach den Grundlagen der mittelalterlichen Bibelexegese aufgebaute und durchgeführte Interpretation erschließt sodann die *tumpheit* im Zusammenhang mit gattungstheoretischen Fragen (nach dem ersten der vier Schriftsinne: nach dem historisch-real-litteralen ‚Sinn' unter modernen Vorzeichen [die Gattungsthematik!]), dann die *tumpheit* als ein ‚mythisches Stigma' einer Heilsbringergestalt (mystisch-allegorischer ‚Sinn'), hierauf dieselbe *tumpheit* in ihrem Konnex mit Schuld und Sünde (moralisch-tropologischer ‚Sinn'), zuletzt aber als Parzivals ‚Letzthaltung' (anagogischer ‚Sinn'). In allen vier Bestimmungen der *tumpheit* werden geistes- und zeitgeschichtliche Voraussetzungen diskutiert, sofern sie im Zusammenhang der besprochenen Fragen relevant werden.

*

Ein wachsendes und immer hellhörigeres Verständnis fürs Mittelalter als unser historisches und längst noch nicht überwundenes Substrat, hat die Wege auch der Parzivalforschung geebnet. Gerade die Entdeckung mittelalterlicher Ambivalenz, Dialektik und Ambiguität aller Lebensformen läßt es hinfort nicht mehr geraten erscheinen, eine einzelne Interpretation des Wolframschen ‚Parzival' als die einzig richtige hinzunehmen. Schließlich fällt alles Doktrinäre in der Parzivalforschung, selbst auch von Wolfram her, dem Verdikt einer falschen Eitelkeit zum Opfer. Die ‚Krise der Wolframforschung'[10]) wird nur beigelegt werden können, wenn die Forscher wieder verstehen, offen zu lassen, was vielfach eingleisig verfälscht wurde. Als ein Beitrag zu solcher Toleranz, die gerade von Wolfram zu lernen ist, versteht sich diese Arbeit. Toleranz im Sinn eines mittel-

10) H. Eggers, Wolframforschung in der Krise, WW 4 (1953/54) 274—290.

alterlichen ‚diversa non adversa'[11]). Sollten sich von hier aus neue, gangbare und sinnvolle Wege der Forschung eröffnen, dann möchte diese Arbeit nichts denn ein bescheidener Anfang dazu sein.

---

[11]) Zur Geschichte dieser im 12. Jahrhundert allbekannten Formel vgl. J. de Ghellinck, Le mouvement théologique du XIIe siècle, Bruges 1948, 234, 517—523; M.-M. Davy, Essai sur la symbolique romane, Paris 1955, 73.

I. Stellenwert und Funktion des Wortes *tump* im ‚Parzival'

Wenn Baudelaire recht hat und die „Seele eines Dichters" aus seinen Worten häufigsten Vorkommens herausgelesen werden kann, so wird auch das eisengepanzert Anonyme, das uns im Ritterbildnis Wolframs von Eschenbach in der Manessischen Handschrift[1]) so seltsam berührt, sich durch genaues Hinsehen aufs Werk im Wesen benennen lassen müssen. Dieses verbergendste aller Dichterbildnisse, auf dem Wolfram in gesellschaftlich-ritterlicher Pose in der Rechten sein *banier* und in der Linken seinen Schild hält, scheint auf den ersten Blick wenig gemeinsam zu haben mit der weltoffenen Innerlichkeit seines Werks. Im Gegenteil: das geschlossene Visier und die rein ins *schildes ambet* verpflichtete Gestik scheint erstarrte Gesittung und voll eingeforderter Dienst an der ritterlichen Öffentlichkeit. Gedanke und dichterisches Sagen scheinen einer Konvention ausgeliefert, die dem Geheimnis des Individuum ineffabile keinen Raum mehr zugesteht, sondern es einzwängt in die sakrosankte Form einer gepanzerten Rüstung. Daß hinter dieser ‚Bildmontage' ein Mensch verborgen ist, der mit weltweit aufgeschlossenem Herzen allem Wissenswürdigen und Anspruchsvollen der Zeit offen stand, verbürgt uns einzig das Werk. Hier a t m e t die Konvention, hier bricht sie notvoll auf in ihrer Spannung von Idealität und Wirklichkeit, hier wird sie Problem, aber auch Anlaß einer sich in Mythen darstellenden Selbstreflexion. Wolframs Bild verbirgt eine dialektische Spannung, die seinem Werk als dichterische Dimension innerlich ist. Sie zu suchen, ist die *tumpheit* Parzivals ein günstiger Anlaß. Aus noch näher zu erläuternden Gründen ist *tumpheit* ein Kennwort, ein besonders ausgezeichnetes Wort, ein Wort mit einer besonderen Funktion im Parzivalroman. Ist die „Feststellung" gerechtfertigt, „daß Vorbedingung jeder Interpretation die streng philologische Untersuchung der s i n n s c h w e r e n W ö r t e r und ihrer Inhalte ist"[2]), dann hat die vorliegende Untersuchung allein schon von diesem Axiom

[1]) Eine treffliche Wiedergabe davon findet sich in: Deutsche Lyrik des Mittelalters, Auswahl und Übersetzung von Max Wehrli, Zürich 1955, 190.

[2]) Heinz Rupp, Das neue Wolframbild, DU 5 (1953) Heft 2, 87.

her einen Sinn. Ein anderes aber scheint noch wichtiger: der moderne Leser, der den mittelalterlichen Zuhörer abgelöst hat, ist in Wolframs ‚Parzival' immer wieder beeindruckt und zum Nachdenken angeregt durch die so seltsam versierte Gestalt des *tumben Toren Parzival.* Parzivals Ruhmesgeschichte (sofern man von einer solchen reden kann) beweist das, vor allem der ‚Parsifal' Wagners. — Parzivals Torheit scheint nicht der momentane Einfall eines müßig versponnenen Dichters, der um jeden Preis einem winterlich untätigen Burgvolk einen Spaß bereiten und seine pelzige Lethargie in Lachen wandeln möchte. Diese Torheit ist von weit her vorbereitet und bisweilen mit dem Schreckhaften eines mythischen Ursprungs behangen, und trotz des sich tausendmal wandelnden Gesichts wird ihr Kern spürbar bewahrt. Prädestination und Harlekinade sind hier offenbar eng beisammen. Dazu aber kommen andere und tiefer reichende dialektische Ausfaltungen derselben ‚Torheit', so daß die *tumpheit* Parzivals schließlich als ein dichterischer Ort des Widerspruchs schlechthin erscheint. Das aber ist Sache nicht der Philologie, sondern der Interpretation, die wir zu der unseren machen wollen. Die philologischen Überlegungen über Wortsinn und Wortstatistik mögen als Prolegomena dazu dienen.

A. Der Wortsinn

a) Lexikalisch-diachronisch

Da unser Vorhaben ein interpretatorisches ist, sind uns selbstverständlich alle Wörter „im Sinnbezirk des Verstandes" wichtig. Daher werden neben ‚*tump*' noch andere Wörter besprochen.

‚*tump*'

Nach der Auskunft von Pokornys ‚Indogermanischem Etymologischem Wörterbuch'[1]) hat das mhd. ‚*tump*' seinen Ursprung in einer Wurzelerweiterung von idg. dheu-, dheuə (vermutlich: dhuē ...) ‚stieben, wirbeln, besonders von Staub, Rauch, Dampf; wehen, blasen, Hauch, Atem; daher dampfen, ausdünsten, riechen, stinken; stürmen, in heftiger, wallender Bewegung sein, auch seelisch; in heftige, wirbelnde Bewegung ver-

[1]) Band 1, Bern 1959.

setzen, schütteln' (263). Die Wurzelerweiterung ist bh-: also dheubh- ,stieben, rauchen; neblig, verdunkelt, auch vom Geist und den Sinnen' (263).

Bezeichnend für den zuletzt genannten Sinn ist das Griechische mit den Formen: τύφω ... ,Rauch, Dampf, Qualm machen ...'; m. τῦφος ,Rauch, Dampf, Qualm; Benebelung, Torheit, dummer Stolz'; τετυφῶσθαι ,töricht, aufgeblasen, hoffärtig sein'; ... τυφεδανός, τυφογέρων, ,geistesschwacher Alter'; τυφλός, ,blind, dunkel, blöde' usw. (264).

Von denselben idg. Urformen abgeleitet finden sich im Gotischen eine unnasalierte und eine nasalierte Form: die erste got. daufs (-b-) ,taub, verstockt', anord. daufr ,taub, träge', ags. dēaf ,taub', ahd. toup[2]) (-b-) ,taub, stumpfsinnig, unsinnig'; ... mhd. top ,unsinnig, töricht, verrückt', ō-Verb: ahd. tobon, as. dovōn ,wahnsinnig sein', ags. dofian ,rasen' ... (264). Die zweite, nasalierte Form der idg. Wurzel dheubh- findet sich im Gotischen als dumbs, anord. dumbr, ags. dumb ,stumm', ahd. tumb ,stumm, dumm, unverständlich'; as. dumb ,einfältig'. Doch scheint ein *dhu-m-bhos ,dunkel' auch durchs Slav. gestützt zu werden (264).

Schon Johann Christof Adelung[3]) unterscheidet daher zwischen eigentlichem („der Sprache oder des Gehörs beraubt" 1570) und figürlichem Wortsinn („Mangel an Verstand" usw. 1571) des hochdeutschen ,dumm'.

Andere Wörterbücher, wie diejenigen Pauls[4]) und Campes[5]), beschränken sich auf die Angaben von Redensarten. Einzig Trübners ,Deutsches Wörterbuch'[6]) und Kluge-Götze[7]) weisen auf den idg. Ursprung. Trübner macht gleich auf eine doppelte Herkunft von ,dumm' aufmerksam: dhubh- ,stumpf sein'; „man kann aber auch an die idg. Wurzel dhubh- ,rauchen' anknüpfen und das Adjektiv als ,benebelt, verdunkelt in den Sinnen' auffassen" (101). „Die Grundbedeutung war offenbar ,stumpf an Sinnen' ..." (101). „Die Hauptbedeutung ist jedoch schon seit alter Zeit ,unverständig' ... Ebenso ist es ,ungelehrt': *des müge wir tumbe leien*

---

2) *Toup* kommt im ,Parzival' zweimal vor: 290,20 *blint oder toup*, von Keie gebraucht; und 475,6, wo Parzival sich bei Trevrizent über seinen *rêroup* an seinem Verwandten Ither zerknirscht gesteht: *sô was ich an den witzen toup.*

3) Grammatisch-kritisches Wörterbuch der hochdeutschen Mundart, Leipzig 1793.

4) 4. Auflage, bearbeitet von Karl Euling, Halle/S. 1935, 115.

5) Wörterbuch der deutschen Sprache, Erster Teil, Braunschweig 1807, 762.

6) Band 2, Berlin 1940, 101/102 unter dem Stichwort ,dumm'.

7) Deutsches Wörterbuch, Berlin [17]1957, 146 f.

wohl verzagen (Walter v. d. V. 34, 32). In Wolframs Parzival heißt der Held *tumb*, er ist ‚der in sich Versunkene, der Unerfahrene, der das stille Heimatgefühl und den dunkelen, aber mächtigen Trieb in die Ferne noch ungeschieden in sich trägt' (Vilmar 1844 Gesch. d. dt. Nationallit. 1894, S. 122)" (102).

Wichtig und beachtenswert ist, daß ursprünglich hinter ‚*tump*' ganz einfach eine Minderung und Verschlechterung der äußeren Sinne, sei es nun des Gesichts- oder Gehörsinns, verstanden wurde. Seltsam ist dabei nur die pejorative Bedeutung, die das Wort bei wachsender Verinnerlichung und Ausweitung der Sprache auf andere vorerst nahe liegende Bedeutungskomplexe erhielt (der figürliche Sinn als eine Potenzierung der Wortinhalte!). Ebensogut aber hätte sich das Wort dahin entwickeln können, daß es heute etwa ‚gesammelt, verinnerlicht' bedeuten würde. Die Wendung zu ‚dumm, unverständig, beschränkt, geistesarm, einfältig, unwissend, unbesonnen' usw. muß aber bereits in den Anfängen stattgehabt haben. Denn im Mittelhochdeutschen ist nach Benecke/Müller/Zarncke[8]) ‚stumm' nicht einmal mehr belegt. Nur Lexer[9]) führt es noch zur Vervollständigung an. Das Wort ‚*tump*' beschlägt im Mhd. folgenden Inhaltskreis: ‚schwach von Sinnen oder Verstande, dumm, töricht, unbesonnen, einfältig, unklug; klares Verstandes beraubt; unerfahren, jung; ungelehrt; stumm'. Die eigentliche Bedeutung wird erst verhältnismäßig spät wieder auftauchen.

Und trotzdem wird es gut sein, gerade im ‚Parzival' die ursprüngliche und so selbstverständliche Bedeutung immer mitzuhören, denn gerade hier klingt dieses Urtümliche in schöpferischer und eigenartiger Weise neu auf. Nur ist darin ein weiterer und tieferer Hintergrund spürbar.

‚*tor*'

Dem nhd. ‚Tor' und mhd. ‚tôre', ‚tôr' liegt zugrunde idg. dheues-, dhuēs-, dheus-, dhūs- ‚stieben, stäuben, wirbeln (nebeln, regnen, Dunst, Staub; aufs seelische Gebiet angewendet: gestoben, verwirrt sein, betäubt, dösig, albern), stürmen (von Wind und aufgeregtem Wesen), blasen, wehen, hauchen, keuchen (Hauch, Atem, Geist, Gespenst, animal; riechen, Geruch)'[10]).

---

[8]) Benecke/Müller/Zarncke, Mhd. Wörterbuch, Bd. III, Leipzig 1861, 129.

[9]) Lexer, Mhd. Handwörterbuch, Bd. II, Leipzig 1876, Sp. 1567.

[10]) Pokorny I 268.

Eine Menge der verschiedensten Wortbedeutungen gehört dem breiten Untergrund dieser Wurzel an: neben gr. θυῖα ,Bacchantin' steht gr. θεός ,Gott' und gallorom. dusius ,daemon immundus, incubus'. Die deutsche Form ,Tier' gehört mit vielem anderem ebenfalls dazu. Die Wurzel, erweitert mit germ. au, ergibt mhd. dosen ,sich still verhalten, schlummern' und mhd. tôre ,irrsinnig, Narr', nhd. ,Tor, Geisteskranker'[11]).
Trübner vermerkt unter dem Stichwort ,Tor' denselben Ursprung mit dem Zusatz, daß das hd. r durch grammatischen Wechsel aus s entstanden ist[12]).
„Mit dem *reinen Toren* ist eigentlich der tumbe Parzival bei Wolfram von Eschenbach gemeint, ,der naive, ganz unerfahrene Jüngling mit dem goldenen Herzen, der in der allzu genauen und unverständigen Befolgung der Lehren der Mutter überall Unheil anrichtet und an Artus' Hof Bewunderung ob seiner Schönheit und Tapferkeit und Verwunderung und Lachen ob seiner Kleidung und törichten Reden erregt' (K. Heinemann, Dt. Dichtung [1910] 24)"[13]).
Die Formen ,toerisch, toersch', die auch im ,Parzival' wiederholt vorkommen, gehören zur selben idg. Abstammung und verlangen daher keine besondere Erklärung.
Die ,Übersetzung', die Lexer vorschlägt, lautet: „Tor, Narr, Irrsinniger, morio, stultus"[14]). Und Benecke/Müller/Zarncke: „Thor, Narr; der nicht *rehtes sinnes* ist, daher sowohl der Unverständige, als der Blödsinnige, Wahnsinnige"[15]).
Der Zusammenhang dieser Ursprungsformen mit der idg. Urform für ,dumm' ist unverkennbar. Es soll daher lediglich nochmals auf den kruden Tatbestand hingewiesen sein, der den Toren zum Toren macht: eine Vernebelung, Betäubung und Verdumpfung der Sinne und dann des Geistes.

,witze', ,wîs'

Bezeichnenderweise haben diese beiden, das positive Wissen anvisierenden Wörter im Parzival zumeist in negierter Form ihren bestimmten Platz. Dieselbe idg. Wurzel ist beiden gemeinsam: u(e)di-, was ,erblicken, sehen' heißt (ursprünglich als Aorist). Davon gibt es ein Zustandsverbum

11) Pokorny I 270.
12) Bd. VII 68.
13) Trübner, a. a. O.
14) Bd. II, Sp. 1464.
15) Bd. III 50.

u(e)ide(i)-, nasaliert ui-n-d-, und ein Perfectum uoid-a- ‚habe gesehen, weiß'. Davon wurde die Bedeutung ‚wissen' auch auf andere Formen übertragen. Unter die kaum überblickbare Zahl der Nominalbildungen von diesem Verb sind auch ‚witze' und ‚wîs' zu rechnen[16]).

‚*witze*': bekannt sind die Formen „ahd. wizzî (neben wizza ‚conscientia'), ... afries., ags., engl. wit, ... norw. vit, schwed. vett, dän. vet und ahd. bei Isidor chi-wizz ‚scientia'. Dazu gehören die Zusammensetzungen ahd. gawizzi, unwizza, asächs. giwit, ags. gewit(t), got. unwiti. — Der Unterschied zwischen dem ss von wissen und dem tz von Witz ist durch das j bei der westgermanischen Konsonantendehnung und dann durch verschiedene Entwicklung bei der hochdt. Lautverschiebung entstanden ... Die Grundbedeutung muß Wissen gewesen sein. Vgl. die got. Verneinung unwiti (ἄγνοια, ἄνοια, ἀφροσύνη) und ahd. unwizza, unwizzi ‚ignorantia'. Spuren der alten Bedeutung finden sich noch mhd.; *daz lêrt in jâmers witze* (P. 80, 10). In alter Zeit schied man aber die erworbene Erfahrung noch nicht begrifflich von der angeborenen Klugheit, und so nahm das Wort den Sinn eines Denkvermögens an, wie es allen Menschen gemeinsam ist, und umfaßte dabei den gesamten Intellektualbereich, während das mit lehren, lernen verwandte List sich auf das Gebiet des Wissens auf Grund erworbener Kunde beschränkte (Jost Trier ‚Der dt. Wortschatz im Sinnbezirk des Verstandes' [1911] 34). Ahd. ist Witz außer bei Otfrid und Notker selten; bei diesen entspricht es lat. mens und ratio. Die alten Bedeutungen, die sich um die Hauptbedeutung Verstand gruppieren, sind heute noch in den Mundarten vorhanden, erscheinen auch hie und da in der Schriftsprache, jedoch schwerlich in der Umgangssprache. ... Witz könnte allgemein ‚Denkfähigkeit' sein: *Von des helmes dôze* (‚Schall') *und von des swertes klanc wâren sîne witze* (‚Besinnung') *worden harte kranc* (Nib. 2047 Bartsch); *swer gotes minne nie bevant, der ist als ein schatte an einer want, dem merkant ist leben, witze und sinne* (Gottfr. von Straßburg, Minnelieder 2, 58). In engerem Sinne ist es der Verstand: *Swer guote witze hât, der ist vil wol geborn* (MS 24, 33); *Er was von sînen witzen vil nâch* (‚beinahe') *komen* (Iwein 5195) ..."[17]).

Lexer spannt daher den Bedeutungsbogen über ‚Wissen, Verstand, Besinnung, Einsicht, Klugheit' bis zu ‚Weisheit' (*mit witzen*: ‚verständig, klug')[18]).

---

16) Nach Pokorny I 1125, 1127.

17) Trübner IIX 212—215.

18) Lexer III, Sp. 955. Vgl. auch Benecke/Müller/Zarncke III 793.

‚Unwizzende‘, eine präsentische Partizipialform, die im ‚Parzival‘ eine sehr wichtige Funktion erfüllt, obwohl sie mit Beziehung auf Parzival nur zweimal erscheint[19]), weist selbstverständlich denselben idg. Ursprung auf wie *witze* und *wîs*.

Wîs(e): Der idg. Ursprung dieses Adjektivs wird verschieden erklärt. Entweder ist es entstanden aus idg. *weidto- (also durch Dentalerweiterung des Verbstammes u(e)di-) oder dann aus idg. *ueid-so- (durch regressive Assimilation an s)[20]). Die germanische Grundbedeutung muß ‚wissend‘ gewesen sein. Weise ist, wer um etwas weiß, wer in irgend einer Sache erfahren, kundig (‚peritus‘) ist. Der Sachkundige, der z.B. seinen Beruf versteht, das Kriegshandwerk, die ärztliche Pflege (cf. P. 481, 14), die Kunst (P. 455, 1).

Naheliegend ist die Ausdehnung der Bedeutung auf die verstandesmäßige Begabung: hier berührt es sich dann mit klug (‚prudens‘), das im Ahd. und Mhd. kein eigenes Wort besaß. Der weise und der kluge Mensch waren offenbar im Adjektiv *wîs* ungeschieden vereint, so daß ‚sapiens‘ und ‚prudens‘ jedesmal durch *wîs* übersetzt werden konnte.

„Ethischer Standesbegriff ist auch mhd. *wîs (e)* als ritterlich-höfische Bezeichnung; freilich umfaßt er die anderen Lebensgebiete bis zum Religiösen mit. Zuweilen begegnet da auch Einengung der Bedeutung; so verbindet z.B. Hartmann von Aue *wîse* mit *hövesch* formelhaft und faßt damit ritterliche Art zusammen: Iwein 3521; während *wîs(e)* bei Wolfram von Eschenbach besonders neben *triuwe, getriuwe* und *zuht* steht (P. 317, 23). Ganz allgemein ist ‚weise‘ stehendes Beiwort des Mhd. für Fürsten, Ritter und höfische Frauen, ohne daß der Sinn immer begrenzt wäre“[21]).

Sowohl Lexer wie Benecke/Müller/Zarncke führen folgende Bedeutungen an: ‚verständig, erfahren (alt), klug, kundig, unterrichtet, gelehrt, weise, geschickt‘. Bei Benecke steht der Zusatz: „die *wîsen* sind nicht, was wir

---

19) Nämlich 250, 29: *ez muoz unwizzende geschehen / swer immer sol die burc gesehen*, sagt Sigune zu Parzival über die Entdeckung der Gralsburg. Und 460, 12: *unwizzende ich die bêde streit*, meint Parzival über zwei Tjosten zu Trevrizent. Die Paradoxie dieser Aussagen ist evident: *sehen — unwizzende*; *strîten — unwizzende*: Tun und Nichtwissen von seinem Tun.

20) Pokorny I 1127; Trübner IIX 93. Siehe auch Karl Brugmann, Kurze vergleichende Grammatik der idg. Sprachen, Erste Lieferung: Einleitung und Laut-Lehre, Straßburg 1902, 189.

21) Trübner IIX 94.

die weisen nennen würden, sondern leute, die eine sache verstehn, denen ein urtheil zukommt; die kundigen, die kenner"[22]).

,sin'

Auch das mhd. Wort *sin* ist interessant zu untersuchen, gehört es doch mit all seinen verbalen Ableitungen in den Sinnbezirk eines den Verstand und die Bewußtheit bezeichnenden Wortfeldes.
Um den sprachlichen Ursprung kenntlich zu machen, ist auf idg. sent-, eine Verbalwurzel, zurückzugehen, die bedeutet: ,eine Richtung nehmen, gehen' (sento- ,gehen, reisen'; Weg); oder in geistigem Sinn: ,empfinden, wahrnehmen'[23]).
Der geistige Sinn ist schon im Ahd. der geläufige (ahd. sin, -nnes ,Sinn' [*sent-no-], sinnan ,trachten, begehren', nhd. sinnen). Der erste und eigentliche Sinn ist einzig in ahd. gisind ,Gefährte' und gisindi ,Reisegefolge, kriegerisches Gefolge' (nhd. Gesinde) erkennbar.
Hinzuweisen wäre in diesem Zusammenhang noch auf die lateinischen Formen gleichen Ursprungs: sentire ,fühlen, empfinden, wahrnehmen', sensus ,Gefühl, Sinn, Gesinnung, Meinung', sententia ,Meinung'.
„Der Wandel der Bedeutung vom Begriff der Fortbewegung zum Geistigen gehört der voralthochdeutschen Zeit an. Schon im Ahd. liegen die heutigen Gebrauchsweisen vor, so daß sich eine geschichtliche Darstellung anhand von Belegen nicht geben läßt. Allgemein ist Sinn die geistig-seelische Veranlagung des Menschen; jeder hat seinen eigenen Sinn"[24]).
Immerhin vermerkt Benecke/Müller/Zarncke unter dem Stichwort *sin* stm. als erste Bedeutung immer noch ,Richtung, Weg', als zweite dann ,Sinn', und als dritte ,innerer Sinn, Bewußtsein, freie Selbstthätigkeit des Geistes, vorzugsweise in Beziehung auf das Vermögen des Denkens und Erkennens, daher auch Verstand, Weisheit, dann in Beziehung auf das Gefühl, die Neigung, Gesinnung'[25]).
Wichtig für den ,Parzival' ist die verbale Ableitung *versinnen*. Es heißt: ,sich irren, fehlen; mit den Sinnen wahrnehmen, merken; seine Besinnung haben, zum Bewußtsein kommen; sich besinnen, seine Sinne oder Gedanken zusammennehmen, verständig sein'. Mit Genitivobjekt: ,seine Ge-

22) Benecke/Müller/Zarncke III 753.
23) Pokorny I 908.
24) Trübner VI 370.
25) Benecke/Müller/Zarncke II, 2. Abt., 311.

danken auf etwas richten, mit den Sinnen, dem Geiste wahrnehmen, sich besinnen, merken, einsehen, verstehen; erwarten, erhoffen'[26]).
Dagegen heißt das Perfektpartizip *unversunnen* ,ohne Besinnung, bewußtlos; seines Verstandes nicht mächtig, wahnsinnig; unbesonnen, unverständig'[27]).
Diese Angaben über den Wortsinn der in Frage stehenden Wörter sollen ausschließlich vom sprachhistorischen Befund her anzeigen, welche Bedeutungsbreiten die einzelnen Wörter einnehmen können; sie können aber nicht im geringsten zum voraus sicherstellen, *was* jedes Wort synchronisch zu bedeuten hat.

b) Feldmäßig-synchronisch

Es ist das Verdienst *Jost Triers*, den deutschen Wortschatz *,im Sinnbezirk des Verstandes'* von den Anfängen der deutschen Literatur bis zum Beginn des 13. Jahrhunderts in komparativ-statischer Betrachtungsweise (d. h. von einem sprachlichen Feldquerschnitt zum anderen überspringend) vorgelegt zu haben[1]). Der Zentralbegriff dieses historischen Überblicks ist das ,sprachliche Zeichen-Feld', oder seine Synonyme: ,Wortfeld', ,Wortmantel', ,Wortdecke'. Unter ,Wortfeld' versteht Trier das Mosaik in gegenseitiger Abhängigkeit stehender Einzelworte oder einen ,inhaltlich zusammengehörigen Teilausschnitt des Wortschatzes' (1), der einem ,mehr oder weniger geschlossenen Begriffskomplex' (,Begriffsblock', ,Begriffsbezirk', 1) korrespondiert und zeichenhaft zugeordnet ist. „Die das Wortfeld, den Wortmantel, die Wortdecke mosaikartig zusammensetzenden Einzelworte legen — im Sinn ihrer Zahl und Lagerung — Grenzen in den *Begriffsblock* hinein und teilen ihn auf" (1). Es geht Trier daher gleichzeitig um das Ganze der Sprache wie um ihren Baustein: das einzelne Wort. Obwohl Trier sehr wohl weiß, daß das System der ganzen Sprache

---

[26]) a. a. O. 309/310.

[27]) a. a. O. 311.

[1]) Jost Trier, Der deutsche Wortschatz im Sinnbezirk des Verstandes, Band I, Von den Anfängen bis zum Beginn des 13. Jahrhunderts, Heidelberg 1931. Vgl. noch: derselbe, Das sprachliche Feld, Neue Jahrb. f. Wiss. u. Jugendbild, 1934. Ders., Deutsche Bedeutungsforschung, Festschrift Behaghel, 1934. Weisgerber Leo, Vom Weltbild der deutschen Sprache, 4 Bände, Düsseldorf 1949 f. Ders., Zur innersprachlichen Umgrenzung der Wortfelder, WW 2 (1952) 138 ff. — Drei Jahre nach Triers Buch trägt Karl Bühler in seiner ,Sprachtheorie' (Die Darstellungsfunktion der Sprache, Jena 1934) vom sprachphilosophischen Gesichtspunkt aus eine ,Zweifelderlehre' der Sprache vor (,Zeigfeld' und ,Symbolfeld').

keinesfalls je realisiert worden ist, ist er sich doch bewußt, daß Sprechen ohne die Hypostase eines sich aus allem Gesprochenhaben aufbauenden ἔργον als eines ‚Objektivgebildes' undenkbar ist. Es sind daher die Begriffsfelder, die vor dem Hintergrund eines gesamtsprachlich nicht realisierbaren, aber doch hypothetisch erforderlichen Zeichensystems als in der Sprache realisierte Systeme stehen. „Das System der ganzen Sprache ist nirgends und niemals realisiert, wohl aber das System einzelner Felder" (4, Anm. 1). Neben dieser das Allgemeine der Sprache anvisierenden Seite seiner Untersuchung geht es Trier aber ebensosehr um das Verständnis des einzelnen Wortes, das aber nur verstanden wird „im Maße der Gegenwärtigkeit des Feldes. Es ‚bedeutet' nur in diesem Ganzen und kraft dieses Ganzen. Außerhalb eines Feldganzen kann es ein Bedeuten überhaupt nicht geben. Die allgemeine Lehre vom Bedeuten wird das weit mehr als bisher berücksichtigen müssen. Das Wort folgt hier dem allgemeinen Wesen aller Zeichen. Zu diesem Wesen gehört es, daß der Bezeichnungsinhalt und Umfang eines Zeichens sich richtet nach der Stellung, die das Zeichen innerhalb der Gesamtheit der übrigen ihm inhaltlich benachbarten Zeichen einnimmt. Man kann das wohl ein Grundgesetz des Zeichenwesens nennen" (5).

Mit anderen Worten: Trier untersucht das Wortfeld im Bewußtsein, daß ein solches nur Sinn hat vor dem weiten Hintergrund eines überpersönlichen, gegliederten Ganzen der Sprache überhaupt. Damit aber ist sein Ziel die Darstellung eines Sprach*seins*, keines Werdens. Es geht ihm um eine „völlig ungeschichtliche Aufnahme des gegebenen Tatbestandes", um „die Wagerechte des Sprach*seins*" und „nicht um die Lotrechte des sprachlichen *Werdens*" (10). Oder mit Ferdinand de Saussure: es geht Trier um *synchronische* Querschnitte durch einen einmal erreichten Sprachstand. Denn: „Die Wörterbücher — und die historischen in erster Linie — lassen ... den wahren Wortgebrauch gar nicht erkennen, da sie sich um die sogenannten Synonyma, d.h. um die begrifflich nächstbenachbarten und erst recht um die übrigen zum gleichen Feid gehörenden Worte nicht oder nicht ausreichend bekümmern können und so oft an den bezeichnenden Eigenschaften eines Werkes oder einer Zeit vorbeigehn" (24).

Die sprachtheoretische Gültigkeit oder Fragwürdigkeit eines solchen Unternehmens braucht hier nicht erörtert zu werden[2]).

Trier hat in einer umfänglichen Feldbetrachtung den ‚Parzival' Wolframs

---

[2]) Zur sachlichen Kritik an Trier vgl. R. Hotzenköcherle, Entwicklungsgeschichtliche Grundzüge des Nhd, WW 12 (1960) 325.

von Eschenbach in seine Untersuchung einbezogen (245—271). Und da hier gerade jene Worte, die uns von einem interpretatorisch-literarhistorischen Anliegen her interessieren, als sprachliches Feld im Sinnbezirk des Verstandes abgehandelt und untersucht werden, bleibt uns nur die Aufgabe, Triers Forschungsergebnisse aufzugreifen, aber auch die Gründe aufzuzeigen, weshalb unser Anliegen darüber hinauswächst und teilweise sogar zu scheinbar widersprechenden Ansichten kommen kann.

Hingewiesen sei vorläufig nur auf e i n e n fundamentalen Unterschied in der Aufgabenstellung: Trier erstrebt die dokumentierte Darstellung eines Intellektualfeldes, d. h. eines Wortfeldes, dessen beschränkender Horizont der Sinnbezirk des Verstandes ist. Sein Vorgehen ist damit g e z i e l t, voreingenommen und auf einen umreißbaren Aufgabenkreis beschnitten. Unser Vorgehen ist, ganz abgesehen vom fachlich anders gearteten Anliegen, ein wesentlich o f f e n e s Vorgehen: gefragt ist, nachdem die *tumpheit* als ein z e n t r a l e s Wort statistisch gesichert erscheint, nach P a r z i v a l s *tumpheit*, d. h. nach der literarisch als eine Eigenschaft Parzivals hingestellten und anschaulich gemachten *tumpheit*. Es geht also um ein künstlerisch formuliertes Lebendiges, das sich so oder so ausspricht und darlebt. Alles Lebendige steht aber in einer dialektisch erscheinenden Gegensätzlichkeit und Gegenwärtigkeit, die das Wort nur in einer analogischen Fülle zu meistern vermag. Eindeutigkeit im Sinn begrifflicher Rationalität ist nie das Ziel von Dichtung. Ihr Ziel ist G e s t a l t. Das Werden der Gestalt ist aber wesentlich vielfältiger, wechselnder als die einem sprachlichen Ergon abgelauschte und in sich rationalisierte Feldkonstruktion eines Wortes. Das Wort als Element des Wortschatzes ist daher ein anderes als das Wort als Element eines Kunstwerks. Daß dasselbe Kunstwerk zum Anlaß einer Untersuchung von beidem werden kann, liegt in seinem Charakter der Zuhandenheit, die es sowohl dem Philologen als auch dem Literarhistoriker preisgibt. Beide aber beweisen auf ihre Art seine Transzendenz. In unserem Fall beschränkt sich der Philologe Trier auf den sprachlichen Seinscharakter des Kunstwerks (d. h. das Ergon des Kunstwerks ist ihm das undiskutierbare fixe Substrat seiner Untersuchung), während wir in einem wesentlich w e r d e n d e n Schaffensprozeß dem Werdenscharakter des Kunstwerks behutsam nachgehen wollen (d. h.: die Energeia als eine dem Kunstwerk innerliche und es in eigenartiger Weise dialektisierende Wirkkraft ist uns eine immer neu verblüffende Tatsache). Die Verschiedenheit der Forschungsergebnisse dürfte von dieser Überlegung her einsichtig sein.

Wir beschränken uns daher mit einem Hinweis auf den von Trier erarbeiteten Begriffskomplex *tump(heit)* und führen seine Ergebnisse für *tump(heit)* als Muster an:

a) Das Substantiv ‚*tumpheit*‘:

„An negativen Substantiven kommen im Parz. in der Hauptsache nur solche vor, die aus Worten der negativen prädikativen und attributiven Bezeichnungen des Parz. abgeleitet sind, nämlich *tumpheit*, neben dem einmal *tumbe witze* begegnet, *tôrheit* und (*unbescheidenheit*). *tumpheit* beherrscht den Bezirk durchaus, da *tôrheit* nur einmal steht.
In der Geschichte Parzivals ist tumpheit notwendig ein zentrales Wort, in der Mehrzahl der Fälle wird es auf Parzival angewandt. Zwei Bedeutungsseiten, die sich im einzelnen Fall verbinden können, oft aber getrennt sind, können geschieden werden: 1. Unerfahrenheit, Mangel an Schulung und Erziehung, insbesondere Mangel an ritterlich-höfischen Wissensinhalten, Fertigkeiten und Lebensformen; ein Mangel an wahrer und letzter Bildung; ein Mangel auch an Gotteserkenntnis, ein Nichtwissen und Nichtwissenwollen der Heilstatsachen, trotzige Abwendung vom Heil; es ist aber z.T. auch Sache der Reife, die Belehrung richtig aufzufassen. Lehre allein kann daher *tumpheit* nicht verjagen. *tumpheit* ist auch ein Tun und Geschehen, ein Verhalten, das aus dem Habitus der *tumpheit* fließt, Dummheit im Sinne von Ungeschicklichkeit, kindischer Tölpelhaftigkeit, aber auch stärker ein unglückseliges, unsittliches, gottfernes, für den Täter und für andere unglückspendendes Verhalten. 2. Unbedachtheit, Unüberlegtheit, Neigung zu vorschnellem (und insofern törichtem) Tun, Mangel an Kritik und besonders Selbstkritik. Ein Tun und Verhalten, das aus solchem Habitus fließt, eine Dummheit im Sinne von Frechheit, Unverschämtheit, mit starker ethischer und religiöser Abwertung“ (256).

b) Das Adjektiv ‚*tump*‘:

„*tump*; die Zweiteilung der Grundbedeutung, wie sie bei *tumpheit* nötig war, läßt sich bei *tump* kaum durchführen. Man kommt überall mit der Grundbedeutung unerfahren, unreif, ungebildet durch, auch die etwas abweichenden 530,10 und 653,9 sind noch hier unterzubringen ...“ (266).
„Die beiden unzusammenhängenden Gruppen von Stellen, an denen Parzival *tump* genannt wird, III. und IX. Buch, sind sehr verschieden in der Schwere des sittlichen Tadels, den sie mitenthalten. In dieser Verschie-

denheit zeigt sich die ganze durch ein nhd. Wort nicht wiederzugebende Breite und Tiefe von *tump*, die von der Feststellung bloßer gesellschaftlicher Unerfahrenheit und natürlicher kindlicher Unreife bis zu schwerstem sittlichem und religiösem Vorwurf sich spannte" (267). Nochmals sei hingewiesen auf den schon genannten Unterschied unseres Vorgehens: es geht uns wesentlich nicht um bloße Feststellung des kommunikativen Tauschwertes der Worte, d. h. um ihre soziale Signatur, an der sich ihre leichte und schwerelose Handhabung ablesen läßt. Nicht Wortforschung oder Bedeutungsgeschichte ist unser Anliegen. Dafür aber Interpretation von Dichtung. Das Detail, das Wort in seiner Vereinzelung und Abhebung vom Ganzen der Dichtung, ist bloße Basis, ist ein Grundwert, der sich die verschiedensten Mutationen gefallen lassen muß, wenn er interpretatorisch als Stein ins Mosaik seines Ursprungs, d.h. der Dichtung zurückversetzt wird.

B. Wortstatistik

Eine Statistik ist eine Sache der Auswahl. Sosehr sie objektiv über einen Sachverhalt genaue Auskunft zu erteilen in der Lage ist, so sehr liegt ihr Ursprung in einem subjektiven Impuls, der sich von allem Anfang an auf ein Bestimmtes im Ganzen richtet. Insbesondere bei der Dichtung ist es ein Einmaliges, Besonderes, das den Leser zuerst ganz individuell berühren muß, soll er seine Leseerfahrung statistisch ausgewertet als eine Hilfe und einen Kommentar zu allgemeinem Verständnis, d.h. als Interpretation ausgeben dürfen.

Bei Wolframs ,Parzival' ist es nicht zuletzt (bis hin zur Wagnerschen Verklärung des „reinen Toren") Parzivals *tumpheit*, die als seltsam quer zu allem Höfisch-Gesitteten dem Leser zu schaffen gibt. Sie erscheint als Potenz und Eigenschaft Parzivals, die sowohl Anlaß zum Lachen wie zu einem sonderbaren Betroffensein gibt. In der Dichtung nie ideologisch verwertet, bleibt Parzivals Torheit immer letztlich unbesprochen. Höchstens in der Narrenrede Antanors wird sie dichterisch geöffnet und bekommt Kontur[1]). Die betroffene Verlegenheit, die der Leser vor Parzivals ,*tumpheit*' empfindet, schließt in sich aber schon die Erlaubnis, darüber zu handeln und zu sprechen. Der subjektive Anstoß des Dichterischen ist auch der Anlaß objektiver Rede über das Dichterische. Und sobald diese begonnen, wird sie auch zu den Sachen gelenkt, d.h. in unserem Fall zur

---

[1]) 152,23—153,20 (153,11 fällt das Wort vom *witzehaften tôren*!) und 307,21 — 30.

tumpheit, die vor allem anderen ein Wort mit bestimmbar quantitativem Vorkommen ist. Anders gesagt: die Statistik ihres Vorkommens ist die erste Beglaubigung ihrer „erhellenden Funktion"[2]) im ‚Parzival' und für Parzival.

Ich zähle mit Rupp und Senn/Lehmann 43 *tump* (*tumpheit*)-Belege[3]), von denen sich allein 24 auf Parzival beziehen: 13 Belege für *tôr* (*tôrheit*), von denen 6 auf Parzival angewendet werden, 4 *toersch*-Belege (3 betreffen Parzival). Mit Beizug der Randwörter *witze*, *wîs*, *sin* läßt sich nebenstehende Tabelle aufstellen.

Aus dieser tabellarischen Übersicht scheint eines mit Sicherheit hervorzugehen: das Wort *tump(heit)* weist gegenüber seinem unmittelbaren Gegenteil *wîs(heit)* eine ungleich höhere Zahl von Belegen auf, die unmittelbar Parzival betreffen. Umgekehrt kommt *wîs(heit)* im ganzen ‚Parzival' mehr als doppelt soviel mal vor wie *tump(heit)*, bezeichnenderweise aber nur siebenmal in direktem Bezug auf Parzival. Dieser Tatbestand reduziert die Funktion von *wîs(heit)* auf die eines Gewohnheitswortes, das nur dadurch einen Rang bekommt, weil sein Gegenteil (die *tumpheit*) am Helden herausgestellt wird[4]). Im Maße als es sich häuft, wird es übergehbar. Daher: „Eine wichtige Funktion kommt dem Wort *wis* im ‚Parzival' nicht zu ... und man darf deshalb bei der Interpretation diesem Wort nicht zu viel Gewicht beimessen"[5]). Die *tôr(heit)*- und *toersch*-Belege können diesen Eindruck nur noch verstärken und einheitlicher machen.

Was das Wort *witze* betrifft, so gibt die tabellarische Nennung der bloßen Vorkommenszahl ein falsches Bild. Es ist ein Wort, das, wenn es auf

---

[2]) Rupp, Die Funktion des Wortes ‚tump' ... 97.

[3]) Trier gibt kein zahlenmäßiges Vorkommen für *tump(heit)* an, weiß aber sehr wohl um die zentrale Stellung dieses Wortes innerhalb des ‚Parzival'. Senn/Lehmann geben in ihrem ‚Word-Index to Wolfram's Parzival' (Series of MHG Word-Indices, Number 1, University of Wisconsin 1938, 215) unter dem Stichwort ‚*tummen*' die Stelle 571,2 an. Es heißt dort jedoch: *Dô hôrte er ein gebrummen, / als der wol zweinzec trummen* ... Diese Stellenangabe ist bei Senn/Lehmann daher als falsch zu streichen.

[4]) Vgl. Trier, Sinnbezirk 249 für *wîsheit*, und 259 und 261 für *wîs*: „*wîs* (ist bisweilen) ein bedeutungsarmes Epitheton, oft gewiß nur des Reimes wegen gesetzt."

[5]) Rupp, Die Funktion des Wortes ‚tump' ... 97: „Das Wort (*wîs*) steht in den meisten Fällen als Epitheton ornans. Seine Verwendung ist nicht daran gebunden, daß die betreffende Person im neuhochdeutschen Sinne *weise* ist. wis nennt Wolfram schon jemand, der in angemessener, seinen Fähigkeiten entsprechender Weise, in begrenztem Umfange richtig, mit Verstand und Überlegung handelt", a. a. O.

Wörter	Das Gesamtvorkommen im ‚Parzival', gezählt nach verschiedenen Autoren				Parzival/ Versch.	
	Senn/ Lehmann	Rupp	Trier	meine Zählung	Parz. betr.	Versch. betr.
tump(heit)	44*	43		43	24	19
tôr(heit)	13			13	6	7
toersch	4			4	3	1
witze	55			55	27	29
wîs		94	93	96	7	89
sin	108**			107	17	90
versinnen	14			14	7	7
unversunnen	6			6	3	3
unwizzende	3			3	1	2
trappe	1			1	1	
gans	2			2	1	1
tier				1	1	
trache				1	1	

* mit Fehlangabe: 571,2.
** mit Fehlangabe: 71,7.

Parzival angewendet wird, vornehmlich in negierter Form erscheint und mithin der *tumpheit* Parzivals nur noch mehr Anschaulichkeit verleiht.

Mit *sin*, einem noch formelhafteren Wort als *witze*, steht es wieder anders: es ist geradezu gehäuft, wenn es sich um Gawan handelt, aber selten (etwas mehr als 10 Prozent des Gesamtvorkommens), wenn es im Zusammenhang mit Parzival vorgebracht wird. Hier dann meistens in formelhaften Wendungen oder in negierter Form.

Die Ableitungen von *sin*, *versinnen* und *unversunnen*, scheinen genau in ihrer Funktion gehälftet: zur einen Hälfte beziehen sie sich auf Parzival (hauptsächlich in der Blutstropfenszene), zur anderen Hälfte auf anderes.

Unwizzende ist ein einzelnes, markantes Kennwort, das als ein Gelenk im Ganzen des Romans aufgefaßt werden darf. Es ist eine jener ‚Gral-

prämissen' — sit venia verbo —, deren ,Wandlung' als Streitobjekt längst zum Bestand der Wolframforschung geworden ist[6]).
Tier, trache, trappe, gans sind eindeutige Schimpfworte. Sie werden Parzival unter den verschiedensten Aspekten vorgeworfen und nachgerufen. *Trappe/gans* beziehen sich dabei selbstverständlich auf Parzivals *tumpheit.*
Dieser statistisch-lexikalische Befund hat den Sinn einer Standortnahme, einer ersten Umschau und einer ersten, vorläufigen Beantwortung der Frage, ob denn die *tumpheit* für Parzivals Charakterisierung tatsächlich irgendwie im Text schon angelegt sei. Die Antwort auf diese Frage dürfte nach dem Gesagten leicht zu geben sein. Denn das Material, das sich rein statistisch beibringen läßt, ist beweiskräftig genug.
Damit ist aber noch nichts ausgemacht darüber, was denn dieses Charakteristikum der *tumpheit* für Parzival und seine Geschichte bedeutet oder was es alles bedeuten kann (eine erzähltechnisch im weitesten Sinn des Wortes vorgebrachte und ausgewertete Gegebenheit ist wesentlich unverrechenbar, d. h. ihre Konsequenzen sind vorerst unabsehbar und stehen völlig unter der Willkür des Erzählers; er schafft Raum für sie oder läßt sie als stumpfes Motiv untergehen; beides hat aber seinen unverwechselbaren Sinn). Es heißt daher, vorsichtig der Diktion des Dichters nachzugehen und seine Meinung zu erfragen. Vielleicht ergibt sich dabei so etwas wie eine Konstellation, ein System von dichterischen Bezugspunkten, das als ganzes soweit aussagekräftig ist, daß die *tumpheit* Parzivals als Sinn erscheint, und zwar als ein Sinn, der sich dem Gesamtsinn bruchlos unterordnet.

C. Formen und Gestaltungen der *tumpheit* im ,Parzival' Wolframs von Eschenbach

Es wäre mißverständlich, wollte man sich bei einer Erläuterung von Parzivals *tumpheit* auf jene Belegstellen beschränken, die sich ausschließlich auf Parzival beziehen. Es entstünde dadurch die Illusion, als würde vom Dichter einzig und einseitig Parzival die *tumpheit* zugesprochen. Dem ist allerdings nicht so. Obwohl das Wort *tump* in der Mehrzahl der Fälle tatsächlich auf Parzival angewandt wird, ist seine wichtige Funktion

[6]) Gottfried Weber, Der Gottesbegriff des Parzival, Frankfurt/M. 1935, 21 f..; ders., Parzival, Ringen und Vollendung, Oberursel 1948. Vgl. dazu: Peter Wapnewski, Wolframs Parzival, Studien zur Religiosität und Form, Heidelberg 1955, 151 ff.

in anderen Anwendungen (z. B. sprichwörtlich-sentenzenhaft oder auf andere Personen bezogen) nicht zu übersehen, besonders da diese Anwendungen in mehr oder weniger verborgener Beziehung zu Parzivals *tumpheit* stehen. Bevor daher Parzivals *tumpheit* in ihrer ganzen Breite dargestellt werden soll, müssen diese 19 Sonderfälle besprochen (wenn sie etwas Zentrales anzeigen) oder zumindest erwähnt werden (um auch die gewöhnliche, zufällige und formelhafte Seite dieses Wortes nicht zu übersehen).

1. *tumpheits*-Belege, die sich nicht auf Parzival beziehen

Schon gleich im Prolog[1]) setzt Wolfram *tump* an wichtiger Stelle. In 1, 1—14 findet sich das berühmte *bîspel*, das schon die verschiedensten Interpretationen erfahren hat[2]). Und gleich anschließend ans Elsterngleichnis folgt die für uns wichtige Stelle:

> diz vliegende bîspel
> ist tumben liuten gar ze snel,
> sine mugens niht erdenken:
> wand ez kan vor in wenken
> rehte alsam ein schellec hase. (1, 15—19)

Diese Rede setzt sich in Gleichnissen und ironischer Rhetorik[3]) fort bis 2, 4. 2, 5 beginnt Wolfram von dem Weisen zu reden (*ouch erkante ich*

[1]) An neuerer Literatur zum Prolog wären etwa zu nennen: Helene Adolf, Der Eingang zu Wolframs Parzival, Neophilologus 22 (1937) 10—120 und 171—185; Hermann Schneider, Parzival-Studien, München 1947; Friedrich Maurer, Leid, Bern/München 1951; Walter Johannes Schröder, Der Prolog von Wolframs Parzival, ZfdA 83 (1951/52) 130—143; ders., Der Ritter zwischen Welt und Gott, Weimar 1952; ders., Vindaere wilder maere, PBB 80 (West) (1958) 269—287; Heinr. Hempel, Der Eingang von Wolframs Parzival, ZfdA 83 (1951/52) 162—180; Karl Kurt Klein, Das Freundschaftsgleichnis im Parzivalprolog, in: Ammann Festgabe Bd. 1, Innsbruck 1953, 75—94; ders., Wolframs Selbstverteidigung, ZfdA 85 (1954/55) 150—162; Heinz Rupp, Wolframs Parzival-Prolog, PBB 82 (Ost), Sonderband (1961) 29—45; Peter Wapnewski, Wolframs Parzival, Heidelberg 1955; Bernard Willson, Mystische Dialektik in Wolframs Parzival, ZfdPh 79 (1960) 57—70.

[2]) Zuletzt ausführlich bei Bernard Willson, Wolframs bîspel, in: Wolfram Jahrbuch 1955, 28—51.

[3]) „Die Prologe der mhd. Dichtungen haben, soweit sie weltlichen Inhaltes sind, die sie bestimmenden Motive aus der Rhetorik gezogen“, Ehrismann, Studien über Rudolf von Ems, Beiträge zur Geschichte der Rhetorik und Ethik im Mittelalter, Heidelberg 1919, 4, 42.

nie sô wîsen man, ...), der trotz seiner Weisheit gern wissen möchte, *welher stiure disiu maere gernt* (2,7).

Der Gegensatz von *tump* und *wîs* ist in der mhd. Literatur ein beliebter Topos[4]). Wenn Wolfram ihn aufgreift, indem er das Ungenügen beider — der *tumben* und der *wîsen* — behauptet, so bedeutet das in der „Symmetrie des Entwurfs“ eine Angleichung an diese topische Tradition, in der „Asymmetrie der Ausführung“[5]) jedoch eine eigene und neue Schöpfung. Denn es wäre grundsätzlich falsch, wollte man diese scheinbar gegensätzliche Parallelität von *wîsen* und *tumben* Zuhörern zuhanden einer ebenen Antithese mit weltanschaulich-ethischem Vorrang der *wîsheit* auflösen[6]). Zwar macht es den Anschein, als ob Wolfram ein solches Er-

---

[4]) Rupp, Wolframs Parzivalprolog 38: „Es handelt sich also um eine der in der mittelalterlichen Literatur so beliebten Gegenüberstellungen von *wisen* und *tumben.*“

[5]) Helene Adolf, Der Eingang zu W's P. 184.

[6]) Ich kann mich daher mit Rupps Interpretation der Stelle (W's P.-Prolog) nicht einverstanden erklären. Gerade weil Wolfram im vorangehenden *bîspel* das Elsternfarbige, d. h. die „Zwischentöne, die Not und damit auch die Fülle des menschlichen Daseins“ (38) betont hat, darf die *tumpheit* nun nicht als ein bloß Negatives im Gegensatz zur *wîsheit* in den Blick kommen. Denn wie die folgenden Verse eindeutig zeigen (vor allem 2,5—8), steht auch der *wîse* nicht in blanker und reiner Eindeutigkeit vor Wolframs Blick. Sondern gerade der *wîse*, von dem eigentlich ohne Vorbehalt eine genaue Erkenntnis der ‚Geschichte‘ zu erwarten wäre, wird als ganzer in Zweifel gezogen (2,5); selbst ihm wäre eine *stiure* zum richtigen Verständnis notwendig. Der Vers 2,14: *an dem hât witze wol getân,* ist im Sinn eines imaginären Futurs zu verstehen. Es läßt sich daher bezweifeln, ob es Wolfram bloß darum gegangen sei, „sein sehr ernstes Anliegen vor der Öffentlichkeit der *tumben* abzuschirmen“ (Rupp, Parzivalprolog 39), besonders da Wolfram nicht anstehen wird, seine Zuhörer unter der Formel ‚*mîn wîser und mîn tumber*‘ (399,4) anzusprechen.
„Schon das *ouch* in 2,5 weist darauf hin, daß *tumbe* und *wîse* einander nicht bloß entgegengestellt, sondern auch in irgendeiner Weise gleichgesetzt werden“ (H. Adolf, Eingang 112 f.). „Vor allem denkt Wolfram nicht daran, den *tumben* Leser von sich abzuschütteln. Er wird vielmehr auch im weitern Verlauf des Werks als anwesend vorgestellt, so 399,4“ (a. a. O. 173). Vgl. dazu noch: B. Willson, Wolframs *bîspel,* 31—35; ders., Mystische Dialektik in Wolframs Parzival 61. Die Art hingegen, wie Willson in seinem Aufsatz: Wolframs Bogengleichnis, ZfdA 91 (1961) 56—62, die *tumpheit* eindeutig negativ bestimmt (vor allem 61 f.), widerspricht den dichterischen facta. Zu tieferen Ergebnissen gelangt Friedr. Ohly, Wolframs Gebet an den Heiligen Geist im Eingang des Willehalm, ZfdA 91 (1961) 1—37.
Hier auf die Theorie einzugehen, wonach im Prolog eine Polemik gegen Gottfried von Straßburg enthalten sei (Hempel, Klein), ist nicht der Platz. Ich verweise dafür auf Rupps sachliche Zurückweisung (W's P.-Prolog, 30/31 und 41).

gebnis bezwecken wollte. Das Elstern-*bîspel* ist *vliegende* und daher *tumben liuten gar ze snel*, d. h. die *tumben* sind zu langsam im *erdenken*. Ja, der Unterschied zwischen den *tumben* und dem *bîspel* ist noch radikaler: das Medium ist beiden ein je anderes. Das *bîspel* fliegt oder *wenkt* wie ein aufgestörter Hase, sein Medium ist also das freie Feld oder die Luft. Die *tumben* dagegen haben im Gegensatz dazu eigentlich überhaupt kein Medium des Nachfolgens; weil sie es nicht *erdenken* können, wird ihnen die Möglichkeit des Denkens überhaupt abgesprochen. Ihr Medium der Entfaltung ist ein witzhaft zugespitzter non-sens: *des blinden troum* oder das üble Spiegelbild, das ein mittelalterlicher Spiegel[7]) wiederzugeben imstande ist: ein die Wirklichkeit verzerrendes Konterfei. Zwar geben beide *antlützes roum*. Doch ist dieses Antlitz ein bloßer flüchtiger Schein, ohne Stetigkeit und von kurzer Beglückung, eine Art Hexenkunststück wie die absurde Geschicklichkeit jenes, der *vil nâhe griffe* kennt und mich (Wolfram) in meinem Handinnern, wo mir keine Haare wachsen, zu raufen vermag. Diese drei Metaphern des Unsinns, zwei handgreiflich-begreifbare (Spiegelgleichnis und *roufen*-Metapher) und eine fiktiv in sich überstiegene (*des blinden troum*: eine doppelte Steigerung in die Verunmöglichung des Sehens: Blindheit und Traum), machen anschaulich, wie unanschaulich *tump* die *tumben* sind. Die folgenden zwei Verse aber, nur zu oft schon ins Eindeutige hinein interpretiert[8]), lassen genügend Raum für die Möglichkeit, daß sich Wolfram hier zugleich als *tump* und *wise* erklärt. Es ist das Wesen der Ironie[9]), seine eigenen Fallhöhen zu kennen. Daher leistet man Wolfram einen schlechten Dienst, wenn man ihm einerseits einen *krumben* Stil akkreditiert, andererseits jeden Anlaß, wo sich die Interpretation diesem Stil zu bequemen hätte, in eine biedere Eindeutigkeit zwängt. Die Stelle will doch wohl heißen: Rufe ich in meiner Angst (so gerauft zu werden) ‚Ach!‘, so entspricht das letztlich doch meiner *witze*. Wenn schon das Angst-haben ironisch gemeint ist, dann entspricht *witze* nhd. ‚Verstand, Gewitztheit‘. Angst und ‚guter Verstand‘ treten so zugunsten des Verstandes in eine ironisch gemeinte Antithese

---

7) H. Adolf, Eingang 172: der „Spiegel, für uns ein alltägliches Gerät, hingegen dem Mittelalter nicht nur ein Sinnbild des aufnehmenden Verstandes (Attribut der prudentia), der Selbsterkenntnis, sondern auch materialiter ein kleines Wunder, umsomehr als die Erzeugung noch auf große Schwierigkeiten stieß“.

8) Zum Beispiel von Rupp, W's P.-Prolog 39, und von Willson, *bîspel* 33.

9) Vgl. die ausgezeichnete und viele richtig stellende Studie von Max Wehrli über ‚Wolframs Humor‘, in: Überlieferung und Gestaltung, Festgabe Th. Spörri, Zürich 1950, 9—31.

zueinander. — Umgekehrt aber läßt sich auch verstehen: Zwar habe ich trotz allem Angst und sage ‚Ach!'; das entspricht meinem geringen Verstand. Eine Unsicherheit ist hier nicht aufzuheben[10]). Es soll daher für keine Deutung im besonderen Partei ergriffen werden, sondern es sei über eine mögliche Ironie im Einzelteil hinweg auf die Ironie im Ganzen hingewiesen. Abschließend ist nur zu sagen: Wolfram läßt die Möglichkeit seiner eigenen *tumpheit* offen, und zwar so, daß sie sich nötigenfalls in ihr Gegenteil, die *wîsheit*, verkehren läßt.

Die folgenden vier Verse (2,1—4) können im Anschluß an das Gesagte ebensosehr als Bestätigung von Wolframs Weisheit wie als beschwörende Gebärde wider seine ängstliche *tumpheit* genommen werden: will ich denn Treue finden, wo sie verschwinden kann wie Feuer im Wasser und Tau in der Sonne?

Die Verse 2,5—2,22 betreffen den Weisen. Wolfram fällt hier in den schon hinsichtlich der *tumben* beobachteten eindeutigen Tonfall zurück:

ouch erkante ich nie sô wîsen man,
ern möhte gerne künde hân,
welher stiure disiu maere gernt
und waz si guoter lêre wernt. (2,5—8)

Die Stelle ist nicht in dem Sinn eindeutig, daß Wolfram den Weisen etwa vollständig gegen den *tumben* ausspielen möchte. Hingegen ist offensichtlich, daß genau n u a n c i e r t wird, und zwar genau im Sinne Martins, der übersetzt: ‚Auch kannte ich nie einen so weisen Mann, daß er nicht Ursache gehabt hätte (noch) zu erfahren, welche Lenkung diese Sprüche verlangen und wieviel guter Lehre sie gewähren'[11]). Ist also der *tumbe*

[10]) Willson, *bîspel* 33: „Es ist schon immer eine Streitfrage gewesen, ob sich Wolfram in 1,30 als *tump* oder *wîse* charakterisieren wolle." Trier (Wortschatz 247, zur Stelle) übersetzt *witze* mit ‚Verstand'.
Nimmt man an, Wolfram bezeichne sich hier selbst als den *tumben*, dann würde der *tumbe* von 1,16 zum Dichter, der das einlinige Denken des *tumben* verteidigt: es entspräche seiner *witze*. Der Künstler Wolfram statuiert damit das Scheinwesen der Kunst und macht Kunst gegen sie: Überkunst. Der ‚Witz' schlägt um in die *tumpheit*, die Wolfram kurz vorher ironisiert. Auch das entspräche dem Hakenschlagen des *schellec hasen*!

[11]) Vgl. Martins Kommentar zur Stelle 2,5—8; dazu G. Weber, Parzival, Ringen und Vollendung, Eine dichtungs- und religionsgeschichtliche Untersuchung, Oberursel 1948, 23. — Georg Misch (Wolframs Parzival, Eine Studie zur Geschichte der Autobiographie, DVjS 5 [1927] 222 Anm. 1) nennt die „Wendung ans Publikum (2,5 ff.) den typischen Appell an die ‚Weisen' (wie das griechische ‚sophos' im ursprünglichen populären Sinne: der sich auf die Sache

grundsätzlich unfähig, das *bîspel* zu *erdenken*, so ist es der Weise ebenfalls, wenn er keine *stiure* für die *guote lêre*, d.h. eine Unterstützung zur Einsicht in die Lehre der Erzählung bekommt. Der Weise ist also nur bedingungsweise der Erzählung gewachsen. Damit ist aber auch er ausgeschlossen vom sofortigen ‚erdenkenden' Verständnis der Fabel, die Wolfram nun in ihrem hin und wiederkehrenden, niemals beständigen Wesen kennzeichnet. 2,13 kehrt er den Gedanken plötzlich um und spricht gleichsam vom idealen Zuhörer her, den es nach 2,5 ff. ja kaum gibt.

> swer mit disen schanzen allen kan,
> an dem hât witze wol getân,
> der sich niht versitzet noch vergêt
> und sich anders wol verstêt. (2,13—16)

Diese Stelle ist Sentenz, bezeichnet ein Ideales, das nicht unbedingt (und nach dem Vorangegangenen wissen wir: sogar sicher nicht) seine Realität gefunden zu haben braucht. Das Ausgesprochene ist eine Forderung und eine Wahrheit, aber kaum eine Wirklichkeit. Wer könnte sich schon anheischig machen, *disen schanzen allen* zu genügen, nichts durch Sitzenbleiben zu versäumen und nie zu irren? Die folgenden Verse (2,17—22), in denen Wolfram mit Vehemenz sein scharfes Verdikt der Untreue über den *valsch geselleclîchen muot*[12]) ausspricht, tendieren schon wieder in einen neuen Bereich, auch wenn sie inhaltlich als negative Typisierung dessen gelten dürfen, der mit den *schanzen* eben nicht umzugehen versteht, d.h. sich versitzt und vergeht und ohne *triuwe* ist.

Ohne irgend einen Vorentscheid zu treffen, läßt sich schließlich mit Helene Adolf folgern (und damit zugleich aufs Kommende verweisen): „Soviel ist jedenfalls wahr, daß der Prolog ebenso wie das ausgeführte Werk mit dem Problem des *tumben* ringt, der *trâclîche wîs*, aus mangelnder Er-

---

versteht) im Gegensatz zu den ‚tumben' und insbesondere die Abwehr der Mißgunst (*falsch geselleclîcher muot*) wohl von (literarischen) Rivalen". Das ist aber eine Vermengung einer rhetorisch-topischen Redeformel, wie sie klassisch und nachklassisch bekannt ist, mit der Art, wie Wolfram mit ihr umgeht. Denn bei Wolfram ist die formale Anrede an eine utopistische Idealität der *wîsen* und deren tieferen Verstehens wohl gewahrt, gehaltlich sind dieselben *wîsen* jedoch durch eine ihnen innewohnende *tumpheit* apriori in Frage gestellt. Gerade diesen Gegensatz von allenthalben approbierter Form und dazu inadäquatem Gehalt aber möchte Wolfram zeigen, dadurch, daß er auch den *wîsen* ein adäquates Verständnis des *maere* zum vornherein abspricht.

12) Vgl. dazu Willson, *bîspel* 47.

fahrung an der Wahrheit vorübergeht“ (Eingang, 179). Man kann weiter gehen und die *tumpheit*, so wie sie uns im Prolog erscheint, nun genauer bestimmen.

1. Die *tumben*, von denen in den Versen 1, 15—25 die Rede ist, sind durch das Hasengleichnis, die Spiegel- und Traummetapher eindeutig in ihrer Ignoranz und Unfähigkeit gekennzeichnet: es ist ihnen wesensgemäß nicht möglich, den Sinngehalt des in den Versen 1, 1—14 geschilderten Elsterngleichnisses zu *erdenken.*

2. Die Verse 1, 26—30 stellen die für die *tumben* ausgesprochene und anschaulich geschilderte, eindeutige Unfähigkeit, das Elsterngleichnis verstehen zu können, zwar nicht in Frage, werfen aber vonseiten des Dichters (Wolfram spricht hier in eigener Sache!) ein seltsames Licht auf die kurz vorher verurteilten *tumben.* Sympathisiert Wolfram etwa mit den *tumben*? Vielleicht, zumindest läßt er die Möglichkeit eines ironischen Verweisens auf seine eigene, gewitzte *tumpheit* offen. Die Stelle lädt zu solcher Betrachtung ein. Wären dann aber nicht die *tumben* durch des Dichters eigene *tumpheit* generaliter rehabilitiert und paradoxerweise von einem höheren Standpunkt her legitimiert?

3. In 2, 5—16 befaßt sich Wolfram mit der Realität der *wîsen* und ihrem Ideal. In der apriorischen Art, mit der Wolfram zum vornherein annimmt, daß ein Weiser, der das *bîspel* richtig verstehen könnte, nicht so leicht zu finden sei, äußert sich ein tiefes Mißtrauen über die ‚Weisheit‘, die ihm begegnet. Er wappnet sich gegen falsche Weisheit mit Ironie und der Vorstellung wahrer *witze.* Das Ideal steht für die Realität; denn eine reale Weisheit ist nicht zu finden. Das ist aus dem explizit nicht ausgesprochenen, aber immanent spürbaren Gegensatz von 2, 5—8 und 2, 9—16 zu schließen.

Die Weisheit — und das ist der wichtigste Punkt — ist von allem Anfang an in die Idealität verwiesen. Wolfram geht es offenbar zuerst — aus erzählerischen Gründen — um die *tumpheit*; d. h., diese scheint ihm interessanter und erzählerisch aufregender als eine erreichte und präsente ‚Weisheit‘.

Daß Wolfram sich keineswegs mit dem Gedanken trägt, den *tumben* Leser von seinem Werk fernzuhalten, beweist jene Stelle zu Anfang des 8. Buches (399, 4), wo Wolfram seine Zuhörer in aller Schlichtheit als *mîn wîser und mîn tumber* anspricht und beide zum Mitleid mit Gawan auffordert. Die Stelle, so zufällig sie anmuten möchte, erhält eine erhöhte Bedeutsamkeit, da sie so ziemlich in der Mitte des Werkes steht. Ohne daher aus dieser höfisch-spielerisch vorgebrachten und sich direkt an die Zuhörer wendenden Redensart eine weittragende Folgerung zu ziehen, läßt sich doch nicht überhören, daß Wolfram seine Geschichte für *tumbe* und *wîse* gleicherweise vorbildlich erachtet. Anders hätte er *tumbe* und *wîse* in seinem Prolog auch nicht an so zentraler Stelle erwähnen dürfen. Die werkimmanente Problemlage von *tump* und *wîse*, in deren Dialektik — wie noch zu zeigen sein wird — Parzival steht, erhält dadurch eine ‚äußerliche', d.h. vom Publikum her bestimmte Bestätigung. Denn dieses Publikum steht Parzival gar nicht so fern. Das horazische *prodesse* und *delectare*, das auch in den ‚Parzival' hineinwirkt, schafft einen Zusammenhalt zwischen Dichter und Publikum, der total ist und nicht auseinanderfällt. Insofern geht weder der *tumbe* noch der *wîse* leer aus, da beiden Nutzen und Freude der Erzählung abstrichlos zukommen sollen. Gedeiht der Roman dem *wîsen* zur Freude (sofern es diesen Weisen überhaupt gibt), so gereicht er dem *tumben* zum Nutzen und zur Erbauung. Aber selbst der *wîse* kann sich des Nutzens nicht entschlagen, da er sich in seiner Vollkommenheit immer in Frage stellen lassen muß, soll er vollkommen weise sein. Und auch dem *tumben* fällt ein gut Teil Freude und Unterhaltung zu, ansonsten er sich ja gar nicht einfallen ließe zuzuhören. Das Ineinanderwirken dieser beiden horazischen Bestimmungen der Literatur und der dichterischen Intentionen ist keineswegs zuungunsten des einen oder anderen aufhebbar. Aber von ihnen beiden her läßt sich vielleicht verstehen, weshalb die Zuhörerschaft Wolframs sich in *tumbe* und *wîse* so leichthin einteilen läßt.

Noch zweimal bedient sich Wolfram dieser topischen Unterscheidung von *tumben* und *wîsen*: einmal im ersten Buch, wo Gahmuret die Burgstadt Belakanes besichtigt und dabei der Ritter ansichtig wird, die sie verteidigen, *hie der wîse, dort der tumbe* (30,9). Die Ritter sind hier offensichtlich eingeteilt in *wîse* und *tumbe* hinsichtlich ihrer Kampferprobung, d.h. in Kampferprobte und Neulinge. Die Formel erscheint im 13. Buch (670, 14) nochmals und anders gedeutet, d.h. auf die Frauen und Jungfrauen bezogen, die Gawan erlöst zu Artus führen läßt: *hie diu wîse, dort diu tumbe* (was etwa ‚alt' und ‚jung' entspricht)[13]). Dieselbe Bedeutung ist dem Ausdruck *manec tumber lîp* (B. IV, 216,27) beizumessen: Wolfram möchte sich hüten, seine Gattin in die Versammlung der Tafelrunder bei dem Bertunen Artus zu Dianasdrun mitzubringen; es gäbe dort zu viele ‚junge (leichtfertige) Männer' (vgl. Karl Bartsch und Ernst Martin zur Stelle!).

[13]) Vgl. zu 30,9 und 670,14 die bestätigenden Angaben Martins und Bartschs.

Die *tumbiu lôsheit* Obiens (B. VII, 386, 17), daß heißt ihr kindisch-leichtfertiger Mutwillen, den die ihretwillen sterbenden Ritter an ihr verwünschen, gehört in denselben Umkreis.
Die übrigen *tump*-Belege[14]) sind weiter nicht von Belang, mit Ausnahme der folgenden:

Gawan:

Gawan ist eine Parzival korrespondierende Gestalt[1]). Gleichzeitig aber steht er zu Parzival in einem undiskutierbaren Gegensatz. Vielleicht darf man in dem großangelegten und von weit her kombinierten Gestaltenkontrast zwischen Parzival und Gawan das stärkste typologische Motiv sehen, das im ganzen Roman vorgebracht wird. Über alles Motivische hinaus stehen hier zwei Menschen in der echt mittelalterlichen, von der Bibelexegese her allbekannten Gegensätzlichkeit von Typus und Antitypus, in einer Gegensätzlichkeit, die in unserem Fall zumindest auf dem ständisch Gleichen aufruht. Sowohl Parzival wie Gawan sind Ritter, das Dasein beider vollzieht sich in den verhältnismäßig gesellschaftlich geebneten Bahnen des höfisch erzogenen Rittertums. Es ist daher vom Rittertum aus gesehen schwierig auszumachen, wer von den beiden Typus und wer Antitypus sein soll. Ist die Horizontale des gesellschaftlich etablierten Rittertums der Gradmesser der Beurteilung, dann ist Gawan der Typus und Parzival der Antitypus. Ist aber die senkrecht einfallende Vertikale des das Rittertum Transzendierenden (indem es die ritterliche Gesittung erfüllt und überwindet) der Ort und Grad der Beurteilung, dann ist Parzival als der Typus anzusprechen und Gawan als der Antitypus. Bei dieser Verschlingung von Gegensätzlichem und Gleichem, von Typischem und Antitypischem, ist es nicht verwunderlich, daß auch Gawan verhältnismäßig häufig die *tumpheit* und *tôrheit* zugesprochen wird. Allerdings in der ihm entsprechenden Ebene und in der ihm angemessenen Weise.
Zu Anfang des zehnten Buches, nach Parzivals denkwürdiger Beichte im neunten, begegnet Gawan auf seiner Fahrt einem verwundeten Ritter, den er dank seiner ärztlichen Kenntnisse zum Leben zu erwecken vermag. Optimistisch merkt der Erzähler an: *er was zer wunden niht ein tôr*

---

[14]) Es wären noch zu nennen 42,17; 110,17; 653,9 und 779,7, wo *tump(heit)* unproblematisch und episodisch gebraucht wird. Ähnlich verhält es sich mit den *tor*-Belegen 26,21, 37,20 und 392,15 und mit dem *toersch*-Beleg 353,29.

[1]) Vgl. dazu Wolfgang Mohr, Parzival und Gawan, Euphorion 52 (1958) 1—22.

(506, 14). Gawans ritterliches Gehaben, das selbst der ausgefallenen Situation gewachsen ist, wo nur noch ein Wundarzt hilfreich einzugreifen vermag, scheint voll legitimiert. Auf Grund seines Könnens rettet er dem durchstochenen Ritter, der in der Einöde neben seiner hilflosen Freundin hätte verbluten müssen, mit einem geschickten Kunstgriff das Leben. Doch bald begegnet er einer Welt, die seine selbstsichere und in sich gefestigte und verbürgte Haltung in Frage zu stellen versucht. Indem er nämlich der Blutspur folgt, die der verwundete Ritter hinterlassen hat, gelangt er zur Burg Logroys, die auf einer Bergspitze gebaut ist. Ein Weg führt spiralförmig zu ihr hinauf, so daß der Berg wie ein Kreisel aussieht. Und Wolfram fügt humoristisch hinzu: *swâ si verre sach der tumbe, / er wânde si liefe alumbe* (508, 3 f.). Der *tumbe* meint also, sie drehe sich im Kreise. Das ist eine Bemerkung, die einen Landschaftseindruck sehr genau und treffend wiedergibt. Darüber hinaus aber wird Atmosphäre geschaffen und im Skurrilen ein Kennzeichen der Situation, der *âventiure*, die Gawan bevorstehen wird, gesichtet. Eine Schwebe zeigt sich an, in der das Faktische sich zugunsten eines Irrationalen und Zauberhaften wird aufgeben müssen. Während Gawan den Weg zur Burg hinaufreitet, gewahrt er unter sich bei einer Quelle Orgeluse von Logroys. Wolfram preist ihre Schönheit in einem Sturzbach bewundernder Ausdrücke. Gawans höfische Anrede jedoch, in der sich eine Aufforderung zur Minne mit einem Schönheitslob geschickt verkleidet, stößt nicht gerade auf Zuneigung von ihrer Seite:

‚deist et wol: nu weiz ich ouch daz‘ (509, 10)

Und: ‚nu enlobt mich niht zu sêre:
ir enpfâht es lîhte unêre.
ichn wil niht daz ieslîch munt
gein mir tuo sîn prüeven kunt.
waer mîn lop gemeine,
daz hiez ein wirde cleine,
dem wîsen unt dem tumben,
dem slehten unt dem crumben:
wâ riht ez sich danne vür
nâch der werdekeite kür?
ich sol mîn lop behalten,
daz es die wîsen walten.‘ (509, 13—24)

Das ist für Gawan eine böse Abfertigung. Obendrein aber wird unmißverständlich klar, daß das schnippische Fräulein Gawans Schönheitsspruch viel eher unter die ungefügen und nicht sehr bedachten Begeisterungen der *tumben* zählen möchte. Das Lob eines Weisen, das, falls es als solches befunden werden könnte, sowohl Orgeluse zugute käme wie Gawan, läßt sich offenbar nicht mit Gawans Lob identifizieren. Das beweist die folgende Szene: Gawan hat Orgeluse zur ritterlichen Ausfahrt überreden können. Sie heißt ihn ihr Pferd bringen. Im Moment aber, da er ihr den Halfter seines Pferdes zur Wartung übergibt, quittiert sie mit einer noch deutlicheren Bosheit, um auch den letzten Anschein einer Gemeinsamkeit zu tilgen:

> ‚bî tumpheit ich iuch schouwe‘,
> sprach si: ‚wan dâ lac iuwer hant,
> der grif sol mir sîn unbekant.‘ (512,16—18)

Ist diese Rede noch höfisch versiert und schnippisch, so klingt die Begrüßung, die Orgeluse Gawan bei seiner Rückkehr mit ihrem Pferd angedeihen läßt, nun offen nach Drohung:

> si sprach ‚west willekomen ir gans.
> nie man sô grôze tumpheit dans,
> ob ir mich dienstes welt gewern.
> ôwê wie gerne irz möht verbern!‘ (515,13—16)

In diesen Worten ist eine Aufforderung enthalten, es doch sein zu lassen und diesen verderblichen Dienst aufzugeben.

Gawan scheint einem Schicksal entgegenzugehen, das ihn mit seiner ganzen höfisch aufgeputzten Lebensart und seinem Optimismus unterkriegen wird. Geheimnisvolle Mächte scheinen mobilisiert und magische Gewalten in Szene gesetzt. Und trotzdem — Gawan läßt sich nicht davon abbringen, den ernst und hinterhältig gemeinten Drohungen der Orgeluse gleichmütig zu antworten, und zwar mit einem billigen Scherz: je zorniger sie jetzt sei, um so weniger werde die Erhörung nun auf sich warten lassen. Der minnetüchtige Ritter meistert die *âventiure* in Gleichmut und Überlegenheit und entschärft so ihre Gefährlichkeit; das Ziel scheint alles, der Weg das bloße Mittel seiner Erreichung.

Um Gawan doch irgendwie zu treffen, greift Orgeluse ihn in seiner Standesehre an und weist höhnisch darauf hin, daß ihm nicht viel geschehen könne, da er ja Arzt und Ritter zugleich zu sein verstehe und gelernt habe, Salbenbüchsen feil zu bieten (516,29—517,2). Gawan antwortet sachlich mit einem Hinweis auf den verwundeten Ritter, den er antraf und den er nun mit dem gefundenen Heilkraut auf dem Vorbeiweg heilen möchte[2]).

Nicht lange nach diesen abenteuerlichen, weil zwischen Wirklichkeit und Märchen schwankenden Reden und Widerreden zwischen den beiden, tritt Malcreatüre auf. Dieser, ein Bruder der Zauberin Kundrie, ebenso phantastisch und tierisch gezeichnet wie diese, gibt Wolfram Anlaß zu einem raschen Exkurs und Rückblick auf Adam, den Vater des Menschengeschlechts, worin erzählt wird, wie eine solche Mißgestalt erstens so entstehen und zweitens in ihrer Unförmigkeit in die mit Schönheit abgesteckte Welt des Ritterlichen einbrechen konnte. In Wirklichkeit handelt es sich um eine epische Legitimation dieser Mißgestalt: die Verknüpfung mit Adam, Sekundille und dem Gral und zuletzt auch mit Orgeluse macht den Mißgestalteten erträglich, ja notwendig. Denn inhaltlich bedeutet der auf einer kraftlosen und lahmen Mähre heranreitende, häßliche Kerl den Zorn und das Aufbegehren der Zauberwelt gegen den Eingriff, den Gawan mit ritterlich-höfischer Routine im Zeichen der *âventiure* in sie zu tun sich unterfängt. In diesem Sinn sind denn auch die aufbegehrerischen Anpöbeleien zu verstehen, die Malcreatüre an Gawan richtet:

‚hêr, sît ir von ritters art,
sô möht irz gerne hân bewart:
ir dunket mich ein tumber man,
daz ir mîne vrouwen füeret dan:
ouch wert irs underwîset,
daz man iuch drumbe prîset,

[2]) Daß dieser Spott über Gawans Stand tödlich ernst gemeint ist, beweist Orgeluses in offenem Haß ausgesprochene Verwünschung: *got müeze iuch vellen!* (516,2). Es ist das eine jener bei Wolfram zahlreichen Stellen, wo märchenhafte Verzauberung und Atmosphäre in das Gegenteil einer kruden menschlichen Gefühlslage und Wirklichkeit zurückfällt oder umschlägt. Wolfram scheint das Märchen und die Wirklichkeit zugunsten der Idealität des Gemeinten in einer offenen, dichterischen Antithese beliebig trennen oder vereinen zu wollen. Gerade die *tump(heit)*-Belege für Gawan zeigen drastisch, wie sehr Märchen und Wirklichkeit auseinandertreten können: die Sprachformen der Wirklichkeit haben dabei die Funktion eines Korrekturzeichens für das Märchen. Seltsam ist dabei nur, wie gerade die märchenhaft verzauberte Orgeluse die Wirklichkeit im Sinn eines Jargons in Anspruch nimmt und Gawan, der wirklichkeitstüchtige Ritter, anhand eines ideologisch und praktisch erprobten Leitbilds der *minne* vorerst ein böses Nachsehen hat. Die drei *res* der Dichtung Wolframs: Wirklichkeit, Idealität und Märchen, werden dadurch subtil zum Grundmuster einer dichterischen Gattung verwoben, das wir als ‚höfischen Roman‘ bezeichnen.

ob sichs erwert iuwer hant.
sît aber ir ein sarjant,
sô wert ir gâlûnt mit staben,
daz irs gern wandel möhtet haben.‘ (520, 17—26)

Die Drohung mischt sich wiederum mit handfesten Angriffen auf Gawans Stand; nur ist hier das Ganze verschärft, ins Grobe und Unflätige chargiert. Malcreatüre weist auf Gawans Zustand hin, der sich nur zu bald erfüllen wird: er wird ein Fußknecht, ein *sarjant*, sein. Und daher soll er mit Stöcken geprügelt werden (was sich dann allerdings aus leicht ersichtlichen Gründen nicht erfüllen wird). Das aber ist die schärfste und frechste Schmähung, die einem Ritter angetan werden kann: das Rittertum ist ohne das Pferd nicht denkbar. Ein Ritter zu Fuß ist das Schmählichste und Erniedrigtste, das man sich zur Zeit vorzustellen vermag: das Spezifische, das Pferd, das ihm seine Existenz, erhoben über allem gemeinen und niedrigen Volk, sichert, fehlt ihm. Des Ritters Demut vermag sich allem zu entschlagen, nur seines Pferdes nicht. Daher ist die Prügelstrafe für einen pferdlosen, unberittenen Ritter die einzig gemäße Strafe.

Die Zauberwelt wehrt sich immer mit den derbsten Mitteln ihrer Integrität. Daher ist denn Gawan *der tumbe man* geheißen, und man wagt, ihn *gans* zu schimpfen. Es ist, wie wenn seine hohe Ritterlichkeit, die sich als solche schon längst ausgewiesen hat, sich den stärksten Fluch und die schärfste Degradation gefallen lassen müßte. Ob Gawan diese verzauberte und dämonisierte Welt, die ihm in der Gestalt der Orgeluse und des Malcreatüre entgegentritt, wird bannen und überwinden können, hängt letztlich daran, ob er die *âventiure*, die er durch seinen Minnedienst an Orgeluse beschworen hat, wird zum guten Ende führen können. Bisher aber hat er sich bloß mit retardierenden Momenten herumschlagen müssen, die gleichzeitig, indem sie den Gang der Handlung verlangsamen, die bare Unmöglichkeit ihrer Überwindung und ihre Gefährlichkeit zeigen. Aber davon lebt der Gang der *âventiure.*

Gleich nach der Maßregelung Malcreatüres durch Gawan, der ihn unters Pferd wirft, beginnen sich die Ereignisse zu jagen. Der verwundete Ritter, der zum Undank für Gawans Hilfe dessen Pferd stiehlt, entpuppt sich als ein ganz gemeiner Verbrecher: er ist Urians, der Fürst von Punturtois, der einst ein Hoffräulein vergewaltigt hatte und durch Gawan seiner gerechten Strafe zugeführt worden war. Orgeluse aber höhnt Gawan weiterhin, weil er vom Wundarzt zum Fußknecht gesunken sei. Und es ergibt sich die paradoxe Situation, daß der Verbrecher, den man aus der ritterlichen Gesellschaft ausstoßen mußte, hoch zu Roß sitzt, und Gawan, eine Zierde der Gesellschaft, wie ein gemeiner Fußknecht sich von unten her zu verteidigen und den Hohn einzustecken hat. Er quittiert Orgeluses Bosheiten mit einem Muster höfischer Dienstdemut (523,13—524,8). Alles Ständische gibt er in dieser hochgemuten Rede preis zugunsten allerdings wieder eines Ständischen: des Minnedienstes. Indem er sich persönlich völlig dran gibt und seinen Stand hinsichtlich der geliebten Frau nicht mehr respektiert (*nu nennt mich ritter oder kneht, Garzûn oder vilân* 523,30—524,1), zwingt Gawan den letzten Gehalt des Ritterlichen in die Form des Dienstes. Das Gesellschaftliche läuft hier in die letzten Paradoxien aus und wird dadurch gefestigt und geformt. Gawan unterbietet aus dem Scharfsinn seines Standes heraus den Hohn Orgeluses, indem er es ihr freistellt, ihn sogar *vilân* zu schimpfen (fr. Lehnwort für ‚Bauer'). Diese Demut ist aus dem Stolz erwachsen, der es sich leisten kann, noch den schärfsten Gegensatz mitzuumfassen und ihn in der innigsten Umarmung zu vernichten. Im Grunde zieht Orgeluse mit ihren bösen Reden ja nur ihre eigene *werdekeit* (524,8) in Zweifel und schadet sich damit selbst. Dem schärfsten Unanstand steht damit der schärfste Anstand gegenüber, der ihn erledigt.

Nach der ausführlichen Erzählung von Urians' Untat und seiner Bestrafung muß sich Gawan mit dem Klepper Malcreatüres zufrieden geben. Unnötig anzumerken, daß dieses nutzlose und abgearbeitete Pferd einem Bauern abgenommen worden ist. Gawan steht damit auf der Stufe eines *vilân*. Obwohl Orgeluse sich soweit der ritterlichen Gesittung bequemt hat und Urians, solange er in ihrem Lande weile, Rache für das alte Verbrechen versprochen hat (529,1 ff.), ist in ihrer Gesinnung gegenüber Gawan kein Wandel eingetreten. Auf Gawans erneuten und doppelten Dienstantrag (daß er seinen Dienst ganz nach ihrem Wunsche richte) antwortet das stolze Fräulein:

> ‚des dunct ir mich der tumbe.
> welt ir daz niht vermîden,
> sô müezt ir von den blîden
> kêren gein der riuwe:
> iuwer kumber wirt al niuwe.' (530,10—14)

Freude oder Kummer, Reiten oder Gehen, das alles ist dem minnewerbenden Gawan gleichgültig. In ein paar wenigen Versen hält Wolfram die Dialektik dieser Minne fest:

> sît vlust und vinden an ir was.
> unt des siechiu vröude wol genas,
> daz vrumt in ze allen stunden
> ledec unt sêre gebunden. (531, 27—30)

Verlust und Gewinn, Freiheit und Bindung finden sich in der Geliebten, in der aber letztlich eben doch alle ‚kranke' Freude gesund werden kann. Das Widerlager aber, das alle diese an sich zerstörerischen Fliehkräfte der Venus und ihrer beiden Kinder Amor und Cupido dynamisch auffängt, ist die *triuwe*: *reht minne ist wâriu triuwe* (532, 10; vgl. auch 532, 17/18). Wolfram wird nicht müde, diese unumstößliche Tatsache und Notwendigkeit der *triuwe*, gegenüber aller auflösenden Dialektik der *minne*, in seinem weitausholenden Exkurs über die *minne* zu bezeugen und klarzustellen. Recht bedacht ist es die Beharrlichkeit der *triuwe*, die Gawan in den Augen Orgeluses lächerlich macht. Aber gleichzeitig, indem sie ihn deswegen verhöhnt, appelliert sie an seinen Herzkern, der höfisch gesehen eben *triuwe* heißt. Die *tumpheit* Gawans ist daher jene Eigenschaft, deren letzter Fluchtpunkt die *triuwe* ist und deren flüchtiger Beginn Cupidos Pfeil markiert[3]). Die *tumpheit* identifiziert sich in Gawan immer stärker und enger mit dem höchsten ritterlich-höfischen Existential, der *triuwe*. Die *tumpheit* beginnt mit dem schlechthin Unmöglichen (woher hat Gawan eine Gewähr, Orgeluses *minne* je besitzen zu dürfen?) und hört auf beim menschlich Höchsten und daher Möglichen (die Idealität des Romans bequemt sich bei Wolfram dem Wahren, das im Widerstreit zum Wirklichen steht; das Mögliche aber ist das Wahre und nicht das Wirkliche). In Gawan triumphiert die Zielsetzung radikal über die Widerstände des Wegs. Die *tumpheit* hält sich damit als ein Konstituens in der Liebe durch: der Blitzstrahl der ersten Begegnung als radikal einbrechendes Schönes findet damit sein Kontinuum im ebenso radikal sich drangebenden *dienst*; die *tumpheit* führt in immanenter Konsequenz zur

---

[3]) Daher auch der bis heute ungedeutete Zwiespalt der *minne*, die mit einer flüchtigen Anmutung und einem erotischen Reiz beginnt und mit einer hetärischen Hingabe der verheirateten Frau an den in säkularisiertem, totalem Dienst stehenden Ritter endet. Man denke nur an 601, 17—19, wo Wolfram Gawan auf Grund seines Dienstes zur Gewaltanwendung gegenüber Orgeluse ermächtigt. Diese Rehabilitation einer Vergewaltigung ist einzig *minne*-ideologisch gerechtfertigt.

triuwe. Es braucht nicht eigens erwähnt zu werden, wie sehr dabei die Wörter (*tumpheit, triuwe*) in Symbiose zueinander stehen und wie das eine Wort im anderen seine Transzendenz findet. Ein Begriffsfeld könnte hier eigentlich nur die Verschlingung der Begriffe konstatieren, nichts weiter.

Es ist nicht wenig bezeichnend, daß Gawan in den beiden folgenden Abenteuern, die er allein und ohne Orgeluses höhnischen Kommentar ausfechten muß, wieder in seine höfisch-kraftvolle Stellung eingesetzt wird, die ihm gebührt. Orgeluse hat ihn vor Schastelmarveil verlassen, als er eben den Kampf mit Lischoys Gwelljus, der auch im Dienste Orgeluses ist, zu bestehen hat. Er besiegt ihn und erringt darüber hinaus sein Pferd Gringuljete wieder zurück. Der reiche Fährmann Plippalinot bringt ihn, wie vorher Orgeluse, über den Fluß an den Fuß der Burg. Gawan ist hier nicht mehr der *tumbe*. Das seinem Innersten eingeschriebene höfische Betragen erwächst ihm wieder neu zum Heil, indem er dessen Spielarten ohne die höhnischen Störmanöver Orgeluses wieder frei betätigen kann. Alles, was Gawan unternimmt, folgt nun dem Zwang des Gelingens. Auf Schastelmarveil (im 11. Buch), dem Höhepunkt aller seiner Abenteuer, erlöst er 400 gefangene Frauen, deren vornehmste, wie sich später herausstellt, die Mutter des Artus Arnive, deren Tochter seine eigene Mutter Sangive und seine Schwester Itonje sind. Die Gefahren (das Wunderbett, der Bauer, der Löwe) besteht *der wîse herzehafte man* (568,6) gemäß dem Automatismus des Erfolgs, der dem beschieden ist, der sich ihm beugt. Unsicherheit und Preisgegebenheit gewinnen erst in dem Moment wieder konkrete Umrisse, da Gawan Orgeluse mit Florant dem Turkoyten daherreiten sieht. Denn: *gein minne helfelôs ein man, ôwê daz ist hêr Gâwân* (593,19/20). Im Grunde ist diese *minne* die einzige Transzendenzstelle in Gawan. An ihr und ihrer Bewährung in der Zeit und im Raum, an der *triuwe*, vollzieht sich der Austausch der Welten: die höfische, unter Verschluß gehaltene Welt empfängt von ihr ihre Gefährdung und ihr Heil. Ihre Gefährdung ist ihre einbrechende Transzendenz und Öffnung, in der sie sich halten muß, soll ihre *hövescheit* nicht versteinern.

Gawan besiegt den Turkoyten. Orgeluse aber nimmt ihre Schmähreden erneut auf (598,16—599,13) und heißt ihn, zu seinen Damen hinaufzureiten und sich pflegen zu lassen. Ironisch und böse meint sie:

> ‚ir sît ouch lît ze sêre wunt
> Uf strîtes gedense:
> daz taete iu wê zer gense.‘ (598,30—599,2)

Dieser mehr als deutliche Hinweis auf das Schimpfwort *gans*, das sie ihm als Willkommgruß (515, 13) einst zugerufen hat, beschwört nochmals die ganze Schärfe von Gawans *tumpheit.* Wiederum ist es hier die in die *triuwe* verlängerte *minne*-Beharrlichkeit, die Gawan als *tump* erscheinen läßt. Die Geschichte, deren Sinn es ja war, zu zeigen, wie sehr Gawan Orgeluse anhängt, ist die nun offenbare Gewähr für eine solche Erklärung.

Erst die Mutprobe im zwölften Buch, wo Gawan auf Orgeluses Verlangen unter Lebensgefahr einen Kranz aus dem Garten des unbesiegten Gramoflanz herbeiholt, kann ihm endlich die Liebe Orgeluses eintragen. Sie, die sich bisher mit Stolz und ‚Weisheit' panzerte, erhält, nachdem das Abenteuer einmal vollendet ist, Einsicht in die wahren Zusammenhänge und spricht:

> ‚hêrre, solher nôt
> als ich hân an iuch gegert,
> der wart nie mîn wirde wert.
> vür wâr mir iuwer arbeit
> vüeget sölich herzeleit,
> diu enpfâhen sol getriuwez wîp
> umbe ir lieben vriundes lîp.' (611, 24—30)

Die Fakten des Dienstes zwingen sie zu diesem Geständnis. Die Schmähworte *tump* und gans verkehren sich in Kriterien der *minne* und der *triuwe.* Gawans *tumpheit* ist nun identisch mit ritterlicher *staete* in der Liebe und Treue zur höfischen Gesittung. Er war immer der Korrekte, der Ritter ohne Tadel. Aller üble Rest fällt auf Orgeluse, die ihn allerdings äußerst raffiniert vom Höfischen her zu legitimieren weiß:

> ‚gein swem sich crenket mîn sin,
> der solz dur zuht verkiesen.' (612, 26/27)

Denn: ‚Hêrre, ob ich iu leide sprach,
> von den schulden daz geschach,
> daz ich versuochen wolde
> ob ich iu minne solde
> bieten durch iuwer werdekeit.
> ich weiz wol, hêrre, ich sprach iu leit:
> daz was durch ein versuochen.' (614, 1—7)

Prüfung, *âventiure* also auch das! Der letzte Schimpf, der einem Ritter angetan werden kann, ist damit als ein Moment im Vollzug des ritterlichen Daseins aufgehoben. Die Begründungen, die Orgeluse noch als Entschuldigung für ihr Verhalten gegenüber Gawan beibringt: die Trauer um

Cidegast, ihren von Gramoflanz getöteten Gatten, ihre enttäuschte Liebe zu Anfortas und Parzival (der immer wieder als ein Horizont allen Geschehens auftaucht), sind lediglich erzählerische Motivationen, die vom höfisch-ritterlichen Tenor überspielt werden. Ein Ansatz aber, der das Höfische und Gesellschaftliche überwinden könnte, ist und bleibt die *tumpheit* Gawans, die als höfisch verzweckte *minne* und *triuwe* sich letztlich eben doch mit einem Erfolg innerhalb des Höfischen zu begnügen hat.

Gawan verzeiht und bringt als einen *tumben rât* (614,27) sein altes Begehren auf Gewährung der Minnefreude nochmals vor. Das verleihe ihr *wîplîch êre* (614,29) und *werdekeit* (30). Mit einem scherzhaften Hinweis auf seine Panzerung hält ihn Orgeluse noch hin. Auch dieser Wunsch Gawans, obwohl schon bei der ersten Begegnung geäußert, ist nun allen erotischen Zaubers entkleidet und erscheint als eine höfische Formalität.

Die Vokabel *tump* kann nun, da alles in die ebenen Geleise kourtoisen Verhaltens eingelaufen ist, im dreizehnten Buch zum Allerweltswort werden und erscheint, auf Orgeluse gemünzt, in der auch anderswo vorkommenden, paradoxen Formulierung: *gein valscheit diu tumbe* (630,18). Der Minnefreude der beiden Liebenden steht nichts mehr im Wege: das Zusammenkommen wird denn auch geradezu archaisch arrangiert und gesellschaftlich bewerkstelligt. Der Ausdruck *gein valscheit diu tumbe* steht bezeichnend für die Aufhebung aller *tumpheit* Gawans, die im Kern eben doch eine gesellschaftlich vermittelte Attitüde, wenn auch in letzter Vollendung, darstellt. Die Treue ist bei Gawan solange episch interessant, als der Liebesgenuß noch aussteht. Mit dessen Erfüllung reiht sich Gawan wieder schlüssig in die Dekoration der Tafelrunde, aus der er als rein höfischer Analogiefall zu Parzival herausgenommen wurde und als solcher eine gesonderte und reichliche Darstellung fand. Im Maße als die Darstellung seiner galanten Abenteuer der Unterhaltung dient, bezeichnet er auch die Ferne, in der alle bloß höfische Galanterie zur überragenden Gestalt Parzivals steht. Seine *tumpheit* ist daher wesentlich ein defizienter Modus der *tumpheit* Parzivals, die es noch zu untersuchen gilt.

Sprichwort:

In seinem Minneexkurs (291,1 — 293,16) fügt Wolfram anscheinend in eigener Sache ein Sprichwort ein, das kraft seiner paradigmatischen Aussageweise weitere Geltung haben dürfte. Das scheint Wolfram selber zu spüren, wenn er am Schluß seiner Reflexionen über die Minne meint:

ich hân geredet unser aller wort (293, 17). Das ist nicht bloße ‚epische' Legitimation eines gedanklichen Exkurses, der ohne Hinweis auf seine allgemeine Geltung aus dem Rahmen des Erzählflusses fiele. Im Gegenteil, wir dürfen darin getrost einen Beitrag zur *meine* und *lêre* des bloß Erzählten sehen. Darum hat Wolfram in seinem Exkurs auch die Meinung und das Wort aller vorgetragen. Das Persönlichste ist mittelalterlich nicht selten das Allgemeinste[1]) (man denke nur an die Verschlingung des Ständischen mit der persönlichen Existenz jedes einzelnen!).

Wolfram kann Heinrich von Veldecke den Vorwurf nicht ersparen, daß er vom g a n z e n Baum der Minne bloß einen Z w e i g gebrochen hat, zwar zum Vorteil seiner Leser, die dadurch wissen, wie man die Minne *erwerben* kann, aber auch zu ihrem schweren Nachteil, da sie so nicht wissen können, wie man *vrou Minne* auch *festhalten* kann. Denn es geschieht nur zu leicht, daß

von tumpheit muoz verderben
maneges tôren hôher vunt.

Gerade die Allgemeinheit dieses Satzes wird Wolfram zum Anlaß, von sich selber zu sprechen:

was oder wirt mir daz noch kunt,
daz wîze ich iu, vrou Minne.

Und schon wieder allgemein:

ir sît slôz ob dem sinne. (292, 24—28)

Es ist wichtig und bestätigt unsere Beobachtungen über Gawans *tumpheit*, daß auch hier die *tumpheit* und *tôrheit* in engem Zusammenhang mit der *minne* gesehen ist. Der Zusammenhang scheint Wolfram so klar, daß er ihn eigens nicht anmerkt. Erst von 292,28 fällt ein klärendes Licht auf den Konnex von *tumpheit* und *minne*: weil die *minne slôz ob dem sinne* ist, ist der Verliebte ein *tôr*, dem aus *tumpheit* sein *hôher vunt* zugrunde geht. Offensichtlich handelt es sich hier um eine deutsche Spielart der französischen ‚folle amour', wie sie uns aus den Lancelotromanen (besonders aus der Vulgate Version) bekannt ist[2]). Das Thema ist mittelalterlich allgemein verbreitet und reicht als ‚Liebestorheit' schlagwort-

[1]) Die Möglichkeit eines Universalienstreites hat diese Tatsache zur existentiellen Voraussetzung.

[2]) Vgl. dazu: Lancelot und Ginevra, Ein Liebesroman am Artushof, Den Dichtern des Mittelalters nacherzählt von Ruth Schirmer, Zürich 1961, 470.

artig in unsere Tage. Auch im ‚Parzival' begegnet diese Verbindung öfter (bei Gawan als höfisch-immanentes Motiv der Galanterie, bei Parzival als ein Transzendens). Die Bedeutung innerhalb des Textes ist damit gesichert und fügt sich bruchlos als eine negative Aussage in Gawans positiv im Sinne der höfischen *triuwe* bewältigte Minneproblematik.

Lösen wir die beiden Verse 292,24/25 aber als ein eigenwertiges ‚Sprichwort' aus dem Zusammenhang heraus, dann kompliziert sich die *meine* wesentlich[3]).

von tumpheit muoz verderben
maneges tôren hôher vunt.

Was stilistisch auffällt, ist die sprachliche Doppelung eines Gleichen: dasselbe heißt persönlich *tôr*, sachlich aber *tumpheit.* Bei genauem Zusehen läßt sich gar eine inhaltliche Dialektik und Paradoxie der zwei sprachlichen Synonyme feststellen: der *tôr* ist im Besitz eines *hôhen vundes* (er hat also gefunden trotz seiner Torheit); die ‚erst noch hinzutretende' *tumpheit* läßt ihn aber den *vunt* verlieren. Der *tôr* scheint sich nachträglich (d. h. nachdem er den *vunt* schon in Besitz genommen hat) mit seiner Eigenschaft, der *tumpheit,* zu identifizieren (und zwar nicht reflexiv, fondern faktisch, indem er als *tôr* seine *tumpheit* in *tumber* Tat des Verlierens ratifiziert). Damit aber ist über den Toren an sich k e i n Verdikt ausgesprochen. Das Finden eignet ihm (sogar in bedeutendem Ausmaß: *hôher vunt*!). Die *tumpheit* als ein Faktum des Unterlassens, Verlierens und Verfehlens ist der negative Pol, allerdings bloß im Sinne

---

[3]) Wilhelm Deinert, Ritter und Kosmos im ‚Parzival', Eine Untersuchung der Sternkunde Wolframs von Eschenbach, München 1960. Deinert sagt zur Stelle: „Ein solcher Verlust des *vundes* bedeutet zugleich Verfehlen der *art* und Bestimmung; wie denn *tumpheit* nichts anderes als die Unfertigkeit im Erfüllen seiner *art* ist (zu dem *vunt* siehe auch 769,24 *er suochet einen hôhen vunt*). Von der Schöpfung her ist der gottähnlichen *art* des Menschen der artgemäße *vunt* zugedacht: Adam sein Paradies, Parzival die Gralsherrschaft. Es kommt nur darauf an, die *art* zu erfüllen; alles andere ist *tumpheit* und läßt den *vunt verderben*" (142 Am.).

Es ist fraglich, ob diese Stelle so direkt mit dem *art* zu koppeln sei, ist aber immerhin eine mögliche Interpretation. Nur darf man dann nicht zum Schluß gelangen, daß alles, was den *art* nicht erfüllt, *tumpheit* sei. Denn gerade *tumpheit* kann auch *art* sein, und zwar gerade in ihrer positiven Seite. *Tumpheit* ist bei Wolfram kein eindeutiger ‚Begriff', sondern ein Wort, das einen Komplex in sich dialogisierender Bedeutungen einschließt, und zwar gerade wegen seiner auf den ersten Blick so eindeutig negativen Aussagekraft.

einer Möglichkeit (wenn man dem *muoz* seine bedeutungsmäßige Vieldeutigkeit beläßt). Es läßt sich also schließen: Die personale Verkörperung der *tumpheit* im *tôren* (z.B. *Parzivâl der tumbe* 155,19) ist für Wolfram nicht unbedingt eine negative Qualität; denn einem solchen glückt vieles, ja Hohes. Hingegen kennt er eine *tumpheit*, die faktisch einen Verlust darstellt; zwar nicht einen habituellen Verlust, sondern einen momentanen Verlust einer sonst vom Glück begnadeten Person, der eventuell eintreten kann. Das Nachdenken und Reflektieren eines Menschen über seine *tumpheit* und die eventuelle Hinüberführung der *tumpheit* in Demut ist damit nicht getroffen und erwähnt, sondern bietet eine Möglichkeit der Rettung.

Mit diesen Überlegungen soll nicht der Firnis des spröden Gedankens über die lebendige und humoristisch sich aussprechende Dichtung Wolframs (die gerade hier sich mit Humor äußert) gelegt werden. Es ist damit bloß ein möglicher Einstieg gewiesen in die Tiefe von Wolframs Sprachform, die das scharfsinnige Spiel der Verdeckungen und Antithesen liebt.

Antanor:

Bei Parzivals spektakulärer Ankunft am Artushof im dritten Buch sind es neben Keye zwei Gestalten, die in den Vordergrund des Geschehens gerückt werden: Cunneware von Lalant und der Ritter Antanor. Beide haben etwas skurril Märchenhaftes an sich: Cunneware kann nicht lachen, bis sie den Ritter erblickt, der den höchsten Preis erlangen soll; Antanor ist stumm und *verswigen* (152,23), bis dasselbe Ereignis eintrifft. Das ist mit der Selbstverständlichkeit des Märchens erzählt, und die darin enthaltene Prophezeiung erfüllt sich mit derselben Selbstverständlichkeit im Moment, da Parzival am Hofe auftritt: Cunneware lacht und wird vom neiderfüllten Keye durchgedroschen, worauf Antanor zu sprechen beginnt und Keye eine scharfe Vergeltung dieser unhöfischen Schandtat durch Parzival verspricht. Auch er wird durchgedroschen.

Es ist die Gestalt Antanors, die in unserem Zusammenhang interessant und aufschlußreich fürs Problem der *tumpheit* ist. Er ist in seiner Art ein gewichtiges Gleichnisbild für die *tumpheit*, wie sie sich Wolfram in ihrer besten Modalität und in enger Beziehung zu Parzival vorstellt. Vielleicht kommt die Art und die Ursprünglichkeit der *tumpheit* nirgends so klar und unreflektiert zum Ausdruck wie in ihrer Verkörperung in Antanor. Die plastische Ausdruckssprache Wolframs gewinnt hier in ein paar wenigen Sätzen eine derart erhöhte Treffsicherheit, daß man sich fragen darf, ob *der verswigen Antanor* nicht die volle Funktion des noch sprachunerfahrenen Toren Parzival stellvertretend übernimmt. Es heißt von ihm:

> Der verswigen Antanor
> der durch swîgen dûhte ein tôr,
> sîn rede unde ir lachen
> was gezilt mit einen sachen:
> ern wolde nimmer wort gesagen,
> sine lachte diu dâ wart geslagen. (152,23—29)

Es ist unverkennbar, daß die beiden vor dem Hof und vor der Gesellschaft die Gewähr für den gesellschaftlich noch völlig unmöglichen und linkischen Parzival übernehmen. Es ist ein doppelt Menschliches, das ihnen diese Aufgabe möglich macht: Lachen und Reden. Indem die eine nicht lacht und der andere nicht redet, bis sie Parzival begegnen, statuieren sie vor der Gesellschaft dessen Auserwählung und Sendung. Das Menschliche, wenn auch in märchenhafter Verkleidung, dient noch bis in den Kern dem gemeinschaftlichen Arrangement der höfischen Gesellschaft.

Seltsam ist dabei nur — wenn auch trotzdem einer geheimen Logik folgend —, daß Antanor gerade dadurch der ganzen Gesellschaft als ein *tôr* erscheint, daß er vor der Gesellschaft und gegen sie einen ihrer Besten als einen solchen erkennt. Die Ungeduld der Gesellschaft, die aus einer existenznotwendigen Neugierde alles noch vor dessen Offenbarung und Enthüllung wissen möchte, wird Antanor zum Verhängnis. *Der durch swîgen duhte ein tôr*: das ist seine Kennzeichnung. Die höfische Gesellschaft rächt sich an seinem Schweigen, indem sie ihn für einen Toren hält. Aber gerade sein Gesellschaftswidriges und Torenhaftes ist dem Leser Gewähr und Zeichen für Antanors tiefere Einsicht in die Zusammenhänge der Geschichte und den Gang des Helden Parzival. Antanor, der Tor, ist eben gerade auf Grund seines Schweigens das überzarte Instrument, das die Geschehnisse des Hofs als Sinn registriert und von daher zum Prophezeien prädestiniert erscheint. Die handfeste Maßregelung durch Keye macht ihn zum Märtyrer der Gesellschaft, der er ja dient. Cunneware ist es ebenso gegangen. Zwingt sie als erste Parzival in ein höfisches Dienstverhältnis, so steht Antanor als ein schon am Hofe akkreditierter Ritter und als *tôr* antitypisch (als eine andere *Person*) und typisch (weil im Kern Parzival *stellvertretend*) zu Parzival in einem klaren Verhältnis.

In der humoristischen Beschreibung der Maßregelung Antanors durch Keye kann deshalb die Formel hervortreten, die Antanor unnachahmlich prägnant charakterisiert:

> sîn brât wart gâlûnet,
> mit slegen vil gerûnet
> dem witzehaften tôren
> mit viusten in sîn ôren:
> daz tet Kaye sunder twâl. (153,9—13)

Witzehafter tôr: diese Wortverbindung schafft den Funkenschlag, der *witze* und *tôrheit* zu einer unnachahmlichen Einheit bindet. Die beiden Worte bezeugen die innere Transparenz der *tôrheit* zur *witze* und umgekehrt. Das eine ist durchlässig aufs andere: dem Toren ist seit alters bestimmt, die Wahrheit zu sagen und ihr Zeugnis zu geben. Eine Dialektik kann nicht schärfer und luzider in die Synthese gebunden werden, als es Wolfram mit dieser Formel gelungen ist. Am Beginn seiner Laufbahn schon präsentiert sich Parzival in Antanor die Gestalt eines *witzehaften tôren*, die er, Parzival, im Vollsinn erst zu werden hat. Wolframs Kunst hat sich mit dieser Wendung proleptisch in ein letztes Geheimnis der Dichtung vorgewagt und erzwingt darin die Öffnung von Parzivals Weg. Fast durchwegs ist es bei Parzival so, daß er von Lehrmeistern seinen Weg, den er zu gehen hat, gewiesen bekommt. Antanor ist einer von ihnen.

Mit dieser eminent sozialen[1]) Bestimmung der *tumpheit* ist aber die Ebene der bloßen Liebestollheit, wie sie in Gawans *tumpheit* und noch im ‚Sprichwort' beispielhaft zu finden war, verlassen. In Antanor wird das Geheimnis der menschlichen Stellvertretung berührt und auf seine erzählerische Prägekraft getestet. Der *tumbe* und *witzehafte* Antanor wird zu einem Glied in der Kette, die Parzival an den Artushof und an seine ritterliche Bestimmung bindet. Das braucht wörtlich gar nicht ausgesprochen zu werden, Hauptsache, daß es sachlich im Geschehen und im Text involviert ist. Kein Zweifel, daß sich im personalen Realsymbol Antanor

---

[1]) Die *tumpheit* der Minne ist die introvertierte Zielrichtung einer einzelnen Individualität auf eine andere Individualität unter dem Vorzeichen des Lustgewinns (Gawan). Demgegenüber handelt es sich bei Antanors *tumpheit* um etwas radikal anderes. Seine *tumpheit* tendiert gerade in ihrer gesellschaftswidrigen Seite zur Gemeinschaft, d.h. sie erschöpft sich im Dienst an Parzival. Antanors *tumpheit* ist von allem Anfang an derart an Parzival veräußert, daß man sie mit gutem Gewissen ‚sozial' nennen darf.

jenes zauberhaft-menschliche Amalgam darstellt, in dem sich Freiheit mit Bindung zusammenfindet: indem sich Parzival Antanors wegen (und natürlich Cunnewarens wegen) dem Artushof und seiner ritterlichen Bestimmung tiefer verpflichtet weiß, bindet er sich; indem aber Parzivals Wegzug vom Hof aus denselben Gründen eine Notwendigkeit wird, artikuliert sich die Freiheit des Wegziehen-könnens. Die Stellvertretung Parzivals durch den Toren Antanor bedeutet so die Befreiung Parzivals aus den Banden der Bestimmungslosigkeit zur ineins schwebenden Vorbildlichkeit und Exemplarität eines Menschen schlechthin, wie er dem hochhöfischen Rittertum in einer Freiheit und Bindung vereinenden Idealität vorschwebte. Das Soziale schützt mittelalterlich noch das Ständische. Die zwischenmenschliche ‚Stellvertretung' führt daher immer tiefer in die Ständeformation hinein und ermöglicht im Fall Parzivals das Rittertum in seiner besten Gestalt. Für all dies steht die Gestalt des Toren Antanor gut: ihre scheinbare Unauffälligkeit rührt einzig daher, daß Wolframs Kunstverstand sie derart eng in den Teppich der Dichtung eingewoben hat, daß der Leser von ihr erst betroffen wird, nachdem sie passiert ist.

2. Parzivals *tumpheit*

Der Anfang ist weder im Leben noch in der Dichtung eine Bagatelle, die man ungestraft vernachlässigen könnte[1]). Der Zauber, der ihm nach dem Dichterwort innewohnt, hat gerade die Spannweite und Geräumigkeit, die zu verantwortenden Möglichkeiten eines Menschen zu fassen und sie in der Frühe ihrer schönen Erscheinung zu artikulieren. Im Zauber des Anfangs gibt sich dem Weltkind nicht bloß die reine Sinnhaftigkeit der Welt als solche preis, sondern auch der Sinn und die noch auszulotende Tiefe seines eigenen Daseins. Das Dasein erscheint dem Weltkind als Versprechen, dem es in seiner Urentscheidung fürs Leben noch total (weil noch nicht ins Viele des geschichtlich verzettelten Daseins gebracht) zu entsprechen vermag. In seiner Entsprechung im Grund seines eben geglückten und gewordenen Daseins nimmt aber das Weltkind die Verheißung seines anhebenden Lebens gleichzeitig als eine Melodie an, die ihm zu singen aufgetragen ist. Es ist vornehmlich die Kunst, welche zur Hüterin der Anfänge berufen scheint. Die blitzhaft aufleuchtenden Gestalten der Schön-

---

1) Über den ‚Anfang', philosophisch und theologisch, vergleiche Hans Urs von Balthasar, Herrlichkeit, Eine theologische Ästhetik, Erster Band: Schau der Gestalt, Einsiedeln 1961, 15 ff.

heit sind die Erträgnisse dieser Berufung und der das Fest erwirkenden Kunst-Anstrengung.

Kein Wunder daher, daß Parzivals Anfänge *nicht* im ungefähren Licht einer beredten, aber unklugen Jugendpsychologie verdämmern[2]). Wolframs Antriebe sind zu weittragend und zu vehement, als daß er Dichtung zur Innervation eines schlecht und recht geratenen Psychologismus zu degradieren vermöchte. Dieser Weite entsprechend empfiehlt sich daher, in jedem seiner Worte einen Bedeutungsraum zu spüren, der faktisch fähig ist, das Gegenteil des Intendierten als ein Echo mitklingen zu lassen. Das würde aber heißen, daß das dichterische Wort Wolframs im Sinne des bis heute noch nicht wissenschaftlich bewältigten vierfachen Schriftsinns Dimensionen der Steigerung und der Intensität kennt, die sich vom Boden einer kruden Realität (Literalsinn) bis in die Paradoxien einer ‚letzten Haltung' spannen (anagogischer Schriftsinn). Um ein solches Verständnis mittelalterlicher Texte plausibel zu machen, ist diese Arbeit nicht zuletzt geschrieben worden. Nicht bloß dem Dichter zuzuhören, ist damit das Anliegen, sondern auch seine Denkbewegungen, geistigen Schattenspiele und Vorstöße in enthusiastische Form- und Gestalträume nach- und mitzuvollziehen. Gefahrlos ist das aber nur in der ‚Nachfolge', im Schritt auf seinem Weg, den er gegangen ist.

Beansprucht Wolfram in 2,5 in ironischer, aber genauer Anspielung auf den *wîsen man* — der ja doch nicht so weise ist, daß er die Geschichte verstehen könnte — eine Art genereller *tumpheit* von seinen Lesern, dann scheint *eines* klar: die *tumpheit* ist jener geistige Rohstoff, dem Wolfram seine Geschichte einzuschreiben gedenkt. Kommunizierten seine Zuhörer nicht in dieser *tumpheit*, sie verstünden seine Geschichte nicht, d. h. sie wären nicht disponiert, sie zu hören. Der Weise ist menschlich uninteressant, ohne Kommunikation mit seinen Mitmenschen, aufgehängt in der Glasglocke seiner Wissen-schaft. Die *tumpheit* vereint, vermag eine Gesellschaft zuhörender Menschen zu bilden. Der Weise fällt als eine geglückte, also unberedbare Möglichkeit des Menschlichen (nicht des Menschen!) aus dem Bereich des Auswortbaren heraus. Wo aber wäre der Mensch je ein Vollendeter? Damit man *künde han* (2,6) darf, muß man sich als Zuhörer einordnen in die Masse der *tumben*, der man ohnehin angehört.

---

[2]) Eine solche mißverständliche Deutung von Parzivals ‚Anfängen' ist vorgetragen in: Emma Jung / M.-L. von Franz, Die Gralslegende in psychologischer Sicht, Zürich/Stuttgart 1960.

Der Gruß Wolframs an seinen Helden[3]) hat unbedingt teil an dieser mehr als nur a priori angestellten *tumpheits*-Forderung an seine Leser. Denn Parzival darf wesentlich nicht der *wîse* sein: sein ‚episches' Stigma ist, *kein* Weiser zu sein:

er küene, traeclîche wîs,
(den helt ich alsus grüeze) (4,18/19)

Kühn *ist* der Held, er erringt sich dauernd neuen Ruhm. Aber *wîse*, das darf er nicht sein. Wolfram stellt sich damit offen und apodiktisch gegen eine eingebürgerte Formel und ein ‚altes Idealbild' (Rupp). Der *homo fortis et sapiens*, dessen topisch-literarische Geschichte Ernst Robert Curtius in ‚Europäische Literatur und lateinisches Mittelalter' angelegentlich von den Anfängen her untersucht hat[4]), scheint hier von der Geschichte her und um der Geschichte willen, die es zu erzählen gilt, in Frage gestellt und vorläufig wenigstens relativiert. Parzival ist *traeclîche wîs*, also keine ebene Menschengestalt, die man leicht und schnell topisch fixieren und auflösen könnte. Wolfram setzt sich zugunsten seines Helden (zugunsten seiner *tumpheit*!) in Gegensatz zur Literatur, die ihm nach einem eindeutig gültigen Gesetz ihrer zeitgemäßen Form vorbildlich zu sein hat, ja ihm ihre sprachlichen Formeln als Bausteine seines eigenen Werks liefert.

Neben diesem Aspekt der literarischen Besonderheit (d.h. der Tatsache, daß Wolfram die Formel wesentlich antithetisch und dialektisch im Gegensatz zum zeitgenössischen Gebrauch anwendet) hat die Formel: *er küene, traeclîche wîs* natürlich hauptsächlich eine dichtungsimmanente Bedeutung. Die solcherart rhetorisch vorgebrachte *salutatio* an den Helden impliziert seine Geschichte und sein Schicksal; mit anderen Worten: eine solche Grußformel verbürgt vor den Zuhörern mit spannungsgeladener Gewißheit, daß sie überhaupt etwas Hörenswertes vorgesetzt bekommen werden. Die kurze Formel präludiert antithetisch die Länge der Geschichte, in der ein kampf- und sieggewohnter Ritter *langsam* weise wird. Der springende Punkt und der Anreiz des Erzählens ist und bleibt aber die *tumpheit* des Helden. Es ließen sich in Angleichung zu Heinz Rupps Ausführungen noch weitere Aspekte, vor allem literarhistorische,

---

3) Zur Stelle vergleiche Heinz Rupp, Die Funktion des Wortes ‚tump' ... 104 ff.

4) Bern ²1954. Dazu siehe auch Franz Rolf Schröder, Mythos und Heldensage, GRM 36 (1955) 1—21.

anfügen. Das kann aber nur geschehen, wenn der Weg, der nun für die Erzählung gebahnt wurde, auch begangen worden ist.

Geburt und Jugend Parzivals

Gegen Ende der langen, in den ersten zwei Büchern ausgebreiteten Vorgeschichte wird Herzeloyde, Parzivals Mutter, die Nachricht vom Heldentod ihres Gatten Gahmuret überbracht. Sein Tod wurde bewirkt durch *gunêrtiu heidensch witze* (105, 16). Diese Nachricht läßt Herzeloyde ohnmächtig werden: sie *viel hin unversunnen* (105, 7). Gahmurets Tod wird langatmig erzählt. Schließlich erinnert sich Wolfram aber doch der ohnmächtig daliegenden Frau und ruft sich selber mitsamt den umherstehenden Rittern und Knappen zur Ordnung:

> diu vrouwe hete getragen
> ein kint, daz in ir lîbe stiez,
> die man ân helfe ligen liez. (109, 2—4)

> die andern heten cranken sin,
> daz si hulfen niht dem wîbe:
> wan si truoc in ir lîbe
> der aller ritter bluome wirt,
> ob in sterben hie verbirt. (109, 8—12)

Die erzähltechnische Bedeutung dieser Szene ist zu klar, als daß sie ausführlich dargelegt werden müßte: die Frau macht das Gewebe der Sippe unzerreißbar, sie ist das Glied der Kontinuität zwischen Vater und Sohn, daß nicht gebrochen werden darf, soll überhaupt etwas Erzählbares aus dem Geschichtsstoff der Welt tradierbar bleiben. Die Vernachlässigung der ohnmächtigen Herzeloyde durch die kopflos gewordenen Ritter bringt die Geschichte in Gefahr, eröffnet aber dem Dichter den Raum, in dem er auf das Kind Gahmurets und Herzeloydens hinweisen kann, das ja Held und Vorwurf des großangelegten Romans sein soll. Auf der Spitze der Erläuterungen über das Kind — das *aller ritter bluome wirt* — wird *ir versinnen kunt* (109, 18): das Leben von Mutter und Kind kann gerettet werden, und die Geschichte darf weitergehen.

Die aus der Ohnmacht erwachte Herzeloyde verkettet in einer doppelten Rede: einer Totenklage (109,21 — 110,9) und einer Weihe ans Leben und an ihr Kind (110, 14—22) die Vorgeschichte mit der Geschichte Parzivals. Aus der Erkenntnis, daß sie Gahmurets *muoter und sîn wîp* (109,

25) zugleich ist[1]), dämmert ihr die Verpflichtung, die *sînes verhes sâmen* (27) ihr auferlegt. Die Konsequenz der Minne, die aus sich die Frucht einer Verpflichtung entläßt: das Kind, wirft die höfischen Minnetheorien um. Darüber hinaus aber wird die Ehe in hohem und kaum absehbarem Maß hier dichterisch fruchtbar: sie ist geradezu der epische Grund von Parzivals Geschick. Gewaltig und in die Gründe reichend ist die erste Rede Herzeloydes; die zweite ist restlos ergreifend, da das Geschehen sich hier völlig inkarniert ins Leibliche seiner Erscheinung: *kint und bûch si ze ir gevieng / mit armen und mit henden* (110,12/13). Ihr Aufschrei: *got wende mich sô tumber nôt* (17) betrifft ihren eigenen Leib und ihr eigenes Leben: sie darf sich kein Leid antun, es wäre Gahmuret ein zweiter Tod.

Ohne fehlzuschließen, darf man daraus folgern: Parzivals Leben erwächst aus der Torheit eines besinnungslosen Leids[1a]), das gerade noch genügend Freiheit für den ‚Entscheid fürs Leben' läßt, ja eher einen sanften Zwang ins Dasein ausübt. Das Kind Parzival ist die Frucht eines doppelten Todes: des Todes Gahmurets und des aufgehobenen Todes der Herzeloyde. Ihre Ohnmacht ist Wahr-zeichen des Todes, der zu überwinden ist, weil er allzusehr dem Leben widerspricht und keimendes Leben zerstört. Die *tumbe nôt* der Todesversuchung, wie sie an Herzeloyde herantritt, ist die Versuchung, die, würde ihr nachgegeben, sich rein negativ, ja nihilistisch als Erledigung der Geschichte überhaupt auswirken müßte. Parzival verdankt sein Leben der Inkongruenz zwischen wirklichem Tod (Gah-

---

[1]) Vgl. neuerdings W. J. Schröders schöne Interpretation von Herzeloydes verwandtschaftlich komplexer Beziehung zu ihrem Sohn Parzival (Die Soltane-Erzählung in Wolframs Parzival, Studien zur Darstellung und Bedeutung der Lebensstufen Parzivals, Heidelberg 1963, 76). Schröders gehaltvolles und subtiles Buch war mir erst während der Drucklegung vorliegender Arbeit zugänglich: in den meisten Punkten -- gerade z.B. in der Herausstellung der Bedeutung Herzeloydes für Parzivals Weg — stimme ich Schröders klaren Ausführungen rückhaltlos zu. Sehr geglückt erscheint mir die luzide Herausarbeitung des *künstlerisch* konzipierten Grundplanes des Parzivalromans und schließlich die theologisch bestechende Aufgliederung von Parzivals Weg in Naturstand - Gesetzesstand - Gnadenstand (a.a.O. 83 ff.). Manches hätte ich im Folgenden pointierter sagen können, wäre mir diese wertvolle Arbeit früher bekanntgeworden.

[1a]) In der Torheit des Leids ist die Torheit der Minne, wie sie sich höfisch sowohl in Gahmuret-Herzeloyde wie in Gawan-Orgeluse anzeigt, völlig auf- und untergegangen. Der Tod als ein in sich gänzlich Unverständliches hat diese Dimension für Herzeloyde aufgesprengt für die eheliche Minne, die den Tod des einen Partners als eine Verpflichtung am Kind überdauert.

muret) und unwahrem Tod (Tod als Versuchung: Herzeloyde), dem keine Wirklichkeit folgte. Es ist von tiefem Sinn, daß Herzeloyde nach der Geburt gestehen darf, ihr sei die *lôsheit* fremd, denn *diemuot was ir bereit* (113, 16). Aus dem überwundenen Tod und der überstandenen Ohnmacht erwächst ihr und Gahmurets Sohn. Diese Erfahrung vermittelt ihr die *diemuot*, die für Parzival eine Mitgift ins Leben sein wird, denn in dieser *diemuot* empfängt er sein Leben.

Von der Geburt Parzivals heißt es pathetisch:

> hie ist der âventiure wurf gespilt,
> und ir begin ist gezilt:
> wand er ist alrêrst geborn,
> dem diz maere wart erkorn. (112, 9—12)

Die Erzählung beginnt: *dises maere sachewalte* (112, 17) ist geboren; Parzival kann, da er nun nach Herkommen und Sippe legitimiert ist, sein Dasein als Held antreten. Das Fundament des Romans ist gelegt.

Bemerkenswert ist Wolframs Hinweis: *man barg in vor ritterschaft, / ê er koeme an sîner witze kraft* (112, 19/20). Das künstliche Arrangement der durch den Tod Gahmurets verängstigten Mutter ist hier erstmals genannt. Parzival soll nichts vom Rittertum wissen; mit anderen Worten: sein Dasein ist zur Waldidylle verurteilt und wird sich im engen Kreis des mütterlichen Haushalts ‚entwickeln' müssen. Waldidylle und ausschließliche Muttererziehung schließen Parzivals *tumpheit* aber als ein Resultat in sich. Das wird sich später klar zeigen.

Vorerst aber wird jene reizvolle Szene geschildert, da Herzeloyde sich mit dem Gesinde zusammen des männlichen Geschlechts ihres Kindes vergewissert. Das Archaische dieser Szenerie steht gegen das Arrangement der Mutter: die physiologische Bestimmbarkeit von Parzivals Männlichkeit (vgl. 112, 21 ff.) ist gegen jeden Versuch, ihm das Rittertum zu verunmöglichen, ein starkes Indiz von Parzivals zukünftiger ritterlicher Tüchtigkeit und seiner hohen Bestimmung. Einerseits schafft Herzeloyde durch ihr Verbergen in Parzival eine künstliche *tumpheit* gegenüber dem Rittertum und seiner Bestimmung zu ihm, andererseits gehorcht sie mitsamt ihrem Gesinde von allem Anfang an, ohne sich dessen bewußt zu sein, der gewaltigen Berufung Parzivals.

Parzivals Jugend ist durch Anfänglichkeit gekennzeichnet. Der Roman beginnt dort, wo Leben sich zeigt: bei der Geburt. Und doch ist nie zu vergessen: Das noch Inchoative der anhebenden Erzählung ist schon auf der Fahrt zum Ende, die mannigfachen Erzählbewegungen sind schon hereingenommen in die romanhaft-romantische Eschatologie, durch die sich der Artusroman überhaupt auszeichnet. Das erzählerisch Mobilisierte ist schon Funktion und Bezug innerhalb der Klammer, welche sich von einer metaphysisch-religiös-märchenhaften Bestimmung des Helden her um den Erzählstoff legt und ihn zum Gehalt selber macht. Im Anfang ist auch das Ende schon gesetzt. Nichts, was mit Parzival geschieht oder was er selber im Roman geschehen macht, ist daher etwa als funktionsloses Geschiebe irgendeiner unerklärlichen ‚Erzählintention' Wolframs zu opfern, sondern gerade das Aparte und Nebensächliche ist auf seine Röntgenstruktur hin zu zerlegen. Denn darin kommt oft zum Vorschein, was im Belvedere des großen Blicks nicht gesichtet werden kann. Das im Schutz der Nuancen Versteckte ist in unserem Zusammenhang doppelt interessant.

Parzivals *tumpheit*, ihre Bewerkstelligung (von einer solchen darf man füglich sprechen!) und ihre Erscheinung werden nirgends so unmittelbar deutlich wie im dritten Buch, das Parzivals Jugend bis zum Abschied von Liaze und Gurnemanz schildert.

Das bestürzend Inchoative eines Menschenlebens — kurz vorher (am Ende des zweiten Buches) als Geheimnis des im Mutterschoß werdenden Kindes und als Ereignis der Geburt dargestellt — tritt nun in die Öffentlichkeit des sich jugendlich artikulierenden Lebens. Um Parzivals Jugend aber zu verstehen, erläutert Wolfram sinnvoll das schon genannte Arrangement, das Herzeloyde zum Schutz Parzivals vor verderblicher Ritterschaft in Szene setzt. Zwar erklärt er Herzeloydes Flucht in die Einöde als eine Äußerung evangelischer *armuot* aus *triuwe*: sie verläßt ja das Besitztum ihrer drei Länder und trägt fortan *der vröuden mangels last* (116,30). Und doch tut sie es auch *durch vlühtesal* (117,14); *vlühtesal* aber ist ein doppelsinniger Ausdruck und heißt sowohl ‚Flucht, Bergung' als auch ‚Betrug'. Parzival wird also, indem er geborgen wird, auch betrogen[2]). Sein Leben wird durch mütterliche Entscheidungsgewalt, entgegen dem starken Standesgebrauch und gegen höfische Gesittung, in die Einsamkeit eines menschen- und institutionsleeren Waldes versetzt. Herzeloyde steht nicht an, diesen ‚Betrug' geradezu wieder zu institutionalisieren:

---

[2]) Dieses für die Deutung des Romans hochwichtige Faktum ist in der Forschung kaum verzeichnet. Vgl. unten S. 68 Anm. 11.

si kunde wol getriuten
ir sun. ê daz sich der versan,
ir volc si gar vür sich gewan:
ez waere man oder wîp,
den gebôt si allen an den lîp,
daz si immer ritters wurden lût.
,wan vriesche daz mîns herzen trut,
welh ritters leben waere,
daz wurde mir vil swaere.
nu habt iuch an der witze craft,
und helt in alle ritterschaft.' (117, 18—28)

Der noch verstandlose Parzival wird dadurch unbewußt in den für ihn und gegen seine Bestimmung vorgekehrten Betrug hineinleben. Ja, Wolfram sagt es gerade heraus: der Knabe wurde *an küneclîcher vuore betrogen* (118, 2). Das Künstliche dieser Vorkehren darf keineswegs darüber hinwegtäuschen, daß hier der Knoten geschürzt wird, den es im Laufe des Romans zu lösen gilt. Die Verfremdung, in der Parzival von seinem ersten bewußten Moment an zum Rittertum steht, ist der Beginn seines Wegs, dem er immer innerlich verhaftet bleibt. Der Betrug der verängstigten Mutter macht Parzivals Leben und Weg überhaupt romanhaft und erzählenswert. Er markiert zeichenhaft jene ,transzendentale Obdachlosigkeit'[3]), ohne die sich nach Lukàcs die Form des Romans nicht denken läßt. Im Bruch mit dem ständischen Rittertum, dem Herzeloyde nach Gahmurets Tod im Tiefsten mißtraut, zerfällt die Totalität einer ständisch gegliederten Welt. Der Tod hat das Heile zerstört. Der Tod, der allem Kampf innewohnt und sein Endpunkt ist, wird der treuen Herzeloyde zum Anlaß, das Rittertum aus dem Weltgefüge (dessen Kontinuität sich in ihrem Sohne anzeigen müßte) auszuklammern und ihm auf Grund einer ständischen Tugend, der *triuwe*, zu entfliehen. Das aber ist der Betrug. Man kann nicht etwas fliehen, indem man seine Flucht mittels desselben bewerkstelligt. Solchem Betrug ist die ,transzendentale Obdachlosigkeit' des einsamen Waldes eine notwendige Folge. Man wird kaum fehlgehen, wenn man darin den Reflex einer geschichtlichen Situation sieht, in der die ständischen Prinzipien fragwürdig und das Rittertum in seiner Substanz bedroht erschienen. Wolfram aber, dem keine neue und andere Wertordnung zur Verfügung steht als die ritterlich-höfische, kann die Totalität

[3]) Georg Lukàcs, Die Theorie des Romans, Ein geschichtsphilosophischer Versuch über die Formen der großen Epik, Berlin 1920, 23.

der Welt nur retten, indem er die höfische Totalität aufhebt und auf neuer Höhe restauriert. Dazu aber ist der Betrug Herzeloydes ein Anfang und eine ungemein scharf gestellte Problemlage.

Als eine dichterische Konsequenz, die unbedingt erwähnt werden muß, obwohl sie nicht eindeutig mit Parzivals *tumpheit* aufzurechnen ist, fügt sich an diese Erwägungen Wolframs eine erste, wunderbar episodisch gehaltene Szene, in welcher der kindliche Parzival auftritt. Ein einziges königliches Merkmal schmückt den jungen Parzival: die Armbrust, mit der er Vögel jagt[4]).

Der Tod findet immer wieder Sinnbilder seiner selbst, auch in der Waldeinsamkeit. Wirkt er sich nicht am Menschen aus, dann bewirkt ihn der Mensch an der ihn umgebenden Kreatur. Parzival folgt diesem Gesetz, ohne noch zu wissen, was er tut. Ein erster undurchsichtiger Zusammenhang von Schuld und Unschuld, Wissen und Nicht-Wissen zeigt sich an. Das beweist Parzivals Reaktion auf den Tod, dem die sangesfrohen Vögel seinetwegen erliegen:

> Swenne aber er den vogel erschôz,
> des schal von sange ê was sô grôz,
> sô weinde er unde roufte sich,
> an sîn hâr kêrt er gerich. (118,7—10)

Aber nicht nur der Tod der Vögel hat eine derart heftige Wirkung auf das Gemüt des Knaben, sondern auch ihr *vogelsanc*: *daz erstracte im siniu brüstelîn* (118,17), wenn er sich frühmorgens im Bache wusch. Es bewegt ihn derart, daß er *al weinde* zur Königin läuft. In diesem Wort werden Töne angeschlagen, die bis ins sechzehnte Buch nach- und dort stärker und weher aufklingen in jener zentralen, den ganzen Roman in Atem haltenden Stelle, wo Parzival wieder *alweinde* (795,20) die erlösende Frage stellt: ‚*oeheim, waz wirret dir?*‘ (29)[5]). Die Tränen um die erschossenen Vögel fließen zwar wegen der *tumpheit* des noch leidunerfahrenen Knaben: er spürt das ‚Seufzen der Kreatur‘ eher, als daß er es kennt. Und doch ist die Qualität des Weinenkönnens im Wald wie vor Anfortas dieselbe: der Knabe beginnt, wie er als Mann aufhören wird. Darüber hinaus

---

[4]) Über die Vogeljagd und die Waldvogelszene vgl. B. Mergell, Wolfram von Eschenbach und seine französischen Quellen; II. Teil: Wolframs Parzival, Münster/Westf. 1943, 14—16. Dazu B. Mockenhaupt, Die Frömmigkeit im Parzival Wolframs von Eschenbach, Bonn 1942, 61 f.

[5]) Vgl. G. Weber a. a. O. 78; Max Wehrli, Wolframs Humor, in: Überlieferung und Gestaltung (Festgabe Th. Spoerri), Zch 1950, 23.

ist in diesen Tränen Parzivals Rittertum angezeigt: die unaufhebbare Paradoxie des ritterlichen Standes, der töten u n d Mitleid haben sich zur Aufgabe gemacht hat.

Auch in der Folge erweist sich Parzival dem gegenüber, der er werden soll, schon als der, der er ist: es gelingt ihm, seine Mutter, die in dieser Trauer mit Recht eine Bedrohung ihres Arrangements sieht, zum *vriden* zu überreden. Sie läßt die Vögel, die sie, um Parzival die Trauer zu nehmen, hat jagen lassen, in Ruhe. Sie kommt auf Gott zu sprechen. Das aber ist ein Anlaß für Parzival, nach Gott zu fragen: *‚ôwê muoter, waz ist got?‘* (119, 17), worauf er die erste Auskunft über Gott und Teufel erhält: 119, 18—28.

Aus der Licht-schwarz-Symbolik der mütterlichen Unterweisung springt ein zentraler Lehrsatz der Mutter als ein Imperativ hervor:

> sun, merk eine witze,
> und vlêhe in umbe dîne nôt:
> sîn triuwe der werlde ie helfe bôt. (119, 22—24)

Herzeloyde erteilt Parzival *eine witze* als Regulativ seiner *tumpheit.* Er ist damit genügend vorbereitet, in der Begegnung mit dem Ritter Karnahkarnanz und dessen Gefährten den Toren, als welchen ihn die Geschichte haben will, so zu spielen, daß sich alle kommenden Geschehnisse innerhalb der den Kosmos einbeziehenden Gegnerschaft von Gott und Teufel verstehen lassen.

Parzival hält die heranreitenden Ritter — nach dem Waffenklirren — für Teufel; seine Begierde, gegen den Teufel zu kämpfen, verflüchtigt sich im Moment, da er der Ritter ansichtig wird: er glaubt in einem abrupten Umschlag, *daz ieslîcher* (der Ritter) *waere ein got* (120, 28), fällt auf die Knie und ruft Gott um Hilfe an. Verärgert meint der vorderste Ritter:

> ‚dirre toersche Wâleise
> unsich wendet gâher reise.‘ (121, 5/6)

Dieser unmutige Ausruf entlockt Wolfram, der sich gern als ein Kommentator seiner eigenen Erzählung ausgibt (was ein Mittel des humoristischen Stils ist), eine Erklärung:

> (ein prîs den wir Beier tragen,
> muoz ich von Wâleisen sagen:
> die sint toerscher denne beiersch her,
> unt doch bî manlîcher wer.
> swer in den zwein landen wirt,
> gevuoge ein wunder an im birt). (121, 7—12)

Der Ausruf des Ritters, in dem Parzival erstmals im Roman *toersch* genannt wird, trägt nicht weiter als der Unmut, den er ausdrücken soll. Wolframs Reflexion und Erklärung aber bringt schon die ganze Dialektik des Torendaseins ins Spiel. Wolfram zählt sich auch zum *beiersch her*[6]), das nur noch von den Waleisen an Torheit übertroffen werden kann. Seine Ausdrucksweise wird hyperbolisch, indem er glattweg erklärt, daß sowohl ein Beier als ein Waleise *ein wunder* an *gevuoge* werden müsse. Hinter dem Humor dieser Stelle ist die Diktion des Toren, der von Sokrates' Nichtwissen bis zu Hamanns Torheitsbeteuerungen um Christi willen immer neue Variationen des Ausdrucks erobert, nicht zu überhören. Unser Thema ist darin großartig angeschlagen: Wolfram identifiziert sich eindeutig mit der *tumpheit* seines Helden, indem er ihm Großes voraussagt. Die *tumpheit*, hier noch landschaftlich (Waleis, Beiern!) verkleidet (was ein Narrenkleid ist), wird schlankweg als die Bedingung der Möglichkeit von Waffenruhm und Größe (*gevuoge* = Vortrefflichkeit, Schicklichkeit im umfassendsten, fast eschatologisch gesteigerten Sinn) verzeichnet. So wird diese Stelle zum Modell, das Parzivals Weg und Größe vordeutet.

Mit dem Eintreffen von Karnahkarnanz, der als Führer der drei mit ihm reitenden Ritter zwei Raubritter verfolgt, erfährt die Szene und die *tumpheit* Parzivals eine letzte Steigerung. Auch ihn hält der Knappe für Gott. Anstatt auf die Frage Karnahkarnanz', ob er die zwei Ritter habe vorbeireiten sehen, zu antworten, beginnt Parzival — *aller manne schoene ein bluomen cranz* (122,13) genannt —, ihn wiederum anzubeten. Karnahkarnanz stellt zwar richtig, er sei nicht Gott, und erkundigt sich erneut nach den flüchtigen Rittern. Das hält Parzival nicht davon ab, in voller Naivität zu fragen: ‚*du nennest ritter: waz ist daz?*' (123,4). Und: ... ‚*wer gît ritterschaft?*' (123,6). Artus, antwortet Karnahkarnanz und fügt am Schluß seiner Rede bedeutsam hinzu: ‚*ir mugt wol sîn von ritters art*' (123,11). Der Ritter erspürt den Artgenossen durch den Aufzug des Narren hindurch. Parzival muß um seines ritterlichen *art* willen in der wahren Pracht seiner Erscheinung geschildert werden:

---

[6]) Womit unsere Vermutung, wonach Wolfram sich selbst *tump* nenne, einigermaßen gestützt sein dürfte. Es geht dabei allerdings nicht um formalistisch eingbare Genauigkeiten: die Stelle 1,29/30 ist rein vermutungsweise so zu deuten. Ihr Geheimnis entzieht sich letztlich einer präzisen Deutung. 121,7—12 wirft ein Schlaglicht auf 1,29 f. zurück und verstärkt die Ironie, die dort schon zu spüren ist.

von den helden er geschouwet wart:
Dô lac diu gotes kunst an im.
von der âventiure ich daz nim,
diu mich mit wârheit des beschiet.
nie mannes varwe baz geriet
vor im sît Adâmes zît.
des wart sîn lop von wîben wît. (123,12—18)

Diese Vorschußlorbeeren für Parzival sind unbedingt im Zusammenhang mit seiner *tumpheit* zu sehen: der Glanz seiner Erscheinung, ein unmittelbares Erzeugnis der *gotes kunst*, rückt ihn zurück in die ersten Tage der Menschheit und identifiziert seine Schönheit mit der Schönheit des ersten Menschen. Das Rittertum findet hier seinen Ursprung durch Parzivals Erscheinung in der paradiesischen Gestalt des ersten Menschen vor dem Sündenfall. Parzivals Schönheit läßt sich nicht mit moderner, nachrousseauischer ‚Natürlichkeit' aufrechnen, sondern Parzival ist wirklich der durch menschlichen Umgang noch unbefleckte und reine Mensch. Das macht ihn adamisch schön und rückt ihn trotz der klar registrierten gefallenen Natur der Schöpfung noch in die unmittelbare Nähe des in der Schöpfung einzigartigen Menschen: Adam[7]). Es hält schwer, diesen Glanz der jungen Erscheinung Parzivals nicht mit seiner *tumpheit* in engstem Zusammenhang zu sehen, ja ihn nicht damit zu identifizieren.

Parzivals *tumpheit* darf sich nun zur vollen Heiterkeit der Ritter wieder in ihrer prallen, unantastbaren Naivität einfinden. Wunderbar die direkte, den Zusammenstoß der Welten auswortende Frage Parzivals: ‚*ay ritter got, waz mahtu sîn?* (123,21)! Der Schalk ist unüberhörbar, weiß doch Parzival schon ganz genau, daß der Ritter nicht Gott ist. Aber er kann es nicht lassen, Karnahkarnanz mit dem ihm Höchsten ineins zu sehen. Das Wissen, daß dieser Ritter nicht Gott ist, schert ihn wenig, solange er nicht weiß, was er ist. Parzivals Ineinssetzung von Ritter und Gott wirkt humoristisch, weil das schon einer Reflexion des *tumben* Parzival entstammt.

Harnisch und Schwert, nach denen Parzival *durch sînen muot* (124,1), der wohl eher schon Übermut ist, im Detail zu fragen beginnt, lassen ihn schließlich beinahe ironisch werden in der Bemerkung, er sei froh, daß die Hirsche keine Harnische trügen, da er sie sonst nicht totschießen könnte. Die Ritter werden allmählich zornig, da sie sehen, wie sich Karnahkar-

---

[7]) Zu Parzival als dem neuen Adam vgl. W. Deinert, Ritter und Kosmos im Parzival 56ff.

nanz *bî dem knappen der vil tumpheit wielt* (124, 16) solange aufhält und auf dessen dumme Fragen eingeht.

Karnahkarnanz ist seiner Eile und des Unmutes seiner Genossen wegen gezwungen, die Unterhaltung mit Parzival abzubrechen. Seine Abschiedsworte klingen im Gegensatz zum hellen Fortissimo des Spaßes, der ihnen vorangegangen ist, wehmütig:

,got hüete dîn.
ôwî wan waer dîn schoene mîn!
dir hete got den wunsch gegeben,
ob du mit witzen soldest leben.
diu gotes craft dir virre leit.' (124, 17—21)

Karnahkarnanz hinterläßt Parzival eine düstere Prophezeiung: Parzivals *tumpheit* erscheint plötzlich als das Hindernis zum Vollkommensten, zur höchsten Herrlichkeit, zum Ideal (vgl. Martin zur Stelle). Das *leit*, dem Parzival nicht entgehen wird, zeigt sich im Abschiedswunsch, der es bannen möchte, geradezu an. Die *tumpheit*, kurz zuvor noch Schuld ahnende Unschuld (Vogelszene!), erscheint in zwischenmenschlicher Sicht als eine Möglichkeit des Leids. Parzival muß sich seine *witze*-losigkeit, seine *tumpheit* als etwas erklären lassen, was sie im Kern nicht ist: als etwas Zweideutiges, Unheil- und Leidtragendes. Das Gemischte, von dem im Prolog die Rede war, kennzeichnet von nun an auch die *tumpheit*; sie steht fortan in einer seltsamen Ambivalenz zum ,Heil', zur ,höchsten Herrlichkeit'.

Das Waldidyll ist jetzt gestört: Parzival, der törichte Knappe, durch die Begegnung mit den Rittern in seinem Innersten getroffen, kümmert sich nicht mehr um die Jagd, sondern eilt schnurstracks zur Mutter, der er sein Erlebnis erzählt. Herzeloydes Erschütterung bewirkt die Wiederholung jener Szene, da sie bei der Nachricht vom Tode Gahmurets wie tot niederfiel:

dô viel si nider:
sîner (Parzivals) worte si sô sêre erschrac,
daz si unversunnen vor im lac. (125, 30 — 126, 2)

Wurde aus der Erschütterung und dem Erschrecken von damals ihr Sohn Parzival geboren, so findet sie nun völlig unheroisch und unpathetisch die Worte, die sich zu der Frage stauen, die schon ein Vergangenes und daher Unaufhebbares quer zu ihrem Arrangement des Waldidylls artikuliert:

,sun, wer hât gesagt
dir von ritters orden?
wâ bist du es innen worden?' (126, 6—8)

Herzeloydes Angst nimmt den Schrecken und den *jâmer*, den die Antwort Parzivals bereiten muß, als ein Mögliches, ja Wahrscheinliches bereits in Kauf. Die Ohnmacht, eine Voranzeige von Herzeloydes Tod, ist die Antwort auf den Aufschluß, den Parzival ihr nun gibt, bereits gewesen. Parzivals Antwort aber ist in sich schon nicht mehr reiner Klang: eine ständische Ideologie von elsternfarbiger Färbung drückt sich darin aus:

> ‚muoter, ich sach vier man
> noch liehter danne got getân:
> die sagten mir von ritterschaft.
> Artûses küneclîchiu craft
> sol mich nâch ritters êren
> an schildes ambet kêren.‘ (126, 9—14)

Gott, *noch liehter denne der tac* (119, 19), wird hier von einem noch Lichteren überstrahlt. Kein ‚Anthropomorphismus‘ jugendlicher — und bei Parzival torenhafter — Ausdrucksweise kann der Pointe die Spitze nehmen. Parzivals Rede ist eine Demaskierung der mütterlichen, unechten Welt. Parzivals *tumpheit* ist hier die Attitüde eines Enttäuschten, der sich nichts anmerken läßt. Indem Parzival in der Mutter etwas Rankünehaftes entdecken muß, nimmt er selbst zur Ranküne Zuflucht und stellt das Ritterliche, das ihm bislang durch die Vorsicht der Mutter vorenthalten wurde, über Gott[8]). Bezeichnenderweise löst Parzivals

---

[8]) Gottfried Weber (Parzival, Ringen und Vollendung, Oberursel 1948) gibt der Stelle ähnliches Gewicht, nur deutet er sie anders, wenn er sagt: „Daß der Knabe die ersten ihm begegnenden Ritter für Gott hält und anbetend vor ihnen niedersinkt (120, 27—30; 121, 29 f.; 122, 27 f.), ist nicht belangloses Torenmotiv, sondern bewußte Symbolik; ebenso, daß er Gott und Ritterschaft ohne weiteres auswechseln kann (123, 5—6); daß jene drei Ritter ihn noch glänzender dünken als der Glanz Gottes, damit bedeutet der Dichter, daß von Anbeginn her die tieferen Seelenschichten des obzwar Erkorenen in der Gefahr stehen, von den irdisch-naturalen Anliegen her überwuchert und erstickt zu werden“ (25/26). Diese Deutung von den ‚irdisch-naturalen Anliegen‘ Parzivals her will nicht recht einleuchten, besonders wenn klar ist, was Weber darunter versteht: „In dem zwiefachen tauben Überhören mütterlicher Versorgtheit und brutalem Weglaufen“ (26) sieht er einen „Ausdruck ichsüchtiger Triebhaftigkeit“. Weder psychologisch noch nach den Fakten der Erzählung läßt sich Parzival solches unterstellen. Wenn Wolfram hier anders erzählt als Chrétien, der Percevals Auszug faktisch zur offenbaren Sünde stempelt, dann will er wohl etwas anderes sagen, nämlich: gerade die mütterlich-betrügerische Besorgnis, die Parzival in der Waldöde fern von den Menschen aufzuwachsen zwingt, ist schon Schibboleth der erbsündigen Ohnmacht des Menschen. Herzeloydes liebevolle *listen* sind Zeichen einer falschen Haltung dem Leid gegenüber: um dem

Rede in Herzeloyde den e i n e n Gedanken aus, wie sie ihn durch *list* (126, 17) vom Gedanken an das Rittertum wieder abbringen könnte. Wolfram aber fährt in leicht saloppem Ton fort:

> Der knappe tump unde wert
> iesch von der muoter dicke ein pfert. (126, 19/20)

Herzeloydes liebevolle Ranküne wird zum Motor der Erzählung. Aus *list* gibt sie Parzival kein gutes Pferd und überlegt sich weiter:

> ‚der liute vil bî spotte sint.
> tôren cleider sol mîn kint
> ob sîme liehten lîbe tragen.
> wirt er geroufet unt geslagen,
> sô kumt er mir her wider wol.‘ (126, 25—29)

Ein neues Arrangement ist vorbereitet: die verzweifelte Herzeloyde verstrickt sich in wohlmeinenden *listen*. Wolfram, der das *maere* durchschaut, apostrophiert mit dem Ausruf: *ôwê der jaemerlîchen dol!* (126, 30)[9]). Daß all das nicht dazu angetan ist, Parzivals *tumpheit* etwas zu mindern oder das Negative, das ihr anhaftet, auszulöschen, liegt auf der Hand. Im Gegenteil: das Elsternfarbige des Prologs springt hier erst recht hervor. Das *tôren cleit* (127, 5), aus grobem Sacktuch geschnitten und mit einer Kapuze versehen, und die Stiefel aus Kalbsfell statuieren gleichsam vor der *werlde* Parzivals Ausnahmezustand in dem Maße, als sie ihn von der *werlde* als einen Narren emanzipieren. Das Ständische aber hat Platz genug, seine eigenen Ausnahmen in sich einzugliedern: der Tor, durch sein Gewand als ein solcher gekennzeichnet, genießt im Mittelalter eine nur ständisch verstehbare Sicherheit und Immunität des Auftretens und Sich-bewegens. Die Tatsache, daß im Narren einer, der seiner Natur

---

Leid zu entkommen, will sie um Parzivals willen in die Waldöde entfliehen. Gerade dieses Arrangement bewirkt aber das Gefürchtete, Parzivals Auszug in die *werlde*. Will man etwas über Schuld im ‚Parzival‘ ausmachen, dann sind deren Wurzeln schon bei der Mutter zu suchen, wie es alter kirchlicher Lehre entspricht (vgl. Psalm 50). So gesehen aber, ist Parzivals Verehrung des Ritters als eines Gottes Zeichen seiner erbsündigen Verfassung und seiner durch Herzeloyde bewirkten ignorantia.

[9]) Wie will man diesen Ausruf des Dichters anders erklären, als daß man in ihm einen Hinweis sieht, der das *leit*, das sich nun aufgrund des mütterlichen *list* vor dem Zuhörer auszufalten beginnt, zur großen *jaemerlîchen dol* steigern wird, die alles umfaßt und keinen Raum mehr läßt, eine Schuld rein personal dingfest zu machen.

gemäß dem Ständischen narrenhaft entrückt ist, aber dennoch von der ständischen Gesellschaft integriert werden kann, ist elsternfarbig.

Das *tôren cleit* aber hat tieferen Sinn[10]). Besagen die obigen Überlegungen nur, daß die listige Vorsicht der Mutter, die meint, die *werlde* werde ihren Sohn wegen seines Narrenkleides nicht akzeptieren, fehl geht, so bestätigt Herzeloyde ganz ungewollt Parzivals Unschuld (im weitesten Sinn des Wortes). Die im Narrengewand institutionalisierte Unschuld ist nicht bloß ständisch, sondern reicht tiefer und bezeugt im Letzten eben Parzivals Unschuld vor der Welt und vor seiner Mutter Herzeloyde. Sein Leben im Waldidyll, das nun de facto endet, rückt in die Form des Narrenkleids ein, wird als ein Personales Parzival übergestülpt und wirkt als eine Zuständlichkeit de iure weiter. Wenn hier eine Schuld mitspielt, dann ist es vor allem die der Mutter, die ihre *listen*, von denen sie schicksalsmäßig und aus Verzweiflung nicht lassen kann, immer weiter treibt[11]). Herzeloydes Schuld[12]) entspringt aber, recht bedacht, auch nur der Schuld des Rittertums überhaupt, der Schuld, töten zu müssen und getötet zu werden. Und diese Schuld steht für Schuld schlechthin, weil ein Ritter wie Wolfram anders als ritterlich überhaupt nicht denken will. Somit ist Parzival die Schuld im künstlich geschaffenen Waldparadies als eine fremde zugewachsen. Seine Mutter hat sie ihm vermittelt. Die unheile Welt drückt sich damit im Narrenkleid als eine Schuld aus, die Parzival

---

[10]) Vgl. dazu die verschiedenen, bei Andeutungen verbleibenden Hinweise zum *tôren cleit* bei R. Mergell (W. v. E. und seine franz. Quellen, II. Teil, 29), W. J. Schröder (Der dichterische Plan des Parzivalromans, Halle/S. 1953, 16), P. Wapnewski (W's Parzival, Heidelberg 1955, 63), W. Deinert (a.a.O. 68 Anm. 1) und S. Singer (W. und der Gral, Neue Parzival Studien, Bern 1939, 32). Bemerkenswert ist Deinerts Frage, „ob derjenige, der die wahre Fülle der Zeit heraufführt, wie Parzival seinen Weg in Narrenkleidern beginnen darf" (68 Anm. 1). Er führt als Berechtigung dieser Frage die Stelle 118, 1 f. und die Willehalmstelle 271, 25 f. an.

[11]) „Das Ungestüm, das der Mutter das Herz brach, wiegt schwer als Gewissensschuld. Doch handelte er (Parzival) hier als Tor, unbewußt. Und trägt nicht der Mutter Liebesegoismus einen Teil der Schuld, da sie den schönen Königsknaben seiner Berufung fernhielt, ihn gewaltsam im Waldleben, in der Kindlichkeit bewahren wollte? Ein liebenswürdiger, ein durch den Treuetod Herzeloydes zutiefst gerechtfertigter Fehler — doch nicht durch Chrétien noch durch Wolfram von ihr genommener Fehler!", H. Kuhn, Die Klassik des Rittertums in der Stauferzeit, in: Annalen der dt. Lit., Stuttgart [2]1962, 147.

[12]) Unter ‚Schuld der Mutter' ist nicht eine persönliche Schuld zu verstehen. Ihr schuldiges Tun ist so sehr mit der Schuld des ritterlichen Seins überhaupt verzahnt, daß es töricht wäre, es ihr als persönliches Vergehen anzukreiden. Dafür bietet der Text zudem keine Stütze.

von seiner Mutter als ein Erbe des Menschseins überhaupt übernahm: Ecce, in culpa natus sum, et in peccato concepit me mater mea[13]). Auch dieser Aspekt von Schuld und Unschuld bringt ein Elsternfarbiges vor den Blick: Parzivals Auszug aus seiner Mutterwelt steht unabdingbar unter dem doppelten Zeichen von subjektiver Unschuld (er *muß* gehen, die *werlde* braucht ihn, so wie er *sie* braucht) und objektiver, von der Mutter als ein Erbe übernommener Schuld (das Arrangement, der *list*, der den Auszug in die Welt notwendig aus sich hervortreibt). Das Wort *tumpheit* muß beides decken und drückt damit etwas Elsternfarbiges aus. Die Sprache kommt dem Tatsächlichen, das in sich Vielwertiges ungeschieden vereint, dadurch sehr nahe, und wir dürfen es als ein vorläufiges Ergebnis buchen, diese Weiträumigkeit und Spannweite der Sprache erkannt zu haben.

Eigenartig hilflos ist Herzeloydes Reaktion. Die *list*, mit deren Hilfe sie für ihren Sohn das Waldidyll aufbaute und derentwegen sie das Narrenkleid herstellte, wird zum Ausdruck dessen, was sie glaubt, Parzival vermitteln zu müssen; sie sagt zu ihm:

‚dune solt niht hinnen kêren,
ich wil dich list ê lêren.‘ (127,13/14)

Der *tumbe* Knappe soll einen Grundbestand zwischenmenschlicher Verhaltensformen und das Minimum des Selbstschutzes kennenlernen. Zugleich aber erzählt sie ihm vom Unrecht, das Lähelin an seinem Lande beging, weckt Parzivals Rachelust, steckt ihm ‚Fernziele‘, schickt ihn in Todesgefahr und tut doch gleichzeitig alles, ihn zurückzuhalten[14]). Einzig Parzival benimmt sich in dieser Szene sicher und zuversichtlich. Herzeloyde, die Mutter, bietet durchaus das Bild einer vom Schmerz vertörten, verwirrten und zerstreuten Frau; sie weiß kaum mehr aus und ein. Der schlechte Teil der *tumpheit* scheint vorläufig und stellvertretungsweise auf ihr zu lasten. Parzival ist in seinem Entschluß klar und kümmert sich wenig um Nebensächliches. Ein echtes, der Unschuld verschwistertes Nicht-wissen (das sich später als ebenso echte Torheit und Unverstand äußern wird) kennzeichnet ihn. Man tut gut daran, sich das zu merken, um nicht vom Späteren her seinen Auszug als eine explizite Schuld und Eigenmächtigkeit zu kennzeichnen[15]).

---

[13]) Ps. 50, 6.

[14]) W. J. Schröder, Der dicht. Plan 16.

[15]) Vgl. das Kap.: Idiota moralis et tropologicus, S. 247 ff.

Die Belehrungen der Mutter, so seltsam sie uns heute anmuten mögen, haben einen streng zugeordneten Sinn. Ihr Inhaltliches, zur Hauptsache in der zeitgenössischen, höfischen Gesittung verankert, interessiert uns hier nicht, hingegen der Sinn, der aus der Episode als ein erzählerischer Ertrag herausspringt. Herzeloydes Belehrungen gehören in den Umkreis des *list* und des ränkevollen Arrangements, das die Mutter nicht müde wird zugunsten der ‚sicheren' Heimkehr ihres Sohnes anzustellen, bevor er überhaupt ausgezogen ist. Sie totalisiert bewußt Parzivals *tumpheit* und ergänzt im Geist die Anschaulichkeit des Narrenkleides, indem sie ihre Ratschläge als eine Hilfe für die Begegnung mit der *werlde* kaschiert. Hervorzuheben ist die kindliche Offenheit und Autoritätsfreundlichkeit Parzivals, die uns hier zum ersten Mal begegnet: er verspricht ohne weitere Umschweife, Lähelin für sein Vergehen zu strafen. Diese schrankenlose Bejahung der letzten, im Grunde ja bloß informierenden Worte der Mutter schließt die Befolgung der erteilten Räte in sich. Die Erzählfolge wird dann gerade auf Grund dieser Räte und deren genauer Befolgung durch Parzival zustandekommen können. Die *tumpheit* und ihr Erscheinen als Autoritätshörigkeit wäre ein bloßer Erzähltrick, wenn nicht ein umfassender Sinn darin geborgen wäre. Die *tumpheit,* die hier als ein arrangierter *list* erscheint, muß mithin das Bedeutungsschwere selbst sein, darf daher nicht psychologisch als ‚jugendliche Torheit'[16]) aufgerechnet werden.

Die Torheit selbst ist das interpretatorisch Gefundene. Die vage Assoziation mit der Jugend des Helden ist nur zu leicht ein Ausweg, auf dem man dem wahren Anliegen Wolframs entgeht und nichts weiter als die ‚psychologische' Plattitüde ‚jung und dumm' bestätigt erhält. Darum ist es Wolfram nicht zu tun: er will einen Roman mit religiöser Sinngebung erzählen, der durch die zeitgenössisch allbekannte Szenerie des Artushofes hindurch einen gültigen Modellfall des Menschen demonstriert, wie er vor Gott in der Welt steht und be-steht. Zu diesem Status des Menschen scheint die *tumpheit* als ein Anfängliches zu gehören. Wenn dem nicht so wäre, nähme Wolfram sich die Mühe nicht, diese *tumpheit* gleichsam handgreiflich — in einem erzählerischen *list,* den er Herzeloyde überträgt — vorzustellen.

Der Tod, den Herzeloyde aus *jâmer* über den Auszug ihres Sohnes stirbt, gibt Wolfram nochmals Anlaß, ihre *diemüete* zu erwähnen, die eigentlich darin bestand, daß sie bei der Nachricht vom Heldentod ihres Gatten ihre

---

[16]) So als Schlagwort bei G. Keferstein, Parzivals ethischer Weg, Jena 1937, 24, 35. Dann psychologisch bei Emma Jung / M.-L. von Franz, Die Gralslegende in psychologischer Sicht 39 ff.

Mutterschaft nicht aus Schmerz verraten und sich kein Leid angetan hatte. Jetzt, da Parzival ihr nach einem ehernen Gesetz auch noch entgeht und sie bloß und arm dasteht, ist es Zeit für sie zu sterben. Ihre erzählerische Präsenz deckt sich vollkommen mit der Präsenz, die jede Mutter im Leben ihres Kindes einzunehmen hat. Tritt sie ab und stirbt, dann daher nur als Vollendete: sie ist *ein wurzel der güete / und ein stam der diemüete* (128, 27/28). *Güete* und *diemüete* stehen noch antitypisch zu Parzivals *tumpheit*, das heißt, sie sind Ziel dieser *tumpheit*, der sie als Anlage und heiles Substrat innewohnen[17]).
Vorläufig jedoch kann Parzivals *tumpheit*, eingehend in die *werlde*, nur schrullig und torenhaft wirken. So reitet Parzival beispielsweise einen ganzen Tag demselben Bach entlang, ohne ihn zu überqueren, obwohl ein Hahn — wie Wolfram humoristisch erklärend beifügt — ihn spielend überschritten hätte. *Als ez sînen witzen tohte* (129, 13) ist die einzige und wenig überzeugende Erklärung für die Sonderbarkeit des jungen, ausziehenden Parzival. Solche *witze* will wenig zu der vorangehenden ‚Natürlichkeit' des ‚Naturkindes' Parzival passen; mit anderen Worten: Wolfram stilisiert die *tumpheit* ins Skurrile. Er braucht von nun an den ins Spleenige outrierten Toren. Parzivals *tumpheit* ist nach dem Auszug schon *tumpheit* als ‚Kultur', als Attitüde. Damit aber hat die Jugendzeit Parzivals ein Ende, und es beginnt ein Neues, in etwa schon die abenteuerliche Ausfahrt eines Ritters.

Jeschute

In seinem ersten Zusammenstoß mit der Welt läßt Parzival die durch seinen Auszug ungeschmälerte Wesenseinheit allerdings wieder durchschimmern. Denn seine innere Einfältigkeit, die sich bisher immer dem naturhaften Hintergrund bequemen konnte, hat in der Begegnung mit der fürstlichen Staffage der Zeit die Chance, ihre glückhafte Ungespaltenheit überlegen zu äußern.
Dem Toren, der, dem Rat seiner Mutter folgend, das Bächlein nur bei einer reinen und klaren Flut überschreitet, bietet sich im Zelte, das er

---

17) Herzeloydes *diemüete* ist nicht bloß als die Tugend eines vollendeten Lebens zu verstehen. Sie hat stellvertretend für Parzival proleptischen Charakter: die Vollendung der Mutter weist vor auf die einstige Vollendung ihres Sohnes, die inhaltlich gleich oder ähnlich sein dürfte. Damit steht die Vorgeschichte des ‚Parzival' nicht als ein Produkt überschüssiger Erzählfreude isoliert beiseite, sondern Vater und Mutter Parzivals sind Präfigurationen dessen, was der Sohn Parzival in Einheit darstellen wird. Vgl. unten S. 89, 91 f. und 149 f.

drüben findet, das unbeschreibbar minnigliche Bild einer schlafenden Jungfrau, die Wolfram nicht müde wird darzustellen. Parzival scheint davon nichts zu bemerken. Sein Geist bewegt sich roboterhaft innerhalb der Denkbahnen, die ihm Herzeloyde vorgezeichnet hat. In eulenspiegelhafter Autoritätshörigkeit bedeutet ihm die Ausführung der mütterlichen Räte die Realisation und Bewältigung der Szene: nämlich Fingerring, Gruß und Kuß einer guten Frau zu erwerben. Umarmung, Kuß, Fingerring und über das Plansoll hinaus eine Hemdbrosche, all das raubt er ihr ohne zu danken und klagt schließlich noch über Hunger. Jeschute antwortet ihm ungehalten und doch dem Humor des Dichters gehorchend:

> ‚ir solt mîn ezzen niht.
> waert ir ze vrumen wîse,
> ir naemt iu ander spîse ...‘ (131, 24—26)

Sie muß ihn, da er sich so gründlich über alle Regeln höfischer Sitte hinwegsetzt, für einen *garzûn / gescheiden von den witzen* halten (132, 6/7). Parzival aber, nachdem er sich an Speis und Trank erlabt hat, verabschiedet sich mutwillig mit einem zweiten Kuß und begibt sich *des roubes ... gemeit* (132, 25) von dannen. Das Leid, das er mit seinem Verhalten Jeschute zugefügt hat, liegt außerhalb seiner Denkmöglichkeiten. Gerade darum aber muß er der gesitteten höfischen Minnewelt absolut unbegreiflich erscheinen. Jeschute äußert sich denn auch vor Orilus, ihrem Freund, nicht eben zu ihren Gunsten. Das Erlebnis mit dem Toren ist ihr wesensfremd, sie kann davon nur in Abstand berichten, kann daher um der ihr aufgezwungenen Objektivität willen Parzivals Schönheit nicht auslassen:

> ‚dâ kom ein tôr her zuo geriten:
> swaz ich liute erkennet hân,
> ichne gesach nie lîp sô wol getân ...‘ (133, 16—18)

Einleuchtend, daß Orilus' Eifersucht durch solche Worte aufs Höchste gestachelt und der Konflikt in jeder Hinsicht verschlimmert wird. Das Torenhafte an Parzival, das für Jeschute in einem Mißverhältnis zu seiner Schönheit steht, bringt etwas für höfisches Gefühl völlig Fremdes ins Spiel, so daß die paradoxe Situation entsteht, daß Jeschute, je mehr und deutlicher sie die Wirklichkeit und Wahrheit von Parzivals Erscheinung hervorheben will, sich bei Orilus desto tiefer in Ungnade setzt. Einfalt und Schönheit sind in der höfischen Gesellschaft offenbar schon nicht mehr idente Eigenschaften und können daher nur isoliert verstanden werden. Deshalb ist Parzival unverständlich, deshalb ist sein Unterfangen hier objektiv ein Vergehen an der herrschenden Gesittung. Subjektiv ist Parzival aber *gemeit*: sein Vergehen ist ihm eitel Glück, sein Raub ein starker Anlaß zur Freude. Es ist seine erste, ganz dem Wunsch und Willen seiner Mutter angeglichene *âventiure*, die Parzival mit Jeschute bestanden hat.

Wenn man tiefer nach dem Sinn dieser Szene fragt, dann darf man Gottfried Webers Deutung der Szene beistimmen. Er schreibt: „Zuvorderst ist da die Schicht des Erwähltseins. Von vornherein weht die Fülle der Gnade wie ein stimmunggebender Hauch um den Helden; schon die Überrationalität seiner Anlage und die Waldeskindheit ist ihr Odem. Und sie spricht sich aus in der herausgehobenen naturhaften Herrlichkeit des Leibes — als Symbol eines Innern (123,13; 124,17—20). Und tut sich strahlend kund in der seligen *tumpheit* gegenüber Jeschute — der ganze Sinn der Szene ist ja, Licht zu werfen auf das Herrliche seiner Unempfindlichkeit für die Dämonie der Sinne." Denn „die Jeschute-Episode [ist] ein Zeugnis viel weniger für Parzivals *tumpheit* als für die echte *saelde* dieser *tumpheit*"[1]). Tatsächlich muß man hier den *Erwählten* hervorheben, der in einer humoristisch-glückhaften captatio benevolentiae des Dichters als Held vorgestellt und als Erwählter die Geschichte zum guten Ende führen wird. Das objektiv mißliebige, in höfischen Augen gar verbrecherische Geschehen steht im Glanz und in der Gnade einer Frühe, in der ein unschuldiges und großes Leben beginnt. Wenn man sich überlegt, was zum Beispiel ein Gawan der Szene hätte abgewinnen können oder was überhaupt in der höfischen Gesellschaft solchen Szenen an Lüsternheit anhaftet, dann ist spürbar, wie sehr Parzival für die ‚Dämonie der Sinne' unempfindlich und dem höfischen Minnespiel abgeneigt ist.

Über all dem aber ist das Leid, das Parzival Jeschute unwissentlich zufügt, nicht zu übersehen. Hier wird ein Knoten geschürzt, der von Parzival nur gelöst werden kann um den Preis einer immer neuen Zufügung von Leid. Das heißt: Parzivals glückhafte Torheit muß sowohl autobiographisch wie in ihren Auswirkungen auf fremde, andere Menschen gewandelt und *sleht* gemacht werden. Das hat mit dieser ersten *âventiure* begonnen und wird nicht enden, bis das Telos, auf das hin Parzivals *tumpheit* scheinbar so wahl- und ziellos, aber handgreiflich lozugehen begonnen hat, erreicht ist.

Orilus aber, der sich wütend in Drohungen über den ergeht, der seine Freundin ‚entehrt' habe, zollt unbewußt seinem zukünftigen Besieger Tribut, wenn er auf seine Schwester Cunneware hinweist, die nicht lachen

---

1) G. Weber, Parzival 25 und 30.

könne, bis sie den erblickt habe, *dem man des hôhsten prîses giht* (135, 18). Mutwillig meint er, er bestünde Parzival selbst dann, wenn er wie ein *trache* Feuer ausatmen könne (137, 15—18)[2]).

Sigune

Der Leser oder genauer der Zuhörer ist nachgerade vertraut mit dem Helden, so daß Wolfram sich die Freiheit gestatten kann, Parzival mitsamt seiner *tumpheit* als einen Besitz des Erzählers und der Zuhörer vorzustellen. Er nennt ihn daher *unser toerscher knabe* (138, 9). Wir sind also mitten in der Geschichte und für immer neu ankommende Aventiuren bereit.

In der Begegnung mit Sigune[1]) wird der *tumbe* Parzival mit dem Leid konfrontiert, das er für Jeschute eben erst bewirkt hat (was 139, 14 negativ im Gegensatz zur seligen *tumpheit* erinnernd erwähnt wird: *unde ein tumpheit dâ geschach!*). Das Leid wird Parzival gleichsam in seiner extremsten Form, in der das letzte Leid der um ihren göttlichen Sohn trauernden Maria (Pietà) durch das Minneleid der um ihren toten Geliebten trauernden Sigune seltsam durchschimmert, vorgestellt. Parzival verhält sich diesem Leid gegenüber komisch sachgemäß. Zweimal nämlich äußert er seine Bereitschaft, den toten Schianatulander zu rächen (139, 7/8 und nachdrücklicher noch 141, 25—28). Das mütterliche *tumpheits*-Arrangement aber verhindert, daß Parzival seine Bereitschaft durch eine helfendrächende Tat erfüllt. Er ist ein Tor, der eine ritterliche Geste übt, ohne ihr genügen zu können. Die Komik wird von der leidvollen Sigune verstanden: sie weist dem rachelustigen schließlich eine falsche, dafür harmlose Fährte.

Vorher aber äußert sich die trauernde Sigune in den bewegendsten Ausdrücken über Parzivals Schönheit und Mitleiden mit ihrem Schmerz:

> ‚du bist geborn von triuwen,
> daz er dich sus kan riuwen‘. (140, 1/2)

Sie eröffnet dem Toren seinen Namen (Parzival = *‚Rehte enmitten durch‘*), seine Herkunft und seinen *art*, gibt sich als seine Base zu erkennen und erzählt ihm ihre Leidens- und Liebesgeschichte. Die *âventiure* Parzi-

---

2) Diese Stelle weist vor auf 476, 27/28, wo Trevrizent Parzival mit einem *tier* und einem *trachen* vergleicht.

1) Vgl. zum Folgenden Schwietering, Sigune auf der Linde, ZfdA 57 (1920) 140—143.

vals verknüpft sich mit einer sippehaften Legitimation. Das Substrat dieser Verknüpfung ist die *tumpheit*: belehrt kann nur werden, wer den nötigen Leerraum mitbringt, um darin Belehrungen bergen zu können. Ohne die Unterlage von Parzivals *tumpheit* geschähe schlechterdings nichts, müßte gar nichts geschehen. Denn Werden gibt es erst dort, wo Sein noch fehlt. So kann Parzival zum ‚Schema' werden (‚Schema' als ‚Gestalt' genommen), dem die *werlde* als ein Helfendes, Rettendes und Förderliches entgegentreten muß, will sie selber gerettet, erlöst und zu sich selber geführt werden[2]). Das Schematische, Schemenhafte im modernen Wortsinn an Parzival ist auch seine *tumpheit*, die als ein Kunstmittel (als ein Mittel des ‚Könnens') den Roman erst ermöglicht.

Namengebung und Kundgabe von Herkunft und *art* sind erste Zeichen romanhaften Geschehens, sind geradezu Einführung und Initiation in das zu erzählende Geschehen. Das Waldidyll war geschichtslos, von bloß episodischem Charakter. Die Begegnung Parzivals mit Sigune ist aber Anstoß sinnvollen Werdens. Parzival ist hier erstmals durch ein Bild der Trauer in seiner Mitmenschlichkeit gerührt und betroffen. Und — was wichtig ist — er hat als ein Heiler, Unschuldiger mit Mit-leid geantwortet. Das aber ist Einstieg in den Strom der Geschichte und des Mitseins mit der Welt und den Menschen. Parzivals Verwandtschaft mit Sigune ist ein beredtes Zeichen dafür. Der weite Kreis des Mit-Menschlichen bestätigt sich ganz schlicht als Sippengemeinschaft. Und so ist Parzivals *tumpheit* nicht mehr unbeschrieben: sie hat im Gegenteil eine positive Bestimmung erfahren, die sich in der Begegnung mit der Welt einstellen mußte: die *Unerfahrenheit*. Der gängige Wortsinn von *tump* schließt diese Bedeutung mit ein, sie darf aber zusätzlich als Merkmal Parzivals eigens erwähnt werden.

Parzival am Artushof

Bei Sigune hat Parzival die herkunftsmäßige Legitimation erfahren, ohne die er nicht in die Welt eintreten könnte, nach der sein Sinnen steht. Im minimalen Rückblick in seinen *art*, den ihm Sigune gewährt, ist wenigstens ein Anfang gesetzt, der erzählerisch fruchtbar werden kann. Der Leser aber ist vorerst noch gewitzigter als der Held, der seine Torenschritte nun

---

[2]) Damit ist ein sozial-ontologisches Prinzip formuliert, das sich noch im Gemeinplatz äußert, daß eine Gemeinschaft so stark ist wie ihr schwächstes Glied. Die Gemeinschaft ist ‚naturrechtlich' eine übergreifende Ordnung, die sich selber dann am besten erhält, wenn sie den Einzelnen als einen Gestaltungsfaktor ihrer selbst in sich einbergen kann.

gewaltsam und frech in eine Welt setzt, deren Lebensraum ihn als einen Herrscher umgeben soll. Vom Eschaton des Romans sind aber Held und Leser im Grunde noch gleich weit entfernt, der Leser hat bloß einen tieferen Rückblick als der Held, der ihm ein Nachgeborener ist. Das Eschaton beginnt jetzt, da *der tumpheit genôz* (142, 13) in seiner geschichtslosen Unerfahrenheit geschichtlich geworden ist. Das Noch-Nicht der verzögernden, arrangierenden Vorgeschichte ist ins anhebende Jetzt der gegenwärtigen Roman-Geschichte getreten. Der *knappe an witzen laz* (144, 11) lernt thesenartig am eigenen Leib die ‚Schlechtigkeit' der unteren Stände kennen: ein *vischaere*, gekennzeichnet als ein *vilân*, handelt ihm als Entgelt für ein Nachtlager und ein bißchen Brot den bei Jeschute geraubten *vürspan* ab. Der Fischer weist Parzival dafür den Weg an den Artushof.

Je näher dem Artushof, um so lächerlicher *der tumpheit genôz*. Wolfram verteidigt ihn in einer zwischengeschobenen Anrede an *mîn her Hartman von Ouwe* (143, 21 — 144, 4) spöttisch vor drohendem Spott. Oder will er den Spott, der seinem Helden droht, heimholen in den Humor, der ihm gemäßer ist?

In Ither von Gaheviez begegnet Parzival der viel subtileren und gewundeneren ‚Schlechtigkeit' der oberen Stände, sofern die ständische Ideologie überhaupt eine solche zuläßt. Ither redet Parzival mit einem wahren Sturzbach wohlgesetzter, höfischer Schmeichelworte an, bevor er ihm den bekannten Auftrag an König Artus übermittelt. Der unhöfische Parzival antwortet lakonisch, aber zustimmend und kann sich so mit der am Hof erwarteten, wichtigen Botschaft Ithers zu Artus begeben.

Vor den Tafelrundern am Artushof bedient sich Parzival der ihm zur Gewohnheit gewordenen Grußworte (148, 2 ff.), die er immer kausal an den Auftrag der Mutter knüpft. Mit demselben höfischen Blick für Schönheit nimmt man Parzival wahr, mit dem ihn schon Ither wohlgefällig betrachtet hat:

> got was an einer süezen zuht,
> do er Parzivâlen worhte ... (148, 26/27)

Seine Schönheit und auf den Schöpfer rückverweisende wohlgefällige Erscheinung könnten mit seiner *tumpheit* im Widerspruch stehen. Doch in Wirklichkeit impliziert Parzivals Schönheit die Torheit als einen Untergrund, dem sie verpflichtet ist.

Wird in Parzivals törichter Grußrede an Iwanet, die Hofherren und das Königspaar die unschuldige, glückhafte und autoritätshörige *tumpheit* seines Waldlebens durchsichtig, so zeigt sich in Parzivals ungeduldiger

Hast, sofort ein Ritter werden zu wollen, etwas Zukünftiges an, dem sich Artus und seine Ritterschaft ohne weiteres bequemen. Parzival hat tatsächlich keinerlei Schwierigkeiten, vor den König zu kommen: *im kunde niemen vîent sîn* (149, 1). Die Frage stellen, ob Parzival, ohne *tump* zu sein, denselben Erfolg am Hofe gehabt hätte, heißt sie verneinen. Seine *tumpheit*, durch das bisher Erzählte erhärtet und als eine großartige Möglichkeit zum Fungieren innerhalb des Romans sichergestellt, ist am Hofe das Substrat von Parzivals Erscheinung[1]). Sie sichert ihm das Aufsehen, die Beachtung und die Ausnahmestellung, die er als Romanheld braucht. Zudem bewahrt sie ihm die Schönheit und adamische Gestalt seiner Erscheinung. Die *tumpheit* ist im Grunde das Apriori, dem das Aposteriori des Schönen tief verpflichtet ist, ja ohne das es gar nicht sein könnte. Man trifft das Richtige, wenn man sagt: die *tumpheit* ist das Schöne selbst, insofern sie Unschuld, Anfänglichkeit und Heiterkeit bedeutet. Erst innerhalb des Gesellschaftlichen bemerkt man die Schönheit einer Gestalt isoliert, indem man über ihre *tumpheit* die Nase rümpft. Das heißt: Im Gesellschaftlichen herrscht eine Parteilichkeit, davon die Gesellschaft selbst die am meisten Leidtragende ist. Es ist für die Gesellschaft des Artuskreises mit Ausnahme Keyes ein gutes Zeichen, daß sie einer ganzheitlichen Intuition von Parzivals Erscheinung noch fähig ist. Aus Iwanets Lachen über Parzivals Bemerkung, daß er hier *mangen Artûs* (147, 22) sehe, klingt noch der gleichgestimmte Humor, der mit dem Hohn des gesellschaftlich Höheren über den Niedrigen nichts zu tun hat. Wolfram kann objektivierend sagen: *Artûs an den knappen sach: / zuo dem tumben er dô sprach* (149, 5/6). Artus redet Parzival mit *junchêrre* an und scheint sich eines besonders höfischen Tonfalls zu befleißen. Artus ist wirklich der höfisch gesittete und bis in die leiseste Geste gebildete Mensch, als der er hier erscheint[2]). Irgendwie ist er höfisches Gegenbild zur ein-fältigen Erscheinung Parzivals. Daher verfällt er nicht in den Jargon einer väterlichen Betulichkeit gegenüber Parzival, welcher ihn um Ritterschaft bittet. Artus hält sich in Rede und Gebaren völlig innerhalb

[1]) Die Schönheit Parzivals wird gerade an den Stellen, wo seine *tumpheit* Gewicht bekommt, wie ein unschwächbares, notwendiges Korrelat miterwähnt. Sie gehört unbedingt zum Anfänglichen, Adamischen seiner Erscheinung. Vgl. Wilhelm Deinert, Ritter und Kosmos 56.

[2]) Artus kann so sehr der Höfische, Gesittete sein, daß er erscheinungslos als eine überlegene Potenz substituiert wird. Es gibt gerade in der mittelalterlichen Literatur viele Zeugnisse für solche passiven und doch herrschenden Könige. Vgl. Wolfram von den Steinen, Der Kosmos des Mittelalters, Bern 1959, 73 f.

des Horizonts, den ihm sein höfischer Umkreis demonstriert: heiterer Ernst und Ernstnehmen sind die Hauptfaktoren dieser Gesittung. Artus erklärt sich sofort bereit, Parzival zum Ritter zu machen, muß ihn aber der Vorbereitungen wegen auf morgen vertrösten. Die Ungeduld Parzivals macht sich nun, da es vor Artus ein Lächerliches nicht geben kann, selbst lächerlich. Es heißt darüber jetzt ziemlich scharf:

> der wol geborne knappe
> hielt gagernde als ein trappe.
> er sprach ‚ichn will hie nihtes biten.‘ (149,25—27)

Dieser zur Schau getragene Stolz Parzivals fällt vor der Höhe des Höfischen ab in die inhaltsleere Anschaulichkeit einer stelzenden Trappgans. Parzivals Aufbegehren ist lächerlich in sich selbst; der Wunsch nach der Rüstung des roten Ritters Ither ist es nicht minder. *Tumpheit* weist hier den Leerraum der Negativität vor, welchen die Schlechtigkeit Keyes nicht zögern wird auszufüllen. In gewundener, aber eindeutiger Bildsprache untersteht sich Keye, Ither mit einem Eberkopf und Parzival mit einem Jagdhund zu vergleichen, zudem appelliert er heimtückisch an des Königs *milte*, die fordert, daß einer, der um eine Gabe bittet, sie auch erhält. Man beachte, wie haargenau Parzival die Schuld am Kommenden durch die Magisches in Szene bringende Bosheit Keyes zum voraus abgehandelt wird. Parzivals *tumpheit* ist Anlaß sowohl von Unschuld als auch Schuld; die Bosheit entspricht der *tumpheit* im Schlechten, aber so, daß das Schlechte als ein radikal Äußerliches geschehen wird (vgl.: *der knappe iedoch die gâbe enpfienc, / dâ von ein jâmer sît ergienc* 150,27/28)[3]).

In Cunneware von Lalant und dem *witzehaften tôren* Antanor findet Parzival ungewollt jene für ihn lebenswichtigen Gestalten, die, ihn stellvertretend, die *tumpheit* im Guten vor der ganzen höfischen Gesellschaft demonstrieren und das Heile, dem Parzival als *trappe* nicht mehr entspricht, vertreten. Indem Cunneware durch Lachen und Antanor durch plötzliches Reden *den hôhsten prîs*, der Parzival zukommen muß, wunderbar prophezeien, wird nichts geringeres als Parzivals Weg überhaupt gesichert und, über die schlechte *tumpheits*-Tat an Ither hinaus, als ein rechter gewiesen. Cunneware schafft für Parzival das Dienstverhältnis, das ihn an den Hof bindet, ihn also eingliedert in die höfische Gesellschaft,

---

[3]) Aus 150,27 ist zu schließen, daß Artus dem Begehren Keyes nachgegeben hat, ja hat nachgeben müssen, da die *milte* nicht bloß die zufällig überfließende Freizügigkeit eines reichen Königs ist, sondern geradezu dessen Berufseigenschaft.

durch die und aus der er ja werden soll, der er ist. Parzival aber schafft der Anblick der Prügelszene, da Keye Cunneware und Antanor für ihre Stellvertretung straft, *leit* (*im was von herzen leit ir nôt* 153,17). Das Mitgefühl, über welches sich Sigune gegenüber Parzival lobend geäußert hat (*du bist geborn von triuwen, / daz er dich sus kan riuwen* 140,1/2), spricht sich hier erneut und stärker aus.

Der Kern der ganzen Szene am Artushof enthüllt sich erst im Blick vor und zurück. Zurück liegt die Typisierung Parzivals als eines *tumben* durch Erziehung und die im Wald verbrachte Jugend; die Bildung Parzivals zu dem, der *den hôhsten prîs* der Ritterschaft erwerben soll, steht noch bevor. Ist jenes Herkunft und *art*, so ist dieses Geschichte, Werden. Die Nahtstelle aber, an der beides ein erstes Mal sich trifft und verbindet, ist das Eintreffen Parzivals am Artushof. Das Rittertum, dem sich Parzival mit seinem ganzen Dasein anheimgeben will, wird ihm hier aus der Hand Artus' verliehen, nur widersetzt sich die Ungeduld des Toren der formellen Verleihung des ‚Ritterordens' und zieht den stolzen Selbsterwerb vor. Stolz und Ungeduld Parzivals gehen einen Bund ein mit dem Bösen, das Keye aus Heimtücke vorschlägt. Allerdings hindert die *tumpheit* Parzival daran, einzusehen, welchem bösen Zwang er sich bequemt. Die *tumpheit* zeigt sich hier zwiespältig und doppelseitig. Liegt ihr das Gute als Unschuld und Anfänglichkeit zugrunde, so zeigt sich nun ein möglicher Überbau an, dessen Elemente Übeltaten und unbewußter Stolz sind. Allerdings wird dieser Überbau durch die subjektive Evidenz der g u t e n *tumpheit* stets relativiert, in Frage gestellt und als ein bloß Objektives subjektiv ausgeschieden. Parzival ist immer der ‚Unschuldige', obwohl ihm Schuld in immer größerem Ausmaß zuwächst. Die subjektive Schuld am Tod Ithers hat unbedingt Keye zu tragen, Parzival ist lediglich Marionette eines bösen Willens.

Ither

Parzivals grobe Herausforderung Ithers, der ein echter Ritter nie und nimmer sich beugt, entspringt eindeutig der Torenrede, als deren Meister sich Parzival anderweit schon vielfach erwiesen hat. Indem er als ein ritterlich völlig Unvorhergesehenes auftritt, erwirbt er sich die Ritterschaft. Klarer und ungeduldiger kann sich Parzival nicht als Strauchritter bezeichnen, als wenn er sagt:

> ‚gip her und lâz dîn lantreht:
> ichne wil niht langer sîn ein kneht,
> ich sol schildes ambet hân.' (154,21—23)

Wen diese Worte noch erstaunen mögen, der rufe sich nur die Rede in Erinnerung, deren sich Parzival bei der Begegnung mit Karnahkarnanz bediente. Es ist derselbe forsche Ton, mit dem Parzival den ersten ihm begegnenden Ritter angesprochen hat. Was wechselt, ist nur die Ausdrucksweise der Ritter, die Parzival begegnen. Die *tumpheit* aber hat immer dieselbe ebene Sprache gesprochen, nur unter verschiedenen Vorzeichen. Ither, der sich auf diese Rede hin auch nicht eben ritterlich verteidigt, stirbt einen unritterlichen Tod durch das *gabylôt*, das ihm Parzival *al zornic* (155, 5) durchs Visier schießt. Es ist glatter, mutwilliger Raubmord, den *Parzivâl der tumbe* (155, 19) begangen hat. Er hat einen allseits geachteten Ritter und Frauenliebling getötet, nur um dessen Rüstung zu rauben und dadurch ein Ritter zu werden.

Wîsheit der unberuochte (155, 28)[1]) wird Parzival genannt: jede Kenntnis ritterlicher Gewandung und Rüstung liegt ihm fern. Er kann nicht einmal dem Toten die Rüstung abziehen. Auch das ein Fehler, der den Fehl größer macht: Parzival entspricht seinen Taten nicht, vermag ihnen nicht zu entsprechen, da er sie aus *tumpheit* begeht und damit sowohl die *tumpheit* als auch seinen Eintritt in die ritterlich-höfische Welt schändet. Ein Lächerliches aber haftet der Szene trotzdem an: Parzival nestelt an den Kleidern des Toten herum, ohne sie lösen zu können. Der Humor hat gerade hier seinen Platz und seine Funktion: denn einzig er entschärft die Ungeheuerlichkeit des Geschehens und lenkt den Gedanken vom Geschehen (Mord) weg zum Täter. Parzival nennt man nur ungern einen Mörder. Denn er ist im Moment des Totschlags vom Reservat der *tumpheit* umfangen und geborgen; man kann ihn subjektiv nicht behaften. Mit anderen Worten: Parzival entgeht allen moralischen Fallstricken durch die Flucht in das Substrat seines Daseins. Man meint, ihn an einer Puppe hantieren zu sehen, wenn man seine Gedanken zusammen mit dem Knappen Iwanet an dem Kampfplatz, wo Parzival *in tumber nôt* (156,10) ist, ankommen läßt. Der Tote geht gleichsam ein in die drahtzieherhafte Marionettenhaftigkeit des Daseins, die Parzival umgibt. Iwanet, *der knappe cluoc* (156, 8), kann helfen:

> entwâpent wart der tôte man
> aldâ vor Nantes ûf dem plân,
> und an den lebenden geleget,
> den dannoch grôziu tumpheit reget. (156, 21—24)

---

[1]) Martin übersetzt: ‚der mit Weisheit nicht versorgte, nicht begabte‘ (vgl. zur Stelle).

Die Rüstung wird mit allem Zubehör über die bäurischen Kalbsstiefel und das Narrenkleid gezogen: die Szene hat etwas Burleskes. Ohne den Toren und das mütterliche Arrangement dieser Torenhaftigkeit abzulegen, wird Parzival Ritter, das heißt: er montiert sich — mit ein, zwei notdürftigen Ratschlägen versehen (wie er Schwert und Schild zu gebrauchen habe) — als Ritter und verabschiedet sich dann von Iwanet. In seiner Abschiedsrede gedenkt er nochmals der Schmerzensrufe Cunnewarens und meint, sie rührten ihn nicht nur irgendwie an sein Herz, sondern mittendrin (158,27 ff.). *Vrou Ginovêrs* (160,1) Totenklage faßt großartig zusammen, was Ither, *diz wunder, / der ob der tavelrunder / den hoehsten prîs solde tragen* (160,5—7), in der Gesellschaft der Männer und der Frauen des Hofes bedeutete und wie unersetzlich er war (160,3—30). Ein eigentlicher Tugendkatalog höfischen Verhaltens passiert Revue. Der Hörer aber versteht sehr genau, daß die Totenklage der Königin ein Leben glorreich beschließt, indem sie ein anderes, noch stärkeres und preiswürdigeres Dasein anzeigt. Parzival ist der allegorisch Gemeinte, sein Wert steigt im Maß, als Ither aufgewertet und gepriesen wird. Nicht etwa bloß deshalb, weil er Ither bezwungen hat, sondern vielmehr, weil er mit dessen Tod Aufgabe und *schildes ambet* als ein Erbe übernommen hat[2]). Wurde er am Hof von Antanor vertreten, so vertritt er nun selbst die Gegenwart eines Toten, dem er im Wesen verbunden bleiben muß. Das Spiel der Stellvertretungen hat im Höfischen durchaus noch den Ernst, der ihm innerhalb des Christlichen zukommt.

Fragen wir nach der *tumpheit*, nach ihrer Funktion bei diesem Mord, dann ergibt sich: Parzival muß die persönliche, subjektive Schuld an diesem Mord kraft seines auch im Schlechten *tumben art* dem Seneschall Keye als eine von ihm zu sühnende überlassen, oder besser: die subjektive Schuld ist ihm, der holzig-ledernen Art seiner Erscheinung entsprechend, nicht anzurechnen, weil die *tumpheit* selbst ihn vor den Hintergründigkeiten einer persönlich zu tragenden Schuld schützt. Die *tumpheit* trägt hier den Schutzmantel einer fatalen, aber nicht schuldhaften Naivität. *Die Ursprünglichkeit wird Maske, die Unschuld eine Attitüde, die zwar*

[2]) Die gewaltsamen und im Grund rechtlosen Umstände, unter denen Parzival den Rechtsstand des *schildes ambet* sich erzwingt, sind nicht zuletzt Ausdruck einer geschichtlichen Wirklichkeit, die in Seminarien mit Herrn Prof. Marcel Beck (Zürich) besonders bei den alten Schweizern verschiedentlich zu beobachten war: die Formation des Staates ruht gerade bei den alten Schweizern auf einem nicht unbedingt rühmlichen Untergrund von rechtloser Gewalttat und Verbrechen. Die mythische Verherrlichung der geschichtlichen Vergangenheit ist der rührenden Sorgfalt einer auf Moral bedachten Nachwelt zuzuschreiben.

subjektiv die Schuld aussperrt, sie aber objektiv zur Dimension von Parzivals Äußerlichkeit aufschwellt und sie zum Horizont seines Umgangs mit der werlde machen wird. Dieser Sachverhalt wird sich in der theologischen Dimension sehr wohl erklären lassen, hier sei er bloß romanimmanent bezeichnet. Daß die Deutungsbrücke anhand des Subjekt-Objekt-Gegensatzes eine Umkehr, eine Reue und Einsicht in die objektive Schuld nicht aus-, sondern einschließt, müssen wir uns durch folgende Worte Wolframs sagen lassen: es heißt da von Ither:

> sîn harnasch im verlôs den lîp:
> dar umbe was sîn endes wer
> des tumben Parzivâles ger.

Dann aber ganz bedeutsam von Parzival:

> sît dô er sich baz versan,
> ungerne hete erz dô getân. (161,4—8)

Das *versinnen* scheint einen neuen Bereich der Öffnung, der geistig-seelischen Einsicht aufzuschließen, der im Zusammenhang im neunten Buch wichtig werden wird.

Gurnemanz und Parzival

Hat sich Parzival in der Begegnung mit Ither als ein der Schuld zum vornhinein enthobener Tor erwiesen, so muß er nun in der nächsten ‚Station' seines Wegs sich als ein solcher nach allen Seiten hin ausweisen. Daß dabei das Humorvolle, Lustige und Belustigende nicht ausgespart wird, ist klar[1]).

Parzival, *der tumbe man* (161,17), wie er nun schlicht genannt wird, reitet auf Ithers Pferd so lange und so weit, wie *ein blôz wîser* selbst ohne Rüstung in zwei Tagen nicht geritten wäre. Er ist in einem totalen Unwissen dessen, was kommen wird. Sein ganzes Wesen ist völlig eingebunden in die *tumpheit*, ein Zukünftiges ist ihm verschlossen. Hingegen bestimmt ihn die Vergangenheit: die Mutter mit ihren Ratschlägen, Sigune,

---

[1]) Bergsons Definition des Komischen: „du mécanique plaqué sur du vivant", kann hier ohne weiteres auf die Torenmechanik, die Parzival vor dem Hof an den Tag legt, angewendet werden. Vgl. dazu Max Wehrli, Wolframs Humor 12.

Artus, Ither. Die Vergangenheit überwächst ihn von hinten her als eine ihn im Innersten bestimmende Autorität[2]). Da er sich autoritär umgriffen fühlt, kümmert ihn die Gegenwart, sofern sie für die Zukunft Konsequenzen hat, nichts. Weil im Wesen konservativ und vergangenheitsbestimmt, wahrt Parzival in seiner *tumpheit* die Möglichkeiten der Größe und Einmaligkeit, ja er zwingt diese, ihn als Wirklichkeiten anzugehen. Seine Erwählung kommt auf ihn zu. Deshalb braucht er sich nicht um sie zu kümmern.

Man ist versucht, ihn einen Toren aus Leidenschaft zu nennen, da die ihm begegnende Welt gleichsam konfektionell zubereitet in den Torenblick springt. Wenn zum Beispiel die Burg Graharz gegen Abend vor Parzivals Blick auftaucht, bieten sich dem Überraschten, der in ritterlichem Aufzug daherreitet, bloß ‚bäurische' Erklärungsversuche für das Gewirr von Türmen an, welche die Burg schmücken:

> den tumben dûhte sêre,
> wie der türne wüehse mêre:
> der stuont dâ vil ûf eime hûs.
> dô wânde er si saet Artûs:
> des jach er im vür heilikeit,
> unt daz sîn saelde waere breit. (161,25—30)

Artus säte die Türme, anders ist für Parzival ein architektonisches Gebilde nicht erklärbar. Man vergesse über dem Manierismus dieser Vorstellung nicht die Torenweisheit, die Gebäude und Vegetation — Kunst und Natur also — in die Einheit eines innerlich ein-fältigen Bildes zwingt. Parzivals Intuition ist zweifellos richtig, seine *tumpheit* ist fragwürdig nur, weil sie in Diskrepanz steht zur Standeskonvention, der Parzival sich durch sein *schildes ambet* bequemen möchte. Daß ihm das ohne die Hilfe einer Autorität *nicht* gelingt, bewirkt seine *tumpheit*. Die *tumpheit* begründet romantechnisch die Notwendigkeit der einzelnen Bildungsstationen, steht dadurch aber auch in innigstem Zusammenhang mit der religiösen und standesethischen Idealität, die in der Gattung des Romans zur Anschauung gebracht werden soll.

Es ist klar, daß Parzival gerade in der Begegnung mit Gurnemanz, in der er das Vokabular des ritterlichen Daseins nach seiner handwerklich-

---

2) ‚Autorität' ist ein Stichwort für Parzival. Wer es mißachtet, wird gezwungenermaßen psychologische Kausalitäten im Sinne des 19. Jahrhunderts in Parzivals Weg hineingeheimnissen müssen.

kämpferischen und ideellen Seite lernen soll, seine *tumpheit* naturgemäß geradezu *hervorkehren* muß. Der Abstand, der den in Rede und Gehaben *tumben man* (wie er 162,1 zum zweiten Mal genannt wird) vom Rittertum trennt, kann nur so gezeigt werden. Es ist folgerichtig, daß Wolfram Parzivals *tumpheit* noch und noch beim Namen nennt und sie dem Lachen oder Lächeln des Zuhörers humorvoll preisgibt.

Da ist einmal die Art, wie Parzival völlig ungeniert und *ûz tumben witzen sunder twâl* (162,28) auf die grauen Locken seines Gastgebers anspielt und sich einmal mehr auf den Wink seiner Mutter beruft, bei alten Männern *rât* (162,29) zu nehmen, den ihm der *houbetman der wâren zuht* (162,23) auch nicht verwehren kann. Dann weigert sich Parzival, *an dem was tumpheit schîn* (163,21), vom Pferd zu steigen, weil ein König ihn geheißen habe, Ritter zu sein. Erschrecken, Verzagen und *schame* herrschen in der Burg, als man unter der ritterlichen Montur *diu tôren cleit* (164,7) und die Kalbsstiefel erblicken muß. Einen Ritter dauert es aufrichtig, daß *an der werlde vröude alsölh gewant* (164,18) zu finden sei. Gurnemanz vermutet gar, das sei *durch wîbe gebot getân* (164,28). Dem wird aber widersprochen (164,29—165,2); Parzival ist *mit sölhen siten*, daß er noch nie den Dienst einer Dame genommen haben kann, obwohl seine schöne Gestalt tatsächlich Liebe erwecken könnte. Parzival stört das erschreckte Burggeflüster nicht: er läßt sich die Wunden pflegen, ißt sich satt, gibt dumme Antworten, bringt Gurnemanz zum Lachen, muß sich die Torenkleider ausziehen, schläft tief und beruhigt, am Morgen nimmt er ein Bad. Hier ist Anlaß zu Scherz und unbekümmertem Humor:

> jane dorfte in niht ellenden
> der dâ was witze ein weise.
> sus dolte er vröude und eise,
> tumpheit er wênc gein in engalt. (167,8—11)

Hier ist ihm volle Narrenfreiheit zugesprochen: die *tumpheit* erschöpft sich im Wohlbehagen und bringt keinen Schaden.

Wieder ist auf die Schönheit hinzuweisen, die Parzival auszeichnet. Denn immer und immer wieder und gerade im Zusammenhang mit Stellen, die Parzivals *tumpheit* herausstellen, demonstriert Wolfram als ein Korrelat der *tumpheit* Parzivals Schönheit. So heißt es denn auch hier: *reht geschickede abe in schein* (168,8). Mit dem Auftreten Gurnemanz' und der ihn begleitenden Ritter wird Parzivals Schönheit gleichsam gesellschaftlich bestätigt, indem jeder Ritter gestehen muß, er habe *nie sô schoenen lîp*

(168,25) gesehen. Ein Hinweis auf die Minne (168,29—169,2) lokalisiert die Schönheit und macht sie als eine gesellschaftliche Liebesmacht erkennbar. Und es ist nur logisch, daß das Rittertum sich in Gurnemanz' Gestalt Parzivals annimmt und durch Gesittung bestätigt, was es an ihm an *art* wahrgenommen hat. Das heißt: Parzival, obwohl ein *helt mit witzen cranc* (169,15), der noch und noch seine Mutter zitiert, muß lernen, was zu lehren man bisher an ihm unterlassen hat; das Torenarrangement der Mutter muß aufgehoben, rektifiziert und ins Ritterliche hinein moduliert werden.

Daß diese Belehrung mit der *messe* ihren Anfang nimmt, ist bezeichnend. Zwar gewährt die Messe als ein factum Christi, d.h als ein religiöses, gesellschaftlich also nicht aufrechenbares Geschehen, keinen Anlaß, das Religiöse im Sinn eines theologischen Überbaus dem Gesellschaftlichen und Höfisch-Ritterlichen einzuverleiben. Und doch beginnt Parzivals höfische Erziehung immer mit religiösen Fragen und Antworten (man denke an die Gottesfrage des jungen Parzival, die ihm seine Mutter zu lösen hatte!). Die höfische Kultur des Mittelalters muß daher im Kern eine Bemühung um Religiös-Christliches sein, nur unter den im Vergleich zu heute umgekehrten Vorzeichen, daß der Grad der Inkarnation, der Einverleibung des Christlichen ins Irdische die Sinnhöhe des Christlichen überhaupt bezeichnet[3]). Die Welthaltigkeit des Christlichen setzt mittelalterlich dessen Wahrheit frei. In der Sprache Wolframs heißt das schlicht:

> dô gienc der helt mit witzen cranc
> dâ man got und dem wirte sanc.
> der wirt zer messe in lêrte
> daz noch die saelde mêrte,
> opfern unde segnen sich,
> und gein dem tiuvel kêrn gerich. (169,15—20)

Eine Gegensätzlichkeit zwischen *tumpheit* und gläubigem sich-Fügen unter das göttliche Gesetz ist in diesen Sätzen nicht vernehmlich. Vielmehr scheint die Identifikation der *tumpheit* mit Unschuld erneut hervorzutreten. Eine Unschuld, die alles autoritativ auf sie Zukommende als bindende und zum Heil führende Weisung entgegenzunehmen bemüht und gewohnt ist. In diesem Sinn nimmt Parzival die Ratschläge Gurnemanz' in derselben positiven Hörigkeit entgegen, wie er seinerzeit Herzeloydens Räte empfangen und in seliger oder unseliger *tumpheit* realisiert hat. Der

---

[3]) Zur eindrücklichen Demonstration dieser Ansicht ist auf Wolfram von den Steinens schönes Werk zu verweisen: Der Kosmos des Mittelalters, Bern 1959.

Unterschied besteht einzig im Wechsel der ‚Station'[4]) oder der ‚Szene': Parzival erhält in Gurnemanz' Belehrung und praktischer Anweisung zum Rittertum etwas, das ihm artgemäß vertraut und innerlich ist, als äußere Bestätigung und Förderung. Das Neue liegt wiederum nicht in Parzival selbst (durch seine Autoritätshörigkeit nimmt er die Zukunft in einem grundsätzlichen Sinn als ein Äußerliches, Begegnendes voraus!), sondern im Arrangement der Station und des neuen Aufenthalts. Das Neue kommt Parzival zu. Er bringt es nicht selbst mit. Was er mitbringt, ist die nun schon Gestalt gewordene *tumpheit*, von ihr muß er dem *durch höfscheit* (169,25) fragenden Gurnemanz berichten: wie er von seiner Mutter weggeritten ist, wie er bei Jeschute zum Fingerring und dem *vürspan* gekommen ist, schließlich wie er seinen Harnisch erlangt hat. Bezeichnend die Reaktion Gurnemanz'! Er zieht das Fazit von Parzivals bisheriger Existenz und ratifiziert in einer Art Stellvertretung für die gesamte Ritterschaft der Zeit, was nun nicht mehr zu ändern ist:

> sînen gast des namen er niht erliez,
> den rôten ritter er in hiez. (170,5/6)

Parzival ist eingegliedert in den Ritterorden; das Zeichen seines roten Harnisches ist vor der Gesellschaft und letztlich auch vor Gott Ausweis seines Standorts in der Welt. Es gilt daher, vieles zu revidieren, richtig zu stellen und zu lehren. Indem Gurnemanz Parzival als den roten Ritter akzeptiert, nimmt er dessen Belehrung als eine Pflicht auf sich. Die Erzählfolge ist logisch:

> Dô man den tisch hin dan genam,
> dar nâch wart wilder muot vil zam.
> der wirt sprach zem gaste sîn
> ‚ir redet als ein kindelîn.
> wan geswîgt ir iuwerre muoter gar
> und nemet anderre maere war?
> habt iuch an mînen rât:
> der scheidet iuch von missetât.' (170,7—14)

[4]) Damit adoptieren wir einen Begriff, den Walter Johannes Schröder in die Wolframforschung eingeführt hat. Hinsichtlich der Ratschläge, die Parzival nach und nach erteilt werden, heißt es bei ihm: „Hier ist nicht ein Mensch mit wachen Sinnen und klugem Verstand der Welt gegenübergestellt, um sie zu ‚erfahren', sondern eine Figur wird durch eine sachlich-objektiv bestimmte Bahn bewegt, wobei je nach der Stelle, auf der sie sich gerade befindet, sozusagen ein Reifegrad auf ihr vermerkt wird. Entscheidend ist der Ort im Spielganzen, die Station. Daher ist denn Parzival, als er Gurnemanz verläßt, ohne Einschränkung der vollkommene Ritter: der Lehrer hat nichts vergessen" (Der dichterische Plan des Parzivalromans 18/19; vgl. auch 31 und 39).

Das ist Belehrung in einem klassischen, unsentimentalen Sinn! Parzival soll sich nicht mehr wie ein *kindelîn* benehmen, sondern ganz einfach den Forderungen, die ihm sein neuerworbener Stand stellt, genügen. Die Forderungen des Standes und des *art* sind jenes Äußerliche, von den Ordnungen des Kosmos und des Menschseins Aufgegebene, das man nur unter Höllenstrafe vernachlässigt. Inhalt und Form sind noch nicht in gedoppelte Belanglosigkeiten auseinandergefallen. — Parzifal soll sich nie *verschemen* (schamlos werden). Und, den Kern des Romans und der mittelalterlichen Existenz treffend, folgt:

> ir tragt geschickede unde schîn,
> ir mugt wol volkes hêrre sîn.
> ist hôch und hoeht sich iuwer art,
> lât iuweren willen des bewart,
> iuch sol erbarmen nôtec her:
> gein des kumber sît ze wer
> mit milte und mit güete:
> vlîzet iuch diemüete. (170,21—28)

Parzivals Schönheit kommt von weiter her als das Make-up anderer Zeitläufte: sie ist Wohlgestalt von Gnaden eines hohen *art,* Herrscherwürde. Ist Schönheit der Erscheinung Gnade, so ist die *erbärme* (170,25 und 171, 25) Pflicht. Der Überfluß des Herrschenden muß sich in *milte* und *güete* konkretisieren, wenn anders er seinen Gnadencharakter nicht verraten will. Und schließlich soll sich Parzival der *diemüete* befleißen, der *diemüete,* in der Herzeloyde das in ihr keimende Leben bewahrte und in der sie starb. So wenig die *diemüete* an unserer Stelle ausgewortet wird, so viel klingt in ihr an. Der Übergang der *tumpheit* in ein Höheres, Verpflichtenderes und Gestalthafteres ist hier als eine Aufgabe Parzivals unter anderen gestellt. Man darf sich aber jetzt schon fragen, ob dieser lakonische Imperativ *vlîzet iuch diemüete* nicht durch die Allgemeinheit seiner Formulierung hindurch auch ein Allgemeines, Umfassendes meint. — Parzival soll zugleich *arm unde rîche* (171,8) sein. Befehlend heißt es: *gebt rehter mâze ir orden* (171, 13). Dann beinahe etwas ärgerlich: *nu lât der unvuoge ir strît* (171,16). Offenbar sind damit die Exzesse des *tumben* Parzival gemeint, sein *wilder muot,* seine Frechheit, seine zur Schau getragene Naivität. Die selige *tumpheit* muß den Weg zur Gesittung und *höfscheit* finden, d. h. muß reflex in sich gebrochen werden. Ganz nebenbei verbietet Gurnemanz seinem Schüler unnötiges Fragen und unvorsichtiges Antworten. Und er faßt energisch zusammen, wenn er sagt:

ir kunnet hoeren unde sehen,
entseben unde draehen:
daz solte iuch witzen naehen. (171,22—24)

Gurnemanz beschwört eine synästhetische Welterfahrung, um Parzival der *witze* anzunähern: Hören, Sehen, Schmecken und Riechen, das sollte Parzival schließlich zu Verstand bringen, seine Einsicht fördern und ihn bereit machen für die hohe Bestimmung, die ihm im Gralkönigtum aufgegeben ist. Auffällig ist, daß Gurnemanz das Wort *tump(heit)* nie in den Mund nimmt. Wäre mit ihr etwas Eindeutiges gemeint, eine eindeutig negative Charakterisierung, dann wäre das Wort sicher gefallen. Es geht also offenbar nicht darum, Parzival schlicht die *tumpheit* als ein Negatives mit guten Räten positiv aufzurechnen, sondern darum, daß Parzival die Öffnung zur Welt, in die er hat eintreten und sich einkörpern wollen, sinnlich und geistig als seine eigene Öffnung zur Welt und Gesellschaft hin erkennt, bejaht und nach Kräften bis zur Identifizierung mit ihr als eine Aufgabe betreibt. Die *tumpheit*, soweit sie sich nicht in *unvuoge* äußerte, wird damit als Grundlage und Ermöglichung dieser so hohen Aufgabe Parzivals nicht angetastet, sondern stillschweigend vorausgesetzt. Parzival bleibt in einem tiefen Sinn der *tumbe*, nur haben sich nach der Belehrung die Vorzeichen entscheidend geändert (wie sich zeigen wird). Andererseits kann man bei dieser Stelle die Assoziation, der vermögende Gebrauch der Sinne stehe in einem eindeutigen Gegensatz zum Phonem ‚*tump*‘, nicht oder nur schwer unterdrücken. Sowohl der sprachhistorische als auch der synchronische Befund von ‚*tump*‘ bezeugen den Wortinhalt als ‚Verdunklung der Sinne, schwach von Sinnen‘, ja ‚stumm‘. Eine wachsende Öffnung der Sinne sollte mithin die *tumpheit* Parzivals ausschalten, möchte man meinen. Und doch darf man nicht vergessen: Gurnemanz' Rede ist eine Mahnrede, die, soll sie überhaupt wirksam sein, ohne Bezugnahme aufs Bildhafte, das schnellfertig das Abstrakteste in Anschaulichkeit zu kleiden vermag, nicht auskommt. Hören, Sehen, Schmecken, Riechen stehen bei Gurnemanz in der alten Tradition der ‚geistlichen Sinne‘[5]): in ihrer Ausdrucksform, die eine Sinnestätigkeit bezeichnet, ist auch noch ein Übersinnliches, d. h. der Bezug auf jenen, der sieht, hört, schmeckt, riecht, gemeint. Ganz gleich verhält es sich mit der *tumpheit*. Sie ist kein kruder Befund, sondern ein Wort mit einem weiten Umkreis,

[5]) Über die ‚geistlichen Sinne‘, sowohl was ihre Tradition als ihre theologische Evidenz für den ‚geistlichen Menschen‘ betrifft, vergleiche Hans Urs von Balthasar, Herrlichkeit, Eine theologische Ästhetik, Erster Band: Schau der Gestalt, Einsiedeln 1961, 352—410.

in dem sich vieles zusammenfindet: Geistig-Geistliches sowohl als Reales, Konkretestes. Daher ist auch von dieser Stelle her für den Gesamtzusammenhang der *tumpheit* noch nichts auszumachen.

Ein rein praktischer Rat, nämlich: sich nach dem Waffentragen sauber zu waschen, ansonst die Frauen ja nicht merken, wie *minneclîch gevar* er, Parzival, sei, führt zu einem weitausladenden, tiefgründigen Exkurs über die Minne. Parzival soll sich *diu wîp liep sîn* (172,9) lassen und ihnen gegenüber nie wankelmütig sein; denn *daz ist manlîcher sin* (172,12). Betrug in der Minne ist zu nichts nütze; Falschheit, List führen zu Unehre und Schande. Die ganze *lêre* gipfelt in der wunderbaren, das Geschehen mit Cundwiramurs präludierenden Auskunft:

,man und wîp diu sint al ein;
als diu sunne diu hiute schein,
und ouch der name der heizet tac.
der enwederz sich gescheiden mac:
des nemet künsteclîche war.'
si blüent ûz eime kerne gar. (173,1—6)

Daß Parzival diese so entscheidende Wahrheit über Frau und Mann *künsteclîche* wahrnehmen und in der Erinnerung behalten wird, dafür ist die bewahrende Kraft und die aller Autorität verpflichtete *tumpheit* Parzivals die sichere Gewähr. Allerdings ist diese *tumpheit* schon in etwa verinnerlicht, Parzival scheint sich ihrer bewußt zu werden. Die bescheidene Art, wie er sich nach dieser schwerwiegenden und in ihrer Wirkung unabsehbaren Unterredung vor dem *wirt* Gurnemanz verneigt, beweist es. Mehr aber noch der Zusatz Wolframs:

sîner muoter er gesweic
mit rede, und in dem herzen niht,
als noch getriuwem man geschiht. (173,8—10)

Herzeloyde ist fortan keineswegs abgeschrieben. Im Gegenteil, sie ist im Herzen Parzivals als eine Erinnerung ge- und verborgen. Sie ist eine innerliche Gestalt Parzivals geworden, eine Mitgift in sein Leben und eine Autorität, deren er sich als ein Treuer versichert, indem er ihr gehorcht. Die äußere Berufung auf sie ist damit aber nicht zugunsten des er-innernden Bewahrens ihrer Ratschläge ausgespielt. Das hieße schon zuviel hineinlesen. Der Unterschied zwischen äußerem Pochen auf die Autorität der Mutter und er-innerndem Bewahren ihrer Ratschläge artikuliert bloß den Wechsel der ,Station', d.h. den Übergang vom *kindelîn* zum *getriuwen man*. Die *tumpheit* aber ist ein Mittleres, das in beiden je anders erscheint.

Trotz dem wichtigen Vorbehalt, daß Parzivals *tumpheit* durch Gurnemanz noch keineswegs aufgehoben ist, darf nicht übersehen werden, daß etwas Neues geschieht. Die Häufung jener Wörter, die Parzivals aktiv-teilnehmende Haltung für die neue *lêre* bezeugen, ist eindringlich genug. Die Belehrung wirkt sich unmittelbar im Belehrten aus: Parzival bekommt tatsächlich *manlîchen sin*, er behält die *lêre* vom *wîbes orden künsteclîche* in der Erinnerung, er w i r d der *getriuwe man*, der er im Grunde ist. Und im Maße, als er die ritterliche ‚Ideologie' erfaßt und sich mit ihr als einer Lebenshaltung identifiziert, ist es unausweichlich, daß er das ritterliche Kriegs- und Fechthandwerk lernt und auch beherrscht. Gurnemanz' Spott über Parzivals mangelnde *ritterlîche siten* (173, 13) — er weiß nicht einmal seinen Schild mit Geschick zu tragen! — ist ein mächtiger Ansporn, diesen *künsten zu nâhen* (173, 20). *Gahmuretes art und an geborniu manheit* (174, 24/25) ist dabei ein förderndes Vermächtnis, das Parzival ermöglicht, dieses Kunst- und Handwerk der ritterlichen *tjoste* in kurzer Zeit derart zu beherrschen, daß selbst *die wîsen* ihm bestätigen müssen, *dâ vüere kunst und ellen bî* (175, 9). Die Zukunft und das siegreiche Wirken Parzivals vorwegnehmend, darf Wolfram daher sagen:

> aldâ behielt er schimpfes prîs:
> er wart ouch sît an strîte wîs.

‚*Wîs*' ist keineswegs ein Epitheton, mit dem Parzival von Wolfram sonst besonders ausgezeichnet wird. Im Gegenteil, wo es für oder durch Parzival angewendet wird, ist das die einzige Stelle, wo *wîs* objektiv (in 697, 23 spricht es Parzival subjektiv für sich selber aus, in einem beschwörenden, selbstverteidigenden Sinn) und in einem positiven Sinn von Parzival ausgesagt wird. Allerdings auch hier eingeschränkt: Parzival ist im Lauf des Romans *an strîte wîs* geworden, nicht einfach schlechthin *wîs*. Das muß stutzig machen. Wenn Wolfram seinen Parzival im Prolog verabsolutierend *traeclîche wîs* (4, 18) nennt, müssen wir — da Wolfram sich offensichtlich hütet, seine Formel in ein schlichtes, einen Zustand bezeichnendes *wîs* umzuwandeln — den Verdacht hegen, Parzival s e i der *tumbe*, als der er uns noch und noch vorgestellt wird. Obwohl *an strîte wîs*, ist Parzival in einem endgültigen Sinn *traeclîche wîs*, d.h. im Zustand der Pilgerschaft, auf dem Weg zur Weisheit, die er nicht selbst verkörpert. Tüchtigkeit im Kampf und im ritterlichen Kräftemessen ist dazu unabdingbar notwendig. Denn sie ist ein integrierender Bestandteil jener Militia Christi, die schon ein Heiliger wie Bernhard von Clairvaux nicht müde wird zu predigen. Mit anderen Worten: die Tüchtigkeit im Kampf ist aufgehoben in der mittelalterlich allbekannten, noch die Schwertgewalt umfassenden Humilitas, die eben alles in großer und verzichtender, der Autorität Gottes vertrauender Geste preisgibt und alles Gottes Verfügungsgewalt anheimstellt. Es heißt die Formulierung Wolframs nicht pressen, wenn man dieses *wîs* derart in die Humilitas ein- und unterordnet. Denn gerade die *tumpheit*, die es Parzival möglich macht, aus den vielfachen Begegnungen mit Autoritäten als ein Geläuterter und Belehrter herauszutreten, verweist auf einen Ursprung, der nichts anderes ist als die im Leben Herzeloydes veranschaulichte und in Gurnemanz' Belehrung als Rat erscheinende *diemüete*. Wie sehr der *strît* eingebracht ist in die *linge*, d.h. ins volle Glück *hie unt dort* (177,7), hier auf Erden und dort im Jenseits, beweist folgende Stelle. Nachdem Parzival vierzehn Tage bei Gurnemanz verbracht und dieser ihm seine Tochter Liaze gar als Frau angeboten hat, heißt es:

bî sîme herzen kumber lac
anders niht wan umbe daz:
er wolt ê gestrîten baz,
ê daz er daran wurde warm,
daz man dâ heizet vrouwen arm.
in dûhte, wert gedinge
daz waere ein hôhiu linge
ze disem lîbe hie unt dort.
daz sint noch ungelogeniu wort. (176,30 — 177,8)

Wolframs Bestätigung (177,8) weist Parzivals Absicht als eine weltweite, höfisch-ritterliche Tatsache aus, der sich jeder beugt, der Hohes vorhat.

Parzivals Abschiedswort ,*hêrre, ichn bin niht wîs: / bezale aber ich iemer ritters prîs*, ... (178,29/30) hat sicher vor allen Dingen mit dieser ihm noch mangelnden Kriegs- und Kampfestüchtigkeit zu tun, die ihm verwehrt, um die Minne einer Frau zu werben. Schon von dieser strengen Eingliederung in den Romanfluß her scheint es verwehrt, Parzivals Redeweise als ,höfische Demutsformel'[6]) zu bezeichnen und so in ihrer Ausdruckskraft zu schwächen. Was das *sît an strîte wîs* — vom Dichter gesprochen, der über und jenseits des ganzen Romans steht — an Zukünftigem und Kommendem (von Parzivals siegreichem Rittertum!) anvisiert, führt Parzivals Abschiedsrede auf die Ebene der im Roman hier und jetzt statthabenden Gegenwärtigkeit zurück. Was Wolfram als zukünftig

[6]) Heinz Rupp, Die Funktion des Wortes tump ... 101.

Sicheres anzeigen kann, steht Parzival als eine Forderung seiner Selbstwerdung noch bevor. Er gehorcht einem Gesetz der *tumpheit*, wenn er frei und offen gesteht, daß er *niht wîs* sei. Denn die *tumpheit* hat ihn bisher gerade im Gegenwärtigen, sofort zu Bestehenden am besten geführt. Andererseits ist eine wesentliche Wandlung in Parzival selbst eingetreten: er ist sich seiner *tumpheit* reflex als eines Faktums seines Daseins bewußt geworden, er weiß, daß er nicht *wîs*, sondern *tump* ist. Indem er es vor Gurnemanz gesteht (und sich damit dessen Autorität, die ihm eine Heirat mit Liaze empfiehlt, widersetzt), statuiert er für sich — in höfischer Rede! — ein überhöfisches Ziel. Parzival übersteigt auf Grund seiner *tumpheit* selbst die vorbildliche *höfscheit* des vorbildlichen Gurnemanz schon im Ansatz; denn er ist bereit, innerhalb der höfischen Gesittungsformen über das Höfische hinaus zu streben. Gerade der Gral, der höfisch nicht mehr restlos zu integrieren ist, wird Objekt solchen Strebens werden.
Dazu aber tritt ein weiteres. Gerade im Umkreis jener Stelle, da Parzival seine *tumpheit* gesteht, wird vom Dichter zweimal in scheinbarem Widersinn dazu ausdrücklich erklärt, daß Parzival seine *tumpheit* bei Gurnemanz abgelegt habe: bei Gurnemanz *er tumpheit âne wart* (179,23), und später — schon in Condwiramurs' unmittelbarer Nähe — heißt es:

sîn manlîch zuht was im sô ganz,
sît in der werde Gurnemanz
von sîner tumpheit geschieht (188,15—17)

Diese Stellen scheinen all unseren Vorbehalten, daß Parzival bei Gurnemanz seine *tumpheit* zwar reflex erkannt, ihrer aber nicht ledig geworden sei, zu widersprechen. Wem ist zu glauben: dem Dichter, der sagt, Parzival sei der *tumpheit âne* geworden, oder Parzival, der dieser Tatsache offensichtlich wenig Rechnung tragen wird? Sicher beiden. Heinz Rupp erklärt den Tatbestand folgendermaßen: „In ganz bestimmten Situationen und Ereignissen war der *tumbe* Parzival gezeigt worden, vor allem in den Szenen mit Jeschute, Ither und Gurnemanz, und es war immer der Dichter, der seinen Helden *tump* nannte; dieses Wort hatte er sich selbst vorbehalten und keiner seiner Gestalten in den Mund gelegt. Nach seinem Abschied von Gurnemanz ist Parzival nicht mehr *tump, töricht, unerfahren, unbesonnen*, er ist jetzt, was die Dinge der Welt betrifft, *wis*, und Wolfram wird nie mehr seinen Helden *tump* nennen. Keine Tat Parzivals wird er mehr mit diesem tadelnden Beiwort zu erklären suchen, denn alle weiteren Taten Parzivals, sein Verhalten in den jetzt folgenden Büchern der Dichtung, entspringen vom menschlich-weltlichen Standpunkt aus betrachtet nicht mehr der *tumpheit*, sie sind wohl überlegt und mit der *ere*, dem Ansehen und den Tugenden eines Ritters in Einklang zu bringen; dies gilt selbst für die versäumte Frage und für die Absage an Gott. Parzival wird dafür *tump* genannt werden, aber nicht mehr vom Dichter. Diese Taten als *tump* zu bezeichnen, gehört nicht mehr in die Zuständigkeit eines Mannes, der vom menschlich-weltlichen Standpunkt aus urteilt, und auch nicht mehr in die Zuständigkeit der höfischen Gesellschaft, die ratlos der Verfluchung Parzivals gegenüber steht; ..."[7]). Die Unterscheidung zwischen Aussage des Dichters und Aussage Parzivals über sich selbst oder anderer, neuer Autoritäten (Trevrizent z. B.) eignen wir uns gern an. Tatsächlich ist Parzival nun in weltlichen Dingen — mit Ausnahme der Minne — *wîs*, das heißt: an ihm wird objektiv der ‚Reifegrad' (W. J. Schröder) der kämpferischen *wîsheit* vermerkt: er ist der kampfestüchtige Ritter, als der er sich nun bewähren wird. Die *tumpheit*, deren Anfänglichkeit, Unschuld oder Schuld in der Begegnung mit Jeschute, Sigune, Artus, Ither und Gurnemanz sich in immer neuen und gesteigerten Formen zeigte, ist damit allerdings nur teilweise betroffen. Wie die Begegnung mit Condwiramurs klar erweisen wird, kann dieser Teil der *tumpheit* nicht einmal mit Parzivals notorischer Ungeschicktheit, Anstandslosigkeit und Schwerfälligkeit im Benehmen verrechnet werden. Gemeint kann deshalb nur sein die *tumpheit* und Unkenntnis ritterlicher Waffenübung, jene *tumpheit*, die im Sinne der mittelalterlichen rusticitas Ithers unrühmlichen und unritterlichen Tod bewirkte und so sich als eine nicht zu verachtende Macht der Vernichtung auswies. Sie ist durch Gurnemanz' Rat, an einem Besiegten *erbärme* zu üben, und durch die praktische Übung der ritterlichen *tjoste* eliminiert und aufgehoben. Parzival wird sich an diese Grundthesen ritterlichen Verhaltens strikte halten. Die *tumpheit* aber, die sich im Ansatz schon als eine volle und kräftige Bereitschaft allen höheren Verfügungen gegenüber ausdrückt (vgl. das Waldleben mit der Mutter!), bleibt, und ihrer wird Parzival auch jetzt nicht *âne*.

Condwiramurs

Obwohl dem kampfestüchtigen Parzival eine *wîsheit* eigener, d. h. handwerklich-praktischer Art zugesprochen werden muß, ist es — wie wir gesehen haben — nicht ausgemacht, ob ihm auf Grund der beiden Stellen 179,23 und 188,17 die *tumpheit* als etwas Negatives vollends abzusprechen sei. Im Gegenteil: Parzivals Begegnung mit Condwiramurs liefert

[7]) a. a. O.

Momente genug, die jene so schnell und tüchtig erreichte *wîsheit* zwar in vollem Umfang bestätigen, ihr aber gleichzeitig eine ‚Unerfahrenheit' implizieren, die sich leicht mit der früher schon konstatierten *tumpheit* identifizieren läßt. Gemeint ist die Unerfahrenheit oder besser die Unschuld, die Parzival gegenüber der Minne an den Tag legt[1]).

War es bei Jeschute ein Tor, der auf Geheiß und Rat einer verängstigten Mutter die Gesten und Liebesbezeugungen eines Verliebten mimte, so war es bei Gurnemanz ein schon etwas strebsamer Jüngling, der mit einem Hinweis auf noch zu vollbringende Taten[2]) die Ehe mit Liaze, die ihm als Gastgeschenk angeboten wurde, abwies. Beide Male aber ist Parzival ein Tor und ein Unschuldiger, der aus einem geheimen Antrieb das Richtige wählt. Auch bei Condwiramurs ist dieselbe Unschuld und Findigkeit zu beobachten[3]). Die ‚selige *tumpheit*', die Parzival vor Jeschute zum Toren werden ließ, bewirkt auch die geschickte Art, in der er bei Condwiramurs ungeschickt ist. Nicht im Sinn einer Rankūne, die den schauspielerischen Aufwand zum voraus mit dem zu erwartenden Effekt verrechnet, sondern im Sinn einer viel hintergründigeren, *wirklichen* und unverstellten Torheit, die absichtslos und doch klug auswählend das Entgegenkommende als ein Ereignis der Gnade dankbar annehmen kann. Ein Vergleich mit Gawans Minne-*tumpheit* läßt den Abstand ermessen, der den höfisch Versierten vom Anfänglichen (nicht ‚Anfänger') und Toren Parzival trennt. Gawans *tumpheit*, das heißt: sein blindes, scheinbar törichtes Beharren auf seiner Begier[4]), Orgeluse für die Minne zu gewinnen, hat von

---

1) Obwohl Gurnemanz seine *lêre* von *wîbes orden* (172,28—173,6) überschwänglich und hochgemut vorträgt, ist ein gewisser Pessimismus über das Ritterliche unverkennbar (vgl. 177,25/26); daß dieser Pessimismus sich auf die konkrete Ehe auch auswirkt, ist logisch: deshalb will Gurnemanz, indem er gerade die ritterliche Bewährung Parzivals ausklammert, Liaze mit Parzival schnell und sicher verbinden. Nicht nur die Erzählung hätte damit ein Ende (wenn diese Ehe zustandekäme), sondern auch die *ritterschaft*.

2) 178,29—179,6.

3) Man vergleiche zum Beispiel das gesteigerte, geradezu magische Vertrauen, das zu Recht Condwiramurs in Parzival setzt, mit der Klagerede 194,12—195,6, wo sie verspricht, lieber Selbstmord zu begehen als Clamides Gattin zu werden.

4) Gerade konträr dazu meint Wolfram/Parzival: *ob ich nu gîtes gerte, / untriuwe es vür mich werte* (202,13/14) in seinem Exkurs über die Frage, ob er seine *vriundinne schônen kan* (202,4; der Exkurs: 202,6—18). Es wäre der Beginn der *untriuwe,* wenn er seiner *gîte* schon in der ersten Nacht nachgeben würde. Viel einfacher und gleichzeitig komplizierter verhält es sich mit Gawan: zu Beginn der Liebesbeziehung steht der erotische Zwang und die Gier, die

Anfang an den Charakter einer konventionellen Abmachung, einer beidseitig eingeleiteten Rankküne, die man zum Zweck eines höheren Reizquotienten spielerisch einleitet und zum guten Ende führt. Die Resolutheit und Siegesgewißheit, mit der Gawan den *tumben* bloß agiert, überträgt sich als ein durch Zauber bewirkter Widerwille gegen den ‚*tumben*' auf Orgeluse, ein Widerwille, den sie ihrerseits auch bloß zwangsweise demonstriert. Das Resultat ist die subtile, aber im Letzten mechanische Anweisung für den spielgerechten Ablauf eines Minneverhältnisses mit seinem letzten ideologischen Nenner: *dienst* und *triuwe*[5]).

Ganz anders verhält es sich mit dem Minneverhältnis zwischen Condwiramurs und Parzival. Ihre erste Begegnung hat im reichen Bezugsbereich der Schönheit statt: beide sind sie Muster gestalthaft schöner Erscheinung. Wie aber Parzival neben Condwiramurs zu sitzen kommt und sich in höfischer Art mit ihr bekannt machen sollte, findet er kein Wort und keine Geste, um auszudrücken, was ihn bewegt:

> bî der küneginne rîche
> saz sîn munt gar âne wort,
> nâhe aldâ, niht verre dort. (188, 20—22)

Der Grund dieser *tumben* Haltung ist in den vorausgehenden Versen klar gesagt; um die Ironie dieser Verse herauszustellen und ihre Bedeutung für die *tumpheit* zu erläutern, zitieren wir sie nochmals:

> sîn manlîch zuht was im sô ganz,
> sît in der werde Gurnemanz
> von sîner tumpheit geschiet
> *unde im vrâgen widerriet,*
> ez enwaere bescheidenlîche:
> bî der küneginne rîche ... (188, 15—20)

Wenn man jetzt näher hinsieht, muß sich selbst die sehr begründete Ansicht, daß Parzival in weltlichen Dingen zwar *wîs* geworden sei, in anderen jedoch nicht, zugunsten einer Ironie aufweichen lassen, die den Dichter

---

Verehrte zu besitzen. Alles läuft hierauf in den Bahnen, die diese Konstanten weisen. Daher die Übermacht des Gesellschaftlichen und des zum voraus Ausgemachten. Die retardierenden Momente dienen lediglich der Reizsteigerung. Bei Parzival und Condwiramurs ist alles in der Freiheit des sich-Schenkens und sich-Liebens aufgehoben.

5) Daß allerdings auch diesen Nennern Größe und Hoheit nicht abgehen, zeigt Gawan ebenfalls. Die höfische Minnetorheit verlangt einiges an Selbsterniedrigung und kränkender Demütigung.

angesichts der *manlîchen zuht* seines Helden befällt: mit der *wîsheit* kann es offensichtlich nicht so weit her sein, denn Parzivals Autoritätshörigkeit[6]), die sich schon verschiedentlich feststellen ließ, hält ihn auch hier wieder davon ab, das einzig Rechte zu tun, nämlich sich höfisch und ‚anständig' zu benehmen. Da Wolfram die Diskrepanz zwischen Anstandsforderung und Ungenügen Parzivals spürt, läßt er sie erst recht hervorspringen in der ironischen Betonung der Tatsache, daß Gurnemanz Parzival von seiner *tumpheit* zwar geschieden habe, Parzival aber doch höchst unhöfisch und stumm dasitze. Damit ist aber Parzivals *tumpheit* erneut betont, ja geradezu vom Dichter intendiert. Condwiramurs' eigene Unsicherheit erhöht den Reiz der Szene und bereitet auf liebenswürdige Weise jenes nächtlich-jungfräuliche Beilager, wo Condwiramurs Parzival ihre bedrängte Lage schildert. Ohne die allseits wirkende Macht der *tumpheit* ist dieses nächtliche Ereignis auf der Burg Pelrapeire nicht denkbar. Die *staete kiusche* (192,3), die Wolfram Condwiramurs zuspricht, ist nichts als eine Umschreibung der dem Mann Parzival akkreditierten *tumpheit.* Inhaltlich besagt das ganz einfach, daß es sowohl Parzival als auch Condwiramurs immer völlig umweglos nur um das gehen kann, was ihnen wirklich ein Anliegen ist; in Rede und Tat gehen sie das Intendierte direkt und eben an; Tabus sind ihnen naturhaft fremd. Wolfram erklärt seinen Zuhörern:

> si heten beidiu cranken sin,
> Er unt diu küneginne,
> an bî ligender minne.
> hie wart alsus geworben: ... (193,2—5)

Sie hatten also wenig oder kein Verständnis für die Alkovenspiele der höfischen Gesellschaft[7]), wußten andererseits auch nichts von Minne und Ehe. Mit anderen Worten: sie wußten nichts davon, solange es eben um anderes ging, um die Befreiung der Burg Pelrapeire und die Erlösung der verängstigten Condwiramurs von ihrem mißliebigen Freier Clamide und dessen Trabanten. Von daher ist es möglich, den *cranken sin* der beiden unter die *tumpheit* zu subsumieren; das um so mehr, als das Verhältnis zwischen den beiden eigentlich von Anfang an unter der Signatur der

---

[6]) Parzivals Autoritätshörigkeit ist eines der ursprünglichsten und untrüglichsten Momente seiner *tumpheit.* Indem er der Autorität schlechthin gehorcht, erfüllt er schließlich auch die Weisungen Gottes. Er hinterlegt sowohl seine Unschuld als seine Schuld bei der Autorität. Daher ist ‚Schule' ein adäquater Ausdruck für seinen Weg, ‚Entwicklung' aber keineswegs.

[7]) H. Brinkmann, Der deutsche Minnesang, in: Der deutsche Minnesang, Darmstadt 1961, 144.

tumpheit stand und in ihm nichts anderes verwirklicht wird als das Ereignis einer irgendwie ‚unhöfischen' (weil nicht durch Begierlichkeit forcierten und ephemeren), aber wahren und dauerhaften Liebe[8]). Nicht die hintangehaltene Vereinigung und die zwei jungfräuliche Nächte wahrende *zuht* des Helden sind Zeichen der Unschuld, mit der wir hier die *tumpheit* identifizieren, sondern vielmehr der untrügliche Sinn Parzivals fürs ‚Schickliche', für das, was die Stunde von ihm heischt. Schuld ist immer ein Phänomen der Vergangenheit, das sich als eine Forderung der Reue in die Gegenwart fortsetzt. Ähnlich und anders verhält es sich mit der Unschuld: sie ist ein die Gegenwart bestimmendes Phänomen der Vergangenheit, insofern sie die Gegenwart in einem radikal positiven Sinn bestimmt; das heißt konkret: insofern der unschuldige Mensch aus dem rückwärtigen, schuldlosen Raum seines Daseins heraus als ein Welt- und Ordnungsschaffender, frei und ungehemmt durch die zähe Masse der Schuld, in die Gegenwart tritt. Positiv wert- und weltsetzend ist nur der Unschuldige. Und gerade bei Parzival ist es die *tumpheit* — vorerst als ein *Nicht-wissen* —, welche die Unschuld als ein Kleinod bewahrt. Die eheliche Vereinigung in der dritten Nacht ist darum ganz durch die rauschhafte Begleitmusik eines eigentlichen Bündnisses, einer Hochzeit geprägt. Die Unschuld setzt eine Heim-lichkeit in die Welt, die Parzival nicht bloß gesellschaftlich und höfisch zum Guten ausschlagen wird, sondern — in einer nenn- und lebbaren Analogie zum Bund Gottes mit den Menschen und seiner Kirche — Parzival schlechthin retten und ihn aus seinem *zwîvel* erlösen wird.

Ein weiterer, humorvoller und doch äußerst tief und ernst gedachter Zug ist die Beobachtung, daß Condwiramurs schon nach der ersten Nacht des *Bî ligens* (201,19) sich das *gebende* aufsetzt, „welches die verheiratete Frau von der Jungfrau unterschied" (E. Martin zur Stelle). Die Faktizität und höhere Würde der blind und doch mit klarstem Blick gewählten *triuwe* kann es sich leisten, den Comment der ‚niederen' Empirie zu vernachlässigen. Es zeigt sich darin etwas Kindliches, Zartes, das sich nur schlecht analytisch aufreden läßt; es ist zu sehr als ein Schlichtes in sich selber eingefaltet. Die *magetbaeriu brût* (202,27) ist ein geradezu klassisches Beispiel für die höhere und heile Paradoxie mittelalterlichen Daseins. Die Jungfrau, die sich mit dem Kopfputz einer verheirateten Frau

[8]) Man beachte, daß gerade das Dauerhafte und Überzeitliche dieser Liebe seinen Ursprung in den feierlichen Worten Gurnemanz' über die Minne hat. Parzival konkretisiert das Allgemeine, das Gurnemanz über den *wîbes orden* ihm eröffnet hat.

schmückt und ihrem erwählten ‚Gatten' scheinbar verfrüht ihre Mitgift überreicht, ist ein sprechendes Symbol (Wahrzeichen)[9]) jener Haltung, die billigerweise der Konkretion der Dinge den Rausch der Heiligung beläßt, indem sie ihn zuerst feierlich anzeigt und so die Realität im Ganzen aufgehoben sein läßt und sie nicht zur Krudität erniedrigt, die man nachträglich notdürftig legalisieren muß[10]).

Für Parzival aber ergibt sich auf Pelrapeire eine doppelte, neue Bezeichnung. Er wird einmal genannt: *Parzivâl der reine* (201,9) (= ‚lauter, vollkommen, untadelig', Martin zur Stelle). Nachdem etwas märchenhaft und zum Besten der beinahe verhungerten Einwohner der Burg und der Stadt zwei Schiffe mit Proviant im Hafen einlaufen konnten, verteilt Parzival mit der Akribie eines Arztes die Nahrung, und zwar so, daß keiner der leeren Mägen durch *übercrüpfe* Schaden nehmen kann. Seine weltliche Klugheit, die selbst ärztlich-prophylaktische Maßnahmen zu treffen weiß, ist offenkundig. Seine *tumpheit*, die sich früher ziemlich terre à terre äußerte, wäre hier, wo er in der Eigenschaft des Retters und Landesherrn auftreten muß, fehl am Platz. Der Ausgang des vierten Buches zeichnet darum geradezu eine Vision des Landfriedens und der gesicherten Ordnung unter dem gekrönten Parzival:

> daz wüeste lant erbûwen wart,
> dâ crône truoc Parzivâl:
> man sach dâ vröude unde schal.
> sîn sweher Tampenteire
> liez im ûf Pelrapeire

---

[9]) Zum Symbol vgl. vom Verfasser: Symbol und Vermittlung, in: Renaissance, Gespräche und Mitteilungen, 1960, Heft 4, 6—9.

[10]) sus lac der Wâleise:
cranc was sîn vreise. (202,19 f.)

In diesem ***kiuschen Bî ligen*** Parzivals und Condwiramurs' spricht sich ein Affront gegen zeitgenössische Minnesitten aus. Die Frustration ist nur scheinbar: Parzival enthält sich der Kopulation aus Gründen späterer, überschwänglicherer, ‚legaler' Erfüllung, letztlich aber aus *triuwe* (202,14!), aus *vuoge* (201,21), aus *mâze* und *staete* (202,2 f.). Mit anderen Worten: die erotische Zurichtung der Szene wird von der *kiusche* des *maere sachwalte* gerade aufgrund der *triuwe* überspielt, die sonst im höfischen Bereich eine bloß formale Kategorie (ephemerer, erotischer *gîte*) gewesen zu sein scheint. Damit wird die *triuwe* selbst nach religiösen ‚Abenteuern' ausgeschickt, d.h. sie wird frei der inflationären, höfischen Bedeutungslosigkeit und verfügbar für tiefere Zusammenhänge, deren tiefster die *triuwe* Gottes selber ist, von der her sich auch menschliche *triuwe* zu verstehen hat.

lieht gesteine und rôtez golt:
daz teilte er sô daz man im holt
was durch sîne milte. (222,12—19)

Die *milte*, eine königliche Macht, tritt so zu Parzivals ‚Klugheit' vollendend hinzu. Und doch kann man sich nicht mit Unrecht fragen: Wäre dieses ganze Glück einer in sich gültigen, sinnschweren Ehe mit Condwiramurs überhaupt zustande gekommen, ohne die für den Sinn und den Ertrag der Stunde offene Haltung der *tumpheit*? — Ein weiteres aber meldet sich in Parzivals Wunsch, seine Mutter aufzusuchen und Condwiramurs *ze einer kurzen stunt* (223,22) zu verlassen. Die Vergangenheit als Schuld, die Parzival wie eine Versteinerung verobjektiviert hinter sich gelassen hat, muß kenntlich gemacht und ein-gesehen werden. Den Urlaub, den er sich erbittet, gewährt ihm Condwiramurs aus Liebe.

Parzivals erster Gralsbesuch

Im fünften Buch, das Parzivals ersten Gralsbesuch, seine zweite Begegnung mit Sigune und den Kampf mit Orilus enthält, soll erzählt werden, *war nu kumt / den âventiur hât ûz gevrumt* (224,1/2). Was also Ende des vierten Buches ein kaum zu erwähnendes Nebenziel seines Fortgehens von Condwiramurs schien: *und ouch durch âventiure zil* (223,23), hat sich unverhofft in ein Leitzeichen gewandelt, dem Parzival als ein Ausgesandter (*ûz frumen*!) gehorcht. Dazu kommt die Trauer des Abschieds von Condwiramurs:

gedanke nâch der künegin
begunden crenken im den sin:
den müese er gar verloren hân,
waerz niht ein herzehafter man. (224,15—18)

Das Pferd muß seinen Weg allein durch den Wald finden, *wande ez wîste niemens hant* (224,21)[1]. So reitet denn Parzival, beinahe jeglichen Sinns benommen, in Gedanken bei Condwiramurs und dadurch der *âventiure* preisgegeben, dahin, kennt nicht Weg und Steg, kümmert sich auch nicht um den Gehalt eines gerichteten Gehens. Indem er zur Unzeit der Minne gehorcht, die ihn in süßem Angedenken noch gefangen hält, übergibt er sich, ohne es recht zu merken, einer anderen weiblichen Leit-Person höfi-

[1]) „Was Sigune später verkündet: daß der Gral nur unbewußt gefunden werden kann, vollzieht sich hier ohne Wissen Parzivals in der epischen Handlung, die durch die Fährnisse des Gralbereichs hindurchführt" (B. Mergell, W. v. E. und seine franz. Quellen 116).

schen Daseins, die nicht selten der Minne gleichgesetzt zu werden pflegt: der *âventiure.* Sie verlangt die völlige Drangabe des Ritters ans Ankommende, Begegnende, ans Außen[2]). Vielleicht nämlich — wenn er sich dem Außen absolut genug drangegeben hat — stellt sich das Glück ein, daß das Seelenhaltige, das heißt: das Durchorganisierbare, zu Kultivierende von Welt und Ich, von Außen und Innen zur doppelt vollendeten Form gedeiht und sich als erfüllter Augenblick der Hofesfreude präsentiert. Der Durchgang, die Initiation in diesen hohen Augenblick ist allerdings die hypothetische Selbstpreisgabe ans Fremde, Begegnende, an die Möglichkeit von Bewährung oder Untergang im Kampf. Auch *das* eine Form der Vertörung, der blickverengenden *tumpheit*[3]). Wer ein Ziel, eine

[2]) Das aber ist nur äußeres ‚Programm' des *chevalier errant,* während der innere ‚Sinn' der ist, daß dem Ritter aus Gründen der ritterlich-höfischen Ontologie, Psychologie und Soziologie die *âventiure* als Maßstab seiner Selbstverwirklichung und Selbstrettung aufgezwungen ist. Entzöge er sich dem Aufruf der anonymen *âventiure,* so müßte er sowohl die Integration des fragwürdig gewordenen Bezugs zwischen Individuum und Gemeinschaft (aufgrund „der Differenzierung der ritterlichen Schichten") als auch die aufgegebene Übereinstimmung von Sein und Seiendem („im Sinne eines ontologischen ‚ordo'"), und schließlich die Versöhnung von Innen und Außen, von Oben und Unten, von Gott und Mensch (Welt) gründlich und notwendig verfehlen. Vgl. die trefflichen Hinweise über diese Problematik bei E. Köhler (Ideal und Wirklichkeit in der höfischen Epik, Tübingen 1956, das Kapitel: Aventure, Reintegration und Wesenssuche, 66—88): Die *âventiure* ist nach Köhler objektiv die Folge einer „eingetretenen ‚inordinatio', subjektiv die Möglichkeit zu deren Überwindung" (83). Der objektiven Faktizität einer Diskrepanz (= ‚inordinatio') zwischen Individuum und Gemeinschaft, zwischen Welt und Gott, wird vom Subjekt her also mit der höheren Faktizität einer all diese disparaten Fakten integrierenden, ideologisch-künstlerischen *linge* geantwortet. Insofern ist der höfische Roman im Wesen restitutiv, Entwurf einer Wiederherstellung einer heilen Welt; gleichzeitig aber auch rekapitulativ, insofern in ihm die disparate Welt sinnhaft überformt und in einem neuen Leitbild einheitlich nochmals gefaßt wird.

[3]) Die *âventiure* als ein äußeres Konstituens der *tumpheit* anzusehen, hat seine Berechtigung in der Tatsache, daß die *ritterschaft* von einem inneren Kern her Schalen der Welttüchtigkeit herausbildet. Nimmt man die *tumpheit* als etwas zum Kern Gehöriges, wie z. B. der *art* es ist, dann ist deren Bezug zur *âventiure* sofort klar, denn diese ist eine Objektivation des Ritterlichen unter anderem, eine Form seines Eintretens in die Welt, eine Schale, in der Welt sich konstitutionell verdinglicht, so, daß einerseits des Ritters Weg vom Kerne — zu dem die *tumpheit* des ersten Weltbegegnens gehört —, wegführt in die Emanzipation des ‚Äußeren', daß aber andererseits derselbe Weg den Ritter von der Verhärtung der ‚äußeren Schale' wieder rückführt in den *art* und in eine neue Weise des *tump*-Seins.

metaphysische Möglichkeit menschlicher *linge* ins Auge faßt, muß *tump* werden, muß seine Sinne verschließen können, will er erreichen, was er insgeheim schon ist, will er tun, was ihm als Gedanke vorgezeichnet ist. In dieser Lage befindet sich Parzival. Deshalb das nicht träumerische, aber outrierte Gedenken an Condwiramurs, deshalb das zügellose, ungeleitete Pferd! Wohin hätte er es auch führen sollen, da doch die *âventiure* schon die Führung übernommen hat und einen Weg vorzeichnet, der zwar zum *hôhen pîn* führt, aber auch zu *vröude und êre*? Gewiß, das höfisch Durchgebildete, die Kühnheit, Tapferkeit des Verhaltens im Kampf und die höfisch approbierte, geadelte Schönheit der Erscheinung bewahren Parzival. Verschiedene Epitheta ornantia weisen darauf hin[4]). Und doch ist Parzivals Preisgegebenheit beinahe als Zwang des Schicksals erkenn- und benennbar, und die Art, wie er von der Minne bruchlos zur Aventiure hinüberwechselt, muß innerlich etwas mit der *tumpheit* zu tun haben, die wir als Autoritätshörigkeit kennengelernt haben. Es muß dem Zuhörer ganz logisch vorkommen, wenn er nun erfährt, daß Parzival von einem *vischaere*[5]) die Weisung erhält, wie er über *unkunde wege* (226, 6) die

---

4) Parzival heißt bald *der küene* (227, 7), *der minneclîche wine* (228, 6), *ein werder man* (228, 19), *der lieht gevar* (230, 23), *der snelle man* (243, 28), *der degen wert* (246, 1), *der valscheite widersaz* (249, 1), man hält ihn für *saelden rîch* (227, 30). Parzivals Kalokagatie läßt sich auch durch sein für ihn und andere verderbliches Gralsmißgeschick nicht entwerten. Die Charakterisierungen Parzivals in positivem Sinn erhalten quer zum mißlichen Geschehen seine Glaubwürdigkeit als Held des Romans.

5) Schwietering versucht, den angelnden Fischer ikonologisch im Frühchristentum anzusiedeln. Wenn er recht hat, handelt es sich hier um das Mysterienerlebnis eines Neophyten, den man ohne weiteres in Bezug und sinnvolle Analogie zu Parzival setzen kann: auch Parzival ist ein Neubekehrter, Initiierter, er tritt ins ‚Heiligtum‘ im Moment, da ihm der Weg zum Gral gewiesen wird. Von nun an geht es um ‚Heiliges‘. Daher setzt Schwietering das Kulterlebnis des Neubekehrten inhaltlich identisch mit dem Geschehen der Gralssage: „dies religiöse culterlebnis (sc. das Mysterienerlebnis eines Neophyten) ist auch kern und keim der Gralsage: wie der taufende fischerpriester oder mystagoge zur nächsten mysterienstufe des eucharistischen sacraments geleitet, so weist die geste des fischers vom see Brumbane zur Gralburg mit ihrem wundersamen mahle einer aufs engste verbundenen gemeinde“ (Der Fischer vom See Brumbane: Parzival 225, 2 ff., ZfdA 60 [1923] 262). Dieser religiöse Hintergrund, den man zumindest mithören und sehen darf, bestätigt das Erfordernis einer demütigen *tumpheit*, das heißt: einer Entschlackung der Seele, einer nichts wissen wollenden Demut, die sich einzig dem Mysterium, in das hinein der Mensch wie ein Fisch an der Angel gezogen wird, preisgibt. Eine säkularisierte Vorstufe zu solcher Demut ist gewiß die Ekstatik der *âventiure*: auch hier ist Rettung gesucht, nur ist das Ankommende in einem weltlichen Sinn ungewiß.

Gralsburg (das einzige *hûs* im Umkreis von dreißig Meilen!) finden kann. Gerade das Märchenhafte dieser Weisung des Fischerkönigs und der Umstände, unter denen Parzival sie empfängt, gehört ja als ein ent-sprechendes Korrelat zu Parzivals Haltung der Preisgabe. Mittelalterlich ist Leere eben denkbar nur als Empfängnisgrund für eine Form, einen Weg, eine Weisung. Der sich leer macht, tut es der Fülle wegen, die ihm in einem magischen Sinn zukommen muß. Die *tumpheit* ist nicht genannt, aber sie ist als frei und offen haltende Leere da, als ein Untergrund, der für jeden Überbau ritterlichen Formwillens und höfischer Gestaltungskraft die tragkräftige Basis abzugeben vermag.

Angekommen im Gralsschloß, paradiert Parzival als ein Ritter ohne Tadel, wäscht sich korrekt den Rüstungsschmutz vom Gesicht, wirft sich derart versiert einen Mantel von arabischer Seide um die Schultern (*mit offener snüere* versteht sich!), daß man ihm ob seines höfischen Betragens allgemeines Lob zollt. Ja: *man bôt im wirde und êre* (228,27). Besser kann er es gar nicht mehr machen. Er ist *der minneclîche wine* (228,6) schlechthin; alles ist entzückt und freut sich ob seiner vollendeten Gegenwart. Hier noch nach *tumpheit* zu forschen, scheint vergebliche Liebesmüh. Und doch ist mit guten Gründen anzunehmen, daß diese seit Gurnemanz so oft unter der glanzvollen Oberfläche höfischer Gesittung verborgene *tumpheit* neue Urständ feiern wird, und zwar gerade in der folgenden Szene wird solches objektiv-symbolisch als ein Anlaß zu einem wilden Zornausbruch Parzivals präludiert. — Man hat Parzivals Harnisch weggetragen:

daz begunde er sider clagen,
dâ er sich schimpfes niht versan.
ze hove ein redespaeher man
bat komen ze vrävellîche
den gast ellens rîche
zem wirte, als ob im waere zorn.
des hete er nâch den lîp verlorn
von dem jungen Parzivâl.
dô er sîn swert wol gemâl
ninder bî im ligen vant,
zer viuste twang er sus die hant
daz daz bluot ûz den nagelen schôz
und im den ermel gar begôz.
‚nein, hêrre', sprach diu ritterschaft,
‚ez ist ein man der schimpfes craft
hât, swie trûrec wir anders sîn:

tuot iuwer zuht gein im schîn.
ir sult ez niht anders hân vernomen,
wan daz der vischer sî komen.
dar gêt: ir sî im werder gast:
und schütet abe iu zornes last.‘ (229,2—22)

Der erste Eindruck dieser Szene ist der eines Einschiebsels, über dessen Funktion man sich nicht so leicht klar wird. Das Scherzhafte (der *schimpf*) scheint schlecht in den höfisch und hochgemut gestimmten Kontext zu passen, der *redespaehe man* schafft eine überflüssige Unordnung im ohnehin schon rätselhaften Geschehen auf der Gralsburg. In sich ist die Szene zwar eindeutig konkretisiert: ein wortgewandter, nicht eben sehr anständiger Bote bittet Parzival mit rüden Worten zum Wirt, indem er den Eindruck erweckt, als sei dieser über Parzival verärgert, bevor er ihn noch zu Gesicht bekommen hat. Begreiflich, daß Parzival über diese Behandlung zornig und unmutig wird. Der rustikalen Anrede, die der Bote des Wirts an ihn richtet, antwortet er in demselben Ton, ja er versteigt sich im Zorn derart, daß er es bereut, sein Schwert nicht zur Hand zu haben. Ein blutiger Ausgang wäre sonst gewiß. Immerhin läßt Wolfram die ganze rätselhafte Szene in Scherz und Spaß aufgehen; Parzival wird durch die aufklärenden Worte der Knappen besänftigt, allerdings erst, nachdem ihm das Blut vor verhaltenem Zorn und nur schlecht bewältigter Wut aus den Nägeln geschossen ist. Man muß sich fragen: Was bedeutet das alles? Was will Wolfram mit dieser Scherzeinlage sagen? Sicher handelt es sich nicht um ein blindes Motiv; dafür ist der Kontext zu bedeutsam. Die Szene muß etwas mehr bedeuten, als sie darstellt; gerade um ihrer Rätselhaftigkeit willen intendiert sie ein vorher Ungesagtes. Weil sie für die *tumpheit* nicht wenig zu sagen hat, verlangt sie eine nähere Erklärung.

Hermann J. Weigand[6]), der diese Szene zum Anlaß einer umfänglichen, wenn auch zum großen Teil anderen Problemen gewidmeten Arbeit genommen hat, erklärt sie doppelt:

1. „Taken (the scene) as a whole, it represents a humorous prelude to a chain of predominantly serious, even tragic developments. We are entertained at the hero's expense. We see the sudden transformation of a debonair young knight into a dynamo of destructive passion, on the basis of false premises. Damage is prevented and tranquillity restored by an

---

[6]) Hermann J. Weigand, A Jester at the Grail Castle in Wolfram's „Parzival“? PMLA 67 (1952) 485—510. Vgl. auch B. Mergell, Wolfram v. E. und seine franz. Quellen 119 f.

explanation in the nick of time. Having been forewarned, we find the incongruity between cause and effect amusing. The humour is kindly, involving no satirical sting. There can be no question of traces of rusticity clinging to our hero. Empathy, modified by superior knowledge, would be the formula expressing the nature of our participation“ (488). Es handelt sich nach Weigand also um eine scherzhafte Angelegenheit (weil ihr die Spitze der Verletzbarkeit genommen ist!), die zwar die rusticitas des Helden erneut hervortreten läßt, andererseits durch eine Erklärung der Umstände zur rechten Zeit in ihrer Gefährlichkeit abgebogen wird in die scherzhafte Inkongruenz von Ursache und Wirkung. Parzivals wütende Reaktion auf die Worte des Boten entspricht nur schlecht dem Spaß, in dessen Zeichen sie gesprochen werden.

2. „A group of knights have just seen the spearhead thrust into the King's wound and emerge, covered with blood. The ghastly sight has unnerved them, but the procedure has brought relief to Amfortas, and he is ready to face the ordeal of receiving the guest upon whom his fate depends. As he is borne into the hall, one of the knights is sent to summon the guest into the King's presence. The messenger is not equal to his commission. He is unable to support the mask of courtly convention. He rushes in, his face purple, his features agitated, his voice out of control, his gestures a prey of conflicting tensions. Parzival is startled out of his wits. He interprets this manifestation of violence as a threat. He scents treachery. The knights entertaining him find themselves in a terrible dilemma. To tell him the truth would spell the doom of all their hopes. One of them has the presence of mind to resort to a fib: ‚Pray, don't take offense. This man is a privileged jester.‘ But he cannot refrain form hinting at the true situation, by adding: this man insists on his foolery for all that we are bowed down by grief“ (503).

Beide Erklärungen Weigands lassen sich voll akzeptieren; man kann sie aber bis zum beidseitigen Zusammenschluß weitertreiben.

1. Dadurch, daß Parzival der scheinbaren Anrempelei mit wildem Zorn und Unmut antwortet, also Gleiches mit Gleichem vergilt, gibt er derselben verbrecherischen *tumpheit* Raum, in deren Zwang er seinerzeit Ither, seinen Verwandten, erschlagen hat. Ein bloß äußerer Verhinderungsgrund steht anstelle eines Mords. Das Blut, das aus den zur Faust geschlossenen Fingern hervorschießt, markiert die Sinnlosigkeit jenes Zorns, der zu Gewalttaten verleitet. Parzivals rusticitas ist hier augenblickshaft zu jener wütenden *tumpheit* gepreßt, die wir als etwas Überfälliges und Schlechtes bestimmten. Obwohl durch die Gnade äußerer Um-

stände im Scherz aufgehoben, handelt es sich um einen blutigen Regreß Parzivals ins Hinterland seines *tumben* Herkommens. Gleichsam in einer Momentaufnahme schießen hier die Bestimmungen der *tumpheit* zusammen: das Bösartige, Gefährliche vereinigt sich mit der ersten und wohl auch letzten Bestimmung der Gnadenhaftigkeit (hier im Scherz konkretisiert!), der *linge* in letzter Minute[7]).

2. Gerade durch die Konkretisierung der *tumpheit* und in ihr wird ein Symbolgehalt frei, der als Wahrzeichen das Kommende anzeigt. Übertreibend läßt sich sagen: der *redespaehe man* steht nicht nur unter dem Eindruck dessen, was er beim verwundeten Amfortas gesehen hat: also unter dem Eindruck des Leids und der ungeheuren Erwartung, die den König zur Hoffnung auf einen schnellen und gnädigen Verlauf der Dinge spannt, sondern er muß im Leid des Königs auch etwas von der Vergeblichkeit ahnen, die den Besuch Parzivals auf dem Gralsschloß umdüstert, von der Ergebnislosigkeit, die den Besuch um der *tumpheit* Parzivals willen zu einem Fluch für alle Schloßbewohner machen wird. Daher ist seine Rede an den in den höfischen Anstand verliebten Parzival derart aufpeitschend und folgenreich. Parzival selbst spürt das Kommende als einen Fluch, als eine Ungunst des Schicksals.

Parzivals Begegnung mit dem *wirt* spielt sich nach dem Schema ab, das alle höfischen Begegnungen kennzeichnet: eine luzide *höfscheit* dient als Medium erhöhter Intersubjektivität und gegenseitiger Verständigung. Kleidung, Gestik, Duktus des Sprechens und Antwortens, schlechthin alles ist darin aufgehoben. Ein Ganzes im Vollsinn von ‚Gesittung' diktiert das Einzelnste, überwölbt es und verleiht ihm Stellenwert. Unnötig anzumerken, daß Parzival den hohen Anforderungen dieser Lebenshaltung durchaus zu genügen vermag. Seit seiner Ankunft hat er sich befleißigt, den Comment höfischen Verhaltens nicht zu verletzen. Selbst sein Zornausbruch steht schließlich im Zeichen dieser Bemühung, wenn er auch als ein Negatives auffällt. *Parzivâl der lieht gevâr* (230,23) tritt auf in der Frühe seiner schönen Erscheinung: Schönheit ist sein Ausweis vor der

[7]) Wobei grundsätzlich zu bemerken ist, daß das Gnadenhafte dieses Mal Parzival nicht als ein Innerliches zuzuschreiben ist, wie zum Beispiel in der Jeschuteszene, wo mit G. Weber seine ‚selige *tumpheit*' festzustellen war. Denn *Parzival* läßt hier gerade die Demut und Seligkeit vermissen, die ihn sonst liebenswert macht. Die Gnade des Scherzes ist ein Resultat der Umstände und der schnell mit einer Erklärung bereiten Knappen. Das muß so sein, denn dadurch erweist sich Parzivals Gnadenlosigkeit vor dem Gral zum voraus. Das Versagen hier zeigt das Versagen vor dem Gral an: jenes ist sozusagen ‚genügender' Grund für dieses.

höfischen Gesellschaft, nicht mehr seine wilde, abseitige Naturschönheit von einst, die noch Artus an ihm feststellen konnte, sondern Schönheit der Natur, die den Weg zur Bildung gesellschaftlicher Sitte gefunden hat und sie zu bewahren weiß. Anstand im weitesten Sinn ist ihr zugewachsen. Diese Tatsache ist uns wichtig. Die komplizierte und erst annähernd gedeutete Symbolik der Lanze und des Grals braucht in diesem Zusammenhang nicht näher erörtert zu werden. Es genügt zu wissen, daß Parzival dem rätselhaften Geschehen mit dem Gral beiwohnen und sowohl die Lanze und die Gralsprozession mit eigenen Augen sehen kann, ja sogar gewürdigt wird, an der *wirtschaft von dem grâl* (239,7) teilzunehmen. Die ganze Breite der Wirkkraft des Grals (= *erden wunsches überwal* 235,24; *er wac vil nâch gelîche / als man saget von himelrîche* 238,23/24) ist ihm als Augenzeuge und Teilhaber vertraut: er kennt sowohl das Heiligtum wie das Tischlein-deck-dich.

wol gemarcte Parzivâl
die rîcheit unt das wunder grôz:
durch zuht in vrâgens doch verdrôz.
er dâhte ‚mir riet Gurnamanz
mit grôzen triuwen âne schranz,
ich solte vil gevrâgen niht.
waz ob mîn wesen hie geschiht
die mâze als dort bî im?
âne vrâge ich vernim
wie ez dirre massenîe stêt.‘ (239,8—17)

Der Zwiespalt in Parzivals Überlegungen könnte höfischer und korrekter kaum mehr gelöst werden: die *zuht* — wahrlich keine geringe höfische Kraft — vergällt es ihm, nach dem Gral und dem Leid des Fischerkönigs geziemenderweise zu fragen. Die *tumpheit*, bei Gurnemanz einst das Maß, mit dem der junge und ungeschickte Parzival gewogen und zu leicht befunden wurde, tritt aber auch hier wieder ins Spiel. Auf dem Umweg einer die Vergangenheit befragenden Überlegung klammert sich Parzival an die Autoritätshörigkeit, mit der er bisher sein Glück gemacht hat; er stellt sich eine rhetorische Frage, die er durch die Tat, sein Schweigen vor dem Gral, bejahen muß. Sie lautet:

waz ob mîn wesen hie geschiht
die mâze als dort bî im? (239,14/15)

Parzivals Überlegung ist etwa folgende: ‚Wenn ich bei Anfortas ebensolange bleiben kann wie bei Gurnemanz, wird es mir nicht entgehen, was es mit dem Gral, der blutenden Lanze und dem leidenden Fischerkönig für eine Bewandtnis hat. Ich werde so alles auf höfisch-diskrete Weise erfahren. Denn Anfortas wird mir darüber Auskunft geben, wie seinerzeit Gurnemanz.' — Die beiden Verse eröffnen einen Weg zum Verständnis von Parzivals Schuld, die er durch die Unterlassung der Frage vor dem Gral und dem leidenden Anfortas auf sich geladen hat. Sie leisten die Dokumentation dafür, daß Parzival insgeheim um die drängende Not der Stunde weiß. Nur begegnet er ihr zum vornherein mit dem Zweifel und der Sturheit dessen, der sich seine Vergangenheit als ein Alibi künftigen Verhaltens verpaßt und nur dadurch dem Neuen gewachsen ist, weil er das Alte zu dessen Maßstab verdinglicht. Die Autoritätshörigkeit, beim Zusammentreffen mit Gurnemanz noch gerechtfertigt und sinnvoll, wird hier, wo ein-faches Verhalten und zweifelsfreies Entscheiden erfordert wären, zum billigen Mittel, das, weil zum universalen Sesam-öffne-dich verhärtet, nicht mehr leisten kann, was es anfangs noch vermochte. Vielleicht nirgendwo verschandelt Parzival derart subtil das Vermächtnis der heilen *tumpheit* in ihr Gegenteil; die *tumpheit* verträgt solche Berechnungen nicht[8]). Wo sie zum Mittel eines Zwecks werden soll, verschließt sich ihre Ursprünglichkeit. Die *tumbe* Autoritätshörigkeit behält ihre Wirksamkeit nur, wenn sie der Demut verschwistert und der Berechnung von Ursache und Wirkung enthoben ist. Dem Denkenden öffnet sie den Weg zum Glück, als bloß Gedachtes aber, als ein dem Tagesgebrauch Verzwecktes, versagt sie den Dienst der Rettung, den sie eingebettet in zweck-lose Minne und Aventiure-Preisgabe innerhalb des höfischen Lebenskreises glückhaft zu erfüllen vermag.

Im Kern handelt es sich also um eine Verfehlung gegen die *tumpheit*, gegen ihre heile Sinntiefe. Aber auch hier ist es eine radikal objektive, subjektiv nicht verantwortbare, aber bereubare Schuld; eine einseitig objektive Schuld so sehr, daß Trevrizents Urteil über sie (im neunten Buch) dem Leser geradezu als eine willkürlich scharfe Verurteilung Parzivals erscheinen muß, wenn Trevrizent sie Parzival subjektiv anrechnet. Subjektiv steht Parzival vor dem Gral vollkommen im Integritätsbereich sowohl des höfischen als auch des christlichen Gesetzes. Seine Schuld ist nicht auf Kosten irgendeines Gesetzes erkauft. Sie ist die Kehrseite der heilen *tumpheit*, ist dämonische Unkenntnis und Nichtwissen (nicht irgendwelcher Gesetze, aber der guten und trotzdem durch die Erbsünde

---

[8]) Es hat den Anschein, als ob Parzivals ‚*ichn bin niht wîs*' (178,29) die mißverstandene Prämisse hergäbe für die mißliche Überlegung in 239,14/15. Tatsächlich hat das vieles für sich. Nur wird dann die Conclusio anders ausfallen müssen: man denke ans 9. Buch!

versehrten Herzmitte des Menschen: Parzivals Leidensweg bedeutet wachsende Einsicht in diese Dialektik!). Die heile *tumpheit* ist das nicht aufrechenbare, eben *tumbe* Wissen ums Rechte, um das im Letzten glückliche Geschick der Schöpfungswirklichkeit.
Aber nicht ungemahnt vergeht sich Parzival. Das Schwert, das ihm Anfortas mit erklärenden Worten schenkt, hätte ihn zum Fragen reizen müssen. Wolfram kommentiert:

> ôwê daz er niht vrâgte dô!
> des bin ich vür in noch unvrô
> wan do erz enpfienc in sîne hant,
> dô was er vrâgens mit ermant.
> ouch riuwet mich sîn süezer wirt,
> den ungenâde niht verbirt,
> des im von vrâgen nu waere rât. (240, 3—9)

Gottes Zorn, seine *ungenâde* — anstatt durch Parzivals Frage aufgehoben zu sein — wird andauern und Parzival, den potentiellen Erlöser, in ihren düsteren Kreis zerren. Wolfram zieht für Anfortas und Parzival die Summe der Geschehnisse, wenn er sagt: *ez wirt grôz schade in beiden kunt* (242, 18). Für Parzival beginnt das Unheil bereits jetzt schon, da er sich zur Ruhe legt: *künftigiu leit* (245, 4) senden ihm im Traum ihre Boten voraus. Das Angezeigte wird Wirklichkeit, als Parzival am Morgen allein im leeren Schloß erwacht. Es widerfährt ihm *ungevüege leit* (247, 6). Zorn nimmt von ihm Besitz, *al schrînde* (247, 13) und *mit bâgenden worten* (247, 15) setzt er sich aufs Pferd, sprengt über die Zugbrücke, die im selben Moment aufgezogen wird, so daß er beinahe mitsamt seinem Pferd Schaden genommen hätte. Ein verborgener Knappe ruft hinter ihm her:

> ‚ir sult varen der sunnen haz‘,
> sprach der knappe. ‚ir sît ein gans.
> möht ir gerüeret hân den vlans,
> und het den wirt gevrâget!
> vil prîses iuch hât betrâget.‘ (247, 26—30)

Ein pejoratives *tump* genügt ihm nicht mehr; *gans* ist das einzig gemäße Schimpfwort[9]). Es zeigt die Fallhöhe von Parzivals Sturz an. Er ist es

[9]) Auch Gawan wurde *gans* gescholten: 515, 13 und 599, 2. Vgl. oben S. 40 und 45. Bei Gawan schließt *gans* ein Kriterium der Minnevertörung in sich, bei Parzival ist das Schimpfwort Kriterium eines wirklichen Vergehens und eines innerlich damit verbundenen Fluches. Was bei Gawan bloßes Spiel eines im Letzten abgekarteten Minneverhältnisses ist, muß bei Parzival Ernst sein. Die tiefere Gefährdung Parzivals macht seinen Wert und seine Würde aus.

nicht wert, daß ihn die Sonne bescheint, was „ursprünglich ... wohl eine Verwünschung zum Tode ..., eine Fahrt auf den Weg, den die Sonne nicht bescheint“ bedeutet (Martin zur Stelle). Die Wortlosigkeit des Schreis ist Parzivals Antwort auf diesen bitteren Fluch: er ist plötzlich der *tumbe*, der nicht mehr sprechen kann, dessen Wille des Wortes vor Leid nicht mehr mächtig ist[10]). Das Leid erpreßt gleichsam die alten Qualitäten der *tumpheit*: ein maßloses Staunen vor Geschichte und Geschehen überhaupt. Wohl war Parzival, als ihm zum ersten Mal Ritter begegneten, des Wortes tüchtig: die Ritter fanden den *tumben* geschwätzig, neugierig und dumm. Das Erstaunen fand damals noch den Eingang ins Wort und in die Frage. Jetzt aber, nachdem der *tumbe* selbst schon Geschichte erlebt und Leid erfahren hat, muß er verstummen; das Unwiederbringliche des Geschehens stößt ihn ins Sprach- und Ausdruckslose[11]). Der Schrei ist der Rest, den er dem grauenvollen Schweigen gerade noch abhandelt.

Parzival hat *mit sînen ougen* (248, 12) um sein Lebensglück gewürfelt[12]): er hat den Gral gesehen, ihn aber nicht erkannt oder besser: ihn nicht fragend erkennen wollen. Wolfram fragt sich daher besorgt: *ob iu nu kumber wecke?* (248, 14). Das Leid und der Schmerz (und die Reue um das Geschehene) sind offenbar Parzivals Chancen[13]). Daß es mit Parzival noch nicht zu Ende ist, beweist die seltsam starke Benennung Parzivals

---

[10]) Der alte Wortsinn von *tump* wird hier buchstäblich erzählerisch verwertet und ideologisch der Erzählung einverleibt. Parzivals Geist wird ‚geschüttelt, gewirbelt, verdunkelt‘ bis zur Sprachlosigkeit. Vgl. oben S. 16 ff.

[11]) Das beweist, wie sehr Parzivals Weg mit Kategorien der Jugendpsychologie überhaupt nicht adäquat beschrieben werden kann. Der junge, ‚unreife‘ Parzival ist des Wortes in seltenem Maße mächtig, der vollkommene, kampf- und gesellschaftstüchtige, gewandte, also ‚reife‘ Ritter ist der Situation vor dem Gral und seinem Aufenthalt auf dem Gralsschloß nicht gewachsen; nicht einmal das volle Sprachvermögen ist ihm verblieben. Parzival sündigt durch Stummsein!
Vgl. Wapnewski, Wolframs Parzival 94 f.

[12]) So lautet das Bild in 248, 10—13.

[13]) Maurer sieht in seiner Parzivalinterpretation das Leidproblem „als ein grundlegendes Problem für das ganze Werk“ an. „Leid erfahren und Leid überwinden“ ist für ihn der Inhalt des ‚*Wie man zer werlde solde leben*‘ (vgl. Leid 117 ff.). Von dieser engen Bindung des Leids mit dem Welterleben und Weltleben Parzivals her ist es gerechtfertigt, das Leid auch als eine Chance der Bewährung anzusprechen.

als *der valscheite widersaz* (249, 1)[14]. Es ist, wie wenn es den Erzähler Wolfram reuen würde, den Abschied seines Helden vom Gralsschloß so verzweifelt dargestellt zu haben:

sîn scheiden dan daz riuwet mich.
alrêrst nu âventiurt ez sich. (249, 3/4)

Tatsächlich reut ihn Parzivals fluchbeladenes Scheiden. Zugleich aber weiß er um dessen Notwendigkeit: der fluchbeladene Tor könnte sich anders der *âventiure* nicht ergeben, die ihm doch die höhere Notwendigkeit ist. Parzivals Weg, seine *âventiure*, hat im eigentlichen Sinn eben erst begonnen. Er ist nun gleichsam der von der höchsten Stelle ritterlicher Repräsentanz, dem Gralskönigtum, anerkannte Tor: diesem Fluch wohnt eine geheime Triebkraft inne, eine Kraft, die den, der *der valscheite widersaz* heißen kann, zu großartiger Bewährung und Treue fähig macht.

Es entspricht einer geheimen, aber klaren Logik, daß Parzival nun seiner Base Sigune ein zweites Mal begegnet. Erschien er ihr das erste Mal als unerfahrener Tor, der Jeschute durch seine mutterhörige, ‚selige' *tumpheit* in Unglück und Schande gebracht hatte, so begegnet er ihr jetzt als erfahrener Ritter und schuldbeladener Tor, als einer, den das Leid eben zu demütigen begonnen hat. Weil das Leid Parzival faktisch schon begleitet (denn er hat sein Glück mit der nicht gestellten Frage beim Gral liegen lassen!), muß es ihm in Sigune gestalthaft begegnen. Die Spur der Gralsritter, der er bisher zu folgen meinte, zweigt sich in viele Einzelspuren auf: es ist für Parzival unmöglich, den vielen Spuren gleichzeitig zu folgen. Aus diesem Grunde muß er sein Vorhaben, das Rätsel der Gralsritter zu lösen, aufgeben. Die *maer* vermittelt ihm — als eine *herzenôt* (249, 10) — die genaue Einsicht in die Zusammenhänge seines Besuchs auf der Gralsburg.

vor im ûf einer linden saz
ein magt, der vuogte ir triuwe nôt. (249, 14/15)

Keine Spur davon, daß Parzival der leiderfüllten und trostlosen Sigune nicht Mitleid entgegenbrächte; im Gegenteil, er bietet ihr seinen Dienst an, da ihm ihre *senelîchiu arebeit* (249, 28) *vil leit* (27) bedeute. — Die beiden

[14]) Diese Bezeichnung Parzivals unterstreicht, wie sehr Parzival subjektiv kein Sünder sein kann. Der terminus a quo seiner Handlungen ist gut; der Unheil bringende terminus ad quem ist ihm äußerlich. Die Stelle gehört inhaltlich und formal zu 319, 8: *den rehten valsch het er vermiten*; dieses ist die genauere Erklärung zu jenem Namen. Vgl. dazu M. Wehrli, W. v. E. Erzählstil 38 f.

erkennen sich nicht, obwohl sie sich schon einmal begegnet sind. Ein Zwiegespräch über Woher und Wohin Parzivals gibt dem Suchenden endlich die gewünschte Auskunft über die Verhältnisse der Gralsburg und ihrer Bewohner. Sigune sagt, es gebe keine Behausung im Umkreis von 30 Meilen,

> wan ein burc diu stêt al ein.
> diu ist erden wunsches rîche.
> swer die suochet vlîzeclîche,
> leider der envint ir niht.
> vil liute manz doch werben siht.
> ez muoz unwizzende geschehen,
> swer immer sol die burc gesehen. (250,24—30)

In unserem Zusammenhang ist vor allem das Stichwort *unwizzende* von tiefster Tragweite[15]). Unterirdische, von den beiden noch nicht bewußte Korrespondenzströme tragen das Gespräch. Daher ist das, was Sigune als eine objektive Bedingung für den, der den Gral kennenlernen will, vorträgt: daß man nämlich der Gralsburg nur *unwizzende* ansichtig werden kann, ein Apriori, dessen Aposteriori von Parzivals Gralserlebnis längst erfüllt worden ist. Sigune führt Parzival in die gewußte Kausalität des Un- und Nichtwissens ein. Zugleich aber wird Parzival damit die Unschuld des nicht-wissenden Toren genommen. Er tritt zwangsweise ein in den Entscheidungsraum selbstentworfener und verantworteter Tat. Weil er die Bedingung, unter der er den Gral gefunden hat, nun weiß, scheint ihm der Zugang zum Gralsschloß, der ja nur gegen alles Wissen gefunden werden kann, endgültig versperrt. Indem Sigune die Bedingung

---

[15]) G. Webers berühmt-berüchtigte ‚Gralsprämisse' stützt sich auf dieses Wort ab: „Der Gral, so lauten Wolframs ursprüngliche Prämissen für das der Christenheit anvertraute Heiligtum — es handelt sich, wohl zu beachten, um die zentrale Motivgruppe der ganzen Dichtung, von deren Struktur der Aufbau des Gesamtkunstwerks abhängt —, der Gral kann nur *unwizzende* (250,29) gefunden werden, also unbewußt und unwillentlich. Wer ihn mit Absicht sucht, mit seinem menschlichen Willen nach ihm strebt, wird ihn niemals erreichen (250,26.27; 786,5—7.10—12). *Tump* ist der zu nennen, der das nicht weiß, was auch jedem wahrhaft christlichen Laien eine Selbstverständlichkeit sein sollte (468,11)" (Der Gottesbegriff des Parzival 21). Für das in der Stelle 468,11 Anvisierte siehe unten S. 146. Das Problem einer objektiven ‚Wandlung der Gralsprämissen' steht hier nicht zur Debatte. Uns interessiert vor allem andern die romantechnische Funktion des *unwizzende* und seine dialektische Stellung zu seiner, der theoretischen Aussage in 250,29 vorgängigen, Erfüllung: denn Parzival hat den Gral *unwizzende* schon gesehen, bevor er weiß, daß es *unwizzende* geschehen soll.

preisgibt und verrät, verschließt sie den Zugang; mit ihrem Wissen hebt sie Parzivals glückliches Nichtwissen auf. Diese Dialektik des Gesprächs zerstört das Dialogische, das ihm innewohnen sollte.

Mit Parzival ist durch die Enthüllung des den Zugang zum Gralsschloß bedingenden *unwizzende* etwas Entscheidendes geschehen: er kann der sich in ebener Torheit äußernde Tor nicht mehr sein[16]). Schon vor dem Gral hat er auf Grund einer schon zu bewußten Überlegung seine *tumpheit*, seine aufs Glück angelegte Un-wissenheit, zum Mittel eines Wissens verdinglicht. Sein subjektives Urteil, das ihm Belehrung und Aufklärung über den Gral und den leidenden Schloßherrn herbeizwingen sollte, wird durch Sigune zur objektiven Verurteilung durch die Sippe (d. h. der Gemeinschaft der Menschen überhaupt) ausgeweitet. Die Unwissenheit, die er vor dem Gral als ein Mittel der Erkenntnis einsetzen wollte, wird durch Sigune in Wissen verkehrt, das die Rückkehr zum Gral unmöglich zu machen scheint. Die Überlegung vor dem Gral (239, 14/15) und die zweite Begegnung mit Sigune stehen daher in einem strengen Zusammenhang gegenseitiger Ergänzung. Was jetzt noch folgt: das sich-Erkennen der beiden, Sigunes Auskunft über das Schwert, ihr Lob auf Parzival, wenn er gefragt hat usw., ist nur noch zu verstehen als eine steigernde Retardation des monumental-vernichtenden *‚ich hân gevrâget niht‘* (225, 1) Parzivals, dem eine antikisch zermalmende Fluchrede Sigunes antwortet:

> ‚ôwê daz iuch mîn ouge siht‘,
> sprach diu jâmerbaeriu magt,
> ‚sît ir vragens sît verzagt!
> ir sâhet doch sölh wunder grôz:
> daz iuch vrâgens dô verdrôz,
> aldâ ir wart dem grâle bî!
> . . .
> ôwê waz wolt ir zuo mir her?
> gunêrter lîp, vervluochet man!
> . . .

16) Daher wird Parzvial in 468, 11 von Trevrizent *tump* genannt werden müssen: als Tor, der er wesentlich ist, muß er von jetzt an eben gerade wieder das scheinbar Unmögliche unternehmen: den Gral zu *‚erringen‘*. Das Wissen, das Parzival von Sigune empfängt (das im *unwizzende* gipfelt), verbietet ihm fürderhin, den Gral in willentlichem Unwissen zu erreichen. Einer solchen Reservatio mentalis verschließt sich gerade seine ränkelose und offene Torennatur. Hingegen wird sich das *‚unwizzende‘* unter Anrufung Gottes ‚praktizieren‘ lassen, vgl. unten S. 138.

iuch solt iuwer wirt erbarmet hân,
an dem got wunder hât getân,
und het gevrâget sîner nôt.
ir lebt, und sît an saelden tôt.' (255, 2—7; 12/13; 17—20)

Das Wunder hätte in Parzival das bare Erbarmen, nicht leere Überlegung, hervorzaubern sollen. Da er sich seines Wirtes nicht erbarmt hat, heißt er nun: *gunêrter lîp, vervluochet man.* Selbst Parzivals lakonische, aber bußbereite Gesinnung vermag nicht mehr gutzumachen. Sein ,*ich wandel, hân ich iht getân*' (225, 23) kann Sigunes Zorn nicht sänftigen: sie hüllt sich in Schweigen und deklariert seine Bußgesinnung als nutzlos. Diese Szene verlangt einen scharfen Akzent. Ihre Verharmlosung wäre ein Mißverständnis. Denn nichts anderes ist hier geschehen als die Wandlung des flott arrivierenden Märchendümmlings in einen, der um seine Sünde weiß, weil er Wissen überhaupt erlangt hat, Wissen in die verästelte und vielfältige Kausalität eines Menschenlebens und Wissen um das Scheitern eines menschlichen Auftrags. Zwar ist das alles noch nicht ausgefaltet: es ist erst grundgelegt. Die gesellschaftliche Desavouierung vor der Artusrunde steht noch aus, ebenfalls Parzivals Gotteshaß. Der Tor aber ist gebrochen ins Vielfältige. Seine Simplizität trägt seit dem Versagen vor dem Gral nicht mehr. Eine neue Dimension des Torenhaften muß sich für Parzival eröffnen, soll er seinen Weg zu Ende gehen können. Angezeigt ist dies Neue in der Reue, die den von Sigune Scheidenden überkommt: *riuwe* (256, 3) und *clage* (256, 5) begleiten den vollends und objektiv *tumben* ins nächste Abenteuer.

Die Begegnung Parzivals mit der durch ihren Freund zu unnennbarem Leid verdammten Jeschute und sein Kampf mit Orilus sind für Parzival Anlaß, seine rustikale, mutterhörige *tumpheit* von einst höfisch elegant und kühn zu sühnen[17]). Parzival besiegt Orilus und zwingt ihn, Jeschute erneut in Liebe aufzunehmen, da sie ihm ja nie die Treue gebrochen habe. Trevrizents Klause, die zufällig in der Nähe liegt, hält das Heiligtum bereit, auf dessen Autorität Parzival eine großartige Schwurrede hält, die Jeschutes Integrität und Parzivals damalige Naivität und *tumpheit* versichert. Resümierend meint Parzival, nachdem er seine beiden Leben (Diesseits und Jenseits) als Pfand eingesetzt und Gott und sein *schildes ambet* (269, 9) als Zeugen angerufen hat:

---

17) Man beachte, wie stolz Parzival vor der verständlicherweise über ihn nicht gerade erbauten Jeschute auf sein *schildes ambet* im Sinn einer Einsicht pocht: 258, 15—23.

ich was ein tôre und niht ein man,
gewahsen nicht bî witzen.
vil weinens, dâ bî switzen
mit jâmer dolte vil ir lîp.
si ist benamen ein unschuldic wîp.
dâne scheide ich ûz niht mêre:
des sî pfant mîn saelde und êre.
Ruocht irs, si sol unschuldec sîn.
seht, gebt ihr wider ir vingerlîn.
ir vürspan wart sô vertân
daz es mîn tôrheit danc sol hân.' (269, 24 — 270, 4)

Parzival selbst rehabilitiert seine integre, selig *tumbe* Jugendverfehlung. Der Zusammenhang dieser Szene mit der Grals- und Sigunebegegnung liegt auf der Hand. Die selige *tumpheit* von Parzivals Jugend rundet sich erst zur sinnträchtigen Gestalt, wenn das Leid genannt, aber gelöst ist, wenn gezeigt werden kann, daß sogar das paradiesisch Unschuldige von verderblichem Trend zum Bösen nicht frei ist. Und diese *tumpheit* muß sich hier zur Gestalt verkörpern, weil ihre Rolle ausgespielt ist und sie daher nur noch Sinn hat, insofern sie dem Zuhörer als geschlossene Erinnerung im Geist verbleiben und weiter dauern kann: sie kann es nur als allseitig gelöste, in sich stimmige Gestalt. Parzival ist mit dem Gralserlebnis und der Eröffnung Sigunes ins Wissen eingetreten: das Nichtwissen vermag weder als angewandtes, zweckgerichtetes Mittel noch als negative Geistesanstrengung mehr Dienste zu leisten. Das Wissen um Zusammenhänge, um Sachverhalte — im Gralserleben realisiert und in Sigunes Enthüllung vollumfänglich bestätigt — ist für diese Art *tumpheit* verderblich geworden und macht sie unmöglich. Daher rechnet sich Parzival vor Orilus und Jeschute die *tumpheit* als eine Erinnerung vor, als ein durch sein damaliges Nichtwissen entschuldigtes Vergehen (270, 4).

Die Blutstropfenszene

Die vordergründigen Schemata der *tumpheit* sind in der berühmten Szene mit den drei Blutstropfen kaum anzutreffen: Parzival benimmt sich weder praktisch ‚dumm', noch äußert er irgendwelche ‚dumme' Ansichten. Er agiert auf einer neuen Ebene, aperspektivisch zwischen verschiedene Brennpunkte gestellt, unter deren Inspiration er — d. h. die Figur Parzival — ein „Transzendieren zu einem tieferen Lebenssinn" (Max Wehrli, Erzählstil 24) demonstriert. Max Wehrli hat die ‚Schichtung' und ‚Stufung' dieser Szene genauestens herausgestellt und die hier wirksamen zwei Haupttendenzen genannt: die ,Kraft des dichterischen *Humors*' und die ,Tendenz zum Lyrischen' (siehe W's Humor 14), die in einem offensichtlichen Entsprechungsverhältnis zueinander stehen. Unter dem Übergewicht dieser vorherrschenden und bestimmenden Tendenzen gewinnt auch die *tumpheit* eine neue Dimension und den neuen, tiefer greifenden Nenner, den zu suchen sich nach dem mißglückten Gralabenteuer als Aufgabe ergab.

Im Sinn einer Einführung ins Thema und in die dichterische Höhenlage dieser Szene zitiere ich Wehrlis treffliche Überlegungen zum Szeneneingang: „der Falke wird in die Struktur der Fabel stärker eingefügt: er ist der beste Jagdfalke vom Hof, der sich nicht mehr hatte einfangen lassen, wegen ,überkrüpfe', Überfütterung, wie sie offenbar am Märchenhofe selbst Falken droht. Und nun führt Wolfram — eine großartige Neuerung — die Handlung in kühnem, raumschaffendem Doppelgriff fort, vom Falken des Königs und vom Helden Parzival zugleich erzählend:

> Die naht bî Parzivâle er stuont,
> da in bêden was der walt unkuont
> und dâ si bêde sêre vrôs.
> Dô Parzivâl den tac erkôs,
> im was versnît sîns pfades pan:
> vil ungevertes reit er dan
> über ronen und über manegen stein.
> der tac ie lanc hôher schein.
> Ouch begunde liuhten sich der walt,
> wan daz ein rone was gevalt
> ûf einem plân zuo dem er sleich:
> Artûs valke almite streich;
> dâ wol tûsent gense lâgen.
> Dâ wart ein michel gâgen.
> Mit hurte vloug er under sie,
> der valke, und sluog ir eine hie,
> daz s'im harte kûme enbrast
> under des gevallen ronen ast.
> an ir hôhem vluge wart ir wê.
> ûz ir wunden ûfen snê
> vieln drî bluotes zäher rôt . . . (282, 1 ff.)

Falke und Held, beide irrend, frierend, etwas verscherzt habend, sind in komische Beziehung gerückt, die soweit getrieben wird, daß einen Moment lang (Vers 15 f.) selbst mit einer Verwechslung gespielt ist. Zugleich mit dem Hellerwerden des Tags und dem Lichterwerden des Walds nähern sich beide dem Schnittpunkt ihrer Bahn, wo die affektisch auf die Tausendzahl gebrachten Gänse lärmend auffliegen. So wird auch hier konkretisiert, komisch „individuiert“ und zugleich die Fabel in sich verfugt und auf mehr Dimensionen erweitert“ (W's Humor 10 f.). „Beide Schicksale werden sprachlich raffiniert zur Kreuzung gebracht ...“ (Erzählstil 24). Erst im Moment, da die drei Blutstropfen gefallen sind, trennt sich Parzivals Erlebnis von dieser Schicksalsgemeinschaft mit dem Falken: seine *nôt* beginnt mit den drei Blutstropfen (282, 22). Und Wolfram fügt erklärend hinzu: *von sînen triuwen daz geschah* (23). Das humoristische Gänse-Arrangement dieser Szene weicht nun „sofort einer leidenschaftlichen monologischen Ausdeutung (der Blutstropfen) durch den betrachtenden Parzival. Die Macht der Minne und der „triuwe“, die sich in der empfindsamen Ekstase des Sich-„Verdenkens“ äußert, findet ihren Ausdruck in einer fast mystischen Beschwörung der Geliebten mit dem berühmten senkungslosen Verse:

Condwîrâmûrs, hie lît dîn schin.
sît der snê dem bluote wîze bôt
und ez den snê sus machet rôt,
Cundwîrâmûrs,
dem glîchet sich dîn bêâ curs:
des enbistu niht erlâzen“ (Wehrli, W's Humor 12).

Eine Ekstase minniglicher Versenkung überkommt Parzival vollkommen: seine *sinne* werden ihm entrückt und verschmelzen ins Bild der Geliebten[1]).

---

[1]) Parzival erklärt sich dieses, nicht etwa ‚*bloß*‘ symbolische Minneglück (denn mittelalterlich ist das Symbol eine *Steigerung* eines Sachverhalts, nicht dessen Schwächung; das Symbol ist ‚Wahr-zeichen‘) als eine Gnade Gottes:

mich wil got saelden rîchen,
sît ich dir hie gelîchez vant.
gêret sî diu gotes hant
und al diu crêatiure sîn. (282, 30—283, 3)

Daher lobt er Gottes Schöpferhand mitsamt seiner Schöpfung. Das ist ein starkes und überzeugendes Indiz von Parzivals Rettung. Die Minneekstase, sosehr mit Dank und Lob Gottes verbunden, zeigt und bewirkt die Rettung, die Parzival in einem tiefen Sinn noch aussteht (was besonders stark nach der Verfluchung durch Cundrie fühlbar wird!). Die Versenkung in die drei Blutstropfen ist damit wesentlich als ein Moment des Heils auf Parzivals Weg aufzufassen.

er pflac der wâren minne
gein ir gar âne wenken.
sus begunde er sich verdenken,
unz daz er unversunnen hielt:
diu starke minne sîn dâ wielt,
sölhe nôt vuogt im sîn wîp.
dirre varwe truoc gelîchen lîp
von Pelrapeire diu künegin:
diu zucte im wizzenlîchen sin. (283, 14—22)

Zwar fehlt im ganzen sechsten Buch die Bezeichnung ‚*tump*' für Parzival, und doch hält es nicht schwer, die Macht des „Verdenkens", der sich Parzival preisgibt, im Sinn der *tumpheit* erklärbar zu machen. Die Vokabel ‚*tump*' fehlt bloß, weil sie für Wolframs Sprachgefühl im Bereich der Minne offenbar nicht angängig ist[2]). Nun aber deckt sich Parzivals *tumpheit* sicher nicht mit ihrem statistischen Vorkommen; ihre strukturelle Tragweite ist erst dort erschöpft, wo die Haltung der *tumpheit* als solche nicht mehr feststellbar und erkennbar ist. Hier ist sie mit Händen zu greifen. Nur ist sie wesentlich anders: sie ist keine Qualität Parzivals mehr, die ihm im Sinn einer listig angewendeten Automatik den Zugang zur Umwelt und Gesellschaft öffnet, indem sie ihn — nur scheinbar — versperrt. Sondern *tumpheit* ist hier um eine ganze Dimension weiter. Sie ist eingepaßt in die Sammlung der Herzkräfte höfischer Gesittung, in die Anstrengung gedenkender *triuwe*, das heißt: sie hat nichts zu tun mit irgendwelcher exponierten Grobheit oder Torheit. Einverfügt in die großen und groß gedachten Zusammenhänge höfischer Tugendsynthese ist sie über den Weg des Symbols reiner Zugang zum Nächsten. Und wer

---

2) Aber noch bei Gawan war die Vokabel ‚*tump*' durchaus für dessen Minnetorheit angängig. Vgl. oben S. 38 ff. Das hat seinen Grund darin, daß Gawans höchste Leistung die rein höfische und selbstzweckliche Minne ist. Bei Parzival verhält es sich anders: seine höchste ‚Leistung' ist die ungleich wichtigere Gralssuche, sein transzendierender Lebensweg überhaupt. Daher muß Gawan innerhalb des Minnespiels *tump* genannt werden, Parzival aber immer erst dort, wo sein Lebensweg in eine herakleische ‚Krise' (= Entscheidungsstunde) gerät. In der Blutstropfenszene ist von dergleichen Entscheidungen nichts zu spüren, da Parzival ja die Frucht seiner Minneentscheidung kosten darf. Daher hätte die ambivalente Formel seiner *tumpheit* hier keinen Bezeichnungsgegenstand; denn Parzival feiert die Einheit von Frau und Mann, und diese hat für ihn nichts Zwiespältiges an sich. Was allerdings nicht hindert, die Haltung der *tumpheit* an ihm gleichwohl zu statuieren.

könnte einem Manne näher sein als die ihm Nächste, seine Gattin?[3]) Daher beruht *tumpheit* in der Blutstropfenszene auf nichts anderem, als daß sich Parzival unter Hintansetzung und Ausschaltung der ‚normalen' Geistesmächtigkeit radikal versenkt in seinen immerwährenden Nächsten, in Condwiramurs. Selbst Gawans Minne-*tumpheit*, die man gern als Vergleich zitieren möchte, fällt ab vor solcher Radikalität in eine bloß antitypische Belanglosigkeit. Ist Gawan noch von Orgeluse sinnlich-höfisch affiziert, so trägt Parzivals Versenkung die Charakteristika einer gesamtmenschlichen (d. h. sinnlich-geistig-geistlichen) *triuwe*-Hingabe. Indem Parzivals Sinne in die Bildwerdung der drei Blutstropfen auf dem Schnee eingehen, werden geistliche Energien zu deren Betrachtung frei. Die Betrachtung wird mystisch selbständig, und die Betrachtete herrscht durch die Sinnfälligkeit des Wahrzeichens und durch die Versenkung des Betrachtenden als eine Gegenwärtige in einer stärkeren Anwesenheit, als wenn sie körperlich präsent wäre. Die Drangabe und Absenz wenigstens einzelner Sinne oder Vermögen haben sich schon früher (als Stummheit, Taubheit usw.) als Auswirkungen und Gründe der *tumpheit* herausgestellt. Es ist insofern nur logisch, nun, da es sich um eine totale Hingabe

---

[3]) Die tiefe Erkenntnis, daß die letzte Sinnbestimmung der Ehe auf dem Gebot der Nächstenliebe aufruht, findet einen gültigen, formelhaften Ausdruck in Herbert Meiers Roman: ‚Ende September' (Einsiedeln 1959). Es heißt da über die eheliche Liebe der beiden Hauptfiguren Ruth und David: „Liebe, wie Ruth sie erfuhr, war das Dauernde von Anfang an, ein Abenteuer, das sich nicht nach der schwankenden Summe der Gefühle bemaß. Eher ein unentwegtes Hinblicken auf die wechselnden Gesichter der Tage. Und ihr war kaum mehr bewußt als: Wir sind zusammen, nicht durch uns selbst — und immer schon. Der bleibende Nächste (von uns gesperrt) findet sich irgendwann ein, man erkennt ihn oder versäumt ihn — ‚Der bleibende Nächste bist du für mich', hatte ihr David in einem Brief geschrieben." Und weiter unten: „Wir sind uns die Nächsten, Ruth, ganz einfach, weil wir täglich zusammen sein werden ... Jeder, der mir begegnet, ist in diesem Augenblick mein Nächster. Du aber bist der bleibende Nächste für mich, wie ich es für Dich bin" (62 f.). In der Tat ist im ‚Parzival' nichts wesentlich anderes ausgesprochen, als was der moderne Dichter als sein eigenes Anliegen zu vertreten hat: die Darstellung der ineinander verketteten Menschen und der das auf heile Art ermöglichenden Kraft: die Liebe. Die Rettung durch den ‚bleibenden Nächsten' ist die via regia des christlichen Dichters, die sich im andern anspinnende Hölle ist das heillose perpetuum mobile des unchristlichen: „L'enfer, c'est les autres" (Sartres ‚Huis clos'). Wenn Péguy recht hat und die Ehemänner die Abenteurer des 20. Jahrhunderts sind, dann beweist Wolframs so durch alles Höfische hindurch ‚antihöfische' Dichtung, daß der Ehemann Parzival schon vor siebenhundert Jahren der Abenteurer der Zeit war, daß das zwanzigste Jahrhundert mithin von den gehaltlichen Kräften dieser frühen Zeit der Liebe gespeist wird.

und Verschließung der Sinne (um eines Höheren willen) handelt, auch von *tumpheit* zu sprechen.

Die *tumpheit* ist wie seit eh mit dem Humor der Szene engstens verschwistert. Sosehr das Geschehen innerlich von einem leidenschaftlichen Ernst und einer starken Stimmung getragen ist, sosehr ist Humor im Zusammenstoß dieser Innerlichkeit mit der Außenwelt ein dichterischer Ertrag. Außenwelt ist Artuswelt. Dem Versunkenen begegnet ein Knappe, der die Sensation des stummen Ritters schnellstens den Rittern des nahe kampierenden Artushofes überbringt. Zuerst versucht Segramors, dann Keye, den stummversunkenen Ritter an den Hof zu bringen. Beiden gelingt es nicht: sie werden vom aufgestörten Parzival so nebenbei rasch ins Gras geworfen. Nach vollbrachter Rittertat versinkt Parzival jeweils flugs wieder in sein Sinnen.

Segramors kommt: *unversunnen hielt dâ Parzivâl* (287,9). Während Parzival auf Segramors' Drohreden nicht reagiert, zeigt dafür sein Pferd, daß Gefahr im Anzug ist. Es wendet sich um, Parzival bleibt *unversunnen* auf ihm sitzen (288,9). Gleichzeitig aber kann er wegen der Kehrtwendung seines Pferdes die Blutstropfen nicht mehr sehen (*sîn sehen wart drab gekêret* 288,11)[4]). Damit ist Segramors' Schicksal besiegelt: Segramors muß fallen und fällt auch. Und hierauf:

> Parzivâl reit âne vrâgen
> dâ die bluotes zäher lâgen.
> do er die mit den ougen vant,
> vrou Minne stricte in an ir bant.
> weder ern sprach dô sus noch sô:
> wan er schiet von den witzen dô. (288,27—289,2)

Die Entrückung funktioniert automatisch, unausweichlich. Sie ist völlig eingespannt in die strenge Kausalität der *vrou Minne* und der drei Blutstropfen. Die pure Gegenständlichkeit der drei Blutstropfen bewirkt das „Verdenken". Die Ekstase ist kausal an ihre bloße Faktizität gebunden, und der Effekt der Spannung von lyrischer Entrückung zurück zur Geliebten und der drei banalen Blutstropfen im Schnee ist humoristisch. Der Träger dieses Arrangements aber ist wieder und noch *tump*. Nur ein Tor kann sich derart der *witze* begeben, um Unvergängliches, nämlich *minne* einzuheimsen. Nur ein *tumber* kann an der Schwelle der Lächerlichkeit

4) Die ‚Automatik' dieses Vorgangs wird in den geistigen Konsequenzen der Kehrtwendung des Pferdes eindeutig: *do er der zaher niht mêr sach, / vrou Witze im aber sinnes jach* (288,13/14). Die Bewegung des Pferdes wird zum Mechanismus, der dem versonnenen Parzival den *sin* zurückgibt.

die schwindelndsten Dimensionen der *triuwe* eröffnen. Von daher steht die „Automatik der minniglichen Versenkung" (Wehrli, W's Humor 115) in direkter Abhängigkeit der *tumpheit.* Nicht umsonst steht mitten in dem mit vielerlei selbstbiographischen Seitenblicken durchsetzten Minneexkurs (291, 1 — 293, 4) jene sprichwortähnliche Wendung: *von tumpheit muoz verderben / maneges tôren hôher vunt* (292, 24/25). Und an die Adresse der *vrou Minne* heißt es: *ir sît slôz ob dem sinne* (292, 28). Die Stelle läßt sich doppelt verstehen. Sie kann heißen: „,ihr schließt alle Klugheit ein', seid am allerklügsten" (vgl. Martin zur Stelle). Oder: ihr seid „das Schloß, der Verschluß über dem Verstand. Ihr haltet den Verstand gefangen, so daß er euch gegenüber wehrlos ist" (vgl. Bartsch/Marti zur Stelle). Die beiden Erklärungen ergänzen sich: der Minne wird eine Sinnhaftigkeit ganz eigener Art zugesprochen, dem Minnenden aber eine notwendige Absenz der Sinne. Auch das eine Weise der *tumpheit.* Der humoristische Effekt solcher Bemerkungen weist zurück auf die von der Verfremdung und dem Mechanismus lebende *tumpheit* früherer Szenen. Das heißt: ohne diese Vorprägung durch *tumpheit* wäre Parzival nun nicht, der er ist. Die Minne ginge im Gesellschaftlichen auf und verschlösse sich ihrem mystisch-transzendenten Sinn. Die Möglichkeit einer *tumpmachenden* Entrückung in die Geliebte ist für Parzival die Gewähr für die *triuwe*, die er ihr halten will. Indem er sich der *sinne* und ihrer Tätigkeit enthält, gewinnt er die Sinnhaftigkeit der Minne: die *triuwe.*

Daher kann Wolfram von seinem Minneexkurs wieder auf Parzival und das Romangeschehen zurückbiegen:

> Vrou Minne, ir tâtet ouch gewalt,
> dô Parzivâl der degen balt
> durch iuch von sînen witzen schiet,
> als im sîn triuwe dô geriet. (293, 5—8)

Die beiden Größen *minne* und *triuwe* sind so in engsten Zusammenhang gebracht. Sie sind der höhere Kausalitätszusammenhang, der sich über den der niederen Empirie der Blutstropfen und der Pferdbewegung spannt.

Und jetzt ist auch die Stunde der Abrechnung mit dem gewalttätigen Keye gekommen. Wieder versichert Wolfram in geradezu triumphierendem Tonfall:

> swâ twingende vrouwen sint,
> die sulen im heiles wünschen nû:
> wande in brâhte ein wîp dar zuo
> daz minne witze von im spielt. (293, 24—27)

Was sich immer schon an Parzival feststellen ließ, seine Schönheit, die zur Minne wie geschaffen scheint, ist jetzt nach der Minne-Erfüllung mit Condwiramurs doppelt lobwürdig. Die *tumpheit*, die gesellschaftlich noch in einer gewissen Diskrepanz zur Schönheit stehen konnte, entpuppt sich als die Versenkungs- und Meditationskraft der Minne. Obwohl Parzival nicht nur ein bloßes Plansoll höfischer Gesellschaftsfähigkeit erfüllt, wenn ihm die Minne derart zum Ereignis wird, ist es doch auffällig, daß ihm das Lob aller zur Minne zwingenden Frauen zugesprochen wird. Die Blutstropfenszene hat mithin nicht allein den Sinn, Parzival als einen Einzelnen auf seinem Weg weiter zu bringen, sondern ebenso stark auch die Bedeutung, ihn in die Gesellschaft, unter deren Legitimation er bisher gehandelt hat, auch einzuführen. Die Tafelrunde wartet auf den durch die Minneversenkung Geadelten. Daher muß die Rache, die Parzival dem Hofrüpel Keye geschworen hat, zuvor auch getätigt werden. Keyes gesellschaftliche Vormachtsstellung muß wenigstens von außen in einer realen Niederlage durch den *tumben* gebrochen werden (Keye war es, der sich Parzivals *tumpheit* in einem schlechten Sinne bedienen wollte!). Wiederum vermag Keyes Drohrede den Versunkenen nicht zu schrecken. Denn: *den Wâleis twanc der minnen craft / swîgens* (294,9/10). Selbst Keyes übliche Art, sich Gehör zu verschaffen: das Dreinschlagen, nützt nichts. Parzivals ‚Schlaf' wird erst gestört, nachdem Keyes Pferd den Kastilianer Parzivals von den Blutstropfen weggedrängt hat:

> dô kom aber Vrou Witze als ê,
> diu im den sin her wider gap. (295,8/9)

Natürlich fällt Keye auch: er bricht sich seinen rechten Arm und sein linkes Bein. Die Rache für die Beleidigung Kunnewarens und Antanors ist vollstreckt, o h n e daß Parzival seinen Gegner überhaupt gekannt hat. Auch das wieder ein Zug, der sich Parzivals *tumpheit* sinnvoll einfügen läßt.

Nach Keyes Fall funktioniert erneut die Automatik der Versenkung:

> Parzivâl der valscheitswant,
> sîn triuwe in lêrte daz er vant
> snêwec bluotes zäher drî,
> die in vor witzen machten vrî.
> sîne gedanke umbe den grâl
> unt der küngîn glîchiu mâl,
> iewederz was ein strengiu nôt:
> an im wac vür der minnen lôt.

trûren unde minne
brichet zaehe sinne.
sol diz âventiure sîn?
si möhten bêde heizen pîn. (296, 1—12)

Parzival wird ‚Zerstörer, Vernichter der Falschheit' geheißen (vgl. Martin zur Stelle). Das ist sehr wichtig, wenn wir bedenken, daß all dies unmittelbar vor der Fluchrede Cundries über Parzival von ihm gesagt wird. Ein Falsch kann an Parzival also nicht nur nicht sein, sondern er ist darüber hinaus dessen Zerstörer. Und zwar ist er es nicht im Sinn eines Epitheton ornans, sondern wesentlich. Denn es folgt dieser Benennung gleich eine Erwähnung von Parzivals *triuwe* zur Königin und seinem Nachdenken über den Gral. Die beiden großen Themen des ‚Parzival' überhaupt: der Gral und Parzivals Liebe zu Condwiramurs, werden von dieser Benennung Parzivals umfaßt und getragen. Gral und Minne sind *ein strengiu nôt* nur, weil Parzival als *valscheitswant* und *tumber* ihnen in einer Direktheit und Unverstelltheit begegnet, die jegliche Ausweichmöglichkeit ins rein Gesellschaftliche verunmöglicht. Parzival steht dem metaphysischen Gehalt der Minne schutzlos offen, ja seine *triuwe* fordert diese Schutzlosigkeit heraus. Daher überwiegt denn auch — entsprechend der Situation — das Bleigewicht der Liebessehnsucht, die bekanntlich den zähesten Sinn zerbricht. Das Sprichwort bekräftigt nicht bloß allgemein Gültiges, sondern insbesondere Parzivals eigene Situation: seine ‚Sinne' werden durch Gral und Minne gebrochen. Der Wortinhalt von *âventiure* ist dem nicht mehr adäquat, Wolfram nennt beides mit einem starken Wort: *pîn.* Darin wird das Höfische ausgeschieden und das Geschehen auf eine andere Ebene gehoben. Parzivals Aventiuren sind immer mehr als Aventiuren, weil die *tumpheit* sie von Anfang an transzendiert und auf ein Höheres hin ausrichtet (auf den Gral und eine nicht intérieurhafte, sondern weltstiftende Minne)[5].

Die dritte Begegnung eines Artusritters mit Parzival findet unter neuen Vorzeichen statt. Denn Gawan, unter den Rittern der Tafelrunde einer der größten, nimmt es auf sich, den versunkenen Ritter herbeizuholen. Ihm gelingt es, den Ritter, *des witze was der minnen pfant* (300, 2) mit viel Einsicht und Anstand und ohne Gewaltanwendung aus dem ‚Schlaf'

---

[5]) Die zweifelnde Frage Wolframs 296, 11, ob das denn noch *âventiure* heißen könne, was Parzival widerfährt, weist hin auf jenen archimedischen Punkt, an dem selbst Schuld und Sünde für Parzival zum Glück und zum Gelingen ausschlagen. Eine Vokabel für diese glückhafte Ambivalenz ist sicher die *tumpheit.* An ihr lassen sich *sünde* und *linge* als dialektische Momente der e i n e n Lebenskurve erklären.

ins Leben zu bringen. Er versucht es *güetlîche* (300, 9) und spricht Parzival mit wohlgesetzten Grußworten an. Worauf Parzival nicht antwortet, weil er — als Versunkener — nicht hört. Denn:

> ungezaltiu sippe in gar
> schiet von den witzen sîne,
> unde ûf gerbete pîne
> von vater und von muoter art. (300, 16—19)

Wolfram weist auf Parzivals *art* hin, auf sein Erbteil von Vater und Mutter, die *pîn*. Erst eine List des einsichtigen Gawan vermag den Zwang der Blutstropfen zu lösen: er wirft einen Schleier über die Blutstropfen, so daß sie unsichtbar werden:

> im gap her wider witze sîn
> von Pelrapeir diu künegîn:
> diu behielt jedoch sîn herze dort. (302, 3—5)

Der Minnezwang ist äußerlich gebrochen, im Herzen Parzivals dauert er weiter. Der Weg zur Aufnahme Parzivals in die Schar der Tafelrunder steht offen. Ohne weiteres läßt sich Parzival von Gawans gewinnender Liebenswürdigkeit einführen.

Der Entzug der *sinne* und das *scheiden von den witzen* ist — äußerlich gesehen — sicher das stärkste Kennzeichen der Blutstropfenszene bei Wolfram. Der Wechsel von Entzug und Rückkehr der Sinne oder der *witze* ist ein Spiel, das humoristisch untermalt ist durch die Automatik, mit der es funktioniert. Der unterschwellige, innerliche Charakter des Geschehens aber knüpft an den Tenor der *tumpheit* an und moduliert ihn auf eine neue Weise um. Das erhellt klar daraus, daß die *tumben* Taten Parzivals, die bisher beschrieben wurden, inhaltlich nicht von der Versenkung in die drei Blutstropfen differieren[6]). Parzivals reine Torheit als nichtwissende und doch fortschreitende Geisteshaltung dauert quer zu aller ‚Entwicklung' bis zu dem Zeitpunkt an, wo er auf die drei Blutstropfen trifft. Formal gewinnt jetzt aber die *tumpheit* ein neues Gesicht. Alles terre à terre Torenhafte an Parzival ist verschwunden. Die ‚Station'

---

[6]) Gemeinsam war all diesen ‚Taten' (oder besser: ‚Widerfahrnissen') Parzivals eine Art von ‚Versenkung' oder seelischem Schwergewicht. Parzival ‚versenkte' gleichsam sein Wesen in die Ratschläge, die ihm von der Mutter oder von Gurnemanz erteilt wurden. Erst aus dieser absoluten Einschmelzung in das zu Tuende t a t er es denn auch. Die komische und humoristische Wirkung seiner Taten beruht also prinzipiell auf dieser Kraft der Selbstvertörung, durch die in der Blutstropfenszene sowohl der stärkste Humor als auch der größte Ernst frei wird.

der Liebe mit Condwiramurs hat ihn dahin gewandelt, daß er die Kräfte seiner *tumpheit* gleichsam frei zur Meditation der Geliebten hat. Die Möglichkeit, *tump* zu sein, wird zur Möglichkeit, *tump* zu sein für die Geliebte, das heißt, ihr treu zu sein und ihr in Absolutheit anzuhangen. In *tumber triuwe* vermag er so ihr Bild nachzuschaffen und als ein Leitbild zu ratifizieren. Die Gegenwärtigkeit der Geliebten im abstrakten Bild der drei Blutstropfen im Schnee ist aber schon das „Transzendieren zu einem tieferen Lebenssinn" (Wehrli): Lebenssinn ist Liebe, und Liebe schlechthin ist Transzendenz. Mit anderen Worten: die hohe Empirie der Liebe zur Gattin ist immer schon Parzivals tieferer Lebenssinn. Denn Parzivals Theoria der Geliebten verbürgt noch auf ursprüngliche Weise die Einheit der Liebe, die unteilbar ist. Die Liebe zu Gott prägt seine Liebe zur Frau[7]). Daher kann er seine eheliche Liebe nach Art der (monastischen) Bildmeditation vollziehen[8]), ohne diese zu profanieren. Im Gegenteil: die Theoria der Gottesliebe steht ihm frei zum Gebrauch im geschöpflichen Abbild, der Ehe, auf daß das Bild zum Gleichnis werde. Die *triuwe*, das haltende Band dieser Bindung zwischen Mann und Frau, Mensch und Gott, sichert sich als Aspekt der *tumpheit* (der Vertörung) die Gewähr ihres Bestehens. Parzivals Liebe setzt sich gleichsam ständig in die Bewahrungskräfte der *triuwe* um und fördert so die Beharrlichkeit des *tumben*, d. h. reflexionslosen Verdenkens in die Geliebte.

---

7) Es ist hier unwesentlich, welche Liebe die erste ist: die Liebe zur Frau oder die Liebe zu Gott. Sie sind in derselben Ursprünglichkeit geborgen, in derselben Unteilbarkeit vereint. Das in der Abbildlichkeit von Gott kompromißlos gelebte eheliche Verhältnis ist immer auch schon Gleichnis des Urbildes (der bräutlichen Liebe Christi zu seiner Kirche). Die Tatsache, daß der den Gotteshaß tragende Parzival seiner Gattin mehr traut als Gott, ist ein eindeutiges Indiz dafür, daß selbst ein bis auf den Grund der Dinge und der Realität gesunkenes Theologumenon mittelalterlich aus dem Kosmos des von Gott Geschaffenen nicht herausfallen kann, sondern gerade auf Grund der ihm trotz aller Vergeschöpflichung einwohnenden Abbildlichkeit zu einem überragenden Motiv der Rettung werden kann; daß Parzivals Ehe also durch ihre faktische Abbildlichkeit gleichsam ex opere operato (zu dem sich das intensive ex opere operantis gesellt!) seinen ‚abstrakten' Gotteshaß überwächst. In Parzivals Leben widerlegt Gott sich um der Liebe willen selbst. Die große *Ferne* seines geschöpflichen *Abbilds* muß ihm aus Liebe zur *Nähe* seines *Gleichnisses* werden. Eine derart paradoxe ‚Lösung' der theologischen Differenz: ihr Austrag im ‚Fleisch' und auf der Erde (humilis, d. h. humus-nah!), ist nur im Mittelalter möglich und mittelalterlich nur durch einen *leien munt* ausdrückbar. Vgl. dazu M. Wehrli, Erzählstil 36. Hier wird m. W. erstmals diese Erklärung mit Erfolg versucht.

8) Vgl. Alfons Rosenberg, Die christliche Bildmeditation, München 1955.

Cundrie

Parzivals Aufnahme in die Schar der *tavelrunder* trägt den Charakter einer Initiation, einer Einführung und Einweihung. Er wird Vollmitglied der Artuswelt. Das Mahl, der Aufzug der Teilnehmer, der Kuß Ginovers für Parzival, das alles sind Requisiten höfischer Initiation. Das Glück steht für Parzival im Zenit. Die Hofesfreude, Parzivals Schönheit (*sô rehte minneclîche er schein,* 308, 10) und der Glanz des Festes vereinen sich zu einem starken Wohlklang gesellschaftlicher Lust. Mitten in diese von Freude genährte Demonstration ritterlich-höfischen Benehmens platzt Cundries Häßlichkeit und ihr Wort des Fluches.

Wolfram braucht nicht weniger als 70 Verse (312, 2—314, 12), um ihr Auftreten und ihre häßliche Erscheinung zu schildern. Er nennt sie: *diu maget witze rîche* (313, 1); *der vröuden schûr* (6); *trûrens urhap, vröuden twinc* (314, 12). Von ihrer Botschaft sagt er: *ir maere was ein brücke: / über vröude ez jâmer truoc* (313, 14/15). Man ist gespannt auf dieses Jammer-*maer* und weiß zugleich, daß Parzival, der Held der Geschichte, betroffen sein wird. Es lohnt sich deshalb, auch hier nach der *tumpheit* und ihrer Rolle zu fragen. Denn dort, wo etwas Wesentliches geschieht — an den neuralgischen Punkten des Geschehens —, artikuliert sich auch irgendwie Parzivals *tumpheit.*

Wenn *tumpheit* wörtlich auch nicht vorkommt, so ist doch sie es, die Cundrie zum Ziel ihrer Schand- und Fluchrede nimmt. Denn Parzivals ‚Vergehen' vor dem Gral ist von Anfang an (wenn auch nicht sofort ausgesprochener) Gegenstand ihres Fluches.

Cundrie redet zuerst Artus an und meint, die Besten des Landes könnten hier *mit werdekeit* (314, 27) sitzen,

> wan daz ein galle ir prîs versneit.
> tavelrunder ist entnihtet:
> der valsch hât dran gepflihtet. (314, 28—30)

Daß mit *galle* und *valsch* Parzival gemeint sein muß, ist offensichtlich. Denn er ist derjenige, der neu in den Kreis der Tafelrunde eingetreten und dort herzlich aufgenommen worden ist. Und nun, kaum richtig heimisch dort, wird er in einem scharfen Bild (das ‚Verschneiden' eines schweren mit einem leichteren, eines guten mit einem schlechteren Wein! Vgl. Bartsch/Marti und Martin zur Stelle) als *galle*, ‚Entnichter' und *valsch* der Ehre der Tafelrunde bezeichnet. Und dann ganz deutlich:

,tavelrunder prîses craft
hât erlemt ein geselleschaft
die drüber gap hêr Parzivâl,
der ouch dort treit diu ritters mâl.' (315,7—10)

Ein ganz deutlicher Hinweis schließt sich an, ein Hinweis auf jene *tumpheit*, die Parzival an Ither *vor Nantes* beging:

,ir nennet in den ritter rôt
nâch dem der lac vor Nantes tôt:
unglîch ir zweier leben was;
wa munt von ritter nie gelas,
der pflaeg sô ganzer werdekeit.' (315,11—15)

Parzivals ganzes *leben* scheint nutzlos vertan, ja verbrecherisch. Sein Rittertum ist dem jenes Ritters nicht gewachsen, den er besiegte. Der Besiegte und Ermordete stellt sich nachträglich als der bessere Ritter heraus. Ithers *werdekeit*, die man nicht genug rühmen kann, wird zu Parzivals verletzlichem Punkt. Parzival kann sich nicht wehren, wenn jemand von seiner *tumben*, das heißt in diesem Fall: üblen Vergangenheit her gegen ihn argumentiert: Cundrie aber führt ihre Anklage weiter und wendet sich nun direkt und mit verdoppelter Heftigkeit an Parzival. Über 77 Verse hin flucht sie seiner und sagt ihm sein Vergehen buchstäblich ,ins Gesicht', schonungslos und mit pathetischer Gebärde.

,gunêrt sî iuwer liehter schîn
und iuwer manlîchen lide.
hete ich suone oder vride,
diu waern iu beidiu tiure.
ich dunke iuch ungehiure,
und bin gehiurer doch dan ir.
hêr Parzivâl, wan sagt ir mir
und bescheidet mich einer maere,
dô der trûrige vischaere
saz âne vröude und âne trôst,
war umb ir in niht siufzens hât erlôst?
Er truog iu vür den jâmers last.
ir vil ungetriuwer gast!
sîn nôt iuch solte erbarmet hân[1])

[1]) Natürlich fälscht Cundrie den Tatbestand. Denn Parzival *hatte* vor dem Fischerkönig die *erbärme*, nur wagte er sie *durch zuht* (vgl. 330,1) und ignorantia nicht zu äußern. Übrigens sind die an die Gralsszene anschließenden Begegnungen mit Sigune und Jeschute schlechthin Demonstrationen von Parzivals *erbärme*. Vgl. Maurer, Leid 134.

daz iu der munt noch werde wan,
ich mein der zungen drinne,
als iu daz herze ist rehter sinne!
gein der helle ir sît benant
ze himele vor der hôhsten hant:
als sît ir ûf der erden,
versinnent sich die werden.‘ (315,20—316,10)

Cundrie beginnt ihren Fluch mit Parzivals augenfälliger schöner Gestalt: Schande soll seine Schönheit und seine männliche Erscheinung treffen! Parzivals Schönheit — bei Gurnemanz noch durchaus komplementär zu dessen unschuldiger *tumpheit* gesehen — wird zum gleißenden Deckmantel einer inneren, schändlichen und schuldbaren Verfassung degradiert. Cundrie ist *ungehiure* und häßlich nur, um einen schönen Kern, ihre ‚schöne Seele‘ glaubhafter zu machen und dadurch Parzivals ‚äußere‘ Schönheit in die innere Häßlichkeit der Seele zu transponieren und sie so vollends verdächtig und unglaubwürdig zu machen. Das heißt: Parzivals schöne Gestalt wird zum Ort, wo sich die Ambivalenz der *tumpheit* als äußerer schöner Schein und nichtiges inneres Sein darstellt. Einst rettete Parzivals Schönheit die *tumpheit* noch in die Unschuld (z.B. bei der ersten Begegnung mit den Rittern im Wald, am Artushof usw.), jetzt wird die Schönheit durch die schuldige *tumpheit* diskriminiert. Cundrie nennt die Schuld: Parzival ist beim Fischerkönig ein *vil ungetriuwer gast* gewesen, er hat sich seiner nicht erbarmt, sein Herz war *rehter sinne* leer (Vers 316,6 ist von *wan,* Vers 4, abhängig). Wenn *die werden* zur Besinnung kommen (*versinnent sich die werden*), dann ist er fortan im Himmel und auf Erden *gein der helle benant.* Und Cundrie fährt fort:

‚ir heiles ban, ir saelden vluoch,
des ganzen prîses reht unruoch!
ir sît manlîcher êren schiech,
und an der werdekeit sô siech,
kein arzet mag iuch des ernern.
ich wil ûf iuwerem houbte swern,
gît mir iemen des den eit,
daz groezer valsch nie wart bereit
deheinem alsô schoenem man.
ir vederangel, ir nâtern zan!
iu gap iedoch der wirt ein swert,
des iuwer wirde wart nie wert:

da erwarb iu swîgen sünden zil.
ir sît der hellehirten spil.
gunêrter lîp, hêr Parzivâl!' (316, 11—25)

Das Maß, mit dem die Artusrunde Parzival ritterlich gemessen hat, schwindet unter dem Übermaß dieser inflatorisch hereinbrechenden Schimpfworte. Indem Cundrie Parzivals Wohlgestalt richtend zerbricht, vernichtet sie rhetorisch die gesellschaftlichen Vehikel der Tugend, deren Exemplum Parzival zu werden schien: *heil*, *saelde*, *prîs*, *êre* und *werdekeit* werden ihm gründlich abgesprochen. Der eben noch *der valscheite widersaz* (249, 1) und *der valscheitswant* (296, 1) genannt werden konnte (vergleiche dazu unten das überdeutliche: *den rehten valsch het er vermiten* 319, 8) — was alles Parzivals subjektive Antiposition zum *valsch* intendiert —, dem wird nun passivermaßen der *valsch* aufgezwungen[2]). Mit anderen Worten: Im Maß als Parzival schön ist, wird ihm objektiv von außen her der *valsch* (= betrügerisches Wesen) als eine Eigenschaft aufgezwungen, ihm, der den *valsch* sonst zu überwinden pflegte, wo immer er ihm auch begegnen konnte. Cundries passive Formulierung (... *wart bereit* 316, 18/19) dieses Sachverhalts ist hochbedeutsam: würde sie Parzival den *valsch* in einem aktiven Sinn zulegen, dann könnte Parzival ja eben nicht der sein, der den *valsch* austilgt. Das heißt, die Diskrepanz zwischen objektiver Schuld und subjektiver Unschuld, die wir an Parzival konstatieren mußten, wäre dann verwischt, und ein großer Gedanke des Romans verlöre seinen genauen Ausdruck. Es liegt ganz in der Konsequenz dieser Gedankenführung, daß Parzival *der hellehirten spil* genannt wird: er ist nicht selbsttätiger Dämon oder zum baren Teufel pervertierter Mensch, sondern lediglich des Teufels Spielzeug. In einem objektiven Sinn kann er allerdings wieder — wie schon bei der zweiten Begegnung mit Sigune (255, 13) — *gunêrter lîp* heißen: auch hier zeigt die passive Formulierung denselben Sachverhalt an.

Nicht genug damit, daß schon rein sprachlich die Frage über Parzivals *sünde* sauber artikuliert vorliegt, hält Wolfram es noch für notwendig, gleichsam in eigener Sache — es geht ja immer um s e i n e n Helden! — zu rektifizieren: nachdem nämlich Cundrie ihre Fluchrede und ihre Orientierung über Parzivals Herkommen, über seinen Bruder Feirefiz[3]) und

---

[2]) Vgl. dazu schon 314, 28—30!

[3]) Es ist nicht belanglos, daß Feirefiz, Parzivals gefleckter Heidenbruder, gerade anschließend an die Fluchrede von Cundrie als ein Vorbild ritterlichen Verhaltens gegen Parzival ausgespielt wird. Er ist ein wohlgelungener Sohn

das *Schastel marveile* vollendet hat, konstatiert Wolfram apologetisch *scham ob allen sînen siten* am Helden und fügt beruhigend hinzu:

> den rehten valsch het er vermiten:
> wan scham gît prîs ze lône
> und ist doch der sêle crône.
> scham ist ob siten ein güebet uop. (319,7—11)

Ein allgemeines Weinen zeigt, wie sehr auch die Artusgesellschaft den *herzen jâmer* (319,16) seines Helden mitvollzieht, und beweist, daß Parzival der Gemeinschaft der Artusritter hinfort einverfügt bleiben wird.

Schließlich zieht auch Parzival das Fazit des Geschehens in seiner großen Klagerede, die er an die Königin von Janfuse richtet (329,16 — 330,30)[4]. Diese Rede ist ebenso Rechtfertigungs- und Abschiedsrede. Parzival beklagt sich, daß nun mancher sich an ihm versündigen werde, da man seine *clage* ja nicht kenne und daher seiner spotten könne. Großartig und ohne Falsch setzt er sich zum Ziel:

> ichne wil deheiner vröude jehen,
> ichne müeze alrêrst den grâl gesehen,
> diu wîle sî kurz oder lanc. (329,25—27)

---

seines großen Vaters; Feirefiz ist ein Ritter, *an dem diu manheit niht verdarp* (317,6). Damit wird er, der Heide, über Parzival, den Christen, gestellt. Cundrie stellt Parzivals Vergehen zusätzlich als ein Vergehen an seinem *art* hin, an seiner *erbe*, an seinem Vater Gahmuret, *des herze ie valsches was erjeten* (317,12). Zu Parzival sagt sie: *Nu ist iuwer prîs zu valsche komen* (318,1). Vater und Sohn stehen buchstäblich im Verhältnis der Degeneration zueinander. Ein härterer Fluch läßt sich kaum denken.

4) Man beachte, wie eindringlich und überschwenglich die Königin von Janfuse und Base Feirefiz' Parzival lobt:

> nu lît diu hoehste stiure
> an iu, des al getouftiu diet
> mit prîse sich von laster schiet,
> sol guot gebaerde iuch helfen iht,
> unt daz man iu mit wârheit giht
> liehter varwe und manlîcher site.
> craft mit jugende vert dâ mite. (329,4—10)

Diese Preisrede aus dem Mund der *rîchen wîsen heidenin* steht quer zu Cundries Fluch. Parzivals Schönheit, die auf jene Christi verweist, kann nur von einer Heidin so gesehen und beachtet werden.

Und dann lenkt er zurück an Gurnemanz, der ihm bekanntlich die *tumpheit* nahm:

> ,Sol ich durch mîner zuht gebot
> hoeren nu der werlte spot,
> sô mac sîn râten niht sîn ganz:
> mir riet der werde Gurnamanz
> daz ich vrävellîche vrâge mite
> und immer gein unvuoge strite.' (330, 1—6)

Die *tumpheit*, explizit auch hier nicht genannt, findet einen Ausdruck, den wir schon als Parzivals ,Autoritätshörigkeit' umschrieben haben. Parzival bezweifelt Gurnemanz' Rat keineswegs, er fragt sich nur vorsichtig, ob der Rat nicht etwa unvollständig gewesen sei. Gurnemanz, der Befehlende, und Parzival, der Gehorchende, werden beide in schönster Fraglosigkeit belassen, ja in ihren Eigenschaften fixiert und bestätigt, bezweifelt kann nur werden die Quantität des Rats und dessen Vollständigkeit. Die Infrastruktur von Parzivals *tumpheit* hat sich nicht gewandelt. Auch im Schmerz und im Leid nicht. Parzival kann nicht preisgeben, was ihm innerlicher ist als er selbst: seine ebene Denkweise. Für Parzival ist nichts anderes als die Ordnung der Welt, die er mit jeder Geste zu bestätigen meinte, gestört. Ist aber die Ordnung gestört, was ist da logischer, als den Ordner, der seine Sache offenbar so schlecht macht, als Ordner zu ,bezweifeln'. Daher fragt denn Parzival — nach einem elegisch gestimmten Abschied — seinen Freund Gawan völlig konsequent:

> ,wê waz ist got?
> waer der gewaldec, sölhen spot
> het er uns bêden niht gegeben,
> kunde got mit creften leben.
> ich was im dienstes undertân,
> sît ich genâden mich versan.
> nu wil ich im dienst widersagen:
> hât er haz, den wil ich tragen.' (322, 1—8)

Nur der *Schluß* aus der Einsicht in Gottes scheinbare Machtlosigkeit ist voreilig, verfehlt und grundsätzlich falsch, allerdings auch hier in einem rein objektiven Sinn. Parzival haßt nicht Gott, sondern meint, Gottes Haß tragen zu müssen. Geblieben ist einzig die *triuwe* zur Frau, weshalb Parzival denn Gawan empfiehlt, sich der *minne* einer Frau anzuvertrauen, an der er *kiusche* und *wîplîche güete* kennengelernt habe. Dieser Rat Parzivals erscheint im siebten Buche in *der* Modifikation, daß Gawan sich erinnert, *wie Parzivâl / wîben baz getrûwet dan gote* (370, 18/19)[5]). Die *triuwe* zu Condwiramurs aber und die Suche nach dem Gral sind dasselbe. Parzival ist Figur am Gängelband einer ihn überragenden Idee. Die *tumpheit* ist auch hier wieder — wie schon anderswo — Medium der Vermittlung. Ohne *tumpheit* bequemte und fügte sich Parzival den Gegebenheiten, ‚Dingen' und Menschen nicht so haarscharf richtig und so tief menschlich ‚falsch' (in objektiver Sündigkeit), wie er es tatsächlich tut. Der ‚Gotteshaß' ist dem Zustand der *tumpheit* ein innerliches Moment und ein Resultat von Parzivals ‚logisch' und vorbildlich verlaufendem Menschenleben.

Die Rolle der *tumpheit* beim Auftritt der Gralsbotin Cundrie muß aber letztlich unklar und fragwürdig bleiben, wenn sie nicht inhaltlich und kompositionell noch tiefer gefaßt werden kann. Kompositionell läßt sich in dieser ‚Station' oder ‚Stufe' auf Parzivals Weg ein Durchbruch feststellen. Man könnte es den ‚Durchbruch zu Parzivals Eigentlichkeit' nennen. Diese Eigentlichkeit ist aber gleich näher zu bedeuten: es ist damit nicht das höfische Intérieur an Artus' Tafelrunde gemeint. Denn dies ist

---

5) Parzivals Liebe zur Frau kann nur aufgrund von Wolframs ‚laientheologischen' Überlegungen in ein komparatives Verhältnis zur Gottesliebe treten. Das heißt, Parzival kann seine Gattin nur deshalb ‚mehr' lieben, weil Wolfram zuvor schon die Unteilbarkeit der Liebe und um die gleichnishafte Abbildlichkeit der ehelichen Liebe von der urbildlichen Liebe Christi zu seiner Kirche weiß. Die wenigen ‚Fakten' des Romans implizieren also schon eine großartige theologische Konzeption der Liebe, die ‚dogmatisch' tale quale nicht akzeptabel, dafür existentiell um so eher formulierbar sein dürfte. Wie die moderne Literatur es augenscheinlich zu machen versteht, ist es spezifisch der ‚theologische Roman', der solche ‚Lösungen' vortragen muß, ohne in einen expliziten Gegensatz zum Dogma zu gelangen. Denn auch dieses ruht ja im Letzten auf der Faktizität der ereignishaften Liebe.

Die heilsgeschichtlichen, letztlich eschatologischen Konsequenzen der *rehten ê* (468, 5) darf Parzival im 9. Buch aus Trevrizents Mund vernehmen:

> wert ir ervunden an rehter ê,
> iu mac zer helle werden wê,
> diu nôt sol schiere ein ende hân,
> und wert von banden aldâ verlân
> mit der gotes helfe al sunder twâl. (468, 5—9)

Vgl. W. E. Gössmann, Die Bedeutung der Liebe in der Eheauffassung Hugos von St. Viktor und Wolframs von Eschenbach, Münchner Theol. Z. 5 (1954) 205—213. Gössmann meint geradezu: „Man darf seine (Wolframs) Epen in mancher Hinsicht als ein christliches Traditionszeugnis werten" (208).

für Parzival fortan tabu. Sondern gemeint kann nur sein: das Geheimnis des Grals und das Geheimnis von Parzivals Liebe zu Condwiramurs. Für diese beiden entscheidet sich Parzival in einer Ausschließlichkeit, die religiös genannt werden muß. Parzivals gesamte Herzkraft und Inbrunst seines ritterlichen Daseins konzentrieren sich auf diese beiden Geheimnisse. Zwar ist das ganze Romangeschehen ohnehin in einer Totalität ohnegleichen auf Condwiramurs und Gral angelegt, und doch fällt die eigentliche Entscheidung für sie erst hier, wo Parzival — menschlich gesprochen — keine Aussichten mehr hat, den Gral zu erringen und zu Condwiramurs zurückzukehren. Gerade darum eröffnet sich ihm in dieser Entscheidung das Eigentliche, um dessentwillen er überhaupt ist. Es läßt sich in diesem Sinn mit gutem Recht von einer Peripetie des Romans sprechen: die Komposition, die Zusammenstellung der Geschehnisse staut sich zu einer aporetischen Konstellation und kann nur durch eine Neuorientierung und einen gründlichen Umschwung auf einer anderen, ‚höheren' Ebene weitergeführt werden. Die neue Ebene des Geschehens ist die religiöse mit dem Zentrum des Grals. Das Ungewußte um den Gral muß sich in einer religiösen Bewußtwerdung in Parzival läutern und dadurch als ein für die höfische Gesellschaft und die Gralsritter heilbringenden Weise ‚erringen' lassen.

Was wir kompositionell ‚Peripetie' oder Umschwung nennen, ist inhaltlich eine ‚katastrophale' Verdemütigung Parzivals. Cundries Fluchrede hat eindeutig diese Funktion. Die ‚Unwahrheiten', die sie gegen Parzival ins Feld führt (er habe zum Beispiel keine *erbärme* gehabt usw.), sind durch die von Wolfram bezweckte Verdemütigung Parzivals funktional gerechtfertigt. Zwar ist Cundries bona fides nicht anzuzweifeln: im Gegenteil, ihre Tränen zeigen, wie ernst es ihr mit ihren Vorwürfen ist. Hingegen ist Wolframs komponierender Geist erkennbar: mittels eines Einbruchs in die Romangeschehnisse (Cundries fremdartiger, *ungehiurer* Auftritt) wird Parzival auf die neue Handlungsebene nicht mehr eines bloß höfischen, sondern eines christlichen Ritters gehoben. Christliche Fakten werden es nun sein, die das Geschehen umstellen und dessen Medium ausmachen. Die Verdemütigung Parzivals ist das Ereignis, das Parzivals Vergangenheit und Zukunft unter das Gesetz und die Verfügung Christi stellt. Der verdemütigte Parzival erst kann das in Schuld geborene Geschöpf Gottes sein, das er ist. Zwar scheint durch Cundrie eine falsche Konstellation geschaffen; ihre Angriffe sind großenteils ungerechtfertigt. Und doch kann Parzival erst in der Maßlosigkeit dieses Gerichts das Maß der Schuld erkennen, die ihn maßlos gefangen hält.

Trevrizent

Schnell und flüchtig taucht Parzival im siebten Buch einmal auf, gleichsam nur, um seine Sehnsucht nach dem Gral und Condwiramurs auszudrücken (*nâch bêden ich iemer sinne* 389,12); dann verschwindet er wieder. Wolframs erstaunliche Inspiration bewährt sich kaum in einem seiner dichterischen Schachzüge so vollkommen wie darin, daß Parzivals Dasein gleichsam an seiner brüchigsten Stelle, in der Zeit der Gottverlassenheit, thematisch im Dunkeln bleibt und nur hervortritt, um seine tiefste hintergründige Präsenz im Geschehen mit einem unnachahmlichen Sprachgestus einzulösen (vgl. 389,12): die mystische Minneversenkung (zu Beginn des sechsten Buches) artikuliert sich personal in Condwiramurs als Existenzgrund, als Sammlung aller kontemplativen Herzkräfte, allerdings mit einer sie radikal relativierenden Tendenz zum Gral. Die Minne fließt aus in die ritterliche Entelechie der *Queste*, die Verabsolutierung der innerseelischen Herzkräfte löst sich unmittelbar in die ‚Suche' des Weges zum Gral. Allerdings ist dieses positive Sinnen auf Gral und Condwiramurs negativ erkauft mit dem Verschluß der Sinne für die Freuden der Artuswelt, das heißt, nochmals ins Positive gewendet: die *tumpheit* strebt aus der Minne zu Condwiramurs heraus die Objektivierung des Subjektiven im Gral an, und zwar medial, d.h. als Minne findet sie durch die Unwegsamkeit des Aventiure-Daseins hindurch zur objektivierenden und als Liebe objektivierten Minne des Grals. Die *tumpheit* ist die Kraft der Versenkung, die beide Versprechen einlöst: Condwiramurs und den Gral (wobei selbstverständlich — dessen sind wir uns stets bewußt! — *triuwe*, *staete* usw. als Synonyme zur Erklärung beizuziehen wären).

Erst im neunten Buch bricht die Parzivalhandlung — zur Mitte allen Geschehens verdichtet — ins Geschehen wieder ein: Parzivals Dasein wird unter eschatologischen Vorzeichen in Frage gestellt und christlich gerettet. Da kann und muß die *tumpheit* — wenn schon von Sünde und Gnade die Rede sein soll — verbaliter wieder genannt werden, sie wird wieder Thema (unter anderen Themen!), und ihre Verborgenheit unter ‚Haltungen' (z.B. der Versenkung) wird in eine Offenbarkeit gehoben, die einem Gericht sehr nahe kommt.

Der Begegnung Parzivals mit Trevrizent geht jene mit Sigune sinnvollerweise voraus. Dieses dritte Zusammentreffen Parzivals mit Sigune (435,1 — 442,25) steht unter einem bedeutsamen Vorzeichen: es wird ein Motiv der Rettung und Versöhnung angeschlagen. Über Parzival, der durch *âventiur suochen* (435,11) sich der Klause Sigunens nähert, wird in einem erzählerischen Apriori der Satz gesprochen: *sîn wolte got dô ruochen* (12). Das aufatmen lassende ‚Endlich‘, das in diesem Satz mitschwingt, evoziert aber für den Zuhörer jene unheile Zeit, die Parzival seit seinem letzten Auftreten im Roman verbracht hat. Damit ist ein Doppeltes erreicht: das Werk der Versöhnung, das angezeigt wird, markiert auch die Distanz, die diese vom Früheren, vom mählich vergehenden Unheil trennt. In der Distanz zwischen Versöhnung und Gottes-‚Haß‘ ist auch der Ort der *tumpheit* zu suchen. Das tritt denn auch andeutungsweise im beidseitig tastenden Gespräch zwischen Sigune und Parzival heraus. Sigune — ihr Dasein ist *ein venje gar* (435,25) — und Parzival, der *kiusche vrävel man* (437,12), erkennen einander anfänglich nicht. Parzival erkennt seine Base zuerst. Seine Reaktion ist dieselbe wie die anderen Male auch: *ir kumber was im swaere* (440,22). Also wiederum ist es *erbärme*, die ihn angesichts ihres schweren Schicksals ergreift. Er gibt sich zu erkennen und erzählt seiner Base in elegischen Tönen sein eigenes schweres Leid, seinen Verlust der *vröude*, seine *sorgen* um den Gral, seine Sehnsucht nach Condwiramurs (441,4—17). Und Sigune gibt ihren Fluch, den sie seinerzeit so beredt und schmerzvoll (255,2—20) über Parzival gesprochen hat, auf: *al mîn gerich / sol ûf dich, neve, sîn verkorn* (441,18/19). Ohnehin sei ja sein *hôher muot erlemt* (27). Worauf Parzival antwortet: *‚Ich warp als der den schaden hât!*[1]) und: *‚liebiu niftel, (gip mir) rât* (442,1/2). Hier spricht schon der Verdemütigte, einer, der beinahe verzweifelt den ihm geschehenen *schaden* mit seinem Schicksal identifiziert und ihn als Notwendigkeit hinnimmt. Als gedemütigter Tor, der er nun ist, wirkt Parzival ergreifend. Geblieben ist ihm nichts, nur seine Not und sein Versagen. Die *tumpheit* scheint als eine böse Macht ins böse Schicksal eingegangen. Als Nichtwissen rückt sie die Elemente von Parzivals Dasein in eine ungeheuerliche Konstellation des Verderbens: Parzival weiß nicht mehr, was das Rechte, das Geziemende ist. Kein Ratschlag früherer Zeiten vermag mehr zu halten, was er versprach. Was Parzival einst autoritätshörig als ein Glück gewann, indem er alle Ratschläge akkurat befolgte, büßt er nun im totalen Unglück ein. Es gibt schlechthin keinen Weg, dem Schicksal abzutrotzen, was es verweigert. Condwiramurs und der Gral scheinen nichts Besseres mehr zu sein denn Objekte von Parzivals Rechthaberei. So kann denn auch Sigune, an deren verwandtschaftliche, artgleiche Hilfe sich Parzival wendet, nichts raten, sie kann für solche Weglosigkeit und

---

[1]) Martin zur Stelle: „*der schade* im Gegensatz zu *gelücke*: . . . ‚Ich handelte wie einer, der Unglück haben soll‘.“ Darin ist etwas Schicksalmäßiges, Zwanghaftes ausgedrückt.

Ignoranz nur die Hilfe Gottes anrufen und Parzival auf die Spur der eben weggerittenen Cundrie schicken, daß er vielleicht so noch zum ersehnten Gral gelange. Bald aber verliert dieser die Spur. Und nun heißt es: *nu lât in rîten: war sol er?* (443,5). Die verwischte Spur fügt sich der Tatsache, daß Parzival aus dem Geschehen ein Sinn nicht mehr durchscheinen *kann*, daß das böse Schicksal sich bis in die Realien der Welt verfilzt und alle Öffnungen ins Freie verstellt hat. Das Nichtwissen, das Parzival einst noch als eine Möglichkeit heiler Weltbegegnung und humorträchtiger Besitzergreifung von Welt bisweilen geradezu manipulierte, kommt ihm jetzt als dunkle Bedrohung und Zwang zur ewigen Irrfahrt von außen entgegen. Er ‚gestikuliert' (Kierkegaard) nun nicht mehr *tumbes* Dasein. Sondern die *tumpheit* hat ihn als globales Nichtwissen überwachsen[2]). Der Roman kennt — wenigstens zu Wolframs Zeiten — solche verewigten Aufenthalte im Unwegsamen noch nicht: es geht hier immer um mehr als um die ‚dichterische' Rettung einer entleerten Einbildungskraft. Das Geschehen treibt vorwärts: Daher kann denn schon im nächstfolgenden Vers (443,66 ff.) ein Mann hergeritten kommen, der die drohende Spannungslosigkeit einer globalen Welt- und Weglosigkeit aufhebt und dem Geschehen die Richtung gibt, deren es eben scheinbar für immer zu entbehren drohte. Ein Ritter mit dem Gralsabzeichen — ein Templeise von Munsalvaesche also — begegnet ihm und möchte ihn angreifen. Aber Parzival wirft ihn vom Pferd[3]). Wiederum bricht die Weglosigkeit und *des grâles vremde* (445,30) über Parzival herein. Lakonisch heißt es — nicht mehr fragend, sondern faktisch —: *dô reit er, ern wiste war* (445,27). Für Parzival gibt es nur noch *vremde*, Verborgenheit, Unbekanntheit des Grals und Nichtwissen wohin. Die *âventiure*, diese höfische Form des Zeitvertreibs und der Selbstgewinnung, bekommt für Parzival den leeren Charakter eines perpetuum mobile, eines ziel- und endlosen Leerlaufs.

An einem Karfreitag endlich endet Parzivals Irrfahrt, er trifft den grauhaarigen, alten Ritter Kahenis, der sich mit Frau, Kindern und Gefolge

---

[2]) Diese Bemerkungen haben ihren Sinn aber nur, wenn der Leser gleichzeitig sich bewußt ist, daß Parzivals Weglosigkeit vom Erzähler her helfend und heilend übergriffen ist. Man denke an 435,12: *sîn wolte got dô ruochen* und an die sich gleich anschließende Begegnung mit dem grauen Ritter Kahenis. Parzivals Weglosigkeit hat also einen Stellenwert, der für Parzival selbst absolut werden kann, für den Zuhörer aber nie. Der Zuhörer hat dank der Freundlichkeit des Erzählers immer eine Art Übersicht.

[3]) Vgl. dazu Fr. Heer, Die Tragödie des heiligen Reiches, Stuttgart 1952, 351.

auf *bîhte verte* (446,16) befindet. Parzival eröffnet ihm, wie sehr ihm alles *unbekant* geworden sei:

‚hêr, ich erkenne sus noch sô
wie des jâres urhap gestêt
oder wie der wochen zal gêt.
swie die tage sint genant,
daz ist mir allez unbekant[4]).
ich diende eim der heizet got,
ê daz sô lasterlîchen spot
sîn gunst über mich erhancte:
mîn sin im nie gewancte,
von dem mir helfe was gesagt:
nu ist sîn helfe an mir verzagt.‘ (447,20—30)

Parzival redet von der Wirkung zur Ursache zurück: beider ist er sich nun bewußt. Die totale Unkenntnis der Weltverhältnisse nach Tag, Stunde und Ort ist die ins Dasein verlängerte Tatsache von Gottes versagender Hilfe. Gottes *gunst*, seine Zulassung, schuf heilsamer Hilfe keinen Raum, sondern bloß den bitteren Spott Cundries. Obwohl ihm die Mutter seinerzeit (119,24) von Gottes *triuwe* versicherte, daß sie *der werlde ie helfe bôt,* weiß er nun, daß Gottes *helfe* an ihm verzagt ist. Sein Nichtwissen um die durch die Zeit gefügten Dinge der Welt ist verankert im Wissen um Gottes ausstehende, versagende *helfe.* Parzival legitimiert sein Versagen durch dasjenige Gottes. Kahenis hält sich bei dieser Kasuistik nicht lange auf. In einer kurzen Frage: *meint ir got den diu magt gebar?* (448,2) bemängelt er Parzivals Gottesvorstellung und geht dann ungesäumt zu dem ‚Factum Christi‘ über, zu Christi *menneschheit* (3), und stellt Parzival die Forderung des Tages: er soll sich seines Harnisches entledigen, da es sich an einem Karfreitag nicht zieme, so daherzureiten. Parzival wird nicht getadelt, weil er gegen einen bloß höfischen Comment verstößt, sondern weil er sich gegen Christi kosmische Erlösungstat zeichenhaft vergeht. Christi *tôt* (448,16) für die Rettung der Menschen muß *mit angest* und *vröude* (8/9) gedacht werden. Daher weist der Ritter den verstörten Parzival ungesäumt zu einem *heilec man: der gît iu rât, / wandel vür iuwer missetât. / welt ir im riuwe künden, / er scheidet iuch von sünden*‘ (23—

---

[4]) Konkret heißt das: das die Zeit gliedernde und die göttlichen Fakten der Menschwerdung in sie integrierende Kirchenjahr ist Parzival fremd und *unbekant* geworden. Damit ist angezeigt, wie sehr Parzival dem Ordo, der ihn wie jeden mittelalterlichen Menschen wenigstens standesmäßig bestimmen sollte, entfremdet ist.

26). Auch das ist Verdemütigung, allerdings eine Verdemütigung, die nicht bloß verflucht, den sie trifft, sondern ihn berät und zum Heil lenkt. Parzival wird darum dem Rat gehorchen und sich nicht dem Ritter und seinen Töchtern anschließen, um sich bei ihnen zu erholen. Er kann nicht mit ihnen gehen, da er gegen Den Haß trägt, den sie lieben (450, 18—20).

Wolfram schildert nun in einer bei ihm seltenen Passage, wie sich Parzivals Wesen aufgrund von Überlegungen *wandelt*.

> hin rîtet Herzeloyde vruht.
> dem riet sîn manlîchiu zuht
> kiusch unt erbarmunge:
> . . .
> sich huop sîns herzen riuwe.
> alrêrste er dô gedâhte,
> wer al die werlt volbrâhte,
> an sînen schepfaere,
> wie gewaltec der waere. (451, 3—12)

Und er beschließt diese monologischen Überlegungen:

> ist hiut sîn (sc. gotes) helflîcher tac,
> sô helfe er, ob er helfen mac.' (21/22)

Es ist klar, daß von nun an jede Interpretation, die das Geschehen rein auf die *tumpheit* hin ausrichten möchte, verfehlt und unzutreffend werden muß. Jeder Begriff und jede Vokabel wird im neunten Buch transzendiert, bisweilen gar aufgehoben. Man kann sich daher mit gutem Recht fragen, ob ‚*tumpheit*' für diesen neuen Sachverhalt überhaupt noch irgendwie angängig ist. Es drängen sich andere sinnschwere Worte auf: *riuwe*, *diemüte* usw. Es gilt also nunmehr zu zeigen, wie sich der Horizont der *tumpheit* auf neue und andere Inhalte hin öffnet.

Kiusche und *erbarmunge* werden Parzival akkreditiert: er erbarmt sich seines Gottes. Das scheint eine Ungeheuerlichkeit: wie kann sich der Mensch seines Gottes erbarmen? Und doch beruht ein großer Teil christlicher Emotionalität und Metanoiagesinnung auf dieser *erbarmunge* des Menschen mit seinem Gott[5]). Das ist eine Form der *diemüete*, ein Resultat der Verdemütigung des Menschen durch den menschgewordenen Gott. Die *diemüete* Gottes schafft und hält im Kern die des Menschen. — Parzival

---

[5]) Vgl. 467, 5 ff.: Es ist dem Menschen überlassen, sich Gott durch *güete* günstig und gnädig zu stimmen.

ist also mitten ins christliche Erlösungsgeheimnis gestellt, er ist einverfügt ins mysterium crucis. Von hier her wird ihm Hilfe kommen[6]).

Parzival steht nun nicht an, die Probe aufs Exempel zu machen und Gottes Helferwillen sozusagen experimentell herauszufordern. Er sagt sich:

> ‚ist gotes craft sô fier
> daz si beidiu ors unde tier
> unt die liute mac wîsen,
> sîn craft wil ich im prîsen.
> mac gotes kunst die helfe hân,
> diu wîse mir diz kastelân
> daz waegest umb die reise mîn:
> sô tuot sîn güete helfe schîn:
> nu genc nâch der gotes kür.‘ (452,1—9)

Gottes *helfe* soll sich des Pferdes als eines Instrumentes bedienen und Parzival auf direktem Weg aus der Weglosigkeit einer ziellosen Aventiure heraus zum Einsiedler führen. Indem Parzival seinem Kastilianer die Zügel überläßt und ihm lediglich die Sporen gibt, damit das Pferd gehe, wohin Gott es führen soll, nimmt er Rekurs auf seine frühere, einstmals glückbringende Unkenntnis und Unwissenheit. Er praktiziert das ‚*Unwizzende*‘, das ihm Sigune als ein Gebot der Gralsfindung aufgetragen hat. Mit anderen Worten: Parzivals *tumpheit* ist auf die *gotes kür* bezogen, ist in ihrer Positivität einverfügt in die Ratschlüsse Gottes[7]). Das Nichtwissen, negativ in die Erbschuld immer tiefer hineinführend, wird positiv ein Weg der Demut und der *riuwe*, ein Weg aus der Schuldverstrickung heraus in die Barmherzigkeit Gottes hinein. Das Arrangement einer willentlichen Herausforderung Gottes mittels der Weglosigkeit und des heillosen Nichtwissens kann nicht befremden, wenn man sich erinnert, wie sehr überhaupt alles, was die *tumpheit* Parzivals angeht, einem ro-

---

[6]) Es wäre kurzsichtig, wollte man im Folgenden den starken theologischen Akzent verleugnen und das ganze Geschehen als eine humanistisch-psychologische Selbst- und Wesensfindung deuten. Denn Gottes *helfe* gibt sich Parzival nur aufgrund einer totalen Demut, welche mit Selbstvollendung nur mittelbar etwas zu tun hat.

[7]) Man kann dieses Motiv des den Weg nach Gottes Weisung findenden Pferdes in einer die Sachlage verkürzenden Wertung auch märchenhaft nennen. Mit diesem Präjudiz anhand einer heute gültigen Gattung verfehlt man allerdings das Wesentliche, das darin besteht, daß gezeigt wird, wie sehr selbst in dieser scheinbar so verfahrenen Situation Gottes *helfe* einerseits automatisch nicht versagt, wenn andererseits diese *helfe* in herausfordernder Demut vom Menschen angerufen wird. Daß aber das Märchen selbst in einem Zusammenhang mit Christlichem stehen kann, wird sich später ergeben (vgl. unten S. 278 f.).

mantechnisch und künstlerisch angelegten Arrangement entspringt. Denn Parzival ist und bleibt ja immer die mit äußerstem Kunstverstand geleitete figürliche Demonstration des *tumben* Toren.
Es ist überflüssig hinzuzufügen, daß das Pferd zu Parzivals voller Zufriedenheit (und auch zu der des Dichters und des Zuhörers) tatsächlich die *gotes kür* positiv demonstriert und den Weg zu Trevrizents Klause findet.

Da sich Parzivals Gespräch mit Trevrizent fächerartig über a l l e ‚Merkpunkte' der Dichtung breitet, ist es geboten, Parzivals *tumpheit* in ein schärfer und ausschließlicher umreißendes Licht zu stellen. *Tumpheit* kann nun nicht mehr in a l l e m erspürt werden[8]).
Nach einem langen Exkurs über die Herkunft des Grals und *des grâles art* (453,21) kommt Trevrizent auf Parzivals Harnisch zurück und meint, ihm stünde eine andere Kleidung (sc. ein Bußgewand) wohl besser an diesem heiligen Tag, *lieze iuch hôchverte rât* (456,12): ‚wenn euch nicht Übermut antriebe' (vgl. Martin zur Stelle)[9]). Das ist dieselbe Klage, die schon der alte Ritter Kahenis vorbrachte (447,13 ff.). Nicht ungerügt reitet Parzival an einem Karfreitag in vollem Harnisch umher: man nimmt das ohne weiteres als ein Zeichen der *hôchverte*, der Unbotmäßigkeit und des Übermutes. Es ist daher sinnvoll und logisch, daß Parzival mit seiner *sünde* herausrückt und sie vorläufig wenigstens in einem Totalgeständnis mitteilt. Unübertrefflich lautet das demütige Geständnis: *‚hêr, nu gebt mir rât: / ich bin ein man der sünde hât'* (456,29/30). Parzivals ‚Sündigkeitsbewußtsein' (G. Weber) bricht durch, und Demut antwortet dem Vorwurf der *hôchverte*, aber nicht eine falsche Demut, die sich gegen die Wahrheit sperrt, sondern eine Demut, die schon Einblick in die Sünde und Wille zur Umkehr bedeutet. Und so kann sich denn das großartige Zwiegespräch zwischen Sünder und gnädigem, Christi Richteramt ausübendem Einsiedler[9a]) stattfinden. Wie ein Motto nimmt sich dabei Trevri-

8) Das heißt, sprachlich wird die *tumpheit* mehr und mehr auf ihren negativen Sinnbestand eingeschränkt werden, sich aber als ein an Parzival ablesbares Phänomen in positive Sinnworte ausweiten.
9) Zur Stelle vergleiche auch Mockenhaupt, Frömmigkeit 101.
9a) Zu Trevrizent dem Einsiedler vgl. neuerdings die treffliche Studie Herbert Grundmanns, dem es gelingt, die dichterisch imaginierte Einsiedlergestalt historisch glaubwürdig zu machen (Zur Vita s. Gerlaci ermitae, Dt. Arch. für Erforschung des MA's 18 [1962] 539—554). Zum mittelalterlichen Einsiedlertum allgemein siehe die wertvollen Aufschlüsse gerade für die in der Dichtung erscheinende Gestalt der Einsiedler bei Gougaud (Ermites et reclus, Ligugé 1928; ders., Essai de bibliographie érémitique, Revue Bénédict. 45 [1933] 280—291),

zents denkwürdiger, mit antiker Humanität seltsam verschwisterter Satz aus: *ichn vürhte niht swaz mennisch ist* (457,29). Das Humanum ist im Christlichen völlig geborgen und in ihm integriert. Das ist auch in unserem Zusammenhang wichtig, wenn man bedenkt, daß die *tumpheit* nichts Unmenschliches ist, sondern in all ihren Dimensionen sich gerade als ein sehr Menschliches auszeichnet. Zum *mennischen* gehört aber auch Parzivals Schuld, die bei Trevrizent Lossprechung und heilsgeschichtliche Interpretation erfährt. Daß diese Interpretation die *tumpheit* gleichsam als ein Moment enthält, wird sich im Folgenden zeigen.

Parzival rechnet sich vorerst seine Vergangenheit vor: er erinnert sich, daß er schon einmal hier war und einen bemalten Speer mit sich nahm, den er bei der Klause fand. Die Blutstropfenszene wird ihm gegenwärtig:

> ‚ich verdâht mich an mîn selbes wîp
> sô daz von witzen kom mîn lîp.
> zwuo rîche tjoste dermit (sc. mit dem *sper*) ich reit:
> unwizzende ich die bêde streit.‘ (460,9—12)

Bekannte Worte lassen einen bekannten Inhalt erstehen: *sich verdenken, von witzen komen, unwizzende* sind Kernworte der Blutstropfenszene und nennen negativ den positiven Zustand der Minneentrückung. Wolfram erwähnt sie nicht, um das sonst stumpfe Motiv des Speers teleologisch abzustützen, sondern er zitiert jenes heile Verdenken, um mit dem Zeitabstand, in welchem es zur Gegenwart steht, auch die geistig-geistliche Distanz zwischen Minneentrückung und Karfreitag fühlbar zu machen. An der *wîselôsen* Zeit von fünfeinhalb Jahren und drei Tagen[10]) erkennt Parzival die Einzelheiten seiner Schuld:

Grundmann (Deutsche Eremiten, Einsiedler und Klausner im Hochmittelalter, Arch. f. Kulturgesch. 45 [1963] 60—90), und Leclercq (Deux opuscules médiévaux sur la vie solitaire, Studia Monastica 4 [1962] 93—109: mit weiterer Literatur). Dazu die Einleitung von Ch. Dumont, zu: Aelred de Rievaulx, La vie de recluse, SC 76, Paris 1961. Und schließlich die demnächst erscheinenden Akten zur ‚Internationalen Studienwoche‘ über: L'Eremitismo in Occidente nei secoli XI e XII, Problemi e Ricerche (auf dem Mendelpaß im Sept. 1962 abgehalten von der kath. Universität Sacro Cuore von Mailand). Eine von R. R. Bezzola geleitete Dissertation über Einsiedler, Klausner usw. in der mittelalterlichen Literatur bereitet Frl. Louise Gnädinger, Zürich, vor.

[10]) Diese Zeit, deren genauere Schilderung Wolfram sich taktvoll erspart, ist für Parzival die Zeit eines generellen Nichtwissens. Parzivals Führerlosigkeit ist die bis an Gott heranreichende *tumpheit,* die sich hier in reiner Negativität äußert. Der Ausdruck ‚Nichtwissen‘ ist dafür zu schwach, da Parzival um Gott weiß, aber gerade um dieses scheinbaren Wissens willen Gott ‚haßt‘ (da er wähnt: Gott hasse ihn).

> ,alrêrst ich innen worden bin
> wie lange ich var wîselôs
> unt daz vröuden helfe mich verkôs',
> Sprach Parzivâl. ,mirst vröude ein troum:
> ich trage der riuwe swaeren soum.' (460,28 — 461,2)

Und dann bricht aus Parzival ein Sturzbach von Schuldgeständnissen. Das Schlimmste ist: *ouch trage ich hazzes vil gein gote: / wand er ist mîner sorgen tote* (461,9/10). Dieses Schuldbekenntnis aber klingt in eine wilde Anklage gegen Gott aus. Ohne noch von *tumpheit* explizit zu reden, bezichtigt Trevrizent seinen Pönitenten indirekt der Uneinsichtigkeit, der *sin*-losigkeit. Er antwortet auf Parzivals wilden Ausbruch des Trotzes: *,hêrre, habt ir s i n , / sô sult ir got getrûwen wol: / er hilft iu, wande er helfen sol* (461,28—30). Und dann ohne Tadel, aber als deutliche Forderung: *sagt mir mit kiuschen witzen, / wie der zorn sich an gevienc, / dâ von got iuwern haz enpfienc* (462,4—6). Angesichts Gottes *unschult* (462,8) verlangt Trevrizent von Parzival Verständigkeit, Besonnenheit und Einsicht (*sin, kiusche witze*). Verständig, einsichtig, besonnen und überlegt soll er von seinem Unglück, seiner Freudlosigkeit und Hilflosigkeit (*wîselôs*) erzählen. Damit ist die *tumpheit* diskreditiert und als eine falsche Haltung der Schuld Gott gegenüber entlarvt. Parzival darf es sich nicht leisten, gegenüber dem zuinnerst Christlichen *tump* sein zu wollen. Klare Überlegung ist von ihm gefordert: das Schuldgeständnis, das Parzival vollumfänglich ablegen soll, ist gültig nur in der Helle der einsichtigen, ins Wesen der Verhältnisse dringenden Überlegung. Die *triuwe*, die wir in der Blutstropfenszene beinahe mit der *tumpheit* identifizieren zu können glaubten, tritt nun in einen scharfen Gegensatz zu allem *tumben* Verhalten. So wahr es ist, daß innerhalb der *triuwe* zu Gott (und auch zu Menschen) alle Abgründe ungefährlich sind[11]) (so daß die *tumpheit* innerhalb der *triuwe* eine gewaltige, fördernde Kraft wird! Siehe Blutstropfenszene), so wahr ist andererseits auch, daß die *tumpheit*, sobald sie aus der Hut der *triuwe* herausfällt und sich emanzipiert, zur dämonischen Blindheit (caecitas) und schuldhaften Dummheit degeneriert. Daher Trevrizents Aufforderung zur Einsicht.

Mit gutem Recht hakt Trevrizent an diesem Punkt ein und fordert von Parzival als eine Basis des geistlichen Gesprächs diese Gott antwortende *triuwe*, aus deren behütendem Umkreis Parzival gefallen ist: *sît getriuwe ân allez wenken, / sît got selbe ein triuwe ist* (462,18/19). Und ein paar

---

11) Man denke an Parzivals *triuwe* zu Condwiramurs!

Verse weiter eindeutig: *swer iuch gein im in hazze siht, / der hât iuch an den witzen cranc* (463,2/3). Da die Abbildhaftigkeit des Menschen vom göttlichen Urbild in sich so strahlend evident und transparent ist, ergibt sich ohne weiteres für den mittelalterlichen Menschen die Lebensaufgabe, diese bildhafte Abkünftigkeit von Gott zum Gleichnis zu erhöhen. Gottes *triuwe* ruft der *triuwe* des Menschen. Ein Tor *an den witzen cranc* ist jener, der das nicht einzusehen vermag und die Gott geschuldete Liebe und Treue in *haz* verkehrt. Hier hört die Dialektik der *tumpheit* auf[12]). Umkehr zur *diemüete*, vom Unverbindlichen zum Verbindlichen also, ist geboten und geraten, ja geradezu zum Dasein erforderlich.

Der Mensch aber wird heil nur als einer, der weiß, wie es mit dem *ganzen* Menschengeschlecht steht, der dessen Herkunft und *art* kennt. Parzival kann nicht heil werden ohne Kenntnisnahme der menschlichen Heilsgeschichte, von der er ein Stück, ja deren Repräsentant er ist. Parzivals amputierte Natur kann erst dann heil werden[13]), nachdem Trevrizents großartige Darstellung des menschlichen Ursprungs und der Ursünde der Menschheit durch Eva und Kain (!) ihr den Weg in die Ursprünge einer im Entwurf als heil gedachten Schöpfung gewiesen hat. Die aus Augustin und Anselm wohlbekannte Erschaffung des Menschen als Stellvertreters der gefallenen Engel[14]) wird zum Selbstverständnis des

---

[12]) Es ist streng zu beachten, daß hier die dialektische Ambivalenz der *tumpheit* ‚aufhört', vorher also tatsächlich bestand. Man kann das ‚*an den witzen cranc*' daher nur dann auf die *tumpheit* Parzivals beziehen, wenn man zugleich weiß, daß diese „*tumpheit* als *tumpheit* gegenüber der Welt — als abwehrende Kraft positiv gemeint sein" kann (J. Schwietering, Natur und *art*, ZfdA 41 [1961] 137). W. Deinerts Auskunft über diese Stelle hat nur vor diesem Hintergrund ihre Berechtigung: „Also blind und *an den witzen cranc* muß derjenige sein, der nicht im Sinne Gottes lebt. Das heißt, auf Parzival angewendet, daß seine *tumpheit* die Hauptwurzel seiner Verfehlungen ist" (Ritter und Kosmos 79). Das ist so wahr wie die Tatsache, daß es dieselbe *tumpheit* ist, in deren Zeichen Parzival den Gral ‚erringt'.

[13]) W. Deinert (Ritter und Kosmos 78/79) spricht von der „Unfertigkeit und Unrichtigkeit seines ganzen Menschen", von Parzivals „unfertiger Natur".

[14]) Der Gedanke, daß der Mensch geschaffen sei, um die Lücke im himmlischen Jerusalem auszufüllen, die der Engelsfall dort gerissen hat, findet sich schon in patristischer Zeit und schließlich im gesamten Mittelalter vertreten. Vgl. Origines, In Ez. hom. 13,2 (GCS Origines 8,444); Athanasius, Vita s. Antonii 22 (PG 26,876 G); Augustinus, Enchiridion c. 29 (PL 40,246), c. 61 (PL 40, 260—261), De civ. Dei 22,1,2 (PL 41,751—752); Gregor d. Gr., Hom. in Ev. 21,2 (PL 76,1171), 34 (PL 76,1246,1252 BC); Anselm v. C., CDH I, 16—18 (Schmitt II, 74—84).

An ausführlicher Literatur darüber ist zu nennen:

Menschen schlechthin: *mit schâr ein mensche*, ein mit Fleisch (bekleideter) Mensch (vgl. Martin zur Stelle) verdankt der ausgleichenden Schöpferkraft Gottes das Dasein. Dieses menschliche Dasein, so sehr es dem Ansatz nach ein Aufbruch, der übersteigernden Wahrheit seines Schöpfers entgegen, zu sein scheint, wird durch die Sünde gebrochen und vergiftet. Durch Evas Sünde und vor allem durch Kains Bluttat, also *mit sünden schîn* (463, 30), wird der Erde ihr *magetuom* genommen[15]). In der Menschheit ist seither der *nît* (464, 21) nicht mehr zur Ruhe gekommen.

Dazu gehört aber unabtrennbar das eigentlich heilsgeschichtliche Geschehen: die *sünde* des Menschen ‚veranlaßt' Gottes Menschwerdung. Adam stammt von einer *meide* ab, von der jungfräulichen Erde. Gott ebenfalls. Denn:

> ‚got selbe antlütze hât genomen
> nâch der êrsten meide vruht:
> daz was sîner hôhen art ein zuht.
> Von Adâmes künne
> huop sich riuwe und wünne,
> sît er uns sippe lougent niht,
> den ieslîch engel ob im siht,
> unt daz diu sippe ist sünden wagen,
> sô daz wir sünde müezen tragen.
> dar über erbarme sich des craft,
> dem erbarme gît geselleschaft,
> sît sîn getriuwiu mennischeit
> mit triuwen gein untriuwe streit.' (464, 28 — 465, 10)

Gott selbst hat sich also eingefügt in den großen Strom der Geschlechter, der von der Jungfrau Erde, die Adams Mutter war (464, 11), seinen Anfang genommen hat. Dem Adamsgeschlecht ist dadurch seit der Mensch-

---

H. U. von Balthasar, Das Ganze im Fragment, Aspekte der Geschichtstheologie, Einsiedeln 1963, 112f.; ders., Herrlichkeit II 252; R. Bultot, La doctrine du mépris du monde, Bd. IV: Le XIe siècle, 1. Pierre Damien, Louvain/Paris 1963, 17f.; Chenu, La théologie au XIIe siècle 52—61 (das Kapitel: Cur Homo: Le sous-sol d'une controverse); G. M. Colombas, Paradis et vie angélique, le sens eschatologique de la vocation chrétienne, Paris 1961, 117f.; J.-C. Didier, Angélisme ou perspectives eschatologiques? in: Mélanges de science religieuse 11 (1954) 35 Anm.

[15]) Zum Mythos der ‚Terra Mater' vgl. Mircea Eliade, Das Heilige und das Profane, Hamburg 1957, rde Bd. 31, 81—83; ders., La Terre-Mère et les hiérogamies cosmiques, in: Eranos-Jahrbuch XII, 1954, 57—59; S. A. Dieterich, Mutter Erde, Leipzig/Berlin [3]1925; B. Nyberg, Kind und Erde, Helsinki 1931.

werdung Gottes nicht bloß *riuwe* als Folge der Ursünde bestimmt, sondern zusätzlich und erlösend auch *wünne*. Ein Hinweis auf das Elsternfarbige des Prologs darf hier durchaus und mit gutem Recht gewagt werden: die beiden Stichworte *riuwe* und *wünne* statuieren das Menschenleben als etwas Gemischtes, zugleich aber wird damit nicht zuletzt auch Parzivals Dasein charakterisiert[16]). Die Verwandtschaft mit Adam bringt Sünde mit sich (*sünden wagen*). Parzival muß sich dieser Tatsache, ob er will oder nicht, beugen, soll er die *wünne*, welche die Verwandtschaft mit dem menschgewordenen Gott erlösend und heilend vermittelt, erreichen können. Eine Bitte um Erbarmen dessen, der sich herabließ, Mensch zu werden, und sich nicht scheute, die Sippschaft mit seinem Geschöpf vor aller Welt anzuerkennen, ist daher die schlichte, gebotene Folge aus den Fakten der Heilsgeschichte. Auch Parzival soll Gottes *getriuwiu mennischeit* in *riuwe* eingestehen. Anders steht ihm der Weg zum Gral und Condwiramurs nicht offen. Die in sich verschränkte Dialektik des christlich-menschlichen Daseins, daß Gott erlösend Mensch geworden ist, daß der erlöste Mensch aber Sünder bleibt (bis das Ende der Zeiten gekommen ist), markiert einschneidend klar die conditio humana in *riuwe und wünne*[17]). Das Gefälle des Heilsgeschehens — die Entäußerung Gottes in den Menschen — ist ein Faktum, das geglaubt sein will, bevor es erkannt, d.h. in seiner Evidenz eingesehen werden kann. Daher hat diese ganze Aufklärung über die Heilsgeschehnisse (464,8—467,10) für Parzival einen Entscheidung fordernden Aspekt. Trevrizent fügt deshalb unmittelbar zur Entscheidung für Gott drängende Worte hinzu:

> ‚ir sult ûf in verkiesen,
> welt ir saelde niht verliesen.
> lât wandel iu vür sünde bî.‘ (465,11—13)

Und er kann es sich als Christ nicht nehmen lassen, eine Lobrede auf Gott, den *wâren minnaere* (466,1), anzuschließen, um Parzival auf die ungeheuerliche Alternative (die letztlich eben immer zugunsten Gottes entschieden wird) von Gottes *minne* oder *haz* (9) drastisch zu zeigen. Der

---

[16]) Der Prolog ist ja letztlich auf Parzival als auf das Schema ‚Mensch‘ schlechthin (cf. Phil. 2,7) ausgerichtet. Hier findet sich in der Tat die Gestalt des Menschen ritterlich-analogisch zu Christus als ein Universale concretum dargestellt. Zum Menschen aber gehört das ‚Gemischte‘ wesentlich.

[17]) F. M. Gallati, Der Mensch als Erlöser und Erlöster, Der aktive und passive Anteil des Menschen an der Erlösung, Diss. Freiburg/Schweiz, Wien 1958.

Schluß der Rede ist eine harte, aber mit Wahrheit beladene Aufforderung zur Metanoia:

> ‚welt ir nu gote vüegen leit,
> der ze bêden sîten ist bereit,
> zer minne und gein dem zorne,
> sô sît ir der verlorne.
> nu kêret iuwer gemüete,
> daz er iu danke güete.‘ (467,5—10)

Der *sin*, der Parzival vorher trotz seiner im Grund reumütigen Gesinnung noch fehlte, ist ihm mit diesen weitgreifenden Ausführungen über die menschliche Heilsgeschichte unmißverständlich zuerteilt worden. Gottes *helfe*, die der *âventiure*-müde Parzival mit einer *tumpheit* (indem er dem Pferd einfach die Zügel ließ und so das Pferd Trevrizents Klause fand) erkaufen wollte, ist präsent. Trevrizents Unterweisungen in den Prinzipien der christlichen Lehre sind schon *helfe*: Parzival muß sich für sie nur noch positiv entscheiden. Das Bescheidwissen bedeutet Parzival aber schon Entscheidung: Parzivals Antwort auf Trevrizents lange Rede kann daher nichts anderes sein denn eine einfache Dankesbezeugung:

> ‚hêrre, ich bin des immer vrô,
> daz ir mich von dem bescheiden hât,
> der nihtes ungelônet lât,
> der missewende noch der tugent.‘ (467,12—15)

Durch dieses Bescheidwissen in hohen, entscheidenden Dingen ist Parzival nun tatsächlich ein guter Teil dessen, was wir zu seiner *tumpheit* zählen, genommen. Die betont nichtwissende und nichts wissen wollende Attitüde seines Verhaltens ist verunmöglicht. *Tumpheit* als abenteuerndes, beinahe komisch wirkendes Wesen ist aufgehoben in einem Ernst, der Parzivals Autoritätshörigkeit ins Religiöse umsetzt und die Hörigkeit in Demut wandelt. Demut ist das neue Wort, das an die Stelle der *tumpheit* tritt.

Was jetzt noch folgt, trägt so oder so den Charakter einer totalen Bereinigung von Parzivals Vergangenheit. Die entscheidende Unterweisung hat statt gehabt: Parzival muß mit dem neugewonnenen Maß sein eigenes Leben messen, d.h. er hat konkret seine verschiedenen Verfehlungen und Sünden zu gestehen.

Als eine erste Standortsbestimmung ergibt sich dabei folgendes Geständnis: *‚mîn hôhstiu nôt ist umbe den grâl; / dâ nâch umb mîn selbes wîp‘* (467,26/27). Diese Aussage trägt Parzival den Vorwurf der *tumpheit* ein;

Trevrizent antwortet nämlich unter Mißachtung der noch in der Zukunft verborgenen Tatbestände (daß Parzival den Gral ‚bejagen' wird, gerade *weil* er zum Gralskönigtum *berufen* ist):

‚hêrre, ir sprechet wol.
ir sît in rehter kumbers dol,
sît ir nâch iuwer selbes wîbe
sorgen pflihte gebt dem lîbe.
wert ir ervunden an rehter ê,
iu mac zer helle werden wê,
diu nôt sol schiere ein ende hân,
und wert von banden aldâ verlân
mit der gotes helfe al sunder twâl.
ir jeht, ir sent iuch umbe den grâl:
ir tumber man, daz muoz ich clagen.
jane mac den grâl nieman bejagen,
wan der ze himel ist sô bekant
daz er zem grâle sî benant.
des muoz ich vome grâle jehen:
ich weiz ez und hânz vür wâr gesehen.' (468, 1—16)

Die Sehnsucht nach Condwiramurs findet vor Trevrizent Gnade und eine Bestätigung, deren theologische Relevanz dogmatisch nicht derart formulierbar wäre. Die Sehnsucht nach dem Gral dagegen ist *tump* und hoffnungslos unter der Voraussetzung, daß eben nur der Erwählte und vom Himmel ausdrücklich Erkorene *zem grâle benant* sein kann[18]). Daß Trevrizent dem mit Sünde beladenen Parzival dieses Charisma der Zugehörigkeit zum Gral nicht ohne weiteres zugestehen kann und ihn daher einen *tumben man* schilt, ist mehr als verständlich, es ist geradezu so gefordert. Wichtig ist, daß Parzival auch in seiner gegenwärtigen Verfassung immer noch mit Recht *tump* genannt werden kann, wenn es der Dichter auch — sozusagen aus ‚eschatologischen' Rücksichten: denn er kennt ja den Ausgang des Romangeschehens! — längst aufgegeben hat, seinen Helden *tump* zu

[18]) Der berühmte Streit um die ‚Wandlung der Gralprämissen' ist nicht dadurch zu lösen, daß man Trevrizent wegen mangelnder prophetischer Begabung einen Vorwurf macht. Trevrizent muß das absolut Gültige sagen, das in unserm Zusammenhang eben die Erringung des Gralskönigtums durch einen nicht Erwählten ausschließt. Daß Parzival den Gral doch erreicht und erringt, ist ein Geheimnis seiner *tumpheit* (insofern redet Trevrizent seinen Pöniteten mit Recht an: *ir tumber man!*), die es fertig bringt, gegen jede Voraussage und errechenbare Möglichkeit den Gral zu erringen. Die *tumpheit* ist hier dem Versagen und der Sünde so nahe wie dem Gelingen und der Gnade aus Einfalt und Demut.

nennen. — Von der hic et nunc feststellbaren *tumpheit* Parzivals aber müssen sich — soll dieser Vorwurf zu Recht bestehen — gleichsam Verbindungslinien zur vergangenen, d. h. in Taten konkretisierten *tumpheit* ziehen lassen. Diese Verbindungslinien werden denn auch tatsächlich ausgezogen.

Nach einer ausführlichen Belehrung über den Gral und seine Verhältnisse (468,23—471,29) trumpft Parzival mit seiner *ritterschaft* auf (472,1—11) und meint: wenn Gott *an strîte wîse* sei, d. h. wenn Gott etwas vom Streit verstehe, dann solle er ihn, Parzival, zum Gral *benennen*. Parzivals großartiges Reden trägt ihm eine sanfte und eindringliche Mahnung von Trevrizent ein: er solle sich vor *hôchvart* hüten; denn: *hôchvart ie seic unde viel* (472,17)[19]. Auch diese Mahnung wird am richtigen Ort ausgesprochen. Wenn Parzival von Gott in stolz konditionaler Sprechweise *wîsheit* fordert, so sagt er zwar prophetisch seine Berufung zum Gral voraus, greift aber gleichzeitig der Entscheidung Gottes frech vor. Beide Komponenten dieser hochfahrenden Rede lassen sich mit dem Stichwort *tump* genau bezeichnen: *tump* ist die nachtwandlerische Sicherheit Parzivals, mit der er sein eigenes Schicksal von Gottes *wîsheit* abhängig macht; *tump* ist auch die Frechheit, mit der er den durch die kommenden Ereignisse bestätigten Gedankengang vorträgt. Das Element an Frechheit und *hôchvart* muß nun aber zuerst schichtweise abgetragen werden, bevor die im Glück des errungenen Grals aufgehobene *tumpheit* erlöst sein wird.

Mit vor Tränen überfließenden Augen erzählt Trevrizent die mit mannigfachstem Leid erkaufte Gralsgeschichte zu Ende. Anfortas' *minne*-Vergehen wird als *lôsheit* bezeichnet. Und Trevrizent fügt beschwörend hinzu: *Der site ist niht dem grâle reht: / dâ muoz der ritter und der kneht / bewart sîn vor lôsheit.* Es folgt dann das in unserem Zusammenhang hochwichtige Stichwort: *diemüet ie hôchvart überstreit* (473,1—4). Es ist — wenigstens für den Zuhörer — offensichtlich, daß hinter dieser Rede Trevrizents ein ständiges „Tua res agitur" spürbar und vernehmbar ist. Parzival ist nicht bloß historisch (dort, wo es um sein Gralsvergehen gehen wird) an diesen Eröffnungen engagiert, sondern jede Einzelheit ist für ihn ein Same voll praller Zukünftigkeit. Daher ist die Verurteilung der *hôchvart* zugunsten der *diemüete* streng auch auf Parzival zu beziehen. Trevrizent schafft für Parzival das Maß, durch das er als zukünftiger Gralskönig gemessen wird. Das Maß heißt: *diemüete.* Die bis jetzt noch spürsichere *tumpheit* Parzivals (siehe oben, wo Parzival Gottes *wîsheit*

---

[19]) Man beachte, daß Trevrizent schon früher Parzival vor *hôchverte* (456,12) gemahnt hat. Alles tendiert nun auf den neuen Wert: *diemüete.*

zur Bedingung seines Gralskönigtums macht) kann offensichtlich zum Gral nur führen in einer Überwindung ihrer negativen Seite in die reine Positivität der *diemüete* hinein.

Parzivals Vergangenheit wird vorerst noch anonym als *tumpheit* verrechnet. In Trevrizents Gralserzählung nämlich wird jener, der *unbenennet* (473, 12), also ohne dazu bestimmt zu sein, nach *Munsalvaesche* gekommen sei, folgendermaßen umschrieben: *der selbe was ein tumber man / und vuorte ouch sünde mit im dan, / daz er niht zem wirte sprach / umbe den kumber den er an im sach* (473, 13—16). Parzival war *ein tumber man*, und zugleich nahm er Sünde mit sich fort (vgl. Martin zur Stelle). Auffällig ist, daß hier *tumpheit* und *sünde* beinahe im gleichen Atemzug zusammen erwähnt werden, noch auffälliger aber ist, daß die *sünde* hinsichtlich der *tumpheit* additiven, zusätzlichen Charakter hat[20]).

Auf Trevrizents Frage nach Parzivals *art* (474, 24), gesteht dieser den Mord an Ither, mehr noch: seinen *rêroup* (475, 5). Weniger abschwächend denn entschuldigend fügt Parzival lapidar hinzu: *genam ich ie den rêroup, / sô was ich an den witzen toup* (475, 5/6). Und der Wirklichkeit sich beugend, muß Parzival beifügen: *ez ist iedoch von mir geschehen: / der selben sünde muoz ich jehen* (7/8). Parzival argumentiert anders mit der *tumpheit* und der *sünde* als Trevrizent in seiner Erzählung über den Gral. Während bei Trevrizent die *sünde* eine Art von (— nicht notwendiger —) Folge der *tumpheit* darstellt, ist bei Parzival die *sünde* geradezu kausal mit der *tumpheit* gekoppelt. Parzival sagt: Während ich den *rêroup* beging, war ich *an den witzen toup*. Damit ist die *tumpheit* quer zur objektiven Schandtat, die Parzival nicht leugnen möchte (vgl. die Verse 7/8), zum Vehikel und Träger einer subjektiven Unschuld dekretiert, zugleich aber auch zum subjektiven Grund einer objektiven Schuld. Indem die *tumpheit* zum Erklärungs- und Entschuldigungsgrund der objektiv nicht abstreitbaren Schuld werden kann, ist sie innerlich auch deren Ermöglichungsgrund. Auch hier ist also aus einer anscheinend rein negativen Charakterisierung der *tumpheit* bei genauerem Hinsehen eine seltsame Ambivalenz des Inhaltes feststellbar. Der Inhalt all dieser dichterischen Aussagen Wolframs fügt sich bruchlos der metaphysisch-religiösen Polarität von Schuld — Unschuld ein. Die beiden Pole Schuld — Unschuld sind wie die beiden Brennpunkte einer Ellipse. Der Standpunkt innerhalb der ‚elliptischen' Dichtung diktiert jeweils die Nähe oder Ferne des

---

[20]) Das ‚*und*' hat als Konjunktion einen quantitativ hinzuzählenden Sinn, etwa in dieser Richtung: Parzival, d. h. jener Unberufene, war *ein tumber man* und trug obendrein noch Sünde mit sich fort.

Helden zu Unschuld oder Schuld. Die Gesamtheit des Romans jedoch konstatiert an dem Helden beides in letzter Absolutheit: Schuld und Unschuld[21]). Das läßt sich anhand der *tumpheit* Parzivals erweisen. Die metaphysisch-religiöse Deutung Parzivals als eines „Unschuldig-Schuldigen" macht dessen exemplarische Menschlichkeit aus[22]). Daher kann sich Parzival gleichzeitig entschuldigend und anklagend auf seine *tumpheit* berufen (475,5—8).

Trevrizents elegische Klage: ‚*ôwê werlt, wie tuostu sô?*' und seine bittere Anklage: *du hâst dîn eigen verch erslagen* (475,13 und 21) sind Präludien zur Enthüllung einer weiteren Sünde Parzivals. Diese betrifft noch tiefer das *eigen verch* Parzivals als der Mord an Ither, nämlich den durch Parzivals Wegzug bewirkten Tod der Mutter. Trevrizent eröffnet und bestätigt diese neue Sünde Parzivals mit folgenden Worten:

> ‚dîner muoter daz ir triuwe erwarp
> dô du von ir schiede, zehant si starp.
> du waere daz tier daz si dâ souc,
> unt der trache der von ir dâ vlouc.' (476,25—28)

Herzeloydens Traum (Buch II, 103,25 — 104,30) wird in diesen Worten gedeutet: Parzival war der *trache*, das *tier* und der *wurm* (104,11), dessen Geburt und grauenerregender Wegzug Herzeloyde in ihrem Traum im voraus erlitt. Das zukunftsweisend in Herzeloydens Traum Angezeigte kehrt hier als Ausgetragenes, Vollendetes und Verwirklichtes wieder. Parzivals Leben hat sich, einmal aus dem hütenden Mutterschoß getreten, in Schuld verwirklicht. Die starken, apokalyptischen Bilder (*tier, trache*)[23])

---

21) Wobei man anhand der Subjekt-Objekt-Spaltung eine vorläufige Differenzierung von Unschuld und Schuld feststellen kann. Diese philosophisch-moraltheologische Sprechweise kann jedoch nicht darüber hinwegtäuschen, daß es der Mensch ist, der als Träger, oder besser: als Inkarnator, subjektiver Unschuld und objektiver Schuld diese Scheidung auf Grund der Gesamtheit und Totalität seiner Erscheinungsweise im Ansatz schon in Frage stellt, weil er sie als Einer und Ganzer verkörpert und sie als Person involviert.

22) E. Köhler, Ideal und Wirklichkeit 188 ff.

23) W. Deinert (Ritter und Kosmos 9 f.) hat den Zusammenhang zwischen gewissen Apokalypsestellen und dem Traum Herzeloydens einsichtig gemacht. Er schließt: „Der ganze Vergleich ... ergibt also, daß Wolfram die apokalyptischen Bilder verändert gemäß den Verhältnissen seines Parzival. Denn bei ihm wird nicht Gott als Mensch geboren, sondern ein beispielhafter Mensch." Und weiter unten: „Parzivals Ziel wird sein, diese Doppelnatur (des *sternenblics* und des Drachens) zu überwinden und zum neuen Adam zu werden" (10).
Zum Drachenmotiv vgl. noch B. Mergell, Der Gral in Wolframs Parzival, Halle/S. 1952, 40.

sind Symbole dieser Schuld: die vernunftlose, ja ins radikal Böse pervertierte, tierische Kreatur (wie sie dem Mittelalter in den wechselnden Gestalten verschiedenster Fabelwesen ‚konkret' denk- und vorstellbar waren)[24]) wird zur Erklärung und anschaulichen Deutung von Parzivals Schuld herbeigezogen. Parzivals Humanum, das seine Gottähnlichkeit ist, ist *verkêrt* (104, 9). Er ist bis zur vernunftlosen Kreatur abgefallen, das heißt: seine ihm selber unbewußte Schuld (die er auf sich lud, da er die Mutter verließ) ist gerade Kennzeichen und Schibboleth seiner böswilligen, das *trachen*-hafte nicht verschmähenden *tumpheit*. Über dieser negativen Charakterisierung von Parzivals Wesen darf allerdings eines nicht vergessen werden: Parzival ist dieses Los der Schuld gleichsam zugeträumt worden. Als er noch nicht einmal das Licht der Welt erblickt hatte, wurde ihm Schicksal zugetragen. Das Prophetische dieses Traumes zeichnet wiederum quer zu aller Schuld Parzivals Unschuld. Parzivals Wesen — und damit seine *tumpheit* — ist von langer Hand vorbereitet und inszeniert.

Der starke Nachdruck, mit dem Trevrizent die *hôchvart* verurteilt und die *diemüete* lobt, trifft auch die Vergangenheit der Gralssippe. Anfortas hat sich mit seinem Schlachtruf ‚*Amor*' gegen die *dêmuot* vergangen (478, 30 — 479, 2). Die vom Gralskönig konstitutionell geforderte *dêmuot* darf innerlich nicht verletzt werden durch ein äußerlich erfolgreiches, im Minnedienst absorbiertes Ritterdasein[25]). Daher wird Anfortas denn auch sehr drastisch und schicksalhaft bestraft[26]).

Am Ende seiner langen Ausführungen über den Gral und dessen Hüter kommt Trevrizent nochmals auf den *tumben* Parzival zu sprechen: Nachdem man an der Wunde des Anfortas alle möglichen Arzneien und Heil-

---

[24]) Über die hier anklingende Symbolik des mittelalterlichen Tierepos vgl. M. Wehrli, Vom Sinn des ma. Tierepos, German Life and Letters 10 (1957) 219—228.

[25]) Wenn Trevrizent erzählt, erzählt er um des Exemplums willen, das der Vergangenheit abzulesen ist. Die *dêmuot* gilt daher in vorbildlicher Weise auch für Parzival: sie ist ihm Forderung und Gebot, nur unter anderen Vorzeichen (da *er* sich ja nicht gegen die Minne vergangen hat).

[26]) Die Verwundung des Anfortas, die Wolfram 479, 12 (*durch die heidruose sîn*) genau bezeichnet, erinnert in ihrer Faktizität auffällig an die geschichtlich gesicherte Verstümmelung Abälards, welche die Verwandten Heloisens an ihm strafeshalber vollzogen. Vgl. Abélard, Historia Calamitatum, Ed. Jean Monfrin, Paris 1959, 79: . . . eis videlicet corporis mei partibus amputatis quibus id quod plangebant commiseram. Dazu vgl.: Etienne Gilson, Héloise et Abélard, Paris ²1948, 51 f. Neben Nutzzwecken (z. B. für den Kirchengesang) hat die Kastration Strafcharakter.

künste ausprobiert habe, sei ihnen, die sich flehend vor dem Gral auf die Knie geworfen hätten, plötzlich eine Inschrift erschienen, des Inhalts: es werde ein Ritter zum Gral kommen, dessen *vrâge* den *kumber* löse (483, 20—23) — vorausgesetzt allerdings, daß er diese Chance nicht verpasse. Und dann kam der Ritter tatsächlich:

> ‚sît kom ein ritter dar geritten:
> der möhte ez gerne hân vermiten;
> von dem ich dir ê sagte,
> unprîs der dâ bejagte,
> sît er den rehten kumber sach,
> daz er niht zuo dem wirte sprach
> ‚hêrre, wie stêt iuwer nôt?'
> sît im sîn tumpheit daz gebôt
> daz er aldâ niht vrâgte,
> grôzer saelde in dô betrâgte.' (484, 21—30)

Kurz vorher wurde dieses Vergehen unter dem Aspekt einer (additiv zur *tumpheit* hinzutretenden) *sünde* erwähnt (473, 13—16); das heißt, das Negative und Leere der Schuld hatte den Vorrang. Nun stellt Trevrizent seinem Enkel aber den gewaltigen Aus-stand an *saelde* vor Augen, den das Nicht-stellen der Frage bewirkte: Parzival hat dadurch, daß er auf ‚Geheiß' der *tumpheit* die Frage nicht stellte, sich als jemand entpuppt, dem an *saelde* wenig liegt, der keine Lust daran hat, der zu träge zur *saelde* ist (vgl. Martin und Bartsch/Marti zur Stelle). Diese Feststellung Trevrizents ist, wenn man die soziale bis heilsgeschichtlich-eschatologische Bedeutung des Wortes *saelde* ermißt, ein schweres Verdikt über Parzival, der sich als Schuldiger noch nicht zu erkennen gegeben hat. Die *tumpheit* hat einen für die Sozietät (der Gralssippe, aber auch der Menschheit schlechthin) gefährlichen Charakter; sie kann ins Räderwerk einer seltsam verschlüsselten Automatik (Stellen oder Nichtstellen der Frage mit je verschiedenen Konsequenzen!) geraten und so zum Ausstand des Glücks und des Heils führen[27]).

---

27) Mit dieser Bemerkung ist die Absicht, sich an Mockenhaupts Interpretation der unterlassenen Frage im Sinn einer Märchenkausalität anzuschließen (vgl. Frömmigkeit, 72 f. und 244 f.), natürlich nicht gegeben, es läßt sich aber trotz dem theologischen Hintergrund nicht verkennen, wie sehr diese so entscheidende Frage motivisch stilisiert ist. Ihre Unterlassung eröffnet für Parzival beinahe einen Automatismus von Sanktionen. Damit hat die Unterlassung allerdings symptomatischen Wert: sie ist Symptom einer tiefer gelagerten Unstimmigkeit und Brüchigkeit von Parzivals Natur. Zur Kritik an Mockenhaupt vgl. Weber, Parzival 149 ff. Zuletzt hat sich H. Kuhn (Dichtung und Welt im

Der übermäßige Ernst dieser Szene findet anschließend beim Wurzel- und Kräutermahl der beiden eine befreiende Lösung. Das Stummfilmhafte der Szene wird gefördert durch Wolframs Bemerkung: *ir munt wart selten lachens lût* (beim Kräuterwaschen 486, 4). Dieser Ernst der agierenden Gestalten steht in einem seltsamen Mißverhältnis zum dürftigen, unritterlichen Mahl. Wolfram spürt den Anlaß zum Humor und erfaßt ihn, indem er das Mißverhältnis von armseligem Mahl und ritterlicher Eßgewohnheit an Parzival zu einer inhaltlichen Versöhnung zwingt, die derselben Kraft des „Verdenkens" entspringt wie Parzivals Versenkung bei den drei Blutstropfen. Es heißt:

> Parzivâl mit sinne,
> durch die getriuwe minne
> die er gein sînem wirte truoc,
> in dûhte er hete baz genuoc
> dan dô sîn pflac Gurnemanz,
> ... (486,13—17)

Das ist eine der wenigen Stellen, da Parzival ‚im Sinnbezirk des Verstandes' von Wolfram positiv gewürdigt wird. Das allerdings bloß in einer paradoxen Weise: *Parzivâl mit sinne* ist nur jener Parzival, der ein Unmögliches kraft des „Verdenkens", im Sinn einer Versöhnung der wirklichen Gegensätze, in eine höhere Wahrheit zwingt: das frugale Mahl aus Wurzeln und Kräutern — ein echtes Einsiedlermahl, aber nicht das Mahl eines Ritters! — wird inhaltlich derart ‚überfordert', daß es Parzival plötzlich im Licht der *getriuwen minne*, die er gegen seinen Oheim gewonnen hat, reichlicher und besser erscheint als das Mahl, dem er seinerzeit bei Gurnemanz, seinem ritterlichen Lehrmeister, so feierlich beiwohnen durfte, und das sicher reichlich und gut zu nennen war[28]). Der Humor ist

---

Mittelalter 272) darüber kritisch geäußert und die angehäuften Meinungen gesichtet. Endgültig hat sich Max Wehrli darüber geäußert (Erzählstil 38/39): „Die Weisheit und Vornehmheit des Dichters bewahrt die Schuld des Helden im Bereich eines scheinbar irrationalen, märchenhaften Versagens; auf dem Unterschied zwischen willentlichen und unwillentlichen Verfehlungen liegt kein Gewicht, und wo, fast etwas nachträglich, die Schuld an Herzeloyde und Ither in den Mittelpunkt gerückt wird, kann es sich nur um die Symptome einer tieferliegenden, irrationalen, metaphysischen Verschuldung handeln."

[28]) Was für Parzival im Bereich des Essens ‚möglich' war, ist aus Wolframs Schilderung im dritten Buch leicht ersichtlich. Von Parzival, der von Gurnemanz gastlich aufgenommen und bewirtet wird, heißt es:

> der gast sich dâ gelabte.
> in den barn er sich sô hâbte,
> daz er der spîse swande vil. (165,27—29)

also das Medium, in dem sich die Versöhnung einer paradoxen Situation ergeben kann, vorausgesetzt: der Held Parzival, sonst mit Vorliebe der *tumbe* genannt, verkehrt sich innerlich stimmig in: *Parzivâl mit sinne.* Die innere Stimmigkeit dieses Humors ist nun allerdings durch die Blutstropfenszene zu sehr vorbereitet, als daß sie hier befremden könnte. Denn faktisch geht es auch hier darum, daß Parzival aus *triuwe* und *minne* heraus die krude Wirklichkeit transzendiert und als ein durch *triuwe* und *minne* Vertörter (die Positivität der *tumpheit*!) das Wahre in scheinbarer Verkennung der Wirklichkeit zu tätigen fähig wird.

Es ist Wolfram selbst, der sich seinen Spott, den er mit beiden treibt, verbietet und den ernsten Verlauf seiner Erzählung andeutet, wenn er sagt:

> si dolten herzen riuwe
> niht wan durch rehte triuwe,
> ân alle missewende.
> von der hôhsten hende
> enpfiengen si umb ir kumber solt:
> got was und wart in bêden holt. (487, 17—22)

Das ist einer jener ‚aufs Letzte' die Sicht freigebenden Durchblicke, die Wolfram aus teleologischen Gründen dem Zuhörer gewährt[29]). Denn dieser soll ruhig wissen, daß das ‚gute Ende' letztlich eben nicht ausstehen wird, daß die *saelde* eine Frucht der *triuwe* ist. Die Spannung liegt anderswo als im happy end oder im Katastrophenende eines modernen Romans, die Spannung besteht hier noch in der letztlich integrierten Gegensätzlichkeit der metaphysisch-religiösen Kräfte und Strebungen des Menschen, das heißt: Die Spannung ist ins dargestellte Bild des Menschen schlechthin involviert, die *Gestalt des Menschen* ist eine gespannte, Parzival ist das in *triuwe* sich an-spannende Exemplum des Menschen, dessen Weg und Name eben ‚*Rehte enmitten durch*' (140, 17) bedeutet. Mitten durch die Fährnisse einer in die Aventiure ausgesetzten Existenz geht dieser Weg innerlich schnurgerade immer auf den Gral zu. Die Hindernisse sind Ob-

---

[29]) Wolframs Kommentare zu seiner Dichtung sind Momente der Dichtung selbst. Man darf sie daher nicht isolieren, sondern muß sie als in die Dichtung integrierte Gegebenheiten interpretieren. Wolframs Kommentare haben — so betrachtet — etwas ironisch Autobiographisches oder etwas die Dichtung selbst Ironisierendes (bisweilen auch Vereinheitlichendes). Das erhöht die *kunst*, den Schwierigkeitsgrad des zu Schaffenden, die Konstruktion, bemeistert also durch Schwierigkeit, was sich einfach nicht machen läßt.

jektivitäten, in einem tiefen Sinn Äußerlichkeiten (wie eben auch die Erbsünde in grundlegender Hinsicht eine Äußerlichkeit ist!), die subjektiv erst eingeholt und zur Evidenz gebracht werden müssen. Das Zwielichtige, Gemischte, ‚Parrierte' an solcher zwischen Gut und Bös, Subjekt und Objekt, Himmel und Hölle (wie die Gegensatzpaare auch lauten mögen) sich abspielenden Existenz ist an Parzivals *tumpheit* ablesbar. Denn sie ist gleichzeitig Unter- und Hintergrund der *triuwe* (zu Gral und Gattin) wie der *untriuwe* (gegenüber Gott).

Nach diesen mannigfachen Unterredungen ist es denn höchste Zeit, daß Parzival den Schleier lüftet, der bisher sein Gralsvergehen vor Trevrizents beichtamtlichem Mit-wissen gehütet hat[30]). Mit ergreifenden Worten

---

[30]) Daß Trevrizents ‚Lossprechung' ohne Mühe im Sinn einer kirchlichen Absolution genommen werden kann, wird durch die zeitgeschichtlich allgemein bekannten und belegten ‚Laienbeichten' nahegelegt. Vgl. LfThuK (Buchberger) unter dem Stichwort: Laienbeicht; DTC Sp. 899 ff.; die grundlegenden Werke von O. Teetaert (La confession aux laiques dans l'Eglise latine depuis le 8e jusqu'au 14e siècle, Louvain 1926) und P. Anciaux (La Théologie du sacrement de pénitence au 12e siècle, Louvain 1949); P. B. Wessels, Wolfram zwischen Dogma und Legende, PBB (West) 77 (1955) 112—136; P. Wapnewski, Wolframs Parzival, 180; G. Schreiber, Gemeinschaften des MA's, Regensburg 1948, 297 (bei Wapnewski a.a.O. zitiert). Allgemeine Literatur über die Geschichte des Bußwesens in Altertum und Mittelalter siehe A. Mirgeler, Rückblick auf das abendländische Christentum, Mainz 1961, 84. — Hugo Kuhn (Dichtung und Welt im Ma 157) wendet sich global gegen die Auffassung einer Laien*beicht*, weil Parzivals Sünden „keine Sünden im strengen Sinne sind". Diese Kasuistik von Sünden im strengen und ‚erweiterten' Sinn mißversteht jedoch gründlich die im ‚Parzival' angelegte Paradoxie von subjektiver Unschuld und unaufhebbarer objektiver Verfehlung. Selbstredend entbehrt diese ‚gedichtete' Paradoxie der unmittelbar situationsethischen Absicherung, aus dem einfachen Grund, weil es sich um Dichtung handelt (vgl. oben S. 252 ff.). Gegen Kuhns Zitierung von Karl Rahners Aufsatz: Schuld und Schuldvergebung als Grenzgebiet zwischen Theologie und Psychotherapie (Schriften zur Theologie Bd. II, Einsiedeln 1955, 282 ff.) führe ich einen anderen, über die Sache selbst sich äußernden Theologen an: H. U. von Balthasar, Herrlichkeit II, 411: „Hier (in Dantes Beichte vor Beatrice) ist die ganze Tristanwelt überholt, aber auch die Parzivalwelt Wolframs mit ihrer dämmernden Symbolik und *ihrem existentiell nicht aufhellbaren zwîvel, ihrer verhängnisreichen objektiven Schuld.*" Was *existentiell* nicht aufzuschließen ist, läßt sich vielleicht im Sinn einer religiösen Ästhetik deuten. Rahners Ausführungen betreffen aber sichtlich *nur* die existentielle Charakterisierung von Schuld. Im ‚Parzival' jedoch präsentiert sich Schuld nicht nude crude, sondern im Bild, in einer ausgewählten Facettierung: erst darin wird Existenz deutlich, in einer besonderen Weise!

sucht Parzival Hilfe bei der *triuwe* seines Gastgebers, indem er seine letzte Schuld gesteht:

> ,ir sult mit râtes triuwe
> clagen mîne tumpheit.
> der ûf Munsalvaesche reit,
> und der den rehten kumber sach,
> unt der deheine vrâge sprach,
> daz bin ich unsaelec barn:
> sus hân ich, hêrre, missevarn.' (488,14—20)

Bartsch/Marti übersetzen *tumpheit* hier und anderswo mit ,Unerfahrenheit'. Damit hat es übersetzungstechnisch seine Richtigkeit und wird auch durch den Kontext nahegelegt (Trevrizent soll Parzival verzeihen, was er aus *ungelücke* [488,6], aus ,Mißgeschick' gefehlt habe; vgl. Martin zur Stelle). Vollinhaltlich ist jedoch nicht bloß Parzivals ,Unerfahrenheit' gemeint, sondern ineins damit die Tat, das heißt, das konkrete Unterlassen, das getätigte Nicht-fragen, die ,positive' Setzung dieses Sachverhalts. Dann ist mit *tumpheit* aber auch die Haltung gemeint, die das Nichtstellen der Frage ,bewirkte', die Blindheit des Sinns überhaupt, die solches zuließ und aktiv förderte. Der Terminus ,Unerfahrenheit' ist schon eine Art Interpretation, wenn auch blasse, allzu plausible Interpretation. Trevrizents weiträumige Replik auf dieses Geständnis legt eine entsprechend weite Interpretation dieser Stelle nahe. Trevrizent antwortet nämlich:

> ,wir sulen bêde samt zuo
> herzenlîcher clage grîfen
> unt die vröude lâzen slîfen,
> sît dîn kunst sich saelden sus verzêch.
> dô dir got vünf sinne lêch,
> die hânt ir rât dir vor bespart.
> wie was dîn triuwe von in bewart
> an den selben stunden
> bî Anfortases wunden?
> Doch wil ich râtes niht verzagen:
> dune solt ouch nicht ze sêre clagen.
> du solt in rehten mâzen
> clagen und clagen lâzen.
> diu menscheit hât wilden art.
> etswâ wil jugent an witze vart:
> wil denne daz alter tumpheit üeben
> unde lûter site trüeben,

dâ von wirt daz wîze sal
unt die grüene tugent val,
dâ von beclîben möhte
daz der werdekeit töhte.‘ (488,22 — 489,12)

Parzivals *kunst* (‚Können‘, Verständnis, Erkenntnisvermögen; vgl. Bartsch/Marti und Martin zur Stelle) hat auf die *saelde* ‚verzichtet‘, hat sie fahren gelassen und verscherzt. Parzivals Erkenntnisvermögen, ja offenbar alle seine *vünf sinne*[31]) sind defizient, beschränkt und hinfällig. Der ‚einfache‘ Sachverhalt der Gnade, die ihm bei Anfortas stellvertretend für die *saelde* vieler angeboten wurde, konnte ihm wegen seiner verdunkelten *sinne* und unvermögenden *kunst* nicht sichtig werden. Ja, Trevrizent stellt Parzivals *triuwe*, diesen letzten Konnex des Personkerns mit Gott und Menschen, in Frage. Aus dem Vergehen aber resultiert als Pflicht die *clage*, allerdings *in rehten mâzen*: Parzival soll zugleich *clagen und clagen lâzen*. Denn irgendwo hat auch die *clage* ein Ende, irgendwo hört ihr Sinn auf. Denn schließlich: *diu menscheit hât wilden art* (489,5). Das ist nicht einsichtsvolle Greisenweisheit oder Resignation, sondern die Formulierung eines Faktums: die an Parzival ablesbare Amputation der Natur ist global an der gesamten Menschheit erkenn- und erleidbar, ‚die Natur der Menschen ist ohne feste Ordnung‘ (Martin zur Stelle), also im Kern gestört und aus der Ordnung herausgefallen. Die menschliche Natur steht unter dem Fluch der Erbsünde, das ist der letzte Nenner dieser Stelle. Man muß den ganzen Bedeutungskomplex des mhd. *wilde* im Ohr haben, um zu ermessen, was Trevrizent meint: die menschliche Natur ist tale quale ‚ungepflegt, abgestorben, faul, ungezähmt, wild, dämonisch, irre, unstät, untreu (!), unwahr, sittenlos, unbekannt, fremd, entfremdet, wunderbar, seltsam, unheimlich‘ usw. (vgl. Lexer, Mhd. TW, *wilde*!). Der *wilde art* der Menschheit soll allerdings die Vergehen, die von der Menschheit begangen werden, nicht entschuldigen oder beschönigen. Hingegen schränkt der *wilde art*, der nicht das schlechte Reservat eines einzelnen Menschen

---

[31]) Trevrizents Vorwurf lautet: obwohl Gott ihm, Parzival, *vünf sinne* gegeben habe, sei er ‚unberaten‘ gewesen und habe die Frage nicht gestellt; das beweist (wie schon bei Gurnemanz: 171,22, wo vier Sinne als Förderer der *witze* genannt werden), wie sehr die ‚ästhetische‘ Welterfahrung für Wolfram noch ganzheitlich und in den Sinnen begründet war. Die Tradition der ‚geistlichen Sinne‘ hat hier sicher mitgespielt, bestimmt aber auch und vornehmlich eine ursprüngliche Erfahrung dessen, was *sin* hieß und bedeutete: ‚Weg‘, ein Weg der Erfahrung von Welt also, ein Weg zur *witze*. Vgl. oben S. 22 f.

sein kann, die *clage*, die ein Einzelner über sein Vergehen anstimmt, ein, weil der *wilde art* eben der ganzen Menschheit als solcher zukommt. Daher liegt die *clage* darüber auch nicht in der Verfügungsgewalt des Einzelnen. Wie die Erbsünde ein der ganzen Menschheit aufgebürdetes Übel ist, so ist die *clage* darüber auch der *ganzen* Menschheit übertragen. Die Erlösung von diesem Übel ist andererseits wieder Sache eines Einzelnen (Christus), wie es auch ein Einzelner war (Adam), der diese Schuld ‚bewirkte'.

Das Folgende ist zugleich Beispiel für die Verkehrtheit der menschlichen Natur wie auch konkrete Erklärung dessen, was er, Trevrizent, erstrebt: nämlich den Resignierten aufrichten, die *tugent* wieder zur Blüte bringen. Die Verkehrtheit der menschlichen Natur äußert sich nicht zuletzt darin, daß alte Leute junge Menschen — gerade wenn sie *witze* erstreben — durch ein voreiliges Verdammungsurteil mutlos und verzweifelt machen. Genau das aber will Trevrizent nicht; sein Ziel ist die Wiederherstellung des Reparablen und der Schutz der *grüenen tugent*, das heißt der jugendlichen Tüchtigkeit. Das Verdammen und Aburteilen ist *tumpheit*. Hier spielt eine verborgene Dialektik. Man vergegenwärtige sich die Situation: Parzival hat sich eben noch der eigenen *tumpheit* angeklagt. Anstatt strafend und verdammend diese Selbstanklage in eine richterliche Fremdanklage zu wandeln, läßt Trevrizent in allen Punkten Milde walten und hütet sich gewissenhaft, ein Verdammungsurteil zu sprechen, da ihm solches ja nicht zusteht. Zudem würde er dieses sich ihm anheimstellende Menschenleben, das im Ansatz eines von jenen ist, das *an witze vart* will, bloß im Wachstum stören, wenn er es um gewisser Vergehen willen verurteilte. Das hieße für ihn, den alten Mann, *tumpheit üeben*. Einen Menschen verurteilen, dessen Dasein sich so oder so nach der *witze* richtet, aber nicht frei von *tumpheit* ist, hieße: mit der *tumpheit* paktieren und ihr anheimfallen. Seltsam, daß Parzivals ‚*tumpheit*' in diesen Überlegungen als *witze* verrechnet wird! Denn es ist unverkennbar, daß Parzivals *tumpheit*, die sich vornehmlich in seiner Jugend zeigt, nun geradezu — wenn auch indirekt — verleugnet wird. Zumindest ist hier durch Trevrizent der höhere Nenner von Parzivals *tumpheit* geahnt und erspürt.

Anfortas' Leiden, Parzivals *angestlîche vart* (492,1) zum Gral, die Geschichte des Grals und Trevrizents eigene Minnegeschichte werden hierauf ausführlich beredet. Das Gespräch der beiden staut sich bis zu jener Stelle, da erneut von Parzivals Sünden die Rede ist, jetzt aber nicht mehr vorbereitend und Parzivals Einsicht fördernd. Trevrizent äußert sich richtend, indem er gleichzeitig Parzival zur Umkehr und Buße auffordert:

‚wilt du gein got mit triuwen leben,
sô solt du im wandel drumbe geben.
mit riuwe ich dir daz künde,
du treist zwuo grôze sünde:
Ithêrn du hâst erslagen,
du solt ouch dîne muoter clagen.‘ (499, 17—22)

Die *tumpheit*, die zu den beiden Sünden nicht wenig beigetragen hat, steht jetzt unter dem Gericht: denn es ist nicht zu bestreiten, daß die Sünde die *tumpheit* als einen Ermöglichungsgrund in sich schließt. Das Nichtwissen, in dem Parzival diese Sünden begeht, ist in einem tiefen und negativen Sinn die reine Possibilität zur Sünde (unter Ausklammerung der Positivität der Unschuld, die demselben konstitutiven Nichtwissen innewohnt!).

Daher kann Trevrizent denn auch jene ‚Sünde‘, die wesentlich und zutiefst ‚nur‘ Symptom, also ‚Sünde‘ in einem rein idealen Sinn *gegen* jede Sündenrealität ist, mit den Worten beiseiteschieben: *die sünde* (das Nichtfragen!) *lâ bî den andern stên* (501, 5). Die Sünde konstatieren heißt menschlich und christlich: sie bekennen. Als bekannte, gebeichtete ist ihr Gewicht menschlich und christlich nicht mehr meßbar: eine Sünde kommt für den Beichtenden ununterscheidbar zur anderen zu stehen. Das Gesicht der Sünde ist verhängt, die Sünde hat gleichsam nur innerhalb des Zeitmomentes, da sie gestanden wird, ein spezifisches Gewicht. Sobald sie preisgegeben und offenbart worden ist, entzieht sie sich auch sogleich jeder menschlichen Kompetenz. Schon rein von diesen grundsätzlichen Überlegungen her verbietet sich ein bemüßigtes Forschen und Fragen, wie denn diese letztgenannte Sünde — das Nichtfragen — ‚ethisch‘, ‚moralisch‘ usw. einzustufen sei. Trevrizents anscheinend so leicht-fertige Bemerkung antwortet bloß einem christlichen Erfordernis der Diskretion und der Demut: die Sünde ist im Wesen Nicht-sein, pure Absenz und von daher nicht einstufbar, nicht meßbar, nicht verrechenbar. — Andererseits — wenn das hieße: die Sünde ist schlechthin ununterscheidbar und entzieht sich jeglicher Differenzierung — hätte Trevrizent Parzivals Sünden auch global und undifferenziert richtend akzeptieren können. Das hat er aber nicht getan: die objektiven Sünden (Verwandtenmord und Wegzug von der Mutter) erwähnt er konkret als *zwuo grôze sünde*; die Symptomsünde, das Nichtfragen vor Anfortas, wo Parzival unbewußt-bewußt seine *tumpheit* als Hilfsmittel zur Wahrheitsfindung einsetzt, wird — da mehr Zeichen als Faktum — zu den ‚anderen‘ Sünden geschoben. Darin ist eine Unterscheidung unverkennbar.

Das christliche Geheimnis der Stellvertretung, das wir in Antanors Parteinahme für Parzival vorgezeichnet fanden, überformt am Ende des neunten Buches auch das Geheimnis menschlicher und christlicher Torheit. Trevrizent übernimmt Parzivals Sünden in blindem Vertrauen darauf, daß Gott diesen ‚Handel' (wie eigentlich das Erlösungsgeheimnis immer ein ‚sacrum commercium' ist) akzeptiert und segnet; Abschied gebend meint er zu Parzival: *‚gip mir dîn sünde her: / vor gote ich bin dîn wandels wer . . .'* (502,25/26). Für unser Thema heißt das: die krude sündhafte *tumpheit* wird, indem sie ins Gericht gefordert wird, vom Geheimnis der Erlösung überformt; stolze, hochfahrende *tumpheit* wird durch Trevrizents Demut vorbildlich überwunden, gleichsam, damit die der *tumpheit* eigene Röntgenstruktur ans Licht komme, damit die *diemüete,* auf welche die *tumpheit* mit ihrer seinshaften, positiven Strebung zielt, als Ziel sichtbar und von einfordernder Evidenz werde.

Die *tumpheit* ist im neunten Buch als Haltung nicht mehr faßbar wie in früheren Stationen Parzivals. Sie wird gleichsam nur noch negativ in der Anstrengung des sich erinnernden Sündenbewußtseins aufgewiesen; ihre Positivität, die sich in früheren Stationen noch bis in die humorvollsten Stellen verfolgen ließ, wird kaum mehr erwähnt. Der konsequent christliche Tenor, die eschatologisch gestimmte und die Tiefen Gottes in der Schöpfung nachzeichnende Diktion enthüllen ein Neues, ein Neues, das gerade an der Positivität der *tumpheit* bruchlos anknüpft, im selben Moment, da die negative *tumpheit* eliminiert wird; das Neue und Weiterführende heißt *diemüete* und wird schließlich als eine letzte, religiöse und dichterische Eröffnung gefeiert. Für Wolfram entbehrt aber das isolierte Religiosum einer letzten unabdingbaren Bestimmung, seiner Eröffnung in die Welt. Die Auswirkung der *diemüete* als eine Weltkraft — als eine weltsichernde und weltschaffende Kraft — zeigt Wolfram in den drei letzten Büchern seines Werks, in Buch XIV, XV und XVI. Auch hier gilt es, die Spur der *tumpheit* noch weiter zu verfolgen.

Parzival und Gawan

Im vierzehnten Buch wird erzählt, wie Parzival und Gawan im Zweikampf zusammentreffen. Scheinbar zufällig begegnen sich die beiden und ‚tjostieren' miteinander, ohne sich zu kennen, *âne schulde,* ohne irgendwelche Ursache (292,23). Offenbar gehört das zum l'art pour l'art der höfisch approbierten Aventiure[1]). Durch das Wehgeschrei zweier Artusboten, die den unterliegenden Gawan erkennen, wird schließlich auch der machtvoll kämpfende Parzival darauf aufmerksam, mit wem er es zu tun hat. Darüber bestürzt, gibt er sich selber zu erkennen, indem er sein Schwert weit von sich wirft und ausruft:

> ‚unsaelec unde unwert
> bin ich', sprach der weinde gast.
> ‚aller saelden mir gebrast,
> daz mîner gunêrten hant[2])
> dirre strît ie wart bekant.
> des was mit unvuoge ir ze vil.
> schuldec ich mich geben wil.
> hie trat mîn ungelücke vür
> und schiet mich von der saelden kür.' (688,22—30)

Hinter diesem leidenschaftlichen Schuldbekenntnis ist Parzivals Karfreitagserlebnis spürbar, besonders in dem sonst nur aus religiösen Quellen bekannten Aufschrei: *schuldec ich mich geben wil* (vgl. Martin zur Stelle). Daß Parzival diese extreme Disponibilität zur Annahme dieser Schuld nicht einfach als eine forcierte Folge seines Schuldbekenntnisses bei Trevrizent realisiert, erhellt aus seinen weiteren Worten, in denen er den Grund dieser seiner neuen Schuld exakt bezeichnet:

> ‚ich hân mich selben überstriten
> und ungelückes hie erbiten.
> do des strîtes wart begunnen,
> dô was mir saelde entrunnen.' (689,5—8)

---

1) Tatsächlich ist die *tjoste* auch nach ritterlichem Ermessen Sinn und Zweck der *âventiure*. Man vergleiche zum Beispiel Kalogreants Auskunft, die er einem Rinderhirten über die *âventiure* erteilt: Iwein 527 ff.:

> ‚âventiure? waz ist daz?'
> ‚daz wil ich dir bescheiden baz.
> nû sich wie ich gewâfent bin:
> ich heize ein rîtr und hân den sin
> daz ich suochende rîte
> einen man der mit mir strîte,
> der gewâfent sî als ich.
> daz prîset in, ersleht er mich:
> usw.

2) Zu erinnern ist an jene Stelle im neunten Buch, wo sich Parzival mit ähnlichen Worten des Mordes an Ither anklagt:

> ‚Ithêrn von Cucûmerlant
> den sluoc mîn sündebaeriu hant: ...' (475,9/10)

Indem er Gawan besiegt, hat er sich selber *überstriten.* Das Verhältnis Parzivals zum Verwandten, zum Freund und zur Geliebten ist das der Identität. Man erinnere sich an Parzivals Verwandtenmord. Indem er Ither erschlug, erschlug er sein *eigen verch* (475, 21), das war Trevrizents Kommentar zu Parzivals Verwandtenmord. Anders kann auch hier nicht gefolgert werden: das *ungelücke* hat seine Rolle in Parzivals Leben immer noch nicht ausgespielt, im Gegenteil, es ist zur bedrohlichen, anonymen Schicksalsmacht angewachsen. Unbewußt, dem Zwang der Aventiure gehorchend, hat Parzival beinahe ein weiteres Mal sich selber, d. h. seinen Freund, getötet. Fast hätte sich die *tumpheit* an Ither in schrecklicherer, weil gesteigerter Form wiederholt. Das ‚fast' oder ‚noch nicht' gibt nun dem überwundenen Gawan allerdings Gelegenheit, Parzivals *tumpheit* — die auch hier sich beinahe *mit sünden schîn* offenbart hätte — in einer großartigen Pauschalformel blitzhaft bis in den Kern zu durchleuchten. Gawan sagt, nachdem sich Parzival schließlich namentlich zu erkennen gegeben hat:

> ‚sô was ez reht:
> hie ist crumbiu tumpheit worden sleht.
> hie hânt zwei herzen einvalt
> mit hazze erzeiget ir gewalt.
> dîn hant uns bêde überstreit:
> nu lâ dirz durch uns bêde leit.
> Du hast dir selben an gesigt,
> ob dîn herze triuwen pfligt.' (689, 25 — 690, 2)

Damit ist denn auch Entscheidendes gesagt. Die Stelle lädt geradezu ein, ihren Literalsinn nicht nur in einem allegorischen, sondern sogar in einem anagogischen Sinn aufgehen zu lassen. Ich schließe mich für Vers 26 der wohl am schärfsten akzentuierenden Übersetzung Martins an; er interpretiert folgendermaßen: „‚Hier ist verkehrte Thorheit gerechtfertigt worden': in unserer Unbedachtsamkeit haben wir unrecht gehandelt, aber der Erfolg war ein gerechter — du hast mich besiegt" (vgl. zur Stelle)[3]. Das heißt: die *crumbiu tumpheit* als solche ist *sleht* geworden, ist gerecht-

---

[3]) Bartsch/Marti übersetzen: „aus verdrehter Narrheit ist doch etwas Rechtes geworden" und entschärfen damit die Paradoxie durch aufgesetzte Situationskomik. Wilhelm Stapel (351) übersetzt wörtlich, Knorr/Fink schließen sich beinahe wörtlich an Bartsch/Marti an (388). Bei Simrock heißt es ‚klassisch':

> „Recht", sprach Gawan, „so werden grade
> Kurzsichtger Thorheit krumme Pfade."
> Ausg.: Stuttgart 1862, Bd. II, 252.

fertigt, ‚einfältig' und ‚schlicht' (cf. Lexer TW). Die *tumpheit* als solche ist ‚recht und gut' geworden, d. h. hat sich in ihrer Gutheit und tieferen Bedeutung enthüllt. Es wäre falsch, die Stelle in ihrem ephemeren, situationsbedingten Sinn zu belassen. Dafür spricht der typologische Zusammenhang mit dem Mord an Ither eine zu beredte Sprache. Dazu ist auch die Vokabel *tumpheit* zu wenig irrelevant, zu bedeutsam. Nach Parzivals Beichtfahrt zu Trevrizent — so möchte man mit Recht argumentieren — ist alles, was noch geschieht, auf seinen Gehalt an Heil und Glück zu untersuchen. Die Wendung im neunten Buch ist zu offensichtlich, als daß man sie vernachlässigen könnte. Die Wendung, die durch Parzivals *wandel* eingeleitet wurde, gewinnt jetzt eine Form, die selbst Parzival erst nach und nach einzusehen beginnt. Er muß sich den Heilsgehalt seiner *tumpheit* durch einen anderen, der er im Kern selber ist, demonstrieren lassen. Der anagogische Sinn dieser Stelle ist damit ihr innerer Gehalt an Heil, das noch aussteht. Das aufs Heil Verweisende ist ein Moment des romanimmanenten Eschatons, das für Parzival im Grals- und Eheglück bestehen wird. Die *tumpheit*, die Parzivals Personkern im Innersten betrifft, wird ihm jetzt objektiv als ein Positives demonstriert (nicht als etwas Negatives, als Sünde wie bei Trevrizent!), als etwas, das innerlicher als er selbst, über seine Oberfläche hinaus gelangt ist und sich nun für ihn als ein äußeres Zeichen ereignet. Die *saelde* des Grals und der ehelichen Gemeinschaft mit Condwiramurs, die als unverrückbares Leitbild in Parzivals Herzen wohnt, kündet sich in der Einheit an (*zwei herzen einvalt*), welche die beiden Verwandten verbindet. Die *saelde* des gegenseitigen Erkennens zwischen Gawan und Parzival repariert im höfischen Bereich (Parzival muß sich nach Cundries Fluch immer noch für gesellschaftlich verworfen halten!), was später im Gralskönigtum global wiederhergestellt sein wird. Die *tůmpheit*, unter deren Zeichen Parzival seine Sünden beging, wird als erste vor allem andern wieder ins Lot gebracht, wird notwendigerweise als erste in ihrem tiefsten Sinn wiederhergestellt. Und dieser Sinn ist identisch mit ‚Recht und Gut'. Von nun an ist selbst *gegen* Parzivals Traurigkeit (subjektiv fehlt ihm die Evidenz der ankommenden Gnade) die *saelde* im Kommen. Auffällig ist, wie oft und nachhaltig Wolfram auf Parzivals Schönheit hinweist. Die Gesellschaft des Artushofes, bei der Parzival nun wieder einkehrt, rühmt auf Schritt und Tritt seine schöne Gestalt; zum Beispiel:

> der (Parzival) was ouch sô lieht gemâl,
> ezn wart nie ritter baz getân:
> des jâhen wîp unde man . . . (695, 8—10)

Er heißt nun: *Parzival der clâre* (696,15). Auch das ist ein Zeichen der ‚gerechtfertigten Torheit' und der ankommenden *saelde.*
Zu dem oben Bemerkten tritt ein weiteres Indiz von Parzivals wachsender Repräsentanz für das zukünftige Glück. Es ist diesmal ein subjektives Kriterium, das Parzival im Gespräch gegen die ihn des Spottes gegenüber Frauen anklagende Orgeluse. Er antwortet ihr: *‚vrouwe, ir welt gewalt mir tuon. / sô wîse erkenne ich mînen lip: / der midet spottes elliu wîp'* (697,22—24). Diese subjektive Einsicht läßt sich Parzival nicht nehmen, ist sie doch der Grundgehalt seines Wesens. Er vermeidet jeden *spot* gegen Frauen, weil er d e r Frau (Condwiramurs) im Kern und im Grund seines Daseins verpflichtet ist. Er würde gegen sich selber handeln, wollte er seinen Spott mit einer Frau treiben.
Mit der *slehten tumpheit* und der *wîsheit* der Minne gegenüber Condwiramurs (die 732,1 ff. eindringlich zur Sprache kommt) sind aber die beiden Konstanten genannt, die den weiteren Weg Parzivals nun bestimmen werden. Sie sind das Unverrückbare, das sich im Begriff *triuwe* vorfindet. Parzivals verzweifelte Worte am Schluß des vierzehnten Buches (*got wil mîner vröude niht* 733,8 und: *ich bin trûrens unerlôst* 733,16) sind Kontraste für die ankommende, in naher Zukunft sich zeigende *saelde.* Indem darin die Tatsache von Parzivals Unerlöstheit sich grausam klar manifestiert, zeigt sich die Gnade als eine Notwendigkeit an, als etwas, das in letzter Instanz die Not wendet.

Parzival und Feirefiz

Parzival begegnet in Feirefiz seinem Halbbruder, und — was noch mehr bedeutet —: „sein früheres Ich tritt in Feirefiz symbolisch sichtbar vor Parzivals Schwert, buchstäblich ‚elsternfarben', schwarz und weiß, als heidnische, fast unschuldige Verkörperung des *zwîvels*; Sohn des Christen Gahmuret und der Mohrin Belakane, vereint er Ritteradel mit blinder Minnebesitzgier" (Hugo Kuhn, Annalen I, 149). Wolfram wird nicht müde, die Identität der beiden Brüder, die sich unerkannt im Zweikampf gegenüberstehen, zu betonen: 739,9/10; 740,3—6; 740,27—30; 741, 21 ff.; 742,17; schließlich die Dreieinheit von Vater und Söhnen: 752, 8—10 usw. Alle Inhalte, welche bisher im Zusammenhang der Sippe wichtig waren, finden sich in dieser kämpferischen Auseinandersetzung potenziert und erneut in Frage gestellt. Der Bruderkampf scheint alles Geglückte wieder zu zerstören, der Mechanismus der höfischen Aventiure tritt scheinbar an die Stelle des Ereignisses. Anlaß genug für Wolfram, auf das Residuum der *tumpheit* zurückzugreifen und dadurch die erzählerische Sackgasse als einen eklatanten Durchgang aufs Telos hin zu korrigieren. Was ritterliche Fragwürdigkeit und Ausweglosigkeit schien, wird so ausgezeichnetes Mittel einer weit gespannten Komposition. Die *slehte tumpheit* erweist sich nun nicht wie bei Gawan als ein Erfolg der Selbstmeisterung, sondern als Geschenk der Gnade. Der Zusammenhang mit dem Kampf mit Ither ist hier noch offenkundiger als im Zweikampf mit Gawan. Das Kampfinstrument selbst wird Indiz dieses Zusammenhangs. Im Augenblick, da Parzival drauf und dran ist, den Heiden Feirefiz zu überwältigen, zerbricht Parzivals Schwert.

> got des niht langer ruochte,
> daz Parzivâl daz rê nemen
> in sîner hende solte zemen:
> daz swert er Ithêre nam,
> als sîner tumpheit dô wol zam. (744,14—18)

Gott schaltet sich also ein und demütigt den siegenden Parzival: der Leichenraub an Ither — der Schwertraub — soll sich nicht durch Erfolg bezahlt machen: Parzival ist restlos der Gnade des ‚Heiden‘ ausgeliefert. Was sonst erzwungene Geste des Unterliegenden ist, das tut Feirefiz: er nennt als erster seinen Namen und bewirkt damit die Erkennung.

Was an dieser Erwähnung der *tumpheit* auffällt, ist die Tatsache, daß der Inhalt der *tumpheit* unmittelbar funktional wird. Gewiß ist diese Funktionalität geradezu der Ansatzpunkt unserer Untersuchung, und sie ließ sich denn auch beinahe durchwegs feststellen. Daß aber die *tumpheit* in ihrer Negativität als *sünde* (Verwandtentötung) direkt und unmittelbar in einem positiven Sinn funktional werden kann wie hier, ist in solch reiner Ausprägung selten zu finden. Es ist nämlich nicht abzustreiten, daß es gerade diese — doch längst vergangene und bei Trevrizent ‚getilgte‘ — *tumpheit* ist, die in seltsamer Konkretion (das zerberstende Schwert!) mit der Sanktion gleich auch die Gnade mitführt. Gott möchte die *tumpheit* strafen, indem er das Itherschwert bersten läßt; andererseits kann er aber definitionsgemäß nur das Gute wollen, will er sich nicht selbst aufheben. Da in Parzival aber seit Trevrizent das Gute in seiner vollen Modalität grundgelegt ist, kann auch aus einem bösen Geschick nur noch Gnade erwachsen. Die böse *tumpheit* wird darum auch hier *sleht*. Feirefiz' natürlicher Güte und Großherzigkeit fällt die Rolle zu, diese Tatsache evident zu machen und das Apriori in einem erzählten Aposteriori zu veranschaulichen. Der Bruderzweikampf ist daher in seiner vollkommenen Integration gehaltlicher und gestaltlich-funktionaler Elemente nicht nur erzählerische Schlußwendung, sondern leitet zwingend den gemäßen Schluß als eine glanzvolle Anakephalaiosis ein.

Auf Feirefiz' kunstvolle Götterlobrede nach der gegenseitigen Erkennung findet Parzival ganz im Rahmen seiner *sleht* gewordenen *tumpheit* keine andere Antwort als jene, die ihm der christliche Sermo humilis eingibt:

> ‚ir sprechet wol: ich spraeche baz,
> ob ich daz kunde, ân allen haz.
> nu bin ich leider niht sô wîs,
> des iuwer werdeclîcher prîs
> mit worten mege gehoehet sîn:
> got weiz aber wol den willen mîn.
> swaz herze und ougen künste hât
> an mir, diu beidiu niht erlât,
> iuwer prîs sagt vor, si volgent nâch.‘ (749,3—11)

In diesen Worten investiert Parzival seine ganze Selbsterfahrung und Selbsteinsicht: er spricht vor dem Hintergrund der von ihm selbst ratifizierten *tumpheit* (vgl. 178,29!). Und so wird ihm die Sprachlosigkeit zum Sprachvermögen, das ihm erlaubt, Herz und Sinne (749,9) beschwörend zur Preisung des Bruders anzurufen (die *künste* des Herzens und der Augen!). Es ist die Sprache und Ausdrucksweise der Demut und der Selbsterniedrigung, die Parzival für seinen Überwinder und Bruder bereithält. Selbst die ‚Bagatellfrage‘, ob Parzival seinen Bruder *irzen* oder *duzen* soll, wird auf Grund der *diemüete* entschieden:

> ‚mîn jugent unt mîn armuot
> sol sölher lôsheit sîn behuot,
> daz ich iu duzen biete,
> swenn ich mich zühte niete.‘ (749,27—30)

Die *lôsheit* wird strikte verworfen zugunsten der *zuht.*

Nach der Rückkehr an den Artushof, die für den Heiden Feirefiz eine Einkehr bedeutet, erscheint Cundrie und verkündet Parzival die Aufhebung des Gralsfluches. Sie redet ihn folgendermaßen an:

> ‚nu wis kiusche unt dâ bî vrô.
> wol dich des hôhen teiles,
> du crône menschen heiles!
> daz epitafjum ist gelesen:
> du solt des grâles herre wesen.‘ (781,12—16)

Der Gepriesene antwortet:

> ,Vrouwe, solhiu dinc
> als ir hie habt genennet,
> bin ich vor gote erkennet
> sô daz mîn sündehafter lîp,
> und hân ich kint, dar zuo mîn wîp,
> daz diu des pflihte sulen hân,
> sô hât got wol zuo mir getân.' (783, 4—10)

Der Gedemütigte antwortet in Demut der Gnade, die ihn befreiend und begabend aus Sünde und Fluch rettet. Der *helt, einst küene, traeclîche wîs* geheißen (4, 18) und als solcher begrüßt, wird nun als *du crône menschen heiles* (781, 14) angeredet. Parzivals Weg ist damit innerlich vollendet. Es bleibt ihm noch in Demut zu tun, was er in *tumpheit* versäumte: die Frage zu stellen und so das wandelbare Glück im Gralskönigtum zum Heil aller Beteiligten zu stabilisieren. Die *linge* erwächst als eine köstliche Frucht aus Demütigung und Torheit. Parzival ist nun, da er in Demut beglückt wird, vollends und exemplarisch der gedemütigte Tor, der den ,hohen Fund' getan hat.

Parzival der Gralskönig

Im sechzehnten und letzten Buch des Romans noch nach der *tumpheit* sich umzuschauen, die uns in den ersten sechs Büchern begegnete, ist fruchtbar nicht mehr möglich. Denn hier ist alles zu Ende, d. h. zur Vollendung gebracht; eine geradezu mythische Perfektion ergießt sich vom Gralskönigtum auf die Welt. Parzival ist in die esoterischen Bereiche eines mythischen Weltherrschertums eingetreten, allerdings ohne daß die christlichen Werte und Grundhaltungen in ihrer absoluten Geltung irgendwie angetastet würden. Im Gegenteil: der Mythos kommt zustande nur dadurch, daß eben das Christliche als ein Perfektes und Geglücktes sich präsentiert. Dazu gehört die krude, buchstäbliche Erfüllung dessen, was noch aussteht: *alweinde* (795, 20) spricht Parzival das erlösende Wort: *,oeheim, waz wirret dir?'* (795, 29). Anfortas wird augenblicklich von seiner *siecheit* erlöst: Parzivals Gralskönigtum ist nun völlig gesichert: *Parzivâl wart schiere bekant / ze künige unt zu hêrren dâ* (796, 20/21).

Während Condwiramurs schon auf dem Weg zu Parzival ist, besucht dieser ein letztes Mal seinen geistlichen Lehrer Trevrizent. Trevrizent überantwortet das ganze Geschehen und vor allem das Gelingen, das Parzival geschenkt wurde, der Verborgenheit der Ratschlüsse Gottes, vor der auch sein Rat und seine Lenkungsversuche als *sünde* (798, 8) abfallen (*got vil tougen hât* 797, 23 ff.). Seine durchwegs auf Bescheidung und Demut gestimmten Worte schließt er mit einer für ihn typischen, aber für den Weltverstand paradoxen Wendung: *sich hât gehoehet iuwer gewin. / nu kêrt an diemuot iuwern sin* (798, 29/30). Obwohl Parzival ein herrliches Gut gewonnen hat, soll er trotzdem demütig bleiben (vgl. Martin zur Stelle). Mit anderen Worten: der gedemütigte Tor Parzival soll bleiben, der er ist: ein durch und durch Gedemütigter; nur als solcher kann er der Hoheit seiner ihm aufgetragenen Auf-gabe genügen. Die Demut ist schließlich der Ertrag all seiner Erfahrungen und muß ihn als eine Zuständlichkeit und Grundverfassung im weiteren Herrschaftsleben begleiten. Die *tumpheit* ist in der *diemuot* unterfaßt und zum Ziel gebracht. Die *tumpheit* ist in der Positivität der *diemuot* völlig aufgegangen und braucht nun nicht mehr erwähnt zu werden, da das wirklich Geglückte das Gemischte als eine reine und unvermischte Kraft ständig überstrahlt.

Inzwischen ist Condwiramurs mit ihren Söhnen Loherangrin und Kardeiz angekommen. An derselben Stelle, da Parzival einst *witzelos* sich in die drei Blutstropfen auf dem Schnee ‚versah', trifft er sie.

> Gezucte im ie bluot unde snê
> geselleschaft an witzen ê
> (ûf der selben ouwe erz ligen vant),
> vür solhen kumber gap nun pfant
> Condwîr âmûrs: diu hete ez dâ. (802, 1—5)

Damit schließt sich nicht irgendein zufälliger Schicksalkreis, sondern es erfüllt sich eine Bestimmung, eine Berufung zur Liebe. Was sich innerhalb der Gralswelt wirklich begibt, nämlich das Ereignis einer menschlichen Liebe, wird signalisiert und symbolisiert in Parzivals vierter Begegnung mit Sigune. Sie ist zwar tot; der Tod hat diese so unvergeßliche Minneheilige mitten im Gebet überrascht (*an ir venje tôt* 804, 23). Ihr Tod gibt Parzivals Vollendung die Weihe: ihr erfülltes Gebetsleben und Trauern um den Geliebten ist eine Art Gewähr dafür, daß Parzivals Dasein, das sie mahnend, verfluchend und tröstend begleitet hat, auch hinsichtlich der Minne Gestalt gewonnen hat. In gewissem Sinn hat sie stellvertretend für ihren Vetter die Minne wie einen Schatz bewahrt, von dem Parzival im Herzgrund genährt wurde. Auch das ein Zeichen von *diemuot*.

Es wäre kurzsichtig, wollte man die Bedeutung der *diemuot* und ihren Zusammenhang mit der *tumpheit* verkennen. Ist die *tumpheit* Zeichen des

Elsternfarbigen, des Gemischten und Vermischten, so ist die *diemuot* das Zweifellose, Eindeutige, Unmißverständliche. Der Unterschied von *tump-heit* und *diemuot* bezeichnet auch in etwa die Richtung von Parzivals Weg: vom Gemischten, Vieldeutigen zum Reinen, Unvermischten. Wollte man Parzivals Wesen in einer Formel zusammenfassen, dann müßte man ihn — so wie er als Gralskönig erscheint — den *gedemütigten, demütig gewordenen Toren* nennen. Darin ist auch sein Weg beschlossen. Und auch das Gelingen und das Glück des Gelingens.

II. Der vierfache Tor

Mit der wachsenden Vergegenständlichung der Welt im Prozeß ständig sich überbietender Entmythologisierungen ist der noch der Romantik teure Konnex zwischen Kunst und Wissenschaft verloren gegangen: es läßt sich grundsätzlich nicht mehr im Namen beider sprechen[1]). Wer es trotzdem tut und eine Restitution jener fiktiven Einheit von Kunst und Wissenschaft anstrebt, verfällt dem absoluten Verdikt aller progressistisch eingestellten Philosophie, hat also zum vornherein das Nachsehen. Schon die heute allseits beredete Problematik einer literaturwissenschaftlichen Hermeneutik — die Tatsache eines ‚Methodenstreits' in der Literaturwissenschaft — muß es schließlich jedermann klarmachen, wie sehr die Literaturwissenschaft um ihre ‚Wissenschaftlichkeit' zu ringen hat, um nicht als zweitrangige ‚Kunst', als Kunstgewerbe, diffamiert zu werden. Und doch wird eine ehrlich historisch eingestellte Rückschau auf die Geschichte der literarischen Interpretation an den Ursprüngen einer sich auswortenden Hermeneutik sich plötzlich aus dieser so schlagenden Alternative: Wissenschaft - Kunst herausgehoben und in eine mittelalterlich-religiöse Wirklichkeit gehalten sehen, die der Aussparungen einer modernen Sachwelt noch völlig enträt, und für die wir heute vom ‚Fache' her[2])

---

[1]) Vgl. Theodor W. Adornos Formulierung: „Mit der Vergegenständlichung der Welt im Verlauf fortschreitender Entmythologisierung haben Wissenschaft und Kunst sich geschieden; ein Bewußtsein, dem Anschauung und Begriff, Bild und Zeichen eins wären, ist, wenn anders es je existierte, mit keinem Zauberschlag wiederherstellbar, und seine Restitution fiele zurück ins Chaotische" (Noten zur Literatur I, Berlin/Frankfurt a. M. 1958, 16).

[2]) Das ‚Fach' der Germanistik läßt sich noch zuwenig von den Vergleichsmöglichkeiten anregen, die ihm fürs Mittelalter zum Beispiel die reiche lateinische Literatur bietet. Hier wären methodische Antriebe zu einer sachgerechten Interpretation in Hülle zu finden. Eine Geschichte der literarischen Hermeneutik — die noch zu schreiben ist — wird erweisen müssen, wie sehr die modernen Methoden der Interpretation mit unterirdischen Fäden an diese frühen, bis in die Antike zurückreichenden Erkenntnisanstrengungen gebunden sind. Gerade auch das Studium der mittelalterlichen Philosophie könnte hier vieles klarstellen.

eigentlich sehr wenig Voraussetzungen adäquaten Verstehens mitbringen, es sei denn ein vag sympathisierendes Mitgefühl für die zumindest verwandten Bestrebungen, oder — wenn man gläubiger Christ ist — eine vom Glauben, also von etwas der Literaturgeschichte ‚Artfremdem' her, ermöglichte Einstimmung auf diese frühen hermeneutischen Anstrengungen. Die Wirklichkeit, die gemeint ist, ist jene der patristischen und mittelalterlichen Bibelexegese[3]), die wir mit Fug Ursprung und Anfang unserer

[3]) Über die Methodik der mittelalterlichen (und schon patristischen) Bibelexegese existiert eine reiche Sekundärliteratur, die hier im Anschluß an Ohly (ZfdA 89 [1958/59] 21 f.) mit einigen wichtigen Zusätzen zitiert sei:

H. U. v. Balthasar, Herrlichkeit I, Eine theologische Ästhetik, Einsiedeln 1961, 72, 487, 527 f.; R. Baron, Science et sagesse chez Hugues de Saint Victor, Paris 1957, 109—124; D. Barsotti, Vie mystique et mystère liturgique, Paris 1954, 30—44; ders., Christliches Mysterium und Wort Gottes, Einsiedeln 1957, 35—44; P. Benoit, La plénitude de sens des Livres Saints, Revue Bibl. 67 (1960) 161—196; P. Böckmann, Formgeschichte der deutschen Dichtung I, Hamburg 1949, 71ff.; E. de Bruyne, Etudes d'esthétique médiévale, 3 Bde, Bruges 1946; ders., L'esthétique du moyen âge, Louvain 1947; H. Caplan, The four senses of Scripture Interpretation and the medieval Theory of Preaching, Speculum 4 (1929) 282—290; E. Cassirer, Philosophie der symbolischen Formen II, Berlin 1925, 314ff.; M.-D. Chenu, La théologie au XIIe siècle, Paris 1957; J. Daniélou, Sacramentum futuri, Paris 1950; ders., Origène, Paris 1948; M.-M. Davy, Essai sur la symbolique romane, Paris 1955; E. v. Dobschütz, Vom vierfachen Schriftsinn, Die Geschichte einer Theorie, in: Harnack-Ehrung, Leipzig 1921, 1—13; ders., Vom Auslegen des Neuen Testaments, Göttingen 1927; P. Dumontier, S. Bernard et la Bible, Bruges/Paris 1953; J. de Ghellinck, Patristique et moyen âge, 3 Bde, Bruxelles/Paris 1946—1948; ders., Le mouvement théologique du XIIe siècle, Bruxelles/Paris [2]1948; ders., L'essor de la littérature latine au XIIe siècle, Bruxelles/Paris [2]1955, 232 ff., 267 ff.; H. H. Glunz, Die Literarästhetik des europäischen Mittelalters: Wolfram, Rosenroman, Chaucer, Dante, Bochum 1937; J. Huizinga, Herbst des MA's, Stuttgart [7]1953, 215 ff.; A. M. Landgraf, Einführung in die Geschichte der theologischen Literatur der Frühscholastik unter dem Gesichtspunkt der Schulenbildung, Regensburg 1948; ders., Zur Methode der biblischen Textkritik im 12. Jahrhundert, Biblica 10 (1929) 445—474; J. Leclercq, L'amour des lettres et le désir de Dieu, Paris 1957, 70 ff. (und ders. in zahlreichen Veröffentlichungen: vgl. Bibliografia di Jean Leclercq, Roma 1959); C. S. Lewis, The Allegory of Love, Oxford [7]1953; R. Loewe, The jewish Midrashim and patristic and scholastic exegesis of the Bible, Studia patristica I, Berlin 1957; H. de Lubac, Der geistige Sinn der Schrift (mit einem Geleitwort von H. U. v. Balthasar), Einsiedeln 1952; ders., Histoire et esprit, Paris 1950; ders., Exégèse médiévale: Les quatre sens de l'Ecriture, bisher: première partie I und II, seconde partie I, Paris 1959/61; F. Ohly, Vom geistigen Sinn des Wortes im MA, ZfdA 89 (1958/59) 1—23; ders., Sage und Legende in der Kaiserchronik, Münster 1940; ders., Hohelied-Studien, Grundzüge einer Geschichte der Hoheliedauslegung des Abendlandes bis um 1200,

heutigen ‚Kunst der Interpretation' (Emil Staiger) nennen können. Nur schon die Tatsache, daß sich in der Bibelexegese griechische, jüdische, islamische und christliche Bestrebungen um einen geistigen Sinn des Wortes vereinen, bezeugt, daß es sich um ein „allgemein hermeneutisches" Problem handelt, daß das religiöse oder besser christliche Problem „uns jene innere Bindung aller wissenschaftlichen Disziplinen — der naturwissenschaftlichen eingeschlossen — in einem gemeinsamen Dienst an der Erkenntnis der Welt und ihres im Wort vertretenen Sinnes vor Augen stellt, um die wir heute mit Grund besorgt sind". Friedrich Ohly, von dem diese Worte stammen[4]), ist offenbar weit davon entfernt, den sonst nicht ernst genug zu nehmenden Scharfblick der Literatursoziologen (Adorno, Bloch, Lukàcs) ernst zu nehmen. Im Gegenteil, er spricht von einer Besorgnis um jene „innere Bindung aller wissenschaftlichen Disziplinen", die uns heute angesichts der ‚Brüche' und ‚Differenzen' aller Art erfüllen muß. Wer sich näher mit der mittelalterlichen Bibelexegese befaßt hat, versteht diese Sprache und nimmt seinen eigenen scharfsichtigen Einblicken in die zerspaltene Welt die Luzidität, indem er einmal nicht apriorisch die unheilvolle Aufspaltung der Weltdinge stabilisiert, rein dadurch, daß er sie kulturkritisch statuiert. Zudem — die Hermeneutik biblischer Texte, die in methodischer und gehaltlicher Naivität die totale Wirklichkeit — weil Glaubenswirklichkeit! — der Heiligen Schrift eröffnete, steht wesentlich jenseits der Kunst-Wissenschaft-Spaltung. Die göttlich zuteilende analogia fidei ist hier einziger Gradmesser des Verständnisses.

Wer sich mit mittelalterlichen Texten befaßt, wird beinahe ohne sein Zutun dahin geführt, von modernen Ausfächerungen des ‚Weltgeistes' abzusehen und sich der Einheitlichkeit zu stellen, die ihm dichterisch ‚ein-

---

Wiesbaden 1958; J. B. Pitra, Spicilegium Solesmense II und III, Paris 1855; H. Riedlinger, Die Makellosigkeit der Kirche in den lateinischen Hoheliedkommentaren des MA's, Münster 1958; B. Smalley, Stephan Langton and the four Senses of Scripture, Speculum 6 (1931); dies., The study of the Bible in the Middle Ages, Oxford ²1952; C. Spicq, Esquisse d'une histoire de l'exégèse latine au moyen âge, Paris 1944; F. Stegmüller, Repertorium biblicum medii aevi II—V, Madrid 1950—1955; Ch. Trochon, Essai sur l'histoire de la Bible dans la France chrétienne au moyen âge, Paris 1875; A. Wilmart, Un répertoire d'exégèse composé en Angleterre vers le début du XIIIe siècle, Mémorial Lagrange, Paris 1940, 307—340. Vgl. schließlich auch DTC und LfThuK unter den einschlägigen Stichworten.

[4]) ZfdA 89 (1958/59) 1 f.

gekleidet' begegnet. Die gemäße Interpretationsart für ein mittelalterliches Sprachkunstwerk wird — mit einigem Erfolg — daher wohl eher bei den zeitgemäßen Möglichkeiten der Erläuterung und den zeitentsprechenden Sehweisen ihre Beglaubigung herholen[5]). Es wird uns daher die mittelalterliche Bibelexegese nicht etwa im Licht einer genetischen Gründlichkeit oder einer historischen Gerechtigkeit interessieren, sondern bloß im Sinn einer Verpflichtung an der Sache, die uns aufgibt, dort anzuknüpfen, wo das mittelalterliche Verständnis eines Textes eben beginnt: beim geistigen Sinn (sensus spiritualis) des göttlich inspirierten Schriftworts.

Wenigstens angedeutet mag damit sein, wie wenig wir schließlich Grund haben, die Verdinglichung, Verzwecklichung und Isolierung der Gehalte der Welt (und auch der Literaturwissenschaft) apriori — weil es anders angeblich nicht gehen kann — mitzumachen. Die Lehre verschiedener Dimensionen des Schriftsinns ist im Sinn einer fruchtbaren Tradition weit und erprobt genug, auch von einem modernen Bewußtsein einmal mehr auf seine Tauglichkeit geprüft zu werden, zumal sie gerade heute (in der Forschung) neue und fruchtbare Urstände feiert. Wenn die Lehre vom vierfachen Schriftsinn sich über Jahrhunderte hinweg als Besinnung auf den Sinn der Heiligen Schrift durchgehalten hat, dann ist anzunehmen, daß diese Methode nicht als eine Verlegenheitslösung aus einem Dilemma schlechthin notwendiger Bibelinterpretation entstanden ist, sondern im Gegenteil der Sache, der Heiligen Schrift, im Wesen abgelauscht wurde, um dann in immer intensiverem Hinhorchen aufs heilige Wort nach allen Seiten ausgebaut und vervollkommnet zu werden. Der Prozeß dieser

---

[5]) Diese Forderung ist schon verschiedentlich gestellt und als ‚historical criticism' bezeichnet worden (vgl. D. W. Robertson, Historical Criticism, New York 1951). E. Faral meint mit Recht: „Cela revient à dire que, pour traiter de l'art d'écrire selon une méthode véritablement historique, il faut partir, non pas de notre système esthétique actuel, mais de celui qui dominait les contemporains de l'oeuvre; et qui veut comprendre les caratères véritables de la Chanson de Roland ou du roman de Cligès, et en rendre compte conformément à la réalité, doit emprunter ses principes directeurs non pas, comme on l'a trop fait, à des théoriciens modernes, mais si on le peut, aux théories qui prévalaient pendant le 11e et le 12e siècle" (Les arts poétiques du XIe et du XIIe siècle, Paris 1924, 12). Neuerdings fordert auch Hans Schnyder (Sir Gawain and the Green Knight, An Essay in Interpretation, Bern 1961, 7) „an interpretation of the poem by viewing it against the background of its own time and within the context of its genuine cultural climate".

Vervollkommnung wird nie abgeschlossen sein, da menschliche Überlegung das Wort der Schrift nie einholen können wird, sondern ihm immer hintennachhinkt, ohne es fassen zu können.

Von diesen Überlegungen her ist es leicht zuzugestehen, wie viel die Interpretationskunst unserer Tage gerade der Bibelexegese des Mittelalters zu verdanken hat: alles, was die Prätention eines tieferen, geistigen Sinnes hat, nimmt von daher seinen Ursprung[6]); und welcher neuere Interpret könnte diese — ihm vielleicht nicht immer bewußte — Filiation bestreiten? Die scheinbar disparatesten Kritizismen, Interpretationskünste und Wege der Hermeneutik, die fremdesten Verständnisweisen werden in der Beleuchtung des vierfachen Schriftsinnes ineinander ausgewogen und zueinander in Bezug gebracht. Das heißt aber nichts weniger, als daß die vier unterscheidbaren Dimensionen des einen Wortes in nuce das Anliegen der Interpretation schlechthin darstellen und zu lösen versuchen.

Das Anliegen, mit Hilfe des vierfachen Schriftsinnes einen höfischen Roman zu interpretieren, ist keineswegs neu; es ist so alt wie der höfische Roman selbst. Die lateinische Bibelexegese des 12. Jahrhunderts beispielshalber mußte sich von dem damals nicht engen Bezirk des Geistlichen her auch in den Vulgärsprachen äußern, da alles Vulgärsprachliche keineswegs bloß vom Gegensatz zum Lateinischen, sondern ebensosehr oder noch mehr

---

[6]) Heideggers Philosophie, ohne welche die Grundlagen der modernen Stilkritik nicht zu erdenken gewesen wären, ist schließlich in einem kaum absehbaren Maß schlichte, säkularisierte, theologische Spekulation des Mittelalters. Das geht bis in die berühmten Sprachtricks, mit denen Heidegger seine ‚Kehren' motiviert. So findet sich zum Beispiel die sprachmagische Aufteilung von Existenz in Ek-sistenz bereits bei einem neuplatonischen Theologen des vierten Jahrhunderts, bei Victorinus Afer (vgl. DTC Stichwort ‚Victorinus Afer'; PL VIII 1066 C, 1127 B, 1122 A, 1083 B; R. Javelet, Psychologie des auteurs spirituels du XIIe siècle, Strasbourg 1959, 75 ff.), dann im zwölften Jahrhundert bei Richard von St. Victor in seinem Traktat ‚De Trinitate' (neueste Ausgabe: Richard de Saint-Victor, La Trinité, herausgegeben von G. Salet, SC 63, Paris 1959, 254 ff., besonders 269, wo Richard, nachdem er existentia in ‚ex' und ‚sistentia' aufgelöst hat, sich direkt an den Leser wendet und ironisch beifügt: Rides fortassis qui haec audis vel legis, sed malo te ridere quam quae dicere velim parum intelligere et incaute deridere). Eine ‚quellenkritische' Untersuchung über Heideggers Philosophie steht noch aus. Vgl. vorläufig: W. Marx, Heidegger und die Tradition, Problemgeschichtliche Einführung in die Grundstimmungen des Seins, Stuttgart 1961.

von Gnaden des Lateinischen lebte[7]). Es fehlt daher auch nicht an deutlichen Hinweisen auf den geistigen Sinn auch der sogenannten Profanliteratur jener Zeit. Meist findet sich solches in Prolog, Schlußwort oder zwischengeschobenen Stücken der höfischen Romane selbst.

Ein paar beliebig beigezogene Beispiele mögen das zeigen. Selbstverständlich kennt die lateinische Dichtung die Lehre vom geistigen Sinn des Wortes. Alanus von Lille zum Beispiel drückt sich darüber — poetisch-metaphorisch — so aus: „In superficiali litterae cortice falsum resonat lyra poetica, sed interius auditoribus secretum intelligentiae altioris eloquitur, ut exteriore falsitatis abjecto putamine, dulciorem nucleum veritatis secrete intus lector inveniat"[8]). Für Alanus gibt die poetische

---

[7]) Die fruchtbare Einwirkung lateinischer Bibeltexte auf die Profanliteratur — soweit es eine solche überhaupt geben konnte — läßt sich trefflich in Dantes ‚Vita Nuova' beobachten: Dante begegnet Beatrice zum ersten Mal gegen Ende seines neunten Lebensjahres. Die Begegnung trifft ihn ungeheuerlich; er erzählt sie folgendermaßen: „In quel punto dico veracemente che lo spirito della vita, lo quale dimora nella segretissima camera del cuore cominciò a tremare si fortemente, che apparia nelli menomi polsi orribilmente; e tremando disse queste parole: *Ecce Deus fortior me, qui veniens dominibatur mihi.* In quel punto lo spirito animale, lo quale dimora nell'alta camera, nella quale tutti li spiriti sensitivi portano le loro percezioni, si cominciò a maravigliare molto, e parlando spezialmente alli spiriti del viso, disse queste parole: *Apparuit iam beatitudo vestra.* In quel punto lo spirito naturale, il quale dimora in quella parte ove si ministra lo nutrimento nostro, cominciò a piangere, e piangendo disse queste parole: *Heu, miser! quia frequenter impeditus ero deinceps*" (‚Vita Nova', herausgegeben von H. Hinderberger, Samml. Klosterberg, Basel 1947, 6 ff.). Daß Dante den Geist des Lebens, den Geist des Körpers und den Geist der natürlichen Vorgänge lateinisch anredet, da ihn die Liebe zu Beatrice überkommt, ist ein Indiz für den Umgang, den er mit dem Latein und seiner Muttersprache gleichzeitig pflegt. Stilistische Kriterien (Erzählung: italienisch; pathetische Besprechung des Geschehens in lateinisch-biblischer Rhetorik!) bestimmen die Wahl der Sprache. Eine solche (wenn auch beschränkte) Auswechselbarkeit der Sprachen vermittelt im Mittelalter Stoffen und Formeln den Übertritt vom Lateinischen in die Vulgärsprachen (und auch umgekehrt: vgl. ‚Waltharius', ‚Ruodlieb'). Daß so auch Anschauungsformen und Methoden der Bibelexegese allgemeines Gut werden konnten, ist klar.

[8]) De planctu Naturae, PL 210, 451 CD und 452 D, zitiert bei M.-D. Chenu, La théologie au XIIe siècle 159 (im Kapitel: La mentalité symbolique). Vgl. auch G. Raynaud de Lage, Alain de Lille, poète du XIIe siècle, Montreal/Paris 1951, 117. Gilles de Paris äußert sich in einem ähnlichen Vokabular über die Schriftlesung:

> simplex multiplicem cortex hic continet escam:
> Littera, seu cortex; sensus ut esca triplex.

Vgl. de Lubac, Exégèse médiévale, 1e partie I, 25.

Leier auf der Oberflächenrinde des bloßen Buchstabens einen falschen Ton; erst tiefer innen wird den Hörern das Geheimnis höherer Einsicht gesagt, damit jener, der es zu lesen versteht, nach Entfernung der äußeren Schale der Falschheit den süßeren Kern der Wahrheit verborgen im Innern finde. Damit ist kein literarisches Procedere formuliert, kein Tropus umschrieben oder schlicht auf den Gebrauch der Metapher angespielt. Was die personifizierte Natura hier sagt, ist nichts weniger denn die Ratifizierung von Kunst überhaupt — oder wenn man will: des Mythus — durch den ihr innewohnenden Wahrheitskern[9]). Die drei Transzendentalien: Wahr, Gut, Schön sind gegeneinander diaphan, sie sind das Innerste der sich durch den Buchstaben formierenden Dichtung[10]). Das Wahre ist die innerste Dimension dessen, was der Buchstabe im Kleid der Schönheit sagt (wobei das Schöne gleichzeitig auch Inneres, Seele sein muß, sonst gibt „die poetische Leier einen falschen Ton"!). Es ist daher nicht so, daß die Kunst als eine bloße Funktion innerhalb der umfassenderen Wahrheitssuche angesehen werden könnte, wie Chenu meint[11]), sondern ‚wahre' Dichtkunst öffnet sich im Kern auf die Wahrheit hin, ohne daß sie damit die Oberflächenrinde des Buchstabens als etwas Verächtliches preisgeben müßte, da das ‚Geheimnis der höheren Einsicht' ja nur durch den Buchstaben hindurch faßlich wird. Anders gesagt: Alanus spricht in diesen Worten nichts anderes aus als die jener Zeit allgemein bekannte und verbindliche Lehre vom geistigen Sinn des Wortes, von der intelligentia spiritualis, die von einem empirisch erworbenen hermeneutischen Prinzip (der Bibelexegese) zum Formprinzip und Echtheitskriterium der Dichtung selber wird.

---

9) „C'est ainsi qu'Alain de Lille énonce le principe de son art, selon lequel la métaphore, et plus encore le mythe — le mythe de la nature, le mythe de la Fortune, le mythe de Vénus —, qui en étend le jeu à un long récit, ne sont pas seulement un procédé littéraire (*tropus*) pour évoquer poétiquement une réalité spirituelle, mais un moyen homogène pour signifier le contenu intérieur des choses: non pas par conséquent jeu psychologique d'esthète, même si l'élégance littéraire („elegans pictura", ibid.) y joue un rôle, mais discernement, dans l'épaisseur des êtres, de leur vérité profonde et secrète, par ce moyen révélée" (Chenu a. a. O.).

10) „Das Licht der Transzendentalien — des Einen, Wahren, Guten und Schönen —, das eins ist mit dem Licht der Philosophie, kann nur scheinen, wenn es ungeteilt bleibt. Eine Transzendenz des Schönen allein ist nicht lebensfähig", H. U. von Balthasar, Offenbarung und Schönheit; in: Verbum Caro (Skizzen zur Theologie I), Einsiedeln 1960, 114.

11) Chenu a. a. O. 159 f.

Bei Chrétien de Troyes[12]) lassen sich im Sinn einer Selbstinterpretation drei Hauptbegriffe dingbar machen, die unbedingt ernsthaft in jeder Interpretation berücksichtigt werden müssen. Es sind dies: *matière, conjointure, sen. Conjointure* findet sich im Prolog zum ‚Erec' (Vers 14), *matière* und *sen* im Prolog zum ‚Lancelot' (Vers 26). *Matière* — ein Begriff, der als ‚Matière de Bretagne' klassische Geltung erlangt hat — ist der krude Erzählstoff, der ein noch ungestaltetes Konglomerat disparater Erzähldaten darstellt. Dank einer „belle conjointure" formt der wahre Dichter daraus — indem er den „conte d'aventure" dichterisch transponiert — die Kohärenz und innere einheitliche Form seiner Dichtung, ganz im Gegensatz zu den „jongleurs", die Chrétien verachtet. Die *conjointure* ist also jenes einigende Band, das die Folge der Geschehnisse mit der Zeichnung der Charaktere vereint und die (bisweilen verborgene) Architektur des Romans erbaut und zusammenhält. Chrétien weigert sich, die *aventure* um der *aventure* willen zu erzählen; der literarische Materialismus, den man zu seiner Zeit aus purer Freude am Erzählten, am Zeitvertreib schätzte, ist ihm fremd. Wichtig ist ihm der *sen*, der Gehalt und Geist seines Werks und dessen Vermittlung an den Zuhörer, ein didaktisches Anliegen also, das ihn drängt, das dichterisch Gesagte am Zuhörer moralisch ausgewertet und idealisch verwirklicht sehen zu können[13]). Der Begriff *sen* ist sicher klerikalen Ursprungs (Chrétien selbst

---

[12]) Vgl. D. W. Robertson Jr., Some medieval literary terminology, with special reference to Chrétien de Troyes, Studies in Philology 48 (1951) 669—692. J. Frappier, Le roman breton: Perceval ou le conte de Graal, Les cours de Sorbonne, Paris 1959, 20 und sonst wiederholt. Besonders aber: ders., Chrétien de Troyes (L'homme et l'oeuvre), Paris 1957, 62 (auch 89, 97): diesen sehr wertvollen Aufschlüssen Frappiers wird hier vornehmlich gefolgt. Frappier zeigt, daß Chrétien nicht etwa der erste war, der einen *sen* seiner Romane postulierte. Vor ihm gibt es zwei Zeugnisse dafür: „Ainsi parlent, au début de leurs poèmes, l'auteur inconnu du *Roman de Thèbes*, et dans son *Roman de Troie*, Benoît de Sainte-Maure" (Le roman breton: Perceval 20).
Vgl. schließlich noch: W. A. Nitze, Sens et matière dans les oeuvres de Chrétien de Troyes, Romania 44 (1915—1917) 14 ff.

[13]) Die Zuhörer waren schon von ihrer Erziehung her (viele Ritter wurden in Klosterschulen erzogen!) auf das geistige Verständnis auch profaner Texte vorbereitet. Vgl. J. Schwietering, Die deutsche Dichtung des Mittelalters, Darmstadt [2]1957, 149: „Chrestien scheidet ausdrücklich zwischen ‚matière' und ‚san' — Stoff und Idee —, und das Publikum des Dichters ist so sehr in geistlich symbolischer Auffassung erzogen, daß es auch im Bereich weltlicher Erzählung über ihren sprichwörtlichen Inhalt hinaus nach beispielhafter Bedeutung fragt, auch wenn sich Erzählung und Sinn ebensowenig restlos decken, wie etwa im geistlichen Gedicht von der Hochzeit (siehe S. 59)."

war wahrscheinlich Kleriker!), hängt also mit der *sapientia* der Scholastiker oder dem *sensus spiritualis* der Mönche zusammen[14]), ja ist eine wörtliche Übersetzung davon ins Altfranzösische. Damit haben wir gleichsam den Übergangspunkt gefaßt, wo der geistige Schriftsinn als ein Prinzip gleichzeitig der Interpretation und Komposition von Dichtung in die höfische Dichtersprache übernommen und gewissermaßen säkularisiert und profaniert wird. Der *sen* tritt nun seinen Siegeszug an und wird auch von deutschsprachigen Dichtern übernommen; er gibt der höfischen Dichtkunst jene hohe ethische Geltung und Weihe, für die sie ein Vorbild sondergleichen ist. Schließlich löst Wolfram von Eschenbach sogar jene mystische Geltung des *sen* wieder ein, die ihm in der Bibelexegese noch eignete. Damit ist dann ein Kreis geschlossen, in den spätere Dichtung bis zum heutigen Tage vergeblich bemüht ist einzutreten. Alle Restitutionen sind hier unmöglich, da jene kosmisch-mittelalterliche (sozial abgesicherte) Größe nicht mehr einfach nachahmbar ist.

Auch Gottfried von Straßburg adoptiert die Formel von *matière* und *sen,* wenn er sich im ‚Tristan' bewundernd über Hartmann von Aue ausläßt:

> Hartman der Ouwaere
> ahi, wie der diu maere
> beid uzen unde innen
> mit worten und mit sinnen
> durchverwet und durchzieret!
> wie er mit rede figieret
> der aventiure meine! (4621—4627)

Dem *uzen* antwortet vertiefend ein *innen,* dem *wort* ein *sin,* der *rede* eine *meine,* also auch hier ist die Aufteilung der literarischen Äußerung in ‚Buchstabe' und ‚Geist' feststellbar[15]). Was Gottfried von Straßburg an Hartmann von Aue rühmt: die geschickt und mit Kunst (*durchzieret*) be-

---

[14]) Daß die Exegese der Heiligen Schrift — die spiritualis intelligentia also — eher ein Ergebnis der nimmermüden ruminatio der Schrift durch fromme Mönche ist, kann nach den Forschungen Leclercqs nicht mehr bezweifelt werden. Vgl. dazu auch: Wolfram von den Steinen, Monastik und Scholastik (Zu D. Jean Leclercq, L'amour des Lettres et le désir de Dieu), ZfdA 89 (1958/59) 243—256, besonders 250: Abaelards Sic et Non-Methode paßt schlecht zur spiritualis intelligentia der altbenediktinischen Erziehung!

[15]) Max Wehrli (Strukturprobleme des mittelalterlichen Romans, WW 10 [1960] 335) sieht in dieser Unterscheidung von *matière* und *sen* geradezu das Kriterium des eigentlich Romanhaften am höfischen Roman, der in sich (perspektivisch) aufgebrochenen Einheit, die einst in der epischen Dichtung als „Identität der Erzählwelt mit sich selbst" noch fraglos und konsequent durchgehalten werden konnte. „Der höfische Roman kennt solche fraglose Einheit

werkstelligte *conjointure* der *meine* mit der *rede*, das ist im Kern auch sein eigenes Kunstprinzip: man könnte den ‚Tristan' geradezu als Bravourstück einer in der Schwebe von *rede* und *meine* gebildeten und verbleibenden Dichtung verstehen, in der das eine zum Alibi des andern wird und alles in einer nur noch formal (nicht inhaltlich) belegbaren ‚analogia antithetica'[16]) dichterisch verfügbar wird („das Liebeslager Tristans und Isoldes als Altar der Minnekirche"[17]) usw.). Das allegorische Verstehen wird so zum Kriterium der Schönheit, allerdings nur dadurch, daß der *meine* die Möglichkeit und Freiheit gelassen wird, sich, sobald es kritisch werden könnte (— die christliche Frage nach der Wahrheit! —), wieder harmlos in die *rede* zu inkarnieren[17a]).

Schließlich wäre noch auf einen anderen Begriff hinzuweisen, der in der höfischen Literatur ebenfalls den geistigen Sinn des Dargestellten bezeichnet, es ist das tiefe Wort: *bezeichenunge*. Wir finden es ausdrücklich mit Bezug auf die höfische Epik bei Thomasin von Cerclaere in seinem ‚Wälschen Gast'. Schon Ehrismann hat daraus geschlossen: „die höfische Epik

---

und Konsequenz nicht: er hat einen speziellen Sinn, ein Gegeneinander von matière und san (Chrestien), von rede und meine, von kunst und sin. Er verfolgt denkerische, lehrhafte Absichten, vollzieht ein Experiment, gliedert sich aus als Dokument einer Gesellschaft, einer Autorenpersönlichkeit, er steht in Spannungen zwischen Ideal und Wirklichkeit, Figur und Umwelt, Dichter und Stoff, er lebt in der Offenheit des Abenteuers und hat das Gefälle zu einem Ziel, einer Synthese, einer Totalität — auch wenn diese bei dem prinzipiellen Unterwegs des Romans immer nur ein vorläufiger Abschluß sind". Für das Nachleben der biblischen Doppelung von Buchstabe und Geist z. B. in der deutschen Romantik vgl. H. Nüsse, Die Sprachtheorie Friedrich Schlegels, Heidelberg 1962, 88—97.

[16]) G. Weber, Gottfrieds von Straßburg Tristan und die Krise des hochmittelalterlichen Weltbildes um 1200, 2 Bde, Stuttgart 1953.

[17]) Wehrli a. a. O. 338.

[17a]) Gottfried von Straßburg versichert zwar, daß er sich angestrengt bemüht habe, *die rihte und die warheit* (156) seiner Tristangeschichte zu erkennen. Und ausdrücklich meint er:

> und (ich) begunde mich des pinen,
> daz ich in siner rihte
> rihte dise tihte. (160—162)

Die *rihte* der *tihte* ist der Weg, die Richtung (man denke an die Etymologie des Wortes *sin*, vgl. S. 22 f. dieser Arbeit), ganz allgemein also der Sinn, der beherrschende, richtige Grundplan, unter dem die Dichtung konzipiert wurde, wobei die ‚höhere' Wahrheit der tieferen, dichterischen Intention Gottfrieds das Entscheidende ist. Auch Gottfried also prätendiert eine *warheit* seines *maere*, vielleicht noch exklusiver als Wolfram, wenn man an die esoterische Gemeinschaft der *edelen herzen* denkt.

ist also symbolische Dichtung, *wan sie bezeichenunge hât* 1124. 1130. 1132“[18]).

Während sich alle diese ästhetischen Selbsterläuterungen mittelhochdeutscher Dichter als selbstbewußte Äußerungen eines mündigen Berufsmeistertums verstehen lassen, das zwar anderswo die Kriterien seiner Kunst entlehnt, sie aber in eigener Verantwortung weiterbildet und braucht, geht Wolfram von Eschenbach bedeutsam einen Schritt darüber hinaus. Er stellt sich „gegen die Auffassung vom Dichten als einem selbständigen und selbstherrlichen Beruf“[19]). Seine Legitimation als Dichter holt er anderswoher. „Nicht ohne Bedeutung ist es, wenn Wolfram die rechte, ‚göttliche‘ Schrift und Lehre anruft, die allein einen Menschen voll, in seinem ganzen Sein und Wollen, verpflichten kann“[20]):

> der rehten schrift dôn unde wort
> dîn geist hât gesterket.
> mîn sin dich kreftec merket:
> swaz an den buochen stêt geschriben,
> des bin ich künstelôs beliben,
> niht anders ich gelêret bin:
> wan hân ich kunst, die gît mir sin. (Wh. 2,16—22)

Wolfram wendet sich gegen die stolzen Berufsdichter von der Art eines Gottfried von Straßburg, nicht aus einer persönlichen Abneigung, aus einer momentanen Unlust, sondern aus einer genuin anderen ästhetischen Konzeption[21]). Nimmt bei Gottfried die *rede* noch den Platz eines alles ermöglichenden künstlerischen *list* ein (bis zum kaum mehr durchschaubaren Spiel mit Gehalten und Formen aller Art, bis zur Blasphemie), so ist es bei Wolfram wesentlich umgekehrt: sein *sin* dirigiert die *kunst* (die

---

[18]) G. Ehrismann, Die Grundlagen des ritterlichen Tugendsystems, ZfdA 56 (1919) 137—216, das Zitat 195.

[19]) Zum Komplex der in der mittelhochdeutschen Dichtung vorgetragenen Ästhetik vgl. die umfassende Arbeit von Bruno Bösch, Die Kunstanschauung in der mittelhochdeutschen Dichtung von der Blütezeit bis zum Meistersang, Bern/Leipzig 1936 (das Zitat: 167).

[20]) Bösch a.a.O., auch das folgende Willehalmzitat. Am wichtigsten jedoch: F. Ohly, Wolframs Gebet an den Heiligen Geist im Eingang des Willehalm, ZfdA 91 (1961) 1—37. Hier umfassende Literatur und eine kaum mehr überbietbare zeitgeschichtliche und theologische Interpretation dieser Stelle! Vgl. auch J. Bumke, Wolframs Willehalm, Studien zur Epenstruktur und zum Heiligkeitsbegriff der ausgehenden Blütezeit, Heidelberg 1959, 87 ff. (das Kapitel: „Die Gliederung des Prologs“ ist ein eher unglücklicher Versuch, mittels verschiedener Zahlenkunststücke den Prolog ein weiteres Mal zu gliedern; vgl. dazu Ohly a.a.O. 2, Anm. 9).

[21]) Ohly a.a.O. 26.

Stelle 2,22 ist so zu verstehen: sensus dat mihi artem!); das betrifft ihn, den Künstler Wolfram. Daß aber der *sin* die *rede*, die *kunst* oder die *matière* überhaupt gestalten k a n n, d a s geschieht nur kraft der aus den Verhältnissen der Heiligen Schrift abgeleiteten Prävalenz des *geistes*, der *dôn unde wort* aus freier Verfügung (weht er doch, wo er will!) gebraucht und zuhanden seiner selbst verfügbar hält[22]). Insofern der *geist* — aus dessen Legitimation und in dessen Namen Wolfram sein Dichtertum herleitet — *dôn unde wort* zum Ausdruck seines eigenen Gehalts dienstbar macht, bezwingt schließlich auch Wolframs *sin* die *kunst*, ja mehr noch: diese Unterordnung der *kunst* unter den *sin* ist so krampflos und unproblematisch, daß Wolfram in einer beides identifizierenden Redeweise sagen kann: insofern ich *kunst* überhaupt habe, insofern ich fähig bin, *kunst* zu können, in der Tat, das gibt mir einzig mein *sin*. Damit sind die voces eingebracht in die weite Scheune der geistigen Dimensionen der Schrift; es schließt sich ein Kreis mit Wolframs Auffassung des Dichters insofern, als er all das Weltliche, das er in seiner Dichtung in einem tiefen Sinn Sprache werden läßt, in jene Vertikale einordnet, die er von der Hierarchie der geistigen Dimensionen der Schriftexegese her kennt. Sein Anliegen ist also das des *geistes* selbst und nicht in erster Linie die bloß standesbewußte Bekräftigung seiner Unkenntnis des Schreibens und Lesens, die einen dem *schildes ambet* verpflichteten Ritter ehrt (was wenigstens als eine ernstzunehmende Bücherverachtung des Ritters mitzuhören ist!)[22a]).

---

22) Die hier vorgetragene Deutung unterscheidet sich in etwa von Ohlys Interpretation, der *dôn, wort, geist* unmittelbar trinitarisch nimmt als *vox, verbum, spiritus*. Der Ursprung dieses Wortternars aus der Trinitätsspekulation eines Aponius (um 410), Angelomus von Luxeuil (9. Jh.) und des Abtes Wolbero von St. Pantaleon (12. Jh.) sei unbestritten, nur wäre hinzuzufügen, daß sich *dôn unde wort* auch als ‚Wort-Laut' übersetzen ließe. Es heißt dann nicht: „‚den in der Schrift geoffenbarten Vater und Sohn hat deines Geistes Kraft verbunden'" (Ohly a. a. O. 5), sondern: ‚Dein Geist hat Laut(ung) und Wort(sinn) der wahren Heiligen Schrift stark (mächtig) gemacht.' Diese Deutung nähert sich jener R. Kienasts (Zur Tektonik von Wolframs Willehalm, Festschrift Panzer, Heidelberg 1950, 96—116). Kienasts starke Akzentuierung der Stelle auf die *Inspiration* der Hl. Schrift durch den *geist* hin, ist hingegen abzulehnen, da die Stärkung der Hl. Schrift durch den *geist* mit der Inspiration ja keineswegs abgeschlossen ist, sondern: der *geist* hat sie gestärkt und sie l e b t aus dieser Stärke. Ohlys Deutung ist aber immer mitzuhören!

22a) Die hier vorgetragene Interpretation von Wolframs Unkenntnis des Lesens und Schreibens ist kürzlich durch Hans Eggers sachliche Hinweise zwingend gestützt worden: Non cognovi litteraturam, Zu Parzival 115,27, in: Festgabe für U. Pretzel, Berlin 1963, 162—172.

Wolframs eigene Konzeption vom Dichter gibt uns also jene Handhabe der Hermeneutik, deren wir uns im Folgenden bedienen wollen: eine Interpretation des Toren Parzival nach dem mehrfach sich ausfächernden Schriftsinn. Wir erklären damit nur, als was sich der Dichter selber verstanden hat: als einer, der von Gnaden des Heiligen Geistes — nicht irgend eines subalternen Weltgeistes — spricht und der seine Zeichen: die *worte,* im Sinn einer weitgreifenden *bezeichenunge,* seine *kunst* im erhellenden Licht eines übergreifenden *sinnes* setzt.
Bevor wir aber an die ‚Auslegung' des ‚vierfachen' Toren Parzival gehen können, muß über diese tiefgreifende Unterscheidung von Buchstabe und Geist hinaus, die sich erwiesenermaßen allenthalben auch in der Profanliteratur belegt findet, die vierfache Differenzierung des biblischen Schriftsinns erläutert werden.

Die Tradition des vierfachen Sinns der Heiligen Schrift des Alten und Neuen Testaments ist, wie schon gesagt, uralt. Ihre Wurzeln sind, genau besehen, identisch mit den ersten Versuchen, einen heiligen Text zu erläutern und dem weiteren Publikum der ‚Gläubigen' verständlich zu machen. Eine weit zurückgreifende, die ersten Anfänge der Hermeneutik beschreibende Geschichte der Interpretation dürfte die ersten Ansätze einer Erkenntnis in die Sinn-Dimensionen des schriftlich niedergelegten Wortes schon im griechischen und jüdischen, deren volle Ausprägung aber im islamischen und christlichen Kulturraum antreffen. Wir greifen die schon am deutlichsten und lapidarsten geprägte Formulierung der Theorie vom vierfachen Schriftsinn aus der geistlicher Erbauung dienenden Bibelexegese des christlichen Mittelalters heraus, da diese Formel für unser methodisches Anliegen die einfachste Handhabe für den Einstieg in die Problematik der *tumpheit* Parzivals bietet. Gemeint ist der für schulische Zwecke präparierte, berühmte und aus dem 13. Jahrhundert stammende Merksatz des Dominikaners Augustinus von Dakien († 1282). Er lautet:

Littera gesta docet, quid credas allegoria,
Moralis quid agas, quo tendas anagogia[23]).

[23]) Dieser Merksatz findet sich in folgenden Arbeiten mit Kommentar zitiert: D. Barsotti, Vie mystique et mystère liturgique 32 f.; de Lubac, Der geistige Sinn der Schrift 13; ders., Exégèse médiévale, première partie I 23; F. Ohly, Vom geistigen Sinn des Wortes ..., ZfdA 89 (1958/59) 12.
Hier wird die von Nikolaus von Lyra überlieferte Form zitiert, die aber nur im letzten Halbvers von der durch Augustin festgelegten Form abweicht; bei Augustin, dem Autor der Formel, heißt der Schluß: quid speres anagogia (vgl. de Lubac, Exégèse médiévale, première partie I 24).

Zu deutsch: „Der Buchstabe lehrt das Geschehene; was zu glauben ist, die Allegorie; was zu tun ist der moralische Sinn, wohin zu streben die Anagogie." Diese volkstümliche, halbwegs scholastische Formulierung des vierfachen Schriftsinns, wie sie im Rotulus pugillaris des Augustin von Dakien überliefert ist, hat sich besonders in der Neuzeit eine scharfe Kritik der Theologen gefallen lassen müssen[24]), die Henri de Lubac in der neuesten Zeit allerdings in einer diese Tradition freudig und kenntnisreich aufgreifenden Studie apologetisch gegenstandslos gemacht hat. Hinfort läßt sich diese die Schrift immer und immer wieder befragende Methode der Hermeneutik nicht mehr aus der Selbstreflexion der Bibelexegese wegdenken. — Aber was bedeutet nun dieser vierfache Weg der Einsicht in die Dimensionen des Schriftsinns? Was ist im näheren damit gemeint? De Lubac erläutert das Distichon folgendermaßen: „*Littera gesta docet,* die Schrift erzählt in ihrem Buchstaben die Tatsachen, die sich in Wahrheit zugetragen haben. Sie legt weder eine abstrakte Lehre dar noch eine Sammlung von Mythen. Die göttliche Offenbarung hat Geschichtsgestalt, das Christentum beruht ganz auf ihr. Gott hat in die Menschheitsgeschichte eingegriffen; das Buch, in dem der Heilige Geist davon redet, lenkt zuerst und vor allem die Aufmerksamkeit auf die Geschichte dieser Eingriffe. Deshalb sind die Begriffe ‚Buchstabe' und ‚Geschichte' oft austauschbar. Das ist die ‚Wurzel' und ‚Grundlage' von allem: *praecedente historiae fundamento.* — *Quid credas allegoria.* Dieses ‚zweite', das der Buchstabe schon andeutet und das die Allegorie darlegt, ist die Lehre, der eigentliche Gegenstand des Glaubens, das ‚Geheimnis', das der ‚Geschichte' auf dem Fuße folgt. Es sind die ‚heiligen Mysterien des Glaubens', des ganzen Wahrheitszusammenhangs über Christus und die Kirche, die überall im Alten Bund vorgezeichnet sind und im Neuen Bund dargestellt werden. ‚Der Stoff der Heiligen Schrift ist der totale Christus, Haupt und Leib.' Deshalb wird der Allegorie oft auch die Bezeichnung sensus mysticus oder mysterium gegeben. — *Moralis quid agas.* Die Moral, von der hier die Rede ist, ist nicht irgendeine, sondern die, die aus dem Dogma, dem Mysterium sich ergibt, die Lebensregel der christlichen Seele, vor allem, was die innere Haltung betrifft. Die ganze Bibel erscheint jetzt als ein ‚Spie-

---

Interessant ist vielleicht noch in diesem Zusammenhang die Tatsache, daß Augustin seinen Rotulus pugillaris als eine Art theologisches Kompendium zuhanden der *simplices* gedacht hat (der Rotulus wurde im Angelicum 1929 von A. Walz herausgegeben).

[24]) Darüber referiert de Lubac a. a. O. 13 f.

gel', darin der Mensch seine Schwäche und seine Sündigkeit erfährt, aber gleichzeitig die Vollkommenheit, zu der Gott ihn bestimmt und beruft. Die äußeren Geschichten, die sie erzählt, sind zugleich innere Ereignisse, ‚Stufen und Schritte der Seele'. — *Quo tendas anagogia.* Es ist das letzte Ziel, die himmlische und göttliche Wirklichkeit, die ‚Geheimnisse des kommenden Aeons', letzte Wirklichkeiten, die das Gleichnis keiner weiteren mehr sind. Der anagogische ist also zugleich der eschatologische Sinn"[25]).

Wie sehr diese Wege bloße Optiken, bloße Schauweisen in die Gehalte der Schrift sind, läßt man sich von den mittelalterlichen Autoren um so lieber beweisen, als man ihnen ja nur zu gern und leichtfertig starre Prinzipien und Schematismen vorwirft. Der Heiligen Schrift gegenüber jedenfalls sind sie subtilere, selbstvergessenere und flexiblere Leser als je[26]). Die Einleitung zu einem Hoheliedkommentar des (sonst anonymen, vor 1189 schreibenden) Gilbertus von Stanford[27]) vermittelt eine den Schriftsinn in eine Fülle möglicher Sinne ausbreitende Vision der Dimensionen der Heiligen Schrift. Er schreibt: „Scriptura sacra morem rapidissimi fluminis tenens sic humanarum mentium profunda replet ut semper exundet, sic haurientes satiat ut inexhausta permaneat. Profluunt ex ea *spiritualium sensuum gurgites abundantes,* et transeuntibus aliis alii surgunt, immo non transeuntibus quia sapientia inmortalis est; sed emergentibus et decorem suum ostendentibus aliis alii non deficientibus succedunt, sed manentes subsequuntur, ut unusquisque pro modo capacitatis suae in ea reperiat unde se copiose reficiat et aliis unde se fortiter exerceant derelinquat. Sic pueri per prata florida transeuntes frequenter et flores copiose colligunt

---

25) de Lubac, Der geistige Sinn . . ., 17 f.

26) Den geistlichen Autoren des Mittelalters war die Kontinuität des vierfachen Schriftsinns jedenfalls weniger ein Problem denn eine Tatsache, mit der sie bei der Anwendung der mehrdimensionalen Exegese rechneten, ja die ihnen Anfang und Ende ihrer Bemühung um die Schrift war. Barsottis Warnung hätten sie vorbehaltlos zugestimmt: „Ce qui importe, pour ne pas rendre illégitime ce processus d'intériorisation et d'approfondissement, c'est de croire à sa continuité. Le sens mystique n'est pas autre que le sens littéral, c'est le même sens vu en profondeur parce qu'en vérité le temps n'est qu'un Acte isolé dans la dessein de Dieu, et que cet Acte qui fut accompli dans le temps trouve sa consommation dans l'éternité" (Vie mystique et mystère liturgique 33).

27) Vgl. Jean Leclercq, Ecrits monastiques sur la Bible aux XIe—XIIIe siècles, in: Mediaeval Studies 15 (1953) Anm. 1. Zum Text: F. Ohly, Hohelied-Studien 197—199. H. Riedlinger, Die Makellosigkeit der Kirche . . . 174 f.

et aliis largam colligenti copiam derelinquunt“[28]). Hier sind die Schriftsinne gleichsam in einem Bild erlöst; die Heilige Schrift ist ein reißender, überflutender und nicht ausschöpfbarer Strom, in dem ‚die ergiebigen Wirbel der geistlichen Sinne‘ auftauchen; sie ist schließlich eine Wiese, in der die Fülle der Blumen nicht einzusammeln ist: der Reichtum der Heiligen Schrift übersteigt alle menschlichen Möglichkeiten, sie abschließend zu verstehen; sie reduziert selbst den ‚Sinn‘ zu einer flüchtigen Möglichkeit des Verstehens im Strom ständig sich neu anbietender Sinnhaftigkeit[29]).

Die beiden anvisierten Möglichkeiten einer Anwendung des vierfachen Schriftsinns: das heißt ihre systematische und ihre in sich relativierte ‚Anwendungsmöglichkeit‘, dürfen eine eigens unser Vorhaben betreffende Schwierigkeit nicht verdecken. Ich meine die Schwierigkeit, die sich dem stellt, der mit diesen, der Heiligen Schrift abgewonnenen Kategorien eine mehr oder weniger säkularisierte Dichtung ‚erklären‘ und ‚erläutern‘ möchte[30]). Obwohl der höfische Roman, wie wir gesehen haben, von der immanenten Spannung Wortsinn - geistiger Sinn gleichsam sein Leben empfängt und sich also eine entsprechende Interpretation aufdrängt, muß man sich doch ernsthaft die Frage stellen, was ein vierfacher Schriftsinn denn bei einer ihres global wegweisenden und exemplarischen Charakters entkleideten Dichtung schließlich noch auszurichten hat, ob er noch in

---

[28]) Der Text dieser Hoheliederklärung ist herausgegeben von Jean Leclercq, Analecta Monastica I (Studia Anselmiana 20), Città del Vaticano 1948, 205—230 (das Zitat: 225).

[29]) Leclercq umschreibt die Art, wie Gilbert sich und seine Begeisterung dem Leser eröffnet, sehr treffend folgendermaßen: „C'est un écrit dont l'auteur ne se propose pas d'enseigner, mais de libérer sa ferveur et d'occuper ses moments de loisirs en s'édifiant lui-même. Dès le début Gilbert parle de l'amour: il ne veut traiter que de cela; son livre est un *De amore*, conçu non sur le mode spéculatif, mais comme une occasion de traduire sa charité pour la faire grandir“ (a.a.O. 212).

[30]) Es besteht — neben den in den höfischen Romanen selbst sich äußernden Einflüssen einer geistigen Interpretation des materiell Erzählten — eine mittelalterliche eigentlich lehrhafte Tradition geistiger Erklärung, die sich ausschließlich auf heidnische, also noch vor irgendwelcher Säkularisation geschaffene Dichtungen bezieht. So kennt man allegorische Erklärungen der Ilias (vgl. R. Baron, Science et Sagesse chez Hugues ... 122 Anm. 164, wo auf Theagenes von Rhegios und Metrodoros von Lampsakos hingewiesen wird) und schließlich die berühmten moralischen Auslegungen des Ovid (vgl. F. Munari, Ovid im Mittelalter, Zürich 1960, 24, wo sogar eine Oviderklärung in usum nonnarum zitiert ist).

irgendeine innerliche Beziehung zu ihr gebracht werden könne, d.h. ob die betreffende Dichtung sich in einem ganz unreflektierten Sinn derart bedeutsam erwiesen habe, daß ihre wörtliche Zuhandenheit sich in anthropologische[31]) (sensus allegoricus), ethische (sensus moralis) oder gar in eschatologische (sensus anagogicus) Dimensionen ausweiten lasse.

Auf diese und ähnliche Fragen läßt sich in dreifacher Hinsicht antworten, in einer Art und Weise, die unserem Vorhaben, eine Methode spiritueller Worterhellung für den ‚Parzival' zu finden, nur förderlich sein kann.

Zunächst läßt sich sicher nicht behaupten, der ‚Parzival' Wolframs von Eschenbach sei eine des Exemplarischen entkleidete Dichtung. Im Gegenteil — die Forschungen Schwieterings, Webers, Mergells, Mischs und Wehrlis haben das immer stärker und glaubhafter hervorgehoben! — der ‚Parzival' lebt geradezu von der prätendierten, universalen *Exemplarität* seines Helden Parzival; in ihm fällt der Mensch schlechthin und wird der Mensch vollumfänglich erlöst und begnadigt[32]). Nur schon die Idee eines weltbeherrschenden, gleichsam in der Weltmitte verborgenen Gralskönigtums schließt den Anspruch in sich, in und vor der Welt exemplarisch zu sein. Und Parzival, der erwählte und nach vielerlei Irrwegen zu Recht erkorene Gralskönig, ist schließlich in einer für den mittelalterlichen Menschen unbestreitbaren Evidenz jenes ‚Schema Mensch'[33]), mit dem sich der Hörer nicht bloß identifizieren kann, weil er in ihm etwa dieselbe Fragwürdigkeit und Bedrohung erkennt, die sein eigenes Dasein in Sünde und Gottabtrünnigkeit verkehren könnte, sondern der ihm gleichzeitig Wegweiser und ‚Leitbild' zu einem letztlich geglückten und gnadenhaften Leben zu sein vermag. Parzival ist ein Exemplum, ganz in der Art, wie es schließlich der christlichen Heiligenlegende abgelauscht ist[34]). Nur — und das hebt den ‚Parzival' wieder von der Legende ab — moduliert der Roman, im Maß als er eine Kunstform der Gefährdung und der ‚Obdachlosigkeit' ist, auch die Figur Parzivals: in Parzivals Exemplarität ist die Gefahr des Gott- und Weltverlusts involviert. Das aber besagt nur, daß

---

31) So wäre der mystisch-allegorische Sinn schon jetzt hinsichtlich weltlicher Dichtungen zu bezeichnen: das Mystische als die Innerlichkeit und innere Vollgestalt des Anthropos!

32) W. J. Schröder, Horizontale und vertikale Struktur bei Chrétien und Wolfram, WW 9 (1959) 325, spricht vom „ontologischen Exemplarismus des Helden" Parzival.

33) Phil 2,7.

34) Max Wehrli, Roman und Legende im deutschen Hochmittelalter, in: Worte und Werte (Festschrift Bruno Markwardt), Berlin 1961, 428—443.

diese tiefe Gefährdung Parzivals *auch* exemplarischen Charakter hat, daß die Begnadung Parzivals gleichsam durch die Gefährdung hindurch zur Exemplarität gelangt. Darum ist aber Parzival nicht weniger exemplarisch Figur des Menschen schlechthin. Im Grunde wird mit der Darstellung eines gefährdeten Menschen dem Menschlichen, um dessen exemplarische Bildwerdung es geht, nur ein neuer, sehr gewichtiger Zug beigetragen. Während in den spiritualitätsgebundenen Viten heldischer Heiliger das Leben vor der conversio biographisch und stilistisch ausgespart oder doch nur in ein paar kümmerlichen, topischen Anmerkungen festgehalten wurde, nimmt es nun im höfischen Roman, und speziell im ‚Parzival' Wolframs, beinahe den Hauptplatz ein, deckt sich also notgedrungen gehaltlich-formal mit der biographisch gerichteten Breitenerzählung. Es braucht daher acht Bücher, bis Parzival zu seiner conversio bei Trevrizent gelangt: man kann nicht sagen, daß diese acht Bücher einer vielfach geschichteten Vor-, Haupt- und Nebengeschichte sich nicht ausgezeichnet ins Gesamtbild des Helden Parzival fügen oder daß etwas davon überflüssig ist. Die Exemplarität des Helden hält sich immer durch, sie ist sogar das wesentliche Alibi, aufgrund dessen Wolfram seinen Roman überhaupt schreibt und dessentwegen er auf vieles verzichtet, was sonst die Glaubwürdigkeit einer ‚Geschichte' verlangen würde.

Ein zweites betrifft die *Bedeutsamkeit* von Wolframs ‚Parzival'. Ein Zweifel an der Bedeutsamkeit des ‚Parzival' ist so müßig wie der an seiner Exemplarität. Ein erstes und gewichtiges Indiz der Bedeutsamkeit ist Wolframs Stil, sein unmißverständliches Vermögen, bedeutsam dichten zu können. Der *krumbe* Stil, auf den er sich verschiedentlich stolz beruft, schließt in sich „die Neigung zur verhüllenden Umschreibung oder umgekehrt zur Kontraktion des Ausdrucks, die gewählten Verrätselungen aller Art oder die grotesken Vergleiche, das Durchbrechen des erzählerischen Flusses durch Kommentare oder illusionszerstörerische Witze, das Einflechten selbstironischer Bemerkungen oder die plötzlichen Wendungen ans Publikum unter Bezugnahme auf aktuelle Personen oder Ereignisse"[35]); kurz, es handelt sich bei Wolfram immer um eine geradezu schwindeln machende Schichtung des Erzählmaterials von unten nach oben und umgekehrt, eine Schichtung, die eine eigens für Schichten geeignete Optik der Betrachtungs- und Interpretationsweise verlangt. Ein zweites, letztlich entscheidendes Indiz der Bedeutsamkeit des wolframschen Parzival ist — so biologisch es klingen mag — die Ruhmesgeschichte

---

[35]) M. Wehrli, W. v. E. Erzählstil ... 25.

dieses Romans. Seit seiner Wiederentdeckung durch J. J. Bodmer[36]) läßt sich eine vielfältige, oft unterschwellig-esoterische, beinahe gruppenbildende Wirkung des ‚Parzival' feststellen, deren berühmteste Frucht schließlich Wagners Musikdrama ‚Parsifal' ist. Auch von dieser vielgestaltigen Ruhmesgeschichte her ist eine die Schichten des Romans in den Blick bringende Interpretation geboten. Die doppelte Bedeutsamkeit der werkeigenen Eigentümlichkeit des Stils und der ‚werkfremden', aber auf es zielenden und sich bei ihm rückversichernden Ruhmesgeschichte kann in ihrer Wechselwirkung selbst ja nur auf Differentiationen und Schichtungen dieses Werks beruhen.

Die Bedeutsamkeit dieses Werks ruht schließlich, drittens, nicht auf dessen leichter Faßlichkeit, auf dessen erzählerischer Schlichtheit. Das Werk ist nicht nur stilistisch, sondern in seiner Totalität von einer *Komplexität* sondergleichen. Intensiv wie extensiv. Das Gralssymbol zum Beispiel, „dieses einzigartige Romanmythologem"[37]), beschlägt extensiv die ganze Bedeutungsbreite von eucharistischem Symbol, Himmelsstein, Keuschheitssymbol, Stein der Weisen, Lebenselixier, Tischlein-deck-dich usw.; intensiv wächst es sich aber von einem schlichten „Symbol des Selbst" zum alles einfordernden Schibboleth der Demut und der kosmischen Weltmitte aus. Auch das eine Schichtung der Symbolebenen, eine konkretistische Ineinsschau differenzierbarer Wirklichkeiten! Die im ‚Parzival' eingeheimnisten und zwischen-, ein- und untergeschobenen Bild-, Denk- und Seinswirklichkeiten warten gleichsam auf ihre Entschlüsselung und Eröffnung im Verstehen der Nachgeborenen[37a]). Die Esoterik des Dargestellten begün-

---

36) Max Wehrli, Johann Jakob Bodmer und die Geschichte der Literatur, Wege zur Dichtung 27, Frauenfeld/Leipzig 1937 (Zürcher Diss.), 98 ff.; ders., Vom literarischen Zürich im Mittelalter, Librarium 4 (1961) 103; ders., Sacra Poesis, Bibelepik als europäische Tradition, Festschrift Maurer 1963, 39; vgl. schließlich: P. Merker, Bodmers Parzivalbearbeitung, Festgabe Ehrismann, Berlin/Leipzig 1925, 196—219.

37) Wehrli, Erzählstil ... 33: „Die universale Komplexheit des (Gral-)Symbols ist als wesentlich festzuhalten."

37a) Im Prolog der Marie de France zu den ‚Lais' ist unsere Feststellung geradezu als ein Gesetz formuliert:

Quant uns granz biens est mult oiz,
Dunc a primes est il fluriz
E quant loez est de plusurs,
Dunc ad espandues ses flurs.
Custume fu as anciens,
Ceo testimoine Preciens,

stigt einzig den, der exoterisch darum sich bemüht. Eine der seltenen Gelegenheiten, da die Wissenschaft per definitionem kein Unheil anrichten kann[38]), da sie hier letztlich bloß das Geheimnis, das ein Vermögender einst statuierte, legitimieren und als ein Verbürgtes, Analysiertes tradieren kann. Der hermeneutische Hinweis auf die Schichtung dieser Komplexität, die sich im ‚Parzival' verwachsen, aber doch unterscheidbar präsentiert, ist nach allem die ehrlichste Methode, dem ergreifenden Kunstwerk durch Begreifen näher zu kommen.

Es livres que jadis feseient,
Assez oscurement diseient
Pur ceus qui a venir esteient
E ki aprendre le deveient,
K'i peüssent gloser la lettre
e de lur sen le surplus mettre.
Li philesophe le saveient
E par eus memes entendeient,
Cum plus trespasserunt le tens,
Plus serreient sutil de sens
E plus se savreient garder
De ceo k'i ert a trespasser.

(Les lais de Marie de France, publiés par Jeanne Lods, Paris 1959, CFMA 87, Verse 5—22).

Marie de France geht hier von einem ‚großen Gut' aus, das in den Versen 1 und 2 als *escience* und *parler bon eloquence* umschrieben ist. Gemeint ist damit die erworbene scientia und die Begabung (ingenium, natura) der eloquentia, die zusammen erst das Kunstwerk (opus) ergeben. Aber erst, wenn dieses große Gut viel gehört worden ist, das heißt, wenn es kraft menschlicher Verlautbarung den Menschen auch bekannt geworden ist, beginnt es zu knospen und seine Blüten zu treiben. Die Ruhmesgeschichte ist ein dem Kunstwerk unabdingbares Konstituens. Maries Rekurs auf die Alten (auf Priszian und die spätantike Rhetorik) bietet das historische Exempel für diese Art künstlerischen Schaffens: bewußt dunkel (*assez oscurement*) schrieben sie, damit die Sinnsuche der Nachgekommenen sich daran so richtig erproben könne (man denke an Wolframs Stilprinzip und an das der Trobar clus). Das *gloser la lettre / e de lur sen le surplus mettre* trifft exakt die Unterscheidung von litteralem Sinn und geistiger Bedeutung darüber hinaus: das *surplus* des wörtlich Mitgeteilten. Die Zeit tritt als wichtiges Ingrediens zu diesem Prozeß des literarischen Ruhms und der literarischen Bedeutung hinzu: je länger die Zeit dauert, in der das Kunstwerk den Menschen zuhanden ist, um so subtiler (*plus . . . sutil de sens*) ist dessen Sinn ausdeut- und unterscheidbar. Die Stelle ist in unserem Zusammenhang von kapitaler Bedeutung.

[38]) Hugo Moser, Dichtung und Wirklichkeit im Hochmittelalter, WW 5 (1954/55) 80: „die Distanz der wissenschaftlichen Haltung" erschwert im allgemeinen den Zugang zur Dichtung des Hochmittelalters.

Im Sinn einer letzten Absicherung bleibt schließlich noch nach eventuellen Wegweisern und Vorbereitern in der Anwendung einer schichtenhaft-spirituellen Worterhellung in der Erforschung des höfischen Romans zu suchen. Auch daran fehlt es keineswegs. Ohne sich rabiat auf Günther Müllers Gradualismus[39]) abzustützen, ist sein Name in diesem Zusammenhang doch als der eines Wegbereiters zu nennen. Von ihm stammt der Begriff einer theozentrisch bestimmten „Schichtigkeit" der mittelalterlichen Welt[40]). Es ist nicht zu bezweifeln, daß mit dieser „Gradualität" eine ganz wesentliche Bestimmung des mittelalterlichen Weltbildes (soweit sich ein solches so schlicht definieren läßt) getroffen ist.
Auf den Zusammenhang zwischen Bibelexegese und höfisch-mittelalterlicher Literarästhetik wies dann eindeutig H. H. Glunz hin[41]), indem er die Auffassung Augustins von der Bibel wiedergab und deren mittelalterliche Gültigkeit darstellte. Die Einsicht in die Schichtigkeit der mittelalterlichen Welt — von G. Müller, Brinkmann[42]), Neumann usw. proklamiert — fand nun in der Lehre vom vielfältigen Schriftsinn eine der Zeit selbst abgehorchte und abgelesene Unterstützung. Heute ist die Einsicht in den Zusammenhang von biblischer Exegese und Autoideologie des höfischen Romans (d. h. der Art, wie der höf. Roman vom höfischen Dichter selber interpretiert und vorgelegt wird) zum fruchtbaren Prinzip der Erklärung geworden. Nach einer neuerlichen Bestätigung der abgestuften Wirklichkeitsauffassung, die in mittelhochdeutschen Dichtungen zur Darstellung gelangt, durch Hugo Moser, und nach andeutenden Hinweisen auf den besagten Zusammenhang von höfischer Dichtung und deren möglicher Interpretation mittels bibelexegetischer Handhaben durch Schwietering[43]), Ohly[44]) und E. Auerbach[45]), hat vor allem Max Wehrli[46]) nach-

39) Günther Müller, Gradualismus, Eine Vorstudie zur altdeutschen Literaturgeschichte, DVjS 2 (1924) 681—720.

40) a. a. O. 694.

41) H. H. Glunz, Die Literarästhetik des europäischen Mittelalters: Wolfram, Rosenroman, Chaucer, Dante, Bochum 1937. Das Werk wurde dann von E. R. Curtius vehement und umfangreich angegriffen; zu Unrecht, besonders hinsichtlich des günstigen Urteils Glunz' über die Bibelepik (Zur Literarästhetik des Mittelalters, ZfrPh 58 [1938], I 1—50, II 129—232, III 433—479).

42) H. Brinkmann, Diesseitsstimmung im Mittelalter, DVjS 2 (1924) 721—752.

43) Schwietering, Typologisches in mittelalterlicher Dichtung, Festgabe Ehrismann, Berlin/Leipzig 1925, 40—55.

44) Ohly, Vom geistigen Sinn ... 18: „An dem Grundsatz, daß der geistige Sinn des Wortes die Bibel vor aller profanen Literatur auszeichne und auf diese nicht anwendbar sei, hat die Theologie des Mittelalters, wie Thomas von Aquin, festgehalten. Praktisch aber hat er sich nicht verteidigen lassen, indem

drücklich auf diese noch unausgeschöpfte Möglichkeit der Interpretation hingewiesen. Er schreibt: „Es ist ... wahrscheinlich, daß die Methodik des Bibelverstehens und spirituellen Interpretierens ganz allgemein das Schaffen der ritterlichen Laien beeinflußt hat. Wir denken hier nicht nur an das allgemeine Arbeiten mit symbolischen Elementen (Farben, Tiere, Edelsteine usw.), in deren Entzifferung der mittelalterliche Leser viel selbstverständlicher geübt war. Wichtiger scheint die mögliche Beobachtung analogischer und speziell typologischer Strukturen, das Komponieren mit Motivwiederholungen, Vor- und Abbildverhältnissen innerhalb des Romans, aber auch das Spielen mit der schattenhaften Nachbildung biblischer Prototypen und schließlich die direkte Verwendung allegorischer Technik (etwa am Schluß des ‚Erec' oder in der Minnegrottenszene des ‚Tristan'). *Das sind Gesichtspunkte, deren Tragweite für die Interpretation der höfischen Literatur heute noch nicht abzuschätzen ist*[47]). Die Möglichkeit solcher Strukturen kennzeichnet aber vielleicht gerade den Unterschied

---

die allegorische Methode der Textinterpretation im Mittelalter — wie ja auch schon in der Antike — auch auf außerbiblische und heidnische Texte wie Homer, Vergil und Ovid angewandt worden ist, bis in die Volkssprachen hinein wie im Ovid moralisé. Die Minnegrottenallegorese im Tristan Gottfrieds von Straßburg ist die erste von einem deutschen Dichter an seinem eigenen profanen Text expressis verbis durchgeführte Anwendung der Methode spiritueller Textdeutung. Dante hat die gleiche Methode im Convivio beschrieben und angewandt und in seinem Widmungsbrief an Cangrande als auf die Divina Commedia anwendbar bezeichnet und Beispiele für das Paradiso gegeben. Wenn Chrétien von Troyes für seinen Artusroman die Unterscheidung von Stoff und Bedeutung trifft, *so dürfen wir erwägen, ob er über die seinem Werk gemäße Unterscheidung von Stoff und Idee hinaus nicht bewußter als wir bisher sahen, an eine Möglichkeit der Sinndeutung auch einzelner Motive seiner Stoffe gedacht hat*" (von uns hervorgehoben).

[45]) Auerbach, Figura, Archivum Romanicum 22 (1938) 436—489; ders., Typologische Motive in der mittelalterlichen Literatur (Schriften und Vorträge des Petrarca Instituts Köln II) Krefeld 1953.

[46]) Sacra Poesis; Bibelepik als europäische Tradition, Festschrift Maurer 1963, 34 f. Vgl. auch: ders., Strukturprobleme ... 340: „Auch die profane Dichtung, sofern sie einer höheren *meine* dient, wird vielleicht mit Gesichtspunkten und Methoden arbeiten, die dem christlichen Verständnis der Bibel, des eigentlichen Offenbarungswerkes und damit auch des eigentlichen Dichtwerkes, entsprechen und die seit der althochdeutschen Bibeldichtung auch in der Volkssprache eingeübt waren. ... Ein Leser, dem das Prinzip des mehrfachen Schriftsinns vertraut war, brachte wohl auch an einen Roman andere Erwartungen heran als ein naiver Leser von heute." Vgl. auch E. Köhler, Trobadorlyrik und höfischer Roman, Berlin 1962, 11, 15.

[47]) Hervorhebung von uns.

der höfischen Romane gegenüber der Heldenepik mit ihrer planen, eindeutigen und endgültigen Wirklichkeit."
Die Annahme einer Mehrdimensionalität des Gesagten gründet letztlich in einem erkenntnistheoretischen Grundaxiom: „Auch wer das nackteste *Daß* zu fassen versucht, kann es nicht anders tun, als indem er aussagt, *was* es ist"[48]). Das Vorhandensein von literarischen Texten — der Satz auf unsere ‚Gegebenheit' übertragen — stimuliert ganz grundsätzlich schon deren Explikation, deren Ausfaltung in ihre Washeit, die sich nie und nimmer in einem Einzigen, Einfachen erschöpft. Das Daß eines Satzes schon involviert gegen jede metaphysische Langeweile die Mehrheit eines Was (weshalb eine formalisierende Logistik der Sprache nie auf den Grund kommt!). Und dieses Was erstreckt sich vom Buchstaben zum Geist[49]). Zwar steht der Geist dem Buchstaben als seiner Verleiblichung, Verfleischlichung vom Platonisch-Christlichen her feindlich gegenüber, in der Mehrdimensionalität der spirituellen Worterhellung, die sich müht, aus dem Daß das Was zu ergründen, geschieht aber die große Vermittlung, in der neben den buchstäblichen Sinn der geistige ergänzend zu stehen kommt. Mit anderen Worten: die intuitive Optik der Interpretation versucht in einer Nah- und Fernsicht gleichzeitig wahrenden Schau[50]) den Geist von etwas Gesagtem zu ergründen, indem sie strikt beim Wort und bei den Nahtstellen der Worte verbleibt.
Unsere Adaptation der Interpretation an die Handhabe und Lehre vom vierfachen Schriftsinn möchte also, um einer totalitär ‚wissenschaftlichen' Weise des Erklärens zu entgehen, lediglich erweisen, wie sehr die geistige Bedeutung eines mittelalterlichen Textes sich nicht durch Maß und Zahl seiner Buchstaben aufwiegen läßt, sondern wirksam in verschiedene, ja in letzte Dimensionen des Geistig-Geistlichen verweist; und zwar läßt sich solches nach unserer Meinung nicht nur an explizit geistlicher Dichtung nachweisen, sondern ebensosehr an weltlich-höfischer Laiendichtung[51]).

---

48) H. U. v. Balthasar, Wahrheit, Ein Versuch, erstes Buch: Wahrheit der Welt, Einsiedeln/Zürich 1947, 112.

49) Mittelalterlich ließ sich ohne ideologische Verstimmung von der superaedificatio des Geistes über den Wortleib reden; vgl. Rupert v. Deutz, PL 168, 839 f. (zitiert bei Ohly, Vom geistigen Sinn 10).

50) Genau wie es zur Genese des Dichterischen gehört, aus Weltnähe und Weltferne bedingt zu sein. Vgl. L. Boros, Mysterium Mortis: Der Mensch in der letzten Entscheidung, Olten / Freiburg i. Br. 1962, 74 ff.

51) Ein beinahe ein Jahrhundert später als Wolfram von Eschenbach lebender, nicht minder großer Dichter, nämlich Dante, hat es nicht unterlassen, seine eigene Dichtung perspektivisch im Licht des vierfachen Schriftsinns zu erklären. Über seine ‚Divina Commedia' schreibt er an Cangrande: „Ad evidentiam

Es wird schließlich kaum zu vermeiden sein, daß die vier Schriftsinne bei unserem Unterfangen eine gewisse Wendung ins allgemein ,Philosophi-

---

itaque dicendorum sciendum est *quod istius operis non est simplex sensus, ymo dici potest polisemos, hoc est plurium sensuum*; nam primus sensus est qui habetur per litteram, alius est qui habetur per significata per litteram. Et primus dicitur litteralis, secundus vero allegoricus sive moralis sive anagogicus ..." Nach einem Beispiel des vierfachen Schriftsinns, demonstriert am Auszug Israels aus Ägypten, fährt er fort: „Et quanquam isti sensus mystici variis appellentur nominibus, generaliter omnes dici possunt allegorici, cum sint a litterali sive historiali diversi. Nam allegoria dicitur ab ,alleon' grece, quod in latinum dicitur ,alienum', sive ,diversum'." Und gleich fügt Dante zur genaueren Unterscheidung von *rede* und *meine*, litteralem und allegorischem Sinn, eine Art Pauschalhermeneutik seiner Commedia unter doppeltem Aspekt bei: „Hiis visis, manifestum est quod duplex oportet esse subiectum, circa quod currant alterni sensus. Et ideo videndum est de subiecto huius operis, prout ad litteram accipitur; deinde de subiecto, prout allegorice sententiatur. Est ergo subiectum totius operis, litteraliter tantum accepti, status animarum post mortem simpliciter sumptus; nam de illo et circa illum totius operis versatur processus. Si vero accipiatur opus allegorice, subiectum est homo prout merendo et demerendo per arbitrii libertatem iustitie premiandi et puniendi obnoxius est" (Dante, Alighieri, Epistole, Mailand 1944, 82ff.). Nur schon die Tatsächlichkeit der vier oder zwei Schriftsinne suggeriert dem Dichter ein duplex subiectum; man kann also geradezu sagen, daß Dante offenbar durch den doppelten (oder vierfachen) Schriftsinn zur Konzeption seines Werks angeregt wurde. Bezeichnenderweise nahm auch er die ,epische' Reduktion des vierfachen Schriftsinns auf zwei vor.

In seinem Kommentar zur ersten Kanzone im zweiten Traktat des ,Convivio' (Dante Alighieri, Il Convivio, Mailand 1946, 30ff.) führt Dante den vierfachen Schriftsinn in extenso als ein Mittel der Erklärung an: „Ma però che più profittabile sia questo mio cibo, prima che vegna la prima vivanda voglio mostrare come mangiare si dee.
Dico che, si come nel primo capitolo è narrato, questa sposizione conviene essere litterale e allegorica. E a ciò dare a intendere, si vuol sapere che le scritture si possono intendere e deonsi esponere massimamente per quattro sensi. ..." Es folgt eine ausführliche Darlegung des vierfachen Schriftsinns. Den tieferen Bezug zwischen Dantes und Wolframs Werk beschreibt Ehrismann (Dantes göttliche Komödie und Wolframs von Eschenbach Parzival, in: Idealistische Neuphilologie (Festschrift Vossler), Heidelberg 1922, 174—193, das Zitat: 176): „Der Inhalt der beiden Gedichte ist bestimmt durch die literarische Tradition, aus welcher sie hervorgegangen sind: Dante hat den Stoff aus der Vision von der Zukunft der Seele, die durch die Jenseitsräume geführt wird; Wolfram benutzt einen franz. Roman, dessen Ursprung im Märchen liegt, wie ein Fürstensohn im Walde aufwächst, einen kranken König durch die erlösende Frage entzaubert und ein Wunschding gewinnt. Die Göttl. Kom. gehört als moralphilosophisches Werk in das Gebiet der Ethica ..., Wolframs P. ist ein

sche‘ nehmen werden. Das liegt einerseits am Chiffrencharakter der jeweils im Titel anvisierten Sinn-haftigkeit, andererseits aber in der typifizierenden, ordnenden und symbolisierenden Denkart des mittelalterlichen Dichters selbst. So wird der Litteralsinn (nachdem dessen materiale Seite im ersten, großen Teil phänomenologisch ausgebreitet wurde) die literarisch-formale-gattungshafte Seite von Parzivals *tumpheit* herausstellen müssen. Der allegorische Sinn wird sich (der Dichtung eines ‚Laien‘ entsprechend) ontologisch erklären lassen, während der tropologische die Ethik und der anagogische die Eschatologie im Sinn der Frage nach der Letzthaltung anvisiert.

Stultus litteralis

Eine wörtliche, gleichsam der Wortsetzung des Dichters nachgehende ‚Exegese‘ von Parzivals *tumpheit* umfaßt den ersten Teil unserer Arbeit. Der Litteralsinn der *tumpheit* findet sich dort nach seiner vordergründigen Problematik und Erscheinungsweise gesichtet und dargestellt. Es stellte sich dabei immer wieder als eine Notwendigkeit heraus, Parzivals *tumpheit* als einen in sich vieldeutigen, dialektisch sich aufgliedernden Bedeutungszusammenhang vorzustellen, dessen Vielschichtigkeit nicht ohne weiteres durchschaubar ist. Die Aufgabe stellt sich nun umgekehrt: handelte es sich dort um eine nacherzählende ‚Herausführung‘ (Exegese) der *tumpheit* in die disparate Vielheit ihrer Erscheinungsweisen, so geht es uns jetzt um die Rückführung der vielen *tumpheits*-Gestalten, in denen

---

carmen heroicum eines poeta, enthält aber wahre Geschichte, historia, symbolische Wahrheit, nicht bloß windige Fabelei, fabula ... Es ist ein Bildungs- oder Erziehungsroman, an dessen Helden man Beispiel und gute Lehren nehmen soll (Thomasin, Wälscher Gast 1041—1162), und Aventüren sind gut, auch wenn sie nicht wahr sind, weil sie einen tieferen Sinn (bezeichenunge, allegorische Bedeutung) haben können ...“. Was also den Dichtern selbst gut genug war, darf uns Nachkommenden nur billig sein. Die Interpretation nach dem duplex sensus ist daher nicht etwa ein Gebot der Stunde, sondern eine Brücke der Verständigung zwischen mittelalterlichem Dichter und neuzeitlichem Nachvollzug derer Werke.

Vgl. schließlich noch hinsichtlich dieser Selbstinterpretation Dantes: A. Pézard, Dante sous la pluie de feu, Paris 1950, 372—400; R. Hamilton Green, Dante's allegory of poet's and the medieval theory of poetic fiction, Comparative Literature 9 (1957) 118—128; zuletzt handelt umfänglich darüber: Johan Chydenius, The typological problem in Dante, A study in the history of medieval ideas, Helsingfors 1958 (rezensiert in: Romania 83 [1962] 126—134).

Parzival abwechselnd erscheint, in die letztlich in etwas Einheitlichem gesicherte *Ganzheit* dieser *tumpheit.* Es stellt sich nun ganz allgemein die Frage nach einem archimedischen Punkt der Interpretation, unter dessen Evidenz die vorerst noch im Erzählfluß gefangenen *tumpheits*-Momente sich ordnen und nach der ihnen innewohnenden Entelechie hermeneutisch verbinden lassen. Ganz schlicht — wie bei jeder am Faßbarsten ansetzenden Interpretation von Dichtung — richtet sich diese Frage, sobald die Optik genau fixiert ist, vor allem auf die Frage nach der formalen Gestalteinheit der disiecta membra poetae, deren Vorhandensein weit über ein bloß wissenschaftliches Interesse hinaus ‚interessiert'. Die Frage nach der formalen Gestalteinheit einer Dichtung ist zuerst die Frage nach deren Gattung, die wie ein Gerüst das sonst ins Unerkennbare und nicht mehr Nachvollziehbare entfliehende Dichterische trägt, entelechial stützt und immanent eschatologisch ausrichtet. Die moderne, kritische Bibelforschung, die in Verfolgung eines total gesicherten Litteralsinns der Heiligen Schriften vornehmlich deren literarische Gattungen (bisweilen unter Preisgabe des trotz allem inspirierten Gehalts, im Sinn einer radikalen ‚Entmythologisierung') herausgestellt und akribistisch behandelt hat, führt uns beispielhaft mitten in den Anfang einer beim Litteralsinn beginnenden Betrachtung auch für den ‚Parzival'. Wir wollen den Litteralsinn der *tumpheit* mit einer Reflexion über die literarische Gattung, die mit eben dieser *tumpheit* Parzivals sich anzeigt, identifizieren, allerdings nach Möglichkeit unter Ausschluß der uferlosen Diskussion der Quellenproblematik.

Es lassen sich zwei Gründe für eine gattungstheoretische Betrachtung anläßlich der *tumpheit* Parzivals nambar machen. Sie empfiehlt sich zunächst aus einem ganz allgemeinen Grund, den Hugo Kuhn deutlich ausgesprochen hat: „Einteilung der Literatur in Gattungen, Arten, Typen usw. — die Fragen der Terminologie sollen uns hier nicht beschäftigen — hat es seit je gegeben, trotz häufiger Skepsis der Betrachter und ebenso altem Überspielen der Gattungsbegriffe durch die Produktion selbst. Zumindest kommt keine Philologie ohne Gattungsbegriffe aus. Von ihrer Arbeit an Form (Sprache, Text, Metrum, Stil) und Inhalt eines Werks (Interpretation, Aufbau, Quellen) bis zur literaturgeschichtlichen Ordnung in Situationen, Epochen, Abläufe und zur literarischen Systematik muß hier immer auf den soziologisch erwarteten und künstlerisch gemeinten Typ reflektiert werden, auf die Gattung, auf ihre eigenen ‚Gesetzlichkeiten', seien sie nun erfüllt oder bewußt negiert, umgebildet oder durch neue ersetzt"[1]). Das heißt mit anderen Worten: die sogenannte ‚Gattung' ist als Resultat einer dichterischen Auswahl schon gültiger Ausdruck des künstlerisch Gemeinten oder umgekehrt Hohlform dessen, was soziologisch oder künstlerisch im Kunstwerk zu erwarten ist. Selbst wenn man also die Möglichkeit eines Kunstwerks, gleichsam g e g e n die Gattung zu zeugen, in die Betrachtung miteinschlösse (wie ja auch Anti-Kunst immer von Gnaden der Kunst betrieben wird!), dann müßte eigentlich auch ein mittelalterliches Kunstwerk sich durch eine Besinnung auf seine Gattung näherhin ausdeuten und erklären lassen. So ließen sich vielleicht Maßstäbe gewinnen für eine gerechte Erläuterung auch des *höfischen Romans*, d. h. gattungsmäßige Gesichtspunkte, die sich wie ein Koordinatennetz der Interpretation über das Kunstwerk legen und analog zur Methodik der mittelalterlichen Bibelexegese wechselweise die Dimensionen des Romans und der ‚einfacheren' Gattungen am selben Kunstwerk aufschließen.

Gleich hier ist aber schon einschränkend die spezielle Veranlassung zu nennen, die im Hinblick auf Parzivals *tumpheit* zu einer gattungstheoretischen Betrachtung einlädt. Es ist dies die einfache Tatsache, daß solches in der Parzivalforschung schon verschiedentlich versucht wurde, und zwar gerade im Zusammenhang mit dem *tumben* Toren Parzival. Ehrismann zum Beispiel — um nur einen zu nennen — unterscheidet im ‚Parzival' drei ‚epische' Einheiten: nämlich Gral- und Artuskreis und schließlich die Figur Parzivals selber. Für Parzival — der in unserem Zusammenhang einzig interessant ist — beruft sich Ehrismann sehr eindringlich auf eine romanfremde Gattung, auf das M ä r c h e n. Mit der Einführung dieser vom Roman an sich disparaten ‚Gattung' in die Betrachtung zeichnet sich grundsätzlich schon jenes Koordinatennetz der Gattungsbetrachtung ab, von dem wir oben sprachen. Auf die Diskussion des Ineinanderspielens von Märchen und Roman wollen wir uns denn auch beschränken, will sagen, auf die Diskussion des Dümmlingsmärchens und seiner Relation zum Roman. Vielleicht daß sich auf Kosten des einen oder anderen eine Einheit des ‚Parzival' faßbar machen läßt.

Ehrismann schreibt[2]): „Der zweite Stoffkreis der Gral-Parzival-Erzäh-

---

[1]) Hugo Kuhn, Gattungsprobleme der mittelhochdeutschen Literatur; in: Dichtung und Welt im Mittelalter, Stuttgart 1959, 41.

[2]) G. Ehrismann, Geschiche der deutschen Literatur bis zum Ausgang des Mittelalters, München [2]1954, Band 3, 250 f. Vgl. auch 230, 246! „Die Gralsgemeinschaft ist ein Bild des höchsten, des geistigen Rittertums. In dieser Märchenwelt findet das Sehnen des mittelalterlichen Ritters seine geträumte Erfüllung: ein Herrenleben auf glanzumstrahlter, himmelnaher Burg, in De-

lung, die Geschichte Parzivals, hat seinen Ursprung im Märchen vom Dümmling (Dummling, der glücklich gewordene Tor), der unerfahrene und für unwert gehaltene Junge, der in die Welt zieht und durch tüchtige, von anderen, Bevorzugteren, unerfüllbare Leistungen sein Glück macht. Von seinem Bauernhof im Walde rennt Parzival, der Naturbursche, in die Ritterwelt hinaus, verrichtet staunenswerte Taten, befreit eine Prinzessin und erhält sie zur Frau. Auf der Heimkehr zur Mutter verirrt er sich und kommt zu einem verwunschenen Schloß. Er hätte die Geistergesellschaft vom Zauber erlösen können, wenn er gefragt hätte. Am anderen Morgen ist das Schloß verödet. Erst als es ihm gelingt, zum zweitenmal in die Gespensterburg zu dringen, entzaubert er den Spuk durch die Frage, gewinnt ein Wunschding und wird Erbe des Reichs." Nach Ehrismann hat Wolfram also das Schema des Dümmlingsmärchens übernommen und im Sinne seines Themas interpretiert, d.h. romanhaft ausgebreitet. Von der Hypothese eines dem Parzival-Roman zugrundeliegenden Dümmlingsmärchens her ergeben sich für Ehrismann konkrete Anhaltspunkte im Märchenschatz der Brüder Grimm: „Das Dümmlingsmärchen ist Gemeingut der fabulierenden Völker und hat in verschiedenen Wendungen weite Verbreitung. Überraschende Ähnlichkeit mit dem Grundplan haben einige Märchen bei den Brüdern Grimm, besonders Nr. 36. 57. 62. 63. 64. 97. 106. Der Treffpunkt der Gralsgeschichte, das lebenspendende Gefäß, ist zugleich auch das Glücksziel in den Märchen Vom Tischleindeckdich (Nr. 36), Das Wasser des Lebens (Nr. 97), Der goldene Vogel (Nr. 57). Das der Parzivalsage unmittelbar zugrunde liegende Dümmlingsmärchen wird seine Heimat bei den Briten haben, da ja die Helden der höfischen Romane dem britisch-bretonischen Sagenkreise angehören." Und Ehrismann schließt: „Die Urgestalt der Parzival-Gralsage ist also eine Verschmelzung des Dümmlingsmärchens in der charakteristischen Form des Wunschgefäßmotivs (Tischleindeckdichmotiv) mit der Gral-legende auf dem Wege analogischer Verknüpfung: der verzauberten Schloßgesellschaft glich die Gralgemeinde, dem gespenstischen Aufzug der Schloßbewohner entsprach die Gralprozession, dem verzauberten Schloßherrn der König des Grals, seine Verzauberung als zu märchenhaft phantastisch wurde in eine Krankheit rationalisiert, der Glücksgegenstand

---

mut ohne Hoffart, in Kampfesmut und treuer Frömmigkeit. Ausgesöhnt sind Welt und Gott, verwirklicht ist die Religion der Laien, hier der Welt Ehre haben und doch die Seele bewahren. Der Gottesstaat auf Erden ist eingerichtet. Aber es ist ein Märchen" (Ehrismann, Dantes Göttl. Komödie und W's v. E. Parzival, a. a. O. 186).

wurde ersetzt durch den Gral, das Wunschding wurde zur Reliquie, der sein Glück machende Dümmling zum Gralfinder." Bolte/Polivka[3]) sekundieren dieser Ansicht, allerdings mit stark abschwächendem Akzent: „Wolframs törichter Parzival gemahnt wenigstens entfernt an die Dümmlingsmärchen und an die Sagen von dem durch die richtige Begrüßung erlösten Gespenst ...".

Zu diesen Ausführungen Ehrismanns lassen sich vom Methodischen her drei Feststellungen machen:

1. Ehrismann gebraucht — um den ‚Parzival' motivisch aufzurechnen und gattungstheoretisch zu charakterisieren — die drei Typenbezeichnungen: ‚Sage', ‚Märchen' und ‚Legende'. Zwar wendet er sie nicht undifferenziert an, wie die Reihe: Gral*legende* — Dümmlings*märchen* — Parzival-Gral*sage* beweist. Und doch ist, was die Terminologie in einem tieferen Sinn anbelangt, festzuhalten, daß Ehrismann die Gattungsdreiheit: Legende — Märchen — Sage recht unbesehen auf den höfischen Roman anwendet. Denn gewiß dürfte er Märchen und Legende nicht zur ‚Sage' summieren, ohne einen triftigen Grund für dieses Beginnen zu nennen. Ja man kann ganz allgemein fragen: Ist es grundsätzlich möglich oder gar geboten, die modernen, d. h. heute gängigen und gebräuchlichen Gattungsbegriffe derart auf eine mittelalterliche Dichtung anzuwenden, daß sich dabei ein erläuternder Ertrag einstellt? Sind die Gattungsbegriffe: Märchen, Legende und Sage nicht vielmehr — als relativ spät aufgekommene Typisierungen der Dichtung — heterogene, mittelalterliche Dichtung eher verdunkelnde denn erhellende Begriffsschablonen[4])? Werden sie nicht zum rückwärts gewendeten Anachronismus, sobald sie den mittelalterlichen, höfischen Roman *hypostatisch* ‚erklären' sollen? Diese Fragen wiegen um so schwerer, als es eine mittelalterliche Gattungsbegrifflichkeit einerseits nur als leere, aus der Antike übernommene Terminologie gab und andererseits die den antiken Dichtungsklischees entsprechenden Dichtungsarten fehlten[5]). Zudem waren die neuen Formen der Dichtung begrifflich noch nicht — oder doch nur recht vage — verarbeitet, so daß sich für uns die paradoxe Situation ergibt, eine gattungstheoretische Begrifflichkeit auf mittelalterliche Dichtung anwenden zu müssen, die damals in solcher Ein-

---

[3]) Joh. Bolte und Georg Polivka, Anmerkungen zu den Kinder- und Hausmärchen der Brüder Grimm, 5 Bände, Leipzig 1930, Bd. 4, 171.

[4]) H. Kuhn, Gattungsprobleme, 42 f.

[5]) Irene Behrens, Die Lehre von der Einteilung der Dichtkunst, vornehmlich vom 16. bis 19. Jahrhundert, Studien zur Geschichte der poetischen Gattungen, Halle/S. 1940, 33.

deutigkeit keineswegs zuhanden war. Ganz abgesehen davon, daß mit den ‚modernen' Einteilungen vieles, wenn nicht das meiste der mittelalterlichen Dichtung als nicht zu Bewältigendes ausfällt, ist eben schon das äußerlich scheinbar Einteilbare der Einteilung gegenüber fremd. „Auch wenn man den spezifisch mittelalterlichen Formen und Inhalten gerecht wird, indem man Epos, Drama, Lied von neuzeitlichen normativen Gattungsbegriffen löst, womit dann weltliterarische Parallelen frei werden, ein Weg zurück bis zu menschheitsgeschichtlichen Urformen der lyrischen Ekstase, der epischen Wiederholung und der dramatischen Repräsentation — auch dann bleibt die Einteilung heterogen für das Aufgenommene und seine Entwicklung, bleibt weiter ein Teil schon der deutschen Literatur um 1200, bleibt das meiste in ihrer Geschichte vorher und nachher ausgeschlossen"[6]).

Hier ist allerdings einzuhalten und darauf hinzuweisen, daß Hugo Kuhns intensiver Versuch, die Gattungsproblematik der mhd. Literatur in eine weiter und tiefer reichende Problematik der Typen, Schichten und Entelechien hinüberzuführen, wesentlich die Literatur*geschichte* betrifft und deren Aporien zu lösen unternimmt. Das Problem der Interpretation mittelhochdeutscher Dichtung darf und kann jedenfalls — wenn auch geleitet von der sie übergreifenden Literaturgeschichte — andere Möglichkeiten nicht auslassen. Und so ist denn zu fragen, ob die Anwendung der Gattungsformel ‚Märchen' nicht doch einen Sinn habe, ob nicht trotz Anachronismus und Heterogeneität dieser Begrifflichkeit der höfische Roman unter dem Aspekt ‚Märchen' gleichsam eine Selbstinterpretation hergebe. Auch der Parzivalroman bequemt sich ursprünglichen Sprech- und Schauweisen, er fällt aus dem Sprachlichen nicht heraus. Es läßt sich also — vorsichtig gesprochen! — mit gutem Recht zumindest einmal ganz unverbindlich untersuchen, ob nicht *etwas* Märchenhaftes darin zu finden sei. Wenn ja, dann ließe sich dasselbe hinsichtlich der Legende, des Mythos, der Sage usw. auch unternehmen. Schließlich ergäbe sich (wenn unter verschiedenen Aspekten erfolgreich unternommen!), daß dieses Etwas von Märchen, Legende, Mythos und Sage eine Vielfalt methodischer Zugänge erschlösse, daß sich ein Kaleidoskop möglicher Erklärungsbilder ergäbe. Es ist ja grundsätzlich nicht ausgeschlossen, daß Märchenhaftes (oder das, was wir heute nach Lüthis stilkritischen Einsichten so bezeichnen) im Roman eine Funktion haben könnte, eine Funktion, die abstrichlos an das Gattungshafte des Märchens gebunden ist. Frage ist dann, ob die Erläuterung im Märchenhaften nicht etwas Wesentliches des Romans selbst, sagen

---

[6]) H. Kuhn, Gattungsprobleme 42.

wir, eine Stilkonsonante eben des ‚höfischen Romans' gefunden habe. Wenn ja, dann würde sicher auch ein Licht fallen auf die vielumstrittene Genese des Märchens, der ‚einfachen Formen' überhaupt. Allerdings wird dieser Versuch beinahe unmöglich durch dessen Belastung mit Ursprungshypothesen (Roman aus dem Märchen entstanden! Vgl. Ehrismann). Ein Kunstmaterialismus hat sich dieser Methode bis zum Überdruß bedient und sie mit materialen Abstammungstheorien belastet, daß man sich füglich fragt, ob dieses Geleise nicht aufzugeben sei. Aber gerade von der mittelalterlichen Bibelexegese und Hugo Kuhns und Max Wehrlis Schichtenlehre her entbehrt dieser Versuch eines perspektivischen Eindringens in eine Erzählschicht nicht eines erfolgversprechenden Ansporns[7]). Gerade das Inadäquate der Gattungsbestimmung ‚Märchen' könnte so zum Schlüssel (unter anderen) für die Gestalt des *tumben* Toren Parzival werden.

2. Ehrismann bezeugt durch seine Inflation gleich dreier Gattungsnamen für denselben ‚Parzival' eine gewisse Auswechselbarkeit der Gattungsbegriffe, die heute — vor allem durch die bestechenden Untersuchungen Lüthis über Märchen und Sage — weithin aufgehoben ist. Dieser Erfolg der Forschung stützt unsere Auffassung, wonach sich ein Koordinatennetz von ‚einfachen' Gattungsbegriffen über ‚höhere' Literaturformen legen lasse, um deren aspekthafte Komplexität zu fassen, um so mehr als der Roman ja tatsächlich ein Konglomerat verschiedenster literarischer, geistiger, kulturgeschichtlicher und anderer Einflüsse darstellt (allerdings streng eingebunden in einen einheitlichen Stilwillen)[8]). Ehrismanns gattungskompilatorische Betrachtungsart wird so unerwartet zu einem wirklichen Einstieg und einer wirklichen, sinnhaften Methodik zugunsten des Dichtwerks.

3. Literarische Vergleiche verführen den Vergleichenden immer wieder zu Ursprungshypothesen. Dieser Gefahr ist auch Ehrismann nicht entgangen, denn bei ihm hat der zweite Stoffkreis, die Geschichte Parzivals, gleich von Anfang an „seinen Ursprung im Märchen vom Dümmling", das heißt: das Märchen wird ausgesprochen als eine Hypostase des ganzen Romankomplexes genommen, ohne daß der Konnex zwischen beiden

---

7) Max Wehrli hat das Verhältnis zwischen Legende und Roman im deutschen Hochmittelalter magistral herausgearbeitet; vgl.: Roman und Legende im deutschen Hochmittelalter; in: Worte und Werte (Festschrift Bruno Markwardt), Berlin 1961, 428—443.

8) Nach Wehrli gehört zum Charakter des Romans eine Art totaler Emanzipation und „ein weites Ausgreifen in die verschiedensten stofflichen und ideellen Bereiche", ebd. 428.

näher gezeigt würde. Ein solches Verfahren aber nährt sich von ausgesprochen naturwissenschaftlichen Vorstellungen[9]), vornehmlich von jener, die eine eigentliche Entwicklung der Arten postuliert und sie evolutionstheoretisch darzustellen versucht. Das in einem weiten Sinn ‚Einfachere' wird hier zum Substrat des höher Gearteten und Organisierten: der Anthropoide wird beispielsweise Vorform des Hominiden, oder — auf die Gattungstheorie übertragen —: das Märchen — als ‚einfache Form' — wird ‚Ursprung' des höfischen Romans. Kann die Evolutionstheorie selbst in der Naturwissenschaft mit gutem Recht angefochten werden[10]), so um so mehr deren methodische Anwendung in der Literaturwissenschaft. Es ließe sich schließlich mit ebenso beachtenswerten Gründen für den Entwicklungsweg vom Komplizierteren zum ‚Einfacheren' Partei ergreifen, das heißt auf unseren Fall angewendet: vom Roman zum Märchen, zumal sich historisch das Märchen als Gattung schlecht ‚erfinden' ließe, wenn man nicht schon im glücklichen Besitz der mustergültigen Märchensammlungen Perraults oder der Brüder Grimm wäre. Ja man darf ernstlich die Frage stellen, ob es die Gattung ‚Märchen' ohne diese Wegbereiter und Begründer überhaupt gäbe.

Nach der Kritik an der Methode dieses Vorgehens ist aber gleich festzuhalten, daß sich andererseits von einem die dichterischen Materialien analysierenden Standpunkt her sagen läßt, „daß die Jugendgeschichte Percevals von Haus aus nicht das Geringste mit dem Gral noch mit dem Artuskreis zu tun hat"[11]). Denn die ‚Dümmlingssage' findet sich unzweifel-

---

[9]) Peter Szondi, Zur Erkenntnisproblematik in der Literaturwissenschaft, Die Neue Rundschau 73 (1962), Heft 1, 146—165.

[10]) Vgl. Adolf Portmann, Das Ursprungsproblem; in: Biologie und Geist, Zürich 1956, 50—75.

[11]) H. Sparnaay, Verschmelzung legendarischer und weltlicher Motive in der Poesie des Mittelalters, Groningen 1922, 79. Daß die Jugendgeschichte als ‚Dümmlingssage' (Sparnaay stimmt hinsichtlich der drei „Bestandteile": Gral-legende, Dümmlingssage und Artuskreis mit Ehrismann überein!) in einem Gegensatz zur Ritterdichtung steht, erklärt sich für Sparnaay aus dem zwiespältigen Charakter der Mutter Parzivals: nämlich aus deren Bestreben, „ihren Sohn der Welt fern zu halten ..., um ihn für sich zu erhalten", andererseits aber die verborgene Sehnsucht der stolzen Ritterfrau, „welche in ihrem Sohn, wie einst in ihrem Gatten, das Ideal des Rittertums erblicken zu können hofft" (a. a. O. 83). Die Ausdrucksweise, wonach in der Mutter „zwei einander fremde und sogar feindliche Elemente vom Dichter zusammengeschweißt wurden" (a. a. O.), verrät, wie statisch unbeholfen eine solche Betrachtung ist. Die Feststellung des zwiespältigen Charakters der Mutter dürfte nicht nur zur Erkenntnis einer „Fuge" in den Erzählmaterialien führen, sondern müßte sich

haft auch in anderen mittelalterlichen Dichtungen, man denke an Lancelot, Beaus Desconneüs, Fergus usw.[12]). Nur — und das führt uns auf den den vergleichenden Abhandlungen[13]) gegenüber kritischen Standpunkt zurück — muß man sich fragen, wozu denn diese Feststellung diene. Das Jonglieren mit Ursprungshypothesen, Abhängigkeitsverhältnissen und Kompositionsschemata zwecks einfacherer Vergleichung der verschiedenen Fassungen der Parzival-‚sage' entbehrt nicht einer krampfhaften ‚Wissenschaftlichkeit' à tout prix. Sinnvoll wird eine festgestellte (d. h. in den meisten Fällen supponierte) materiale Abhängigkeit doch erst, wenn die Abhängigkeit selbst etwas in der Komposition sonst Unverständliches *erklären* kann. Aber nur zu oft wird die Methode der Stoffuntersuchung zur beliebig formierten Materialsammlung, in der sich ‚dingbar' gemachte Erzählfakta zu einer voreiligen und im Grunde nichtssagenden Sachgruppe zusammenschließen[14]).

Zudem wäre auch vom Blickpunkt des Dichters her — wenigstens formal quellenkundlich gesehen — die Fixierung eines Dümmlingsmärchens müßig, da es Wolfram ja gerade nicht um die ‚Übernahme' einer Quelle ging, sondern ganz einfach um die dichterische Komposition des ‚Parzival', wozu ihm schließlich alles als Material gut und recht war, das ihm in Verfolgung dieses allem übergeordneten Zieles dienen konnte[15]).

Wir sehen uns also gezwungen, auf unser schon eingangs erwähntes Vorhaben zurückzukommen, nämlich — grob gesagt — mittels der Form-

---

tiefer aus der ritterlichen Standesdialektik (von Töten und Getötetwerden) verstehen lassen, so daß letztlich diese „Fuge" zu einem positiven Signal in der Dichtung selbst wird und nicht mehr bloß als Indiz materieller Zusammenstöße von Erzählblöcken verstanden wird.

12) Vgl. dazu Sparnaay, a. a. O. 79.

13) In diesem Zusammenhang wären außer Sparnaay auch noch zu nennen: C. Strucks, Der junge Parzival, Borna/Leipzig 1910; und: S. Singer, Wolframs Stil und der Stoff des Parzival, Wien 1916.

14) Diese Gefahr ist selbst bei einem so meisterlichen Keltisten wie J. Marx (La Légende Arthurienne et le Graal, Paris 1952) nicht ganz vermieden, obwohl dieser Gelehrte zu guten, auch weitertragenden Resultaten gelangt, wie wir noch sehen werden.

15) „Wenn wirklich bretonische Erzählungen, die dem Dümmlingsmärchen ähneln (z. B. von Peronik, dem Toren der irischen Cuchulinsage), zugrunde liegen, so war sich Wolfram dieser Tatsache ebensowenig bewußt wie der Beziehung des Fischerkönigs zum altchristlichen Mysterienmotiv um den *Ichthys* . . ." (H. Folger, Eucharistie und Gral: Zur neueren Wolframforschung, Archiv für Liturgiewiss. 5 [1957] 96—102, Zitat: 98).

komponente ‚Märchen' einen eigentümlichen Grundzug dieses höfischen Romans herauszustellen und so besser zu verstehen.
Um nur einigermaßen die reiche und außerordentlich fundierte Sekundärliteratur über das Märchen nicht zu vernachlässigen, ist es notwendig, sich umzusehen, ob sich nicht von der Forschung her schon einige gewichtige Aufschlüsse über den Dummling im Märchen anbieten, die uns dann gleichsam als Schlüssel dienen könnten, um den ‚Parzival' in dieser seiner Eigenart aufzuschließen. Vielleicht daß sich so ein Zugang zu einer ersten, fundamental gattungsmäßigen Bestimmung des ‚Parzival' ergibt!
Die Märchenforschung ist außerordentlich vielgestaltig. Verschiedene Wissenschaften bemühen sich um das Volksmärchen. „In unserer Zeit ist es Forschungsgegenstand namentlich der Volks- und Völkerkunde, der Psychologie und der Literaturwissenschaft. Die Volkskunde untersucht die Märchen als kultur- und geistesgeschichtliche Dokumente und beobachtet ihre Rolle in der Gemeinschaft. Die Psychologie nimmt die Erzählungen als Ausdruck seelischer Vorgänge und fragt nach ihrem Einfluß auf den Hörer oder Leser. Die Literaturwissenschaft sucht zu bestimmen, was das Märchen zum Märchen macht; sie möchte die Wesensart der Gattung und auch der einzelnen Erzählung erfassen und stellt, wie die Volkskunde, zudem die Frage nach Ursprung und Geschichte der verschiedenen Märchentypen. Der Volkskundler interessiert sich primär für die Funktion, die Biologie der Gebilde, der Psychologe für deren Ableitung aus den Bedürfnissen der menschlichen Seele, der Literaturwissenschaftler für die Gebilde selber und ihre Stelle in der Welt der Dichtung"[16]). Es ist kaum eigens darauf hinzuweisen, daß unser Vorhaben sich dem des Literaturwissenschaftlers zugesellt, und doch ist es sinnvoll, kurz auf die hinsichtlich des Dümmlingsmärchens bedeutsamen Hinweise besonders von seiten der Psychologie aufmerksam zu machen. Die Volkskunde[17]) interessiert sich ihrem Charakter entsprechend eher für ontologische und genetische Erklärungen, die für unseren Zusammenhang nur am Rande und hypothetisch wichtig sind.

[16]) Max Lüthi, Das europäische Volksmärchen: Form und Wesen, zweite, durchgesehene und erweiterte Auflage, Bern/München 1960, 98. Dazu ders., Märchen, Stuttgart 1962 (Sammlung Metzler): mit reichen Literaturangaben; ders., Märchenforschung, NZZ 7. 10. 1962 Nr. 3832. Vgl. noch: Max Wehrli, Allgemeine Literaturwissenschaft, Bern 1951 (Wiss. Forschungsberichte Bd. 3), 81.

[17]) Für den umfassenden Gesichtspunkt der volkskundlichen Märchenforschung vgl. man Kurt Ranke, Betrachtungen zum Wesen und zur Funktion des Märchens, Studium generale 11 (1958) 647—664, wo großes Material zusammengetragen ist, dazu überreiche Literaturangaben.

M.-L. von Franz und H. von Beit haben in ihrem großen Märchenwerk im Anschluß an C. G. Jungs Lehren das Märchen als einen Königsweg zur Erkenntnis des kollektiven Unbewußten dargestellt und in vielen Einzelanalysen anschaulich gemacht[18]). Diese umfangreiche und weitgefaßte Untersuchung über das Märchen vermittelt uns den besten und klarsten Einstieg in die psychologische Sicht. Die Untersuchungen der Freudschen Richtung[19]), der Entwicklungspsychologie[20]) usw. sind von sekundärem Wert, da deren Resultate beinahe durchwegs über ‚psychologische' Simplifizierungen nicht hinauskommen.

Für Jung und seine Schülerinnen ist das Märchen eine Darstellung innerseelischer Vorgänge. Also ist auch der Dummling symbolhaft einbezogen in den Bilderkreis der seelischen Konkretionen. Er wird Symbol einer Zuwendung zum Unbewußten. Als Dummling und Tölpel ist er oft der Jüngste von vier Anfangspersonen eines Märchens; indem man die Vierergruppe im Sinn von vier Bewußtseinsfunktionen versteht, schließt man, daß dieser Dummling als vierte Funktion der magischen Welt und dem Unbewußten vertraut sei. Er wird geradezu „durch seine Beziehung zur unbewußten Welt“ charakterisiert. „Das Wesen des Helden wird erkennbar bei sorgfältigem Betrachten seiner Art, zu reagieren, seine Tölpelhaftigkeit ist der Ausdruck für die allgemeine Undifferenziertheit der vierten Funktion, die sich in einem archaisch unentwickelten Zustand befindet“[21]).

Der Dummling personifiziert ganz allgemein unbewußte Werte und Möglichkeiten: „Gemäß der dem Märchenstil entsprechenden dramatischen Personifizierung der einzelnen psychischen Funktionen ist der mit dem Unbewußten verbundene Seelenteil in der Anfangssituation als der Jüngste und Dümmling unter drei Brüdern dargestellt oder als die vierte Gestalt einer gegebenen Figurenvierheit bei Einbeziehung des Vaters. Dieser Seelenteil vermittelt den ganzen lebendigen Reichtum des Unbewußten, welcher der bewußten Funktion fehlt. Als Vermittler des höchsten magischen Wertes gewinnt dieser Vierte eine so große Bedeutung. Insofern sich in der Märchenhandlung ein Prozeß darstellt, dessen Träger der anfäng-

---

[18]) Hedwig von Beit, Symbolik des Märchens, I ²1961, II 1956 (Gegensatz und Erneuerung im Märchen), III 1957 (Registerband). Vgl. dazu C. G. Jung, Symbolik des Geistes, Zürich 1948.

[19]) Forschungen von Jöckel, Riklin usw.: das Märchen ist hier als „Wunschtraum des Ellenbogenkindes“ charakterisiert. Vgl. Lüthi, Märchen 79 f. und 83 (Literaturangaben).

[20]) a. a. O. 79: Forschungen von Jöckel, Bilz und Wittgenstein.

[21]) von Beit I 341.

lich als Dümmling auftretende Held ist, kann man diesen auch als die Personifikation dieses Strebens nach Selbstverwirklichung ansehen, als die Verkörperung der inneren übergeordneten Persönlichkeit, als das Selbst, das die Erfahrung des Ich in sich schließt und dieses ... überragt"[22]). Daher hat der Dümmling eine Vermittlungsfunktion zur Erde und dem Weiblichen als Auftrag[23]). Er verkörpert in der Quaternität der menschlichen Vermögen: Empfinden, Denken, Fühlen, Intuition die letztgenannte[24]). Daher sein Bezug zum Archaischen, Magischen, Tierischen. Im Letzten präsentiert der Dummling das „Bild eines neuen, werdenden Bewußtseins, das den Zugang zum Unbewußten sucht und schließlich findet. Das neue Bewußtsein erscheint dem herkömmlichen Empfinden oft zuerst als ungeschickt, tölpelhaft, als Schweinehüter, Grindkopf, Aschensitzer oder auch als Schalk, aber unvermittelt erweist er sich als das Strahlende ..."[25]).

Von solchen Gesichtspunkten her werden denn auch Parzival und der Gral beurteilt[26]). Unnötig anzumerken, daß Parzival — entsprechend

---

[22]) a. a. O. 353.

[23]) a. a. O. 354 f.

[24]) a. a. O. 339.

[25]) Lüthi, Märchen 81.

[26]) Vgl. besonders Emma Jung und M.-L. von Franz, Die Graalslegende in psychologischer Sicht, Zürich/Stuttgart 1960, ein Buch, das konsequent aus der Sicht der C. G. Jungschen Psychologie Percevals Geschichte und deren Symbole (Schwert, Lanze, Graal, Tisch, Teller, Messer usw.) ‚erklärt'. Man kann diesem umfangreichen, die wissenschaftliche Literatur in einem weiten Maß herbeiziehenden Werk den Vorwurf einer starren Schematik des Vorgehens nicht ersparen. Max Wehrli schreibt dazu: „Ein ungeheures Material von Belegen — und doch läuft es in eigentümlicher Monotonie auf das eine Individuationsthema und eine Sammlung von Archetypen hinaus. Die ‚psychologische Sicht' erfaßt nur immer die Relevanz und Resonanz des Seelischen (und nur nach Jung). So mächtig diese Schicht ist: die Artusromane, wie sie dem Literarhistoriker wichtig sind, bauen darüber eine ganze farbige, reiche, geschichtliche Welt Gottes und der Menschen auf, eine objektive Ethik, die etwas anderes sein will als eine Hygiene der Individuation, und eine Frömmigkeit, in der die Güte, Weisheit und Macht Gottes um ihrer selbst willen und nicht nur als seelische Projektion, ernst genommen sind.

Von C. G. Jung aus gesehen ist das erkenntnismäßig durchaus in Ordnung. Diese Psychologie faßt alles, was sie faßt, nur als seelischen Befund und Bewußtseinsinhalt. Der Effekt einer entsprechenden Interpretation ist aber doch der einer gewissen Entlarvung; wo das Erlebnis des Selbst mit dem ‚Gotterlebnis' gleichgesetzt und die Liebe nur als Animafunktion bestimmt wird, da wird die hohe ritterliche Dichtung aus der einmaligen, geschichtlichen Fülle und dem Ernst ihrer Aussage eben doch zurückgenommen ins Halbdunkel einer

der Romananlage, die das Werden eines Menschen zum Inhalt hat — psychologisch von seiner Mutter her erklärt wird. Parzivals „ganzes Weltbild und auch seine Vorstellung von sich selbst (sind) zunächst noch ganz von der Mutter bestimmt“[27]). Das ist eine Feststellung, die genau die

---

gnostischen Symbolik, auf die Ebene jener obskuren Bilder und Traktate, in denen die Archetypen besonders reich blühen. Mit dieser tiefenpsychologischen Reduktion hängt zusammen, daß die Symbolanalyse die Motive gerne isoliert und den Kontext mißachtet, wie wenn es wirklich nur Elemente von Träumen, Märchen und Mythen wären. Die Märchenwelt des Artusromans ist aber nicht Selbstzweck, sondern schon längst das bloße Mittel eines freien Romanabenteuers. Der synkretistische Symbolismus, dessen Details trotz archetypischer Relevanz oft nur noch ganz geringe Funktion im Werk haben, ist ja von Chrestien auch dadurch überwunden worden, daß er über der Artusmärchenwelt das Reich des Grals geschaffen und hier wieder das Märchenhafte ins Christliche übergeführt hat (Karfreitag). Der Einstrom seelensymbolischer Bildtraditionen in den Ritterroman ist kaum zu bestreiten, ja es ist überaus wichtig, ihn zu erkennen. Aber er hat einen neuen Stellenwert, steht in einem ganz bestimmten Moment der abendländischen Entwicklung, im christlichen Aufbau einer neuen weltlichen Ordnung. Auch wo man, nach Jungs ‚Aion‘, die Seelensymbolik auf den zeitgeschichtlichen Hintergrund projiziert, bleiben die Maschen des archetypischen Netzes doch recht weit und bringen nicht viel anderes ein, als was die Geistesgeschichte in bezug auf den Umbruch des 12. Jahrhunderts viel präziser weiß“ (NZZ 5. Okt. 1960 Nr. 3380). Man kann dieses Urteil nur bestätigen und — in bezug auf die Problematik des *tumben* Parzival — vielleicht beifügen, daß mit den gängigen Versatzstücken der Jungschen Terminologie: Anima — Animus, Bewußtes — Unbewußtes, Archetypus usw. für eine wahrhafte Bestimmung des *literarischen* Parzival im Grunde nichts anderes gewonnen ist denn eine die literarischen Verhältnisse in einer psychologischen Diagnostik umwertende ‚Demaskierung‘, die letztlich eben nichts anderes ist als ein fragwürdiger „Kosmismus“, der seinerseits „nichts weiter als Bild-Sprache eines Psychotherapeuten für seine psychopathologische Praxis“ ist (Erich Przywara, Mensch: Typologische Anthropologie, Band I, Zürich 1959, 183). Vgl. auch: B. Wingenfeld, Die Archetypen der Selbstwerdung bei C. G. Jung, Pfullendorf/Baden 1955.

Zu Recht ist der Jungschen Seelenlehre starker Widerstand von seiten der Geisteswissenschaften geboten worden: „Walter F. Otto, Martin Buber und Erich Przywara haben sich empört gegen die Zynismen der Jungschen Heilmethode gewendet, die des Menschen Bezogenheit auf die echten Bilder des Seins, ja Bilder Gottes, zu seelischen Archetypen verflüchtigt und erniedrigt, mit denen man ‚therapeutisch‘ ‚fertig wird‘, weil sie angeblich nichts weiter sind als Verfaßtheiten des Kollektiv-Unbewußten. Gestalt im höchsten und auszeichnenden Sinn ist nur zu deuten als Offenbarung des Mysteriums des Seins: wo dieses Mysterium die Gestalt füllt und ihr anwest, taucht letzter Sinn empor“ (H. U. v. Balthasar, Herrlichkeit I 481 f.).

27) von Beit I 157.

Situation des jungen Parzival trifft. Interpretation ist aber schon eher das Folgende: Parzival ist durch seine starke „Mutterbindung" den Kräften des Unbewußten „besonders nahe"; er ist „mit schöpferischen Möglichkeiten begabt und zum berufenen Helden gestempelt. Aber gerade diese Bindung ist es auch, die den Helden als zerstörerische Mutterimago bedroht, denn die Abtrennung von der Welt der mythischen, das Kind noch umfangenden und beherrschenden Bilder ist ein schmerzhafter aber notwendiger Akt. So wie der reine Tor stets noch von seiner Mutter spricht, gelingt auch hier die Ablösung nur schrittweise, und das Märchen selbst nennt seinen Helden durchweg ‚Sohn der Witwe' (‚Der Ritter mit dem finsteren Lachen' Irland Nr. 32), so daß die Tatsache des Mutterproblems ständig gegenwärtig bleibt"[28]). Die Mutterbindung erscheint hier als ein Konstituens seiner Torenhaftigkeit; d. h. Parzivals Torheit ist einerseits negativ bestimmt durch seine sich im Rückwärtigen, im Mütterlich-Unbewußten verklammernde Unbewußtheit, andererseits aber positiv signalisiert durch eben diese Nähe zum Unbewußten, die eine neue Bewußtheit verheißt.

Da wir hier nicht irgendwelche Exempel für Verhältnisse der naturhaften Seite der Seele suchen wollen, kann uns diese psychologistische Interpretation von Parzivals *tumpheit* keineswegs befriedigen. Zudem ist es gar nicht so, daß Parzival etwa eine psychisch fixierbare starke Bindung zu seiner Mutter hätte, vielmehr steht er in einem dichterisch schematisierten Verhältnis der Widerspenstigkeit zu ihr: daß er sich noch bei Gurnemanz ständig an die Lehren seiner Mutter erinnert und sich auf sie beruft, ist gerade nicht Zeichen der noch im Mütterlichen befangenen, kindlichen Torheit, sondern vielmehr Zeichen einer totalen, dem Waldesarrangement entstammenden Torheit, die sich gleichsam schematisch (da andere Beziehungspunkte Parzival noch fehlen) und mechanisch (da sich darin keine ‚Innerlichkeit' oder Sentimentalität einer Mutterbindung äußert) an der Mutter und ihren nicht eben tiefgründigen Ratschlägen orientiert[29]). Die

28) a. a. O. 139. Vgl. Jung / von Franz 40 ff.

29) Mit anderen Worten: Parzivals *tumpheit* ist dichterisch funktional bedingt, läßt sich also auch nur so ‚erklären'. Mag mittelalterliche Dichtung Ableger für alles Mögliche und Unmögliche (Religion, Politik, Alltag, Weltanschauung in einem unabsehbaren Sinn usw.) tatsächlich sein, für die ‚Weltanschauung' einer sich dogmatisch gebenden Tiefenpsychologie fällt dabei wenig ab. Für die Erklärung des Symbolischen, das sich im höfischen Roman nicht wegdisputieren läßt, wäre eine an der zeitgenössischen, im Religiösen verankerten Auffassung vom Symbol sich befruchtende Symbollehre bei weitem vorzuziehen. Hier fände man auch Ansätze zur Erklärung einer sog. ‚unbewußten Symbolik'

Mutter als eine umhegende, sorgende und liebende Gestalt fehlt in dieser recht oberflächlichen[30]), dafür um so symptomatischeren ‚Bindung' des jungen Parzival an sie. Parzivals Torheit ist daher von einer neuen, anders gearteten Fragestellung her im Grund nichts anderes als Signal und Zeichen seiner Auserwählung, oder in einem vorsichtiger umschreibenden, vorläufigen Ausdruck: Zeichen einer Besonderung, einer Ausscheidung aus dem Gesamtzusammenhang menschlicher Gemeinschaften. Parzival ist *tump*, da er zum ersten Mal mit ihm außenstehenden Menschen in Berührung gelangt. Vorher ist er durchaus das „Sonntagskind"[31]) und das mit seinem Spiel vollauf zufriedene Naturwesen, als das er noch in den Anfangspartien des ‚Parzival' geschildert wird. Seine liebenswerte Menschlichkeit verfliegt im Moment, da er in direkten Bezug zu den Rittern kommt. Hier trägt er ein forsches Wesen zur Schau, eine nicht unbedingt kindlich zu nennende Art, mit den Menschen umzugehen: Parzival beträgt sich als ein *tumber*, als einer, der den sich als Anstand in einem weiten Sinn artikulierenden Umgang mit Menschen nicht kennt und sichtlich im Verlauf des Gesprächs stolz darauf wird, ihn nicht zu kennen. Das punctum saliens der *tumpheit* liegt anderswo, nämlich im Arrange-

---

(Farben, Gesten, Bilder usw.). Vgl. Alois Dempf, Sacrum Imperium, Darmstadt ²1954, 229 ff.; ders., Die unsichtbare Bilderwelt, Einsiedeln/Zürich/Köln 1959, 231 ff. Dazu die Werke von Chenu, de Bruyne, Davy! Von hier her ergeben sich viel bessere Einstiege in die mittelalterliche Symbolik und deren Tragweite für die höfische Literatur.

[30]) ‚Oberflächlich' ist in der ganzen Arbeit eine Charakterisierung des Stils, nicht eine moralische Wertung. Alles Pejorative geht diesem Begriff in unserem Zusammenhang ab: gemeint ist lediglich eine oberflächenhafte Erzählung als Erzählung, die nicht den Tiefengeschehnissen (der Seele, des Geistes, des Gefühls usw.) nachgeht, sondern den erzählerisch an der Oberfläche verbleibenden, sich abzeichnenden und artikulierenden Ereignissen einer Geschichte.

[31]) Ernst Bloch, Das Prinzip Hoffnung, Berlin 1955, zweiter Band, 331: „Danach erst (= nach den heidnischen ‚Grals'mythen) wurde er (der Gral) christlich zur Schale, worin Josef von Arimathia das Blut des Heilands aufgefangen, diesen anders heißen Trank aus der anderen Sonne; und nicht mehr erobernde Götter, auch nicht, wie beim Vlies, der kriegerische Jason, *sondern das stille Sonntagskind Parsifal ist nach der Utopie des Gralskelches unterwegs.* Nach der gleichen übrigens, die noch in Hoffmanns Märchen vom goldenen Topf erscheint; und auch dort liegt das Reich, dem der Zauberkessel zugehört und das er ausgießt, weit weg — in Atlantis. *So sind schließlich alle Schätze, die auf Reise senden, horizontal in der Ferne,* nicht unter den Füßen vertikal im Boden zu Hause" (Hervorhebungen von uns). Schließlich gehört auch das Merkmal der *„horizontalen Schatzgräberei"* zu den Merkmalen der ‚Oberflächlichkeit' einer Erzählung.

ment, unter dessen Kraftlinien Parzival steht. Seine *tumpheit* antwortet den Verhältnissen, in deren Gewalt er steht, indem sie sich artikuliert. Das heißt, Parzivals *tumpheit* ist eine sich mit den Verhältnissen, in denen Parzival lebt, identifizierende Art, dem Leben zu begegnen: als ein Besonderter, als ein Privilegierter muß Parzival den Rittern begegnen, die mit ihm im Walde zusammentreffen. Die tatsächliche Vorhandenheit des Waldarrangements läßt sich nicht leugnen; die tiefergreifende Erklärung jedoch, weshalb solches künstlerisch möglich und sinnvoll ist, muß anderswo ansetzen.

Gewiß, der Hinweis auf ähnliche literarische Überlieferungen und die damit unweigerlich einsetzende Suche nach Quellen dieses ‚Motivs' sind fragwürdig. Was kann die nicht bestreitbare Analogie von Parzivals Kindheit mit ähnlich verborgenen Kindheiten der keltischen, irländischen oder gälischen Überlieferung (Cuchulainn, Finn, Pryderi usf.) wesentlich anderes bieten als die Verbürgung eines literarischen Motivs[32])? Ohne Zweifel läßt sich darüber hinaus eine gewisse Typik der Gestaltungsweise und der dichterischen Initialintuition daraus ablesen. Das ist wesentlich, und wir werden darauf zurückkommen[33]). Vor allem anderen aber ist die verborgene Jugend[34]) Parzivals ein Element des Stils (Stil in einem weitgefaßten Sinn: als Fülle alles dessen, was im Dichtwerk begegnet).

---

[32]) J. Frappier, Chrétien de Troyes (L'homme et l'oeuvre), Paris 1957, 177 Anm. 1. Vgl. auch J. Marx, Les littératures celtiques, Paris 1959, 46 (Finn), 107 (der gälische Peredur). Für die Einteilung und Formation der irischen Sagen vgl. Rudolf Thurneysen, Sagen aus dem alten Irland, Berlin 1901; ders., Die irische Helden- und Königssage bis zum siebzehnten Jahrhundert, Halle/S. 1921. Für den ganzen, weitläufigen Komplex der keltischen Literatur siehe die reichen Literaturangaben bei Reto R. Bezzola, Les origines et la formation de la littérature courtoise en occident (500—1200), deuxième partie: La société féodale et la transformation de la littérature de cour, tome I, 141 f.

Das Motiv der verborgenen Jugend findet sich selbstverständlich auf Grund der keltischen Vorgaben immer wieder in der französischen und deutschen Literatur des Mittelalters. Vgl. z. B. den ‚Lanzelet' des Ulrich von Zatzikoven (hrsg. von K. A. Hahn, Frankfurt 1845). Wesentliches läßt sich daraus jedoch für den ‚Parzival' nicht erschließen.

[33]) Zu denken ist hier vor allem an die Typik des Gralshelden, die J. Marx vorbildlich gezeichnet hat (La légende arthurienne et le Graal, Paris 1959, 205 ff.; ein Résumé dieses Kapitels in: La lumière du Graal, Études et textes [hrsg. von R. Nelli], Paris 1951, 90 ff.). Vgl. unten S. 226.

[34]) Wenn man nicht beim Resultat stehenbleiben will, das J. Marx schließlich gezwungen ist festzustellen („Le thème des Enfances est un thème banal interchangeable", La légende arthurienne . . . 213), dann ist der Rekurs auf den Stil ein schlichtes Gebot der weiterschreitenden Erklärung.

Das Arrangement der Waldeseinsamkeit entspringt einem Stilwollen, das mit dem des Märchens, das Max Lüthi seit langem unermüdlich beschreibt[35]), verschiedenes gemeinsam hat. Aber nicht nur der Anfang von Parzivals Lebenskonstellation dürfte mit dem Märchen gemeinsame Züge aufweisen, sondern schließlich auch die Gestalt des ‚Dummlings' Parzival selbst. Die Wendung, daß ‚hinter' der Parzivalgeschichte das Dümmlingsmärchen stehe, kann auch, indem man eine genetisch zu erklärende Hypostasierung ausklammert, als atmosphärisch-stilistische Komponente des ‚Parzival' verstanden werden. Das ‚Märchen' stellt ja nicht nur eine festumrissene und beschreibbare Gattung dar, sondern meint immer auch eine fühlbare Gegenwärtigkeit von Märchenhaftem. Und gerade dieses aufs Märchenhafte gestimmte Moment begegnet dem Leser in der Jugendgeschichte Parzivals.

Da ist der *tumbe* Parzival, ein Märchendummling, ein durch die im Wald verbrachte Jugend gleichsam hergestellter Tor, ein Tor also nicht aus Berufung oder innerer Organisation, ein Tor aber durch künstliche Isolation in der Wildnis eines öden Waldes! Und damit sind wir bei der anhand der Gesamterscheinung des europäischen Volksmärchens gewonnenen Charakterisierung des Märchendümmlings durch Max Lüthi angelangt. Der Dummling ist nach ihm eine Ausprägung der *Isolation*, die sich konsequent aus der dem Märchen eigenen Stilprägung erkennen und erklären läßt[36]).

Die Einheitlichkeit des Toren Parzival beruht nun tatsächlich in dessen Vereinzelung, Verfremdung und Isolation. Nicht etwa, daß Parzival ‚wahnsinnig' wäre (im Sinn einer ‚aliénation mentale')[37]), gewiß nicht;

---

[35]) Die wichtigsten Werke Max Lüthis vgl. S. 202 Anm. 16. Dazu: Es war einmal . . ., Vom Wesen des Volksmärchens, Göttingen 1962; Volksmärchen und Volkssage, Zwei Grundformen erzählender Dichtung, Bern/München 1961. Dazu verschiedene Aufsätze: z. B. Das Märchen als Gegenstand der Literaturwissenschaft, Kieler Bericht 161—168; und: Das Volksmärchen als Dichtung und Aussage, DU 6 (1956) 5—17. Dann auch die Märchensammlung: Europäische Volksmärchen, ausgewählt und herausgegeben von M. Lüthi, Zürich 1951.

[36]) „Der jüngste von drei Brüdern, der Dummling, der Grindkopf, Aschengrübel, Peau d'Ane, die Waise, das Stiefkind oder dann Prinz oder Prinzessin sind die Helden des Märchens. Gerade sie, die Isolierten, sind die Begnadeten. Gerade sie stehen, weil sie isoliert sind, im unscheinbaren Kontakt mit den Wesensmächten der Welt" (Das europäische Volksmärchen 51).

[37]) „Das Märchen kennt keine wahnsinnigen Menschen. Seine Menschen sind *Figuren*; sie haben nichts in sich, das plötzlich in Wahnsinn umschlagen könnte. Selbst Schmerzen scheinen sie nicht eigentlich zu empfinden", Lüthi, Märchen

sein Wesen ist ‚verfremdet' durch eine rein formale, apriorische Ent-äußerung in die Waldeseinsamkeit. Das Erzieherische ist ihm als Torheit gediehen, das Anerzogene und Angeborene zum Torenheil. Daher ist das Charakteristische an Parzivals Erscheinung nicht eine personale, sich selbst bewußt und gewollt in die Fährnisse des Lebens werfende, sich gestaltende Individualität, sondern das Charakteristische an ihm ist eine outrierte Figürlichkeit, ja Marionettenhaftigkeit einer bloß nach unkenntlichen Direktiven (wenn es nicht ausgesprochen einen Ratschlag irgendeines Menschen auszuführen gilt!) agierende Figur. Und das ist märchenhaft an Parzival: er ist Figur, nicht Person. „Nicht die zielbewußte, intelligente, planmäßige Unternehmung führt zum Erfolg, sondern gerade das völlige Preisgegebensein. Mit Vorliebe zeigt das Märchen, daß gerade Verirrte, die allen äußeren Kontakt verloren haben, das finden, was ihr Schicksal zu einem wesentlichen macht. Der Dummling, der Jüngste, das Stiefkind sind die prädestinierten Märchenhelden; denn in ihnen allen verkörpert sich, wie im Blinden, die Isoliertheit"[38]). Das Unscheinbare, Verachtete, Unhöfische an Parzival ist gerade das Wertvolle, das Schibboleth seiner Auserwählung, vielleicht sogar seiner Weisheit: denn „der, der für einen Dummling und Tölpel gehalten wurde, erweist sich oft als der Weiseste und Klügste von allen"[39]). Parzival ist eine Art ‚negativer Held'[40]), aber darum nicht weniger Held. Das Maß seiner Isolation — die wesentlich Isolation hinsichtlich der ritterlichen Welt und ihrer Bräuche ist — verbürgt paradoxerweise die glanzvolle Initiation in eben diese Welt des Rittertums, die damals alles bedeutet; d. h. Parzival ist auf Grund seiner Isolierung im öden Wald, abseits ritterlicher Feste und Freuden, gerade der potentiell Beziehungsfähige und Allverbun-

---

und Sage, DVjS 25 (1951) 167. Selbstverständlich trifft das für Parzival nur bedingt zu: er *hat* einen seelischen Innenraum, der gerade eine gewaltige Problematik wie den *zwivel* an Gottes Helferwillen zu tragen fähig ist. Aber das betrifft schon eine andere ‚Schicht' unseres Helden. Nichtsdestoweniger ist es beinahe unmöglich, daß Parzival ‚wahnsinnig' werden könnte. Das Figurenhafte an ihm dämmt das Affektive bis zur Marionettenhaftigkeit (Mord an Ither!), fördert andererseits die Präsentation der kontemplativen Fähigkeiten (Blutstropfenszene).

[38]) a. a. O. 176.

[39]) Es war einmal 105.

[40]) a. a. O. 113.

dene[41]), der er sein muß, soll er Gralskönig werden. Auch diese Bestimmung nähert ihn eindrücklich dem Märchenhelden, der aufgrund der im wesentlichen gleichen Isolation in der abstrakten Flächenhaftigkeit des Märchens potentiell allverbunden und beziehungstüchtig herumvagiert, des Weges kundig, ohne ihn zu kennen, und des Ziels gewiß, ohne es anzustreben. Die Queste hat auch bei Parzival den Charakter eines ziellosen Strebens, dessen Äußerlichkeit aber eine geradezu biologisch verbürgte Zielsicherheit verdeckt: Parzival ist ein Begabter im eigentlichen Sinn des Wortes; er ist eine Figuration der Begabung. Die Kämpfe und Gefahren, die er in seinen *tjosten* zu bestehen hat, sind immer wieder bis zuletzt Anlaß der Bewährung, einer sich wahrhaft und sinnbildlich manifestierenden Be-gabung. Er braucht auch nicht das Waffenhandwerk zu *lernen*[42]); sein Aufenthalt bei Gurnemanz ist lediglich Station, die manifestiert, daß er, Parzival, als Ritter arriviert: die Ausübung des Waffenhandwerks sehen bedeutet Parzival beinahe schon dessen völlige Aneignung. Parzival reitet von Station zu Station, „ohne viel zu denken“[43]). Der Stellenwert des Ankommenden und ihm Begegnenden muß sich auf hier und jetzt Ausmünzbares relativieren lassen: der Tor will immer, was er bekommt, und umgekehrt. Parzivals *tumpheit* bezeichnet ganz exakt die Spannweite dieses Wollens, das sich immer mit dem Erhalten identifiziert. Das Höchste, der Gral, fordert schließlich eine maximale *tumpheit* als Maßgabe dessen, wie und wann er erreicht werden kann. Wo die Station des märchenhaften Fort-schritts einzig zählt, läßt sich der Rückschritt, selbst wenn es ein Gang zu den Müttern wäre (wie z. B. Parzivals Wille, zur Mutter zurückzukehren), nicht mehr rechtfertigen; daher findet Parzival denn auch seine Mutter nimmer, er kann und darf sie nicht mehr finden: der Lauf der Erzählung hängt davon ab. Die Mutter war Station, entscheidende zwar (sie hat der *ganzen* Erzählung die Weiche gestellt!), aber nicht mehr. Daher gleitet die Suche nach der Mutter, die Parzival von

---

[41]) „Der Märchenheld ist ein äußerlich Isolierter, aber universal Beziehungsfähiger. Das Märchen ..., das ... um das Scheitern weiß und es in seinen Unhelden darstellt, zeigt in seinem Helden die Möglichkeit, trotz der Unkenntnis der letzten Zusammenhänge, sich in diese Zusammenhänge einzufügen und sich von ihnen tragen zu lassen. Auch der Märchenheld durchschaut die Welt als Ganzes nicht, aber er vertraut ihr und wird von ihr angenommen. Wie von einem unsichtbaren Magneten geführt, geht er mit traumwandlerischer Sicherheit den richtigen Weg. Er ist isoliert und gleichzeitig allverbunden“, a.a.O. 111.

[42]) Der Märchenheld handelt geschickt, „nicht weil er etwas gelernt hätte, sondern weil er der Auserwählte ist, der Begnadete“, Märchen und Sage 172.

[43]) Es war einmal 109.

Condwiramurs treibt, in eine dem Gesetz der Station verpflichtete Kette von *aventiuren* ab, die des Ritters einziger Weg zum Erfolg (zur Hofesfreude, zum Gralskönigtum) ist.

Der Märchenweg über die Krise zum Glück ist identisch mit dem Weg mancher Artusritter, auch mit dem Weg Parzivals: hier wird das real-Zeitgenössische umgemünzt in die Gestalt der Idealisation, in die Form seiner Verklärung und Ideologie. Mag es befremdlich klingen, daß das Märchen die Ideologie des Rittertums darstellt (es macht die ständische Ideologie schließlich auch dem Hausknecht goutierbar; das Märchen selbst ist allverbunden, nicht nur dessen Helden!), wahr ist es doch. Der *tumbe* Parzival, in der Realität völlig unerträglich, arriviert in der Dichtung, die sich des Märchens als einer Pauschalempfehlung bedient. Ist Parzival nun *tump* des Märchens wegen, oder bedient sich Wolfram des Märchenhaften (wie wir vorsichtig sagen wollen), um einen Toren darstellen zu können? Keines von beidem. Jeder innerliterarische Erklärungsversuch muß hier versagen. Dichtung ist immer mehr als Literatur, auch und gerade die Parzivaldichtung. Aber schon die Reflexion über die Gattung dieses *Romans* vermittelt beachtliche Erkenntnisse darüber. Der Tor Parzival deckt sich mit der Konzeption der Gattung, in der er dichterische Gestalt gewinnt.

Die märchenhafte Schilderung des Toren Parzival darf nicht darüber hinwegtäuschen, daß die Deutung dieses Toren sich nicht mit den Stil- und Sprechformeln des Märchens identifizieren darf. Die Märchenrequisiten intonieren eine Totalität, die jenseits ihrer sich aufbaut. Der Märchendümmling Parzival ist jene plane Figur nicht, als die er hin und wieder erscheint. Parzivals Geschick ist unlösbar verknüpft mit der Ganzheit jener Schicksale, die er verkörpern soll: er ist repräsentativ für die ritterliche Existenz überhaupt, die als solche doppelt sich gründet: in weltlicher Kampfesformel und christlicher Gottgläubigkeit. Das eine nicht lassen und im anderen sich bewähren konstituiert die Totalität der ritterlichen Welt, die sich im doppelt-seligen Glück von Gottes- und Welthuld manifestiert. Die Vereinigung von Jenseitsglauben und Ritterdienst trägt eschatologischen Charakter: *swes lebn sich sô verendet, / daz got niht wirt gepfendet / der sêle durch des lîbes schulde, / und der doch der werlde hulde / behalten kan mit werdekeit, / daz ist ein nützіu arbeit* (827, 19—24). Solche Totalität übersteigt im Ansatz schon die allseits stilistisch abgesicherte Märchenwelt: die märchenhafte Entwirklichung gehorcht einer Wahrheit, die sie transzendiert. Mit anderen Worten: der *tumbe* Märchendümmling Parzival fungiert innerhalb des *Romans*, ist also immer relativ zu dem eine Totalität von Welt, Gott und Mensch erstrebenden Romannetz. Diese Totalität aber ist keine statische, sondern eine ständig neu werdende, immer neu in Frage gestellte. Die Problematik des Romans ist es, den Ansatz zur Totalität und das *Abenteuer*, in dessen Bewährungsraum sich solches artikuliert, verewigen zu müssen. Der Zwang des Abenteuers ist die perpetuierte Möglichkeit einer zu schaffenden Totalität. Die Problematik des Romans aber ist die negative Seite dieses Bemühens selbst. Das erhellt aus einem Umweg über die epische Welt.

Der reine epische Vorgang ruht in der Identität mit sich selbst. Ohne Möglichkeit einer Diskontinuität von Innen und Außen bequemt sich der epische Mensch total dem Vorgang, in welchem er selber vor-geht[44]). Das numinose ganz Andere[45]) hat weder eine fiktive Möglichkeit noch irgendeine Wirklichkeit, existiert schlechterdings nicht. Wirklichkeit ist identisch mit der Wahrheit, alle menschlichen Erstreckungen, Taten und Begriffe und Möglichkeiten beugen sich dem Vorgang, der episch-transzendenzlos sich begibt: „Wenn die Seele noch keinen Abgrund in sich kennt, der sie zum Absturz locken oder auf weglose Höhen treiben könnte, wenn die Gottheit, die die Welt verwaltet und die unbekannten und ungerechten Gaben austeilt, unverstanden aber bekannt und nahe den Menschen gegenübersteht, wie der Vater dem kleinen Kinde, dann ist jede Tat nur ein gutsitzendes Gewand der Seele. Sein und Schicksal, Abenteuer und Voll-

---

[44]) „Die frühe *chanson de geste* war Volksdichtung in dem Sinne, daß ihr Publikum das Volk in seiner Gesamtheit war und daß ihr Dichter ganz in dessen Geist dachte und gestaltete. Der Dichter der *chanson de geste* schrieb aus einer Bewußtseinshaltung heraus, für die Außen und Innen noch gleichermaßen fraglos eine Sinn- und Organisationseinheit bildeten, die ihn selbst und den Inhalt seiner Aussage so weit und so selbstverständlich einschloß, daß die Frage der Nennung des Autornamens gar nicht gestellt wurde. Wo die Sinnesimmanenz des Daseins unangetasteter Allgemeinbesitz ist, bedarf die Dichtung weder einer Beteuerung ihrer Wahrheit, die außer Frage steht, noch vermag sich der Dichter als ein anderer seinem Publikum vorzustellen" (Köhler, Trobadorlyrik und höf. Roman 9).

[45]) Rudolf Otto, Das Heilige, Über das Irrationale in der Idee des Göttlichen und sein Verhältnis zum Rationalen, München [28]1947. Den Begriff des Numinosen hat auch M. Lüthi beigezogen für seine Unterscheidung von Sage und Märchen (in der Sage ist es gegenwärtig, im Märchen fehlt es). Erich Köhler hat sich Lüthis Unterscheidung von Märchen und Sage zu eigen gemacht und versucht, die Gegenwart beider im höfischen Roman nachzuweisen (Ideal und Wirklichkeit in der höfischen Epik 102 ff.). Das speziell Sagenhafte im höfischen Roman ist allerdings eher dem Romanhaften an sich zuzuteilen, da das ‚Andere', das Jenseitige, sich hier immer direkt aus der Konstitution des Romans selbst erläutern läßt.

endung, Leben und Wesen sind dann identische Begriffe"[46]). Die Ganzheit regiert als Substantialität: das Intersubjektive ist gleicherweise Träger der Substanz wie das ‚Subjekt'; Familie, Staat und Liebe sind dienstbar der perfektisch, das heißt: ein für allemal sich erstreckenden Welttotalität. Die Taten des Einzelnen reichen nie über den Pegelstand des Allgemeinen und episch Verzweckten: „die Gemeinschaft ist eine organische — und darum in sich sinnvolle — konkrete Totalität"[47]). Da die epische Welt apriorischen Charakter hat, ist ihr Zwang nur scheinbar: Identität kann mit sich selber nicht im Widerspruch sein. Genau wie beim Märchen! „Die Totalität der epischen Welt ist vor jeder Abbildung da, so daß die Formen, die diese Totalität wiedergeben, keinen Zwang ausüben. Diese naturhafte Einheit, diese immanente Transzendenz, finden wir auch beim Märchen, wo das Abenteuerliche unlöslich mit dem Sinnvollen verknüpft ist. Und wie die Figuren des Epos welthaltig sind, so werden es auch manche Märchenfiguren: im Kontakt mit den Wesensmächten der Welt steigt der Dümmling zur Würde eines Königs empor"[48]).

Diese epische, in sich verzweckte, an und in sich selber geschehende Objektswelt (die wir bei Homer und dann wieder im Nibelungenlied finden!) dauerte nicht ewig. Was sich episch im Wahnsinn als ein Transcendens anmeldete, präsentiert sich christlich als Torheit. Der epische Weltkitt springt in seine disparaten Teile auseinander. Die griechische Philosophie bot das Präludium: „was ist die Aufgabe der wahren Philosophie, wenn nicht das Aufzeichnen jener urbildlichen Landkarte (des Sternenhimmels); was ist das Problem des transzendentalen Ortes, wenn nicht die Bestimmung des Zugeordnetseins jeder aus dem tiefsten Innern quellenden Regung zu einer ihr unbekannten, ihr aber von Ewigkeit her zugemessenen, sie in erlösender Symbolik einhüllenden Form? Dann ist die Leidenschaft der von der Vernunft her vorherbestimmte Weg zur vollendeten Selbstheit, *und aus dem Wahnsinn sprechen rätselvolle, aber enthüllbare Zeichen einer sonst zum Stummsein verurteilten transzendenten Macht.* Dann gibt es noch keine Innerlichkeit, denn es gibt noch kein

---

[46]) Georg Lukàcs, Die Theorie des Romans, Ein geschichtsphilosophischer Versuch über die Formen der großen Epik, Berlin 1920, 11.

[47]) a. a. O. 59.

[48]) Walter Fuchs, Roman und Märchen im ‚Parzival', Seminararbeit (Masch.-Manuskript) Zürich 1961, 17. Die weiteren Ausführungen sind verschiedentlich, was die Gedankenführung betrifft, von dieser vortrefflichen, leider ungedruckten Arbeit angeregt worden.

Außen, kein Anderes für die Seele" (das Herausgehobene von mir)[49]. Das Christentum aber verbürgt endgültig die Disparatheit der Welt, ein Außen, ein ganz Anderes: Gott. „Und das Losungswort des kommenden, neu schicksalhaften Geistes ist: den Griechen eine Torheit. Wahrlich eine Torheit für den Griechen"[50]. Mit dem Christentum schlägt die Geburtsstunde des Romans: eine die Toren feiernde Torheit für den episch im Immanenten versunkenen Griechen. Zugleich aber schlägt auch die Stunde der Kunst, die es großartig unternimmt, selbst in der Gestalt des scheiternden, gedemütigten Toren die Totalität im Bild wiederherzustellen. Die Welt ist zwar und bleibt versehrt, die naturhafte Einheit des metaphysischen Weltkitts ist eingetrocknet und in ihre Teile zersprungen. Die Welt trägt ein verschandeltes Antlitz, präsentiert Furchen und Risse. In der Kunst hebt das Abenteuer der visionären Rückkehr an, ein Unterfangen, das heute noch oder erst recht keineswegs zu einem Abschluß gekommen ist, sondern sich im Roman geradezu geisterhaft monoman immer neu auswortet. Der Riß in der Welt ist unheilbar, der Roman ist bisweilen ideologische Nahtstelle: Versuch der Rückführung der Teile in eine fiktive Einheit, meistens aber Symptom und Ausdruck des Risses selbst. Im Roman wird die Totalität also gesucht, ersehnt und geschaffen: „Die Epopöe gestaltet eine von sich aus geschlossene Lebenstotalität, der Roman sucht gestaltend die verborgene Totalität des Lebens aufzudecken und aufzubauen"[51]. Indem der Romanautor sich dem ihn drängenden Suchen bequemt, schafft er den Suchenden selbst. Der Held des Romans ist Suchender. Die Heterogeneität der Welt und ihrer Fakten ist der Anlaß, aus dem sich die Suche zwingend ergibt und als Aufgabe stellt. Die Homogeneität des Kunstwerks bringt so die ungeheuerliche Angst vor der Heterogeneität des Seienden zum Ausdruck. Jener, dem die Homogeneität des Kunstwerks gelingt, hat vermutlich das Heterogene am meisten gefühlt und gespürt. Nicht umgekehrt. Das Rettende an dem, was Kunst heißt, liegt darin begründet, daß das Heile gelingt oder paradoxerweise — selbst im Mißlingen gelingt[52].

Obwohl der Roman also von der christlichen Transzendenz her seinen Anreiz hat, bedeutet er andererseits auch dichterische Emanzipation von Christlichem. Für den christlichen Dichter des Mittelalters bedeutet das ein Doppeltes. Ein radikaler Ausstieg aus dem Christlichen wäre ihm

[49]) Lukàcs, a.a.O. 10. Vgl. dazu Josef Pieper, Begeisterung und göttlicher Wahnsinn, Über den platonischen Dialog ‚Phaidros', München 1962.

[50]) Lukàcs a.a.O. 19.

[51]) a.a.O. 49/50.

[52]) a.a.O. 20/21.

Abfall; er hat sich im Gegenteil ans Christliche als an seine Norm zu halten: die Eschatologie seines Romans mündet ins Christliche oder steht ihm zumindest nicht feindlich gegenüber. Er ist nicht völlig „heimatlos", er bringt Voraussetzungen seines Dichtertums mit. Andererseits ist aber dem selben Dichter der herrschende (politische, kulturelle, religiöse) Zustand fragwürdig geworden. Er bemerkt allenthalben Risse: der fragwürdige Pluralismus der Fakten scheint ihm unfähig, die problematisch gewordene, einheitliche Substantialität der Weltdinge zu tragen. Der Dichter schafft die neue Norm einer gültig getragenen Substantialität. Das geschieht nun nicht ohne ein gewisses Maß von Emanzipation vom Herrschenden: Wolfram zum Beispiel zeichnet Parzival vor dem Hintergrund der im Konventionellen, Gängigen verbleibenden Artus-Ritter; Parzival ist mit Wolfram der Emanzipierte selbst. Nur jener, der den Riß im Gebäude merkt, ist der Merkwürdige, der einer persönlichen Verantwortung fähig ist. Daher steht Parzival letztlich weit jenseits des Märchens, obwohl es die Erde ist, aus der er gebildet wurde.

Das A und O des Romans ist, wie schon angetönt, das *Abenteuer*, „das Abenteuer als eine gewagte und verantwortete Begegnung des einzelnen Helden mit einem Unabsehbaren, das prinzipiell nicht vorgegeben und nicht zu erschöpfen ist, nur im beständigen Fortschreiten erfahren werden kann"[53]). Das Resultat, soweit für etwas immer Geschehendes dieses Wort in Anspruch genommen werden darf, ist eine neue Sinngebung, ‚Reintegration und Wesenssuche'[54]). Das Abenteuer statuiert aber auch die Gefährdung, im Maß, als es Mittel zu deren Überwindung ist. Es bedeutet auch „angestrengte, vom Leben selbst gebotene Bemühung, den fragwürdig gewordenen Bezug zwischen Individuum und Gesellschaft im Sinne eines ontologischen ‚ordo', einer Übereinstimmung von Sein und Seiendem, wiederherzustellen"[55]); kurz, die *aventiure* ist letzte und erste Begründung ritterlicher Existenz, deren terminus a quo und ad quem. Auch das Märchen kennt ‚Abenteuer': der Dummling besteht Stufen, Grade, Stationen der Bewährung. In diesen Stationen nun, die wir anläß-

[53]) M. Wehrli, Strukturprobleme 334. Vgl. auch von dems., Allgemeine Literaturwissenschaft, Bern 1951, 82: „Der Verlust des Mythisch-Gemeinschaftlichen und schließlich Persönlich-Privaten bedeutet eine Krise der Wirklichkeit, die nun immer neu als ‚Abenteuer' wieder gewonnen werden muß. Die Totalität der Welt und damit die Erfüllung des Daseins ist nicht mehr als Wirklichkeit, sondern nur noch als Ziel vorhanden."

[54]) So überschreibt E. Köhler sein außerordentliches Kapitel über die *aventure* (Ideal und Wirklichkeit 66).

[55]) a. a. O. 82.

lich der Phänomenologie von Parzivals *tumpheit* immer wieder herausstellen konnten, scheint sich die Zusammenkunft von Märchen und Roman am deutlichsten zu zeigen, eine Zusammenkunft, die es uns allerdings leicht macht herauszufinden, unter wessen Primat sie stattfindet. Der Roman ist der Deutende, wenn eine solche Personifizierung erlaubt ist, das Märchen das Gedeutete, die *matière*, deren sich der übergreifende *sen* des Romans behutsam annimmt. Erst so *wird* die Gestalt des Romans: durch das Märchen hindurch zum übergreifenden Sinn. Der Roman als eine werdende Totalität verfügt über die Stoffe der Literatur, indem er sie zu bloßen Motiven herabsetzt und als solche aufzehrt. Das zeigt sich in den ‚Stationen' des jungen Parzival besonders deutlich. Wir wollen daher versuchen, diese Spannung der Gattungen an einigen Beispielen, die der *tumbe* Parzival in besonderem Maße, ja beinahe ausschließlich liefert, zu untersuchen.

Wie sehr Parzivals Dümmlingstum nicht einfach identisch ist mit dem des Märchenschemas, sondern „biographisch bedingt (ist) durch die besonderen Umstände, unter denen er aufwuchs"[56]), erhellt eindeutig aus unserer Besprechung von Geburt und Jugend Parzivals[57]). Gerade der Ansatz des Romans entbehrt völlig des Märchenhaften, alles scheint hier darauf angelegt zu sein, Parzivals Geburt beinahe historisch zu fixieren oder realistisch deren Verumständungen zu erklären. Aber schon Herzeloydes *vlühtesal* (177,14) in die Einöde eines unwegsamen Waldes ist Abstraktion vom Realen der Geburt: der ‚Betrug' (118,2) institutionalisiert ein Märchenhaftes innerhalb des Romans, zugleich aber schafft er die ‚transzendentale Obdachlosigkeit', den Bruch, die Krise, in deren Umkreis der Roman sich etabliert. Im Maß, als die Totalität der Welt zerbricht, werden geistige Tendenzen zu deren ideologischer Konstruktion frei. Zugleich aber werden ‚Einfache Formen' ihrer Apriorität entkleidet und literarisch verfügbar[58]). Das Märchen von Parzivals Jugend im Wald ist daher schon

---

56) W. Mohr, Parzival und die Ritter, Von einfacher Form zum Ritterepos, Fabula 1 (1958) 201—213, hier: 205.

57) Vgl. oben S. 56 ff.

58) Die Problematik der ‚Einfachen Form' kann hier nicht weiter verfolgt werden. Der Ausdruck ‚Einfache Form' wird jedenfalls hier und im Folgenden ohne den gattungsmythischen Evolutionshintergrund gebraucht. Mit ihm soll einfach die relative Einfachheit des Märchenstils (der alle Motive bis zur leersten Abstraktion und ‚Stumpfheit' absorbiert und aufzehrt) bezeichnet sein. Zum Ausdruck ‚Einfache Form' vgl.: A. Jolles, Einfache Formen; Legende, Sage, Mythe, Rätsel, Spruch, Kasus, Memorabile, Märchen, Witz, Darmstadt ²1958; und: W. Mohr, in: Reallexikon d. dt. Lit.-geschichte I, Berlin ²1958, Stichwort ‚Einfache Formen' (hier vollständige Literaturangaben!).

umspielt von den Funken kommender Komplikationen und romanhafter Krisen (die Vogelgeschichte, die Trauer um die getöteten Vögel, Frage Parzivals nach Gott): im statischen Bild seiner märchenhaften Erscheinung (als eines *tumben*, in Unwissen aufwachsenden Knaben) irrlichtern bereits Lichter seiner bedrohten Aufgabe und Berufung. Die biographischen Akzente stehen also quer zur märchenhaften Tendenz dieses Waldidylls, sie bedrohen es von rückwärts: Parzivals ‚Vor'-geschichte, d.h. die Geschichte seiner Eltern wäre unweigerlich ein gebieterischer Aufruf für den jungen Parzival, selber Ritter werden zu wollen; von vorwärts: alles Ankommende ist Gefahr für das Idyll, alles, was aus der ‚Welt' (= Welt der ständischen Feudalwelt) kommt, trägt den Keim zur Auflösung des Märchens in reale Bitterkeit und Trauer in sich.

Hinter der Begegnung zwischen dem *tumben* Parzival und den Rittern vermutet Wolfgang Mohr eine „Geschichte von ‚dummen Antworten', wie sie auch in die schleswig-holsteinischen Fassungen von ‚Hänsel und Gretel' und von der ‚Kiddelkaddelkar' eingegangen sind“[59]). Das scheint ihm „ziemlich sicher zu sein“. Da die „Jugend dieses Helden ... bekanntlich nach dem Dümmlingsschema stilisiert“[60]) ist, ergibt sich eine pointenreiche Verbindung dieser verschiedenen Motive der ‚Dummheit' (dazu kommt der Nationenspott über die ‚dummen Galois', die Tatsache, daß der Dümmling seinen Namen nicht weiß). Während in Chrestiens Darstellung die Strukturform dieser Volkserzählung noch deutlich durchschimmere, ist bei Wolfram die „Verkünstlichung der Wirklichkeit“ geringer, weil er „vom weitest zurückliegenden Punkt aus die Geschichte dem realen Zeitverlauf folgend entfaltet“[61]). Das bei Chrestien Angelegte und Übernommene wird hier also „zur inneren und äußeren Biographie des Helden entfaltet“[62]). Und tatsächlich, das Märchen weicht dem biographischen Schwergewicht. Es gehorcht nun neuen stilistischen Gesetzen, ändert also seine Substanz (wird als bloßes ‚Motiv' übernommen). Im Maß als sich das handliche Märchenidyll auflöst, wird stilistisch Sagenhaftes erschlossen, d.h. Wolfram „stilisiert seine Erzählung auf das Memorat oder die Sage zu, weg von der geschlossenen Kunstwelt des (novellistischen) Märchens und auch von Chrestiens Roman“[63]). Numinoses drängt sich machtvoll vor und wird als stürmischer Aufbruch aus dem

---

[59]) Parzival und die Ritter 202.

[60]) a.a.O. 204.

[61]) a.a.O. 207.

[62]) a.a.O. 208.

[63]) a.a.O. 211.

Märchenwald artikuliert. Parzival bequemt sich der Märchenlüge nicht mehr, nachdem er etwas von der Wirklichkeit des Rittertums kennengelernt hat (daß auch die Artuswelt Märchenwelt ist, wird ihm erst später aufgehen)[64]).

Festgehalten zu werden verdient Folgendes: Was dieser Szene zugrundeliegt, ist eine Volkserzählung, deren stilistischer Charakter — mithin deren Gattung — nicht feststellbar ist. Hingegen ist deren märchenhafte Verwendung im Roman kennzeichnend für die Art, wie der Roman seine übernommenen ‚Motive' sich einverleibt. Indem die ‚einfache Form' im Roman märchenhafte Verwendung findet, wird das Märchenhafte überhaupt erst frei. Andererseits ist die Fabel von den dummen Antworten nicht einfach als Märchen in den Roman eingegangen, so daß man es leichthin herausnehmen und als Gattung sui generis präsentieren könnte. Das ‚Märchen' ist nur bedingt Märchen: im Maß, als es Exposition des Romans wird, schwindet die märchenhafte Stilisierung und wird aufgezehrt von der komplexeren, ‚fragwürdigeren' Problematik des Romans.

Auch die Begegnungen mit Jeschute, Sigune und Ither sind weitgehend in der einfachen Technik des Märchens gemeistert, das heißt in Kontrastbildern gezeichnet: hier der unerfahrene Parzival, dort die wissende Jeschute, die leidende Sigune; hier der aufbegehrend trotzige Tor, dort eine Verkörperung der ritterlichen Welt, der idealisch stolze Rote Ritter[65]). „Der Zuhörer wird durch diese merkwürdigen Szenen gefesselt, deren

[64]) Aber: „Alles in allem: Überall schimmert die ‚einfache Form' durch, überall aber ist sie in einen andern Erzählstil verwandelt, der seine Darstellungsmittel ebenso instinktsicher handhabt, wie es die ‚einfache Form' auf ihre Weise tut" a. a. O. 207. Mohr glaubt mit Recht, daß hinter all diesen motivischen und stilistischen Eigentümlichkeiten eine Art ‚Volkserzählung' steckt. Daß diese ‚Volkserzählungen' jedoch mit der ‚einfachen Form' des Märchens schon identisch sind, scheint so lange fragwürdig, bis Kurt Ranke solches bewiesen hat. Jedenfalls kündigt er Folgendes (a. a. O. 204 Anm.) an: „Ich hoffe, selber in einiger Zeit darlegen zu können, daß es tatsächlich Märchen der germanischen Völkerwanderungszeit gegeben hat." Ob das aber schon Märchen im Sinne Lüthis sein werden? Die Problematik des Märchenursprungs läßt sich immer rückverlegen in die Diskussion der Terminologie.

[65]) „Gewöhnlich wird der Dümmling, der die allgemeine Verachtung der Umwelt genießt, irgendwelchen Personen, die von ihren Mitmenschen für besonders gescheit gehalten werden, gegenübergestellt, ein Mittel, dessen sich das Märchen im allgemeinen bedient, um Charaktere dem anschaulich denkenden Hörer zum Verständnis zu bringen" (Frenkel in: Handwörterbuch z. dt. Volkskunde, Abt. II Märchen: Hwb. des dt. Märchens, hrsg. von Bolte und Mackensen, Berlin/Leipzig 1930/33, unter dem Stichwort ‚Dümmling', 426—428).

Schwerpunkt vorerst durchaus im erzählten Vorgang liegt. Man denke etwa an die Szene in Jeschutes Zelt. Erst nachdem Parzival verschwunden ist, wird der märchenhafte Vorgang in einen weiteren Rahmen verlegt, indem der Fürst eine lange, private Geschichte zu erzählen beginnt. Parzivals dummes Verhalten, sein unfreiwilliges Eintreten in das Geschick einer mächtigen Fürstenpersönlichkeit, löst für eine Unschuldige unheilvolle Folgen aus. Das harmlose Geschehen erweist sich nachträglich als hintergründig"[66]). Auch hier also dieses Widerspiel von in sich selbst ruhendem, stilisiertem Erzählvorgang und nachträglicher — bisweilen gleichzeitiger — Tiefen- und Romanperspektive. Das romanhafte Schwergewicht ist immer Resultat erzählerisch verbrachter und leicht präsentierter Situationszeit. Die Ruhe der *matière* löst sich allmählich in die Unruhe des Romans, die Sinn in sich selber schon ist, nämlich Kennzeichnung einer höheren ‚Situation' und deren Fragwürdigkeit, Infragestellung des epischen Vorgangs und dessen Ausweitung in neue Bezüge und Sinnzusammenhänge.

Die Schilderung des Kampfes mit Ither von Gaheviez ist geradezu Kulminationspunkt, an dem sich das Dümmlingsmärchen in die Fragwürdigkeit des Romans transzendieren lassen muß. Die Spannung von märchenhafter Schilderung und romanhafter Deutung, das Gegenüber von Handlung und Sinn erhält hier schärfstes Profil und schärfste Konturierung[67]). Anläßlich der Besprechung dieser Mordszene habe ich Parzivals ‚Reservat der *tumpheit*' hervorgehoben, das überhaupt erst möglich macht, daß diese Szene erträglich wird. Parzivals *tumpheit* ist eine Art Märchenschutz, der die Schilderung ermöglicht und gleichzeitig die Tat selbst erzählerisch ‚legitimiert'. Der Humor, in den sich der Hörer verfängt, entspringt der Heraussetzung der Dümmlingsmotivik innerhalb des Romans gerade an der prekärsten Stelle, wo die ‚Obdachlosigkeit' — das Kennzeichen des Romans — ‚konstruiert' und geschaffen wird. Nach einem Hinweis auf die künftige Totenklage um den Roten Ritter taucht die Szenerie in Märchenhaftes: Parzival hantiert, selber wie eine am Draht gezogene Marionette handelnd, in äußerster Verfremdung zum Toten an ihm wie an einer Puppe, wie an einem Stück Holz (ein besonders märchenhafter Zug!). Das burleske Treiben Parzivals und eines Knappen, die sich gemeinsam um die Rüstung des toten Ritters abmühen, wird gemächlich — so einseitig in der Sicht, als wären andere Sichtweisen völlig unmöglich — erzählt. Erst die feierlich schöne und wehe Totenklage Gino-

[66]) Fuchs a. a. O. 13 (vgl. S. 214 Anm. 48).

[67]) a. a. O.

vers blendet grell in den wahren Sachverhalt des Mords. Die in die Attitüde gebannte *tumpheit* Parzivals wird durchsichtig auf die objektiv undiskutierbare Schuld: der Zwang der unheimlich hintergründigen Stellvertretung beginnt: Parzival schlüpft in das Kleid dessen, den er ermordete. Das *versinnen* folgt der märchenhaft getätigten Sünde: hier brechen sogleich die Hintergründe von Schuld und Erlösung auf, die Märchenrequisiten werden beiseite geschoben und geben den Blick frei auf die tiefste Verstrickung, deren Schwere der Mensch zu tragen hat. Der Dummling wird zum Menschen schlechthin, dessen Gestalt nur der Roman unter Furcht und Zittern zu zeichnen fähig ist.
Es ist unnötig, weitere märchenhafte Züge im Parzivalroman auszuklammern und darauf hinzuweisen[68]). Vielleicht ist es aber sinnvoll, noch kurz auf die Blutstropfenszene einzugehen, da sich hier das Märchen in seiner vollen Substanz der höheren Formel des Romans bequemt. Das Märchen ist hier doppelt geöffnet. Das Aufbrechen einer neuen Innerlichkeit, das sich nach Wehrli in der Blutstropfenszene manifestiert, geschieht paradoxerweise mittels eines Märchenmotivs, das an und für sich jeglichen individuellen Gehalt ausschlösse. Die individuelle Öffnung von Parzivals Gestalt in das überwältigende Geheimnis der Liebe vollzieht sich mittels der Schematik märchenhafter Vorgänge. Zudem kommt hier die märchenhafte Ambiance der Artuswelt ins Spiel, die sich in der blassen und unplastisch gezeichneten Gestalt des Königs Artus schwächlich und schematisch repräsentieren lassen muß. Will der Roman mehr sein als eine leere Episodenreihe farbloser Ritterabenteuer, dann wird sich der Protagonist des Romans in eigener Person vor dem Hintergrund dieser verzweckten Welt herausheben müssen. Soziologisch gesprochen: das Individuum, dessen Biographie dem Roman ein Anliegen ist, muß sich aus dem Kollektiv, dessen Protagonist es gleichzeitig ist, emanzipieren und so Exemplarität gewinnen. Individuelle Emanzipation und märchenhaftes Kollektiv treten in dieser Szene in schärfste Gegensätzlichkeit — wobei sich aber gleichzeitig Harmonie und gegenseitige Ergänzung der beiden Komponenten als ein momentaner, geglückter Ertrag einstellt. Gattungstheoretisch wird das Märchen vom Roman überspielt und vollends als ein Stilmerkmal eingehandelt. Das künstlich beschaffte und stilistisch in sich verzweckte Märchen weicht dem wahren und individuellen Gehalt, indem es voll-

[68]) Zu denken wäre etwa an folgende „Situationen und Requisiten: das Lachen der Kunneware, ... das fahrende Bett, die Zauberschlösser, die mythisch-märchenhafte Vorausbestimmung Parzivals: die unwissende Frage, die vom rechten Mann zur rechten Stunde gestellte Frage, die äußerstes Märchenglück erschließt" usw. (Fuchs a. a. O. 14).

umfänglich dargestellt wird. Paradoxerweise nämlich bewährt sich der Roman in seiner Komplexität durch kompromißlose Darstellung des Märchenhaften gerade am meisten. Parzivals Automatik der Versenkung und der blind geführten *tjoste* gegen die angreifenden Artusritter ist äußerlich märchenhaft, gehaltlich aber Signatur seiner Liebe zu Condwiramurs. Diese Minne, deren formal-märchenhafte Kriterien für ritterliche Begriffe längst fixiert sind, erhält romanhaft ihre menschliche Bestätigung.

Die Tatsache eines Gegen- und Ineinanderspiels von Roman und Märchen im ‚Parzival' kann nach allem nicht bestritten werden, erweist sich aber in vielen Punkten anders, als die Forschung — der es vornehmlich um stoffliche Abhängigkeiten und Identitäten geht[69]) — es wahrhaben möchte[70]). Das Problem des im Roman sich äußernden Märchens ist im Ganzen also wohl eher ein Problem des Stils denn ein solches der Motivik und Stoffkunde. Daher stellt sich schließlich noch gebieterisch die Gesamtfrage nach der Funktion des Dümmlingsmärchens im Parzivalroman,

69) Über das Motiv der *tumpheit* innerhalb des Motivkreises der Dümmlingsmärchen vgl. Bolte/Polivka, Anmerkungen zu Grimms Märchen Nr. 62—64. Ferner: Panzer, Siegfriedmärchen, Festgabe Braune 1920; und: ders., Studien zur germanischen Sagengeschichte I und II, 1910/12. — Schließlich ist auch noch L.-I. Ringbom, Graltempel und Paradies: Beziehungen zwischen Iran und Europa im Mittelalter, Stockholm 1951, auf der Suche nach allerhand materialen Märchenwirklichkeiten, um die Gralslegende im Gesamten zu ‚erklären'. Vgl. auch Wolfgang Golther, Parzival und der Gral in der Dichtung des Mittelalters und der Neuzeit, Stuttgart 1925, 15 ff. (im Anschluß an Ehrismanns Untersuchungen über das Märchen im höfischen Roman: Märchen im höfischen Epos, PBB 30 [1905] 14 ff.; und Wolframprobleme, GRM 1 [1909] 657—574, besonders 661 ff.). Man müßte, um eine annähernde Vollständigkeit der bedeutenden Namen zu erhalten, die mit der sagen- und stoffgeschichtlichen Forschung verknüpft sind, noch auf die Werke Heinzels, Hertzs, Singers, Junks, Wechsslers, Webers und Kellermanns verweisen. Vgl. Wapnewski, W's Parzival 93.

70) So ist z. B. die Streitfrage, die sich um die sogenannte ‚Märchenkausalität' angestaut hat, reichlich verfehlt. Webers Polemik hat hier weithin die echte Fragestellung verunklärt und Mockenhaupts Erklärung der unterlassenen Frage (Frömmigkeit 72 f. und 244 f.) mißverstanden oder einfach abgedreht. Ähnlich wie Weber verfehlt auch Wapnewski (a. a. O. 93) die sinngemäße Interpretation einer möglichen ‚Märchenmotivik'. Selbst wenn man Parzivals Schweigen im Sinn einer märchenhaften Beeinflussung interpretiert, heißt das nicht, die ‚Märchenmotivik' sei an sich funktionslos. Sondern gerade das Märchenhafte ist — wie wir gesehen haben — identisch mit Funktion. Alles Märchenhafte im ‚Parzival' — wer möchte es leugnen? — ist funktional. Daher ist es völlig verfehlt, die Möglichkeit einer ‚Märchenmotivik' als funktionslos abzutun, einfach darum, weil Mockenhaupt sie einstmals aus einer Verlegenheit der Interpretation so gebrauchte. Vgl. S. 151 f. Anm. 27.

vielleicht daß so die eingangs erwähnte Einheitlichkeit von Parzivals *tumpheit* ganzhaft deutlich wird.
Die Märchenforschung unterscheidet hinsichtlich des Erfolgs, den der Dummling im Märchen letztlich immer für sich buchen kann, drei Formen oder Typen des Dümmlingsmärchens. Dahinter stehen drei Auffassungen der Figur des Dummlings:
1. „der Dummling ist in Wirklichkeit klug ... und verdankt seinen schlechten Ruf nur der Familiensituation".
2. „der Dummling kompensiert seine schwache Begabung durch Güte, Ausdauer und Geduld. ... Außer der Güte sind es ferner Ausdauer, Geduld und Nachgiebigkeit, die den Dummling veranlassen, bei dem Ziel, selbst wenn es viele Umwege erfordert, zu verharren".
3. „das Glück ist es, das dem Dummling hilft, der auch in diesen Fällen wirklich unbegabt ist und auch die übrigen guten Eigenschaften nicht in auffallendem Maße besitzt"[71]).
Wer es versuchen möchte, den ‚Parzival' auf eine dieser Möglichkeiten einzuschränken, hätte seine liebe Mühe. Denn alle drei Typen sind in Parzival vereinigt: tatsächlich ist er *tump* der ‚Familiensituation' wegen (seine Mutter tut ihr Möglichstes, diese Familiensituation zu fixieren); auch Güte, Ausdauer und Geduld lassen sich Parzival, der auf der Suche nach dem Gral verharrt, keineswegs absprechen; und wer wollte Parzival das ‚Glück', dessen er als Gralskönig schließlich gewürdigt wird, bestreiten? Die drei Typen finden sich im ‚Parzival' geradezu biographisch aufgereiht, so daß eine Identität unverkennbar ist. Und doch beweist gerade diese Totalrezeption aller Bestimmungen des Dümmlingsmärchens — so wie wir es heute kennen —, daß das Dümmlingsmärchen nicht als eine krude Stoffmasse, deren Fakten sich nachträglich ohne weiteres wieder aus dem Roman ausziehen lassen, sondern als hochwertiges Stilmittel gebraucht und verwertet wurde. Ja, das Dümmlingsmärchen erscheint im ‚Parzival' in einer derart weiten Formung, daß — soweit sich nicht ‚Volkserzählungen' als direkte Quellen anbieten — überhaupt zu überlegen wäre, ob das ‚Dümmlingsmärchen' — anstatt terminus a quo des Romans zu sein — nicht dessen zufällig sich ergebender terminus ad quod ist, d.h. mit anderen Worten: die vage und weite Formung des Dümmlingsmärchens im Roman impliziert keineswegs eine stoffliche Apriorität des Märchens — dieses in seiner stilistischen Umschreibung genommen — und kann daher auch nie zum Indiz irgendwelcher Motiv- und Stoffabhängigkeiten herhalten. Wir werden darauf zurückkommen. Zuvor aber noch-

---

71) Frenkel in: Hwb. des dt. Märchens, Stichwort ‚Dümmling'.

mals die Frage nach der Funktion des Dümmlingsmärchens im Parzivalroman!

1. Die Rolle, welche der Dummling im Märchen selber hat, ist identisch mit jener, welche das Dümmlingsmärchen im Roman spielt; nur ist im ‚Parzival' der Dummling nicht etwa auch ein Isolierter (unter seinesgleichen), sondern er ist Isolierter, Vereinzelter, Besonderter und Besonderer schlechthin. Der *tumbe* Parzival ist exklusiv jener, der im Märchen inklusiv einer unter anderen ist: ein gewinnender, erfolgreicher Dummling neben anderen, die auch arrivieren. Der Roman sperrt sich kraft seiner ihm innerlichen Individuationspotenz gegen den Vergleich mit Ähnlichem, selbst wenn das Analogon wieder ein Roman sein sollte. Das Märchenprinzip der Isolation erfährt im Roman eine äußerste Verabsolutierung, derart, daß die Isolation des Helden zur schlechthinigen Auserwählung und eschatologischen Besonderung sich steigern und ausweiten lassen muß. Die Funktion dieser Isolierung ist aber nichtsdestoweniger märchenhaft. Der ‚prädestinierte Märchenheld' (M. Lüthi) erfährt hier seine höhere Weihe, wenn nicht die Begründung seiner Möglichkeit überhaupt. Der Roman erst legitimiert (oder kreiert?) die märchenhafte Notwendigkeit der heldischen Isolation, indem er sie als Movens einer großangelegten Romanideologie in Anspruch nimmt. Flächenhaftigkeit, potentielle Allverbundenheit und Beziehungsfähigkeit, Eindimensionalität und Abstraktion, die Stigmata des im Sinne Lüthis untersuchten Märchens, sind aus der Sicht des Torenromans bloße Abstrakta der intensiveren Konkretion im Roman, wo das Dümmlingsmärchen funktionell als Initiativ der romanhaft angelegten heldischen Isolation seine Verwendung findet. Ob sich die Priorität des Romans vor dem Märchen auch zeitlich belegen läßt, ist eine andere Frage und gehört in den Problemkasten einer vorbehaltlosen und die Stilkriterien mitberücksichtigenden Motiv- und Gattungsforschung. Die reine Funktionalität des Dümmlingsmärchens im Parzivalroman Wolframs von Eschenbach kann jedoch nicht bestritten werden. Die Besonderung des Helden, der nach Geschlecht und Berufung auserwählt ist, ist märchenhaft, insofern sie dem Roman dient. Damit ist aber auch der Stellenwert des Dümmlingsmärchens innerhalb des Romans bedeutend, und es bietet sich als Gattungsbezeichnung für den ‚Parzival' mit einigem Vorteil der Ausdruck ‚Märchenroman'[72]) an, wobei der Akzent mit Hinsicht auf die immanente Funktionalität des Märchens auf Roman

---

[72]) Clemens Lugowski, Wirklichkeit und Dichtung, Untersuchungen zur Wirklichkeitsauffassung Heinrichs von Kleist, Frankfurt a. M. 1936. Vgl. auch Wehrli, Allgemeine Literaturwissenschaft 65.

zu legen wäre. Das alles aber nur unter der Bedingung, daß sich das Märchen bis zum Schluß durchhält, was noch zu untersuchen ist.

2. Die Schematik des Dümmlingsmärchens, die den Dummling eng mit der Mutter und deren Ratschlägen verbindet, begründet über die märchenhafte, aber in sich leere Besonderung des Helden hinaus dessen Legitimation als *diss maeres sachewalte* (112, 17). Die Ausgangsposition des Dummlings Parzival (daß man ihm auf mütterlichen Befehl die *ritterschaft* vorenthielt, *ê er koeme an sîner witze kraft* [112, 20]!) ist auch seine Position als Held der Erzählung überhaupt. Parzival wäre nicht, der er ist, wenn er nicht als *knappe tump unde wert* (126, 19), entsprechend dem Schema des Dümmlingsmärchens, im Wald, fern von allem Ritterlichen, aufgezogen worden wäre. Die Besonderung ist mithin gleichzeitig seine Legitimation. Der Roman wäre gründlich verfehlt, wenn diese Legitimation Parzivals als Protagonisten nicht eins wäre mit dessen Besonderung als Dümmling im Wald. Auch darin läßt sich die Identität von Märchen und Roman ansatzweise feststellen: im Moment, da das Märchen den Helden stellt, kommt auch schon der romanhafte Überbau zu seinem Recht: der Dummling entwächst der märchenhaften Exposition als reiner Tor und schreitet der *diemüete* zu, in deren Auserwählung er eingefordert ist.

3. Das Dümmlingsmärchen steht quer zu allem Entwicklungshaften, Psychologischen[73]). Der Hörer und der Leser des ‚Parzival' gerät nie unter den Einfluß einer suggestiven, psychologisch kausal sich abwickelnden Evolution des Helden. Das Dümmlingsmärchen hält sich so sehr durch, daß das genüßliche Wachsen des Hörers zusammen mit dem Helden immer aussteht: der Leser wohnt nicht der humanitären Entfaltung einer menschlichen Selbstwerdung bei, sondern vor allem der brüskierenden Schärfe einer Berufung, deren statische Vorgegebenheit entweder verfehlt oder gewonnen werden kann. Der zwischen Verfehlen und Gewinnen, zwischen Glück und Verderben seinen Weg finden muß, ist Parzival, dessen Name von Sigune sinngemäß als *rehte enmitten durch* (140, 17) erläutert wird. Die Berufung zum Gral meint etwas Antipsychologisches: der Held kann die Stufen und Stationen, die andere in der Blüte einer selbstgewissen Mächtigkeit erstreben und gewinnen, nur als Vorgegebenheiten ratifizieren; alle ‚Entwicklung' ist ihm äußerlich: Parzival gewinnt nur, indem er verliert, und zwar sich selber. Der mittelalterliche Mensch — sit venia verbo — gewinnt im Letzten nur so, anders kann er sich Erfolg und Glück nicht vorstellen. Aber auch Parzivals Selbstverlust und -preisgabe ist in der märchenhaften Konstellation der *tumpheit* vorge-

---

[73]) Vgl. S. 204 f. Anm. 26.

zeichnet: Parzival ist von allem Anfang an der, welcher als Betrogener seinen Weg beginnt; das Wesentliche, die ritterliche Erziehung und Schulung, muß er entbehren. Im Märchenhaften, im Arrangement der im Wald zu verbringenden Jugend, ist die Apotheose des in der Ungeborgenheit des Romans umherirrenden, aber letztlich zielsicheren Toren vorgezeichnet. Der *zwîvel*, im Umkreis des romanhaften Geschehens Parzivals Leid, ist schon das Leid des unwissenden Märchentoren im Wald. — Stilistisch wird das psychologisch Kausalwidrige als Stil der Flächenhaftigkeit oder der Oberfläche fruchtbar[74]). Inhaltlich ergibt sich daraus Parzivals Autoritätshörigkeit, aus der schließlich die Symptomschuld der nicht gestellten Frage resultiert. Die Verkettungen sind allenthalben spürbar: Stil und Gehalt, *rede* und *meine*, Märchen und Roman bilden ein Netz unentwirrbarer Ganzheit.

4. Vielleicht die dem Roman am schärfsten entsprechende Eigenschaft, die sich aus Parzivals *tumpheit* ergibt, ist seine der Berufung endgültig offene *Disponibilität*. Jean Marx hat den ‚Simple' ausführlich beschrieben[75]): hinter der Gestalt Parzivals steht die aus alten irländischen und walisischen Erzählungen wohlbekannte Figur des homo simplex[76]), der in seiner Unwissenheit nie kalkuliert, seine Chancen nicht berechnet und doch auf Kosten seiner Queste alles preisgibt (selbst sein Recht auf Kalkulation) und so gewinnt. Darüber hinaus ist die literarische Ausprägung des Dummlings im höfischen Parzivalroman die Bedingung der Möglichkeit von *aventiuren*[77]). Ohne Parzivals unendlich disponible *tumpheit* keine Geschichte, keine *aventiure*! Die ruhige Kühnheit des jungen Helden, seine Unerschrockenheit, seine Fähigkeit, immer geben zu können und so sein Leben noch und noch aufs Spiel zu setzen, ohne Hintergedanken und ohne Schielen auf Gewinn, sind Unterpfand und Bedingung seines Erfolgs,

---

74) Vgl. Lüthis Stilmerkmal der ‚Flächenhaftigkeit' fürs Märchen und Lukàcs' Charakterisierung des höfischen Romanstils als ‚Oberfläche' (vgl. S. 207 Anm. 30, 31 und unten S. 227 Anm. 78.

75) La légende arthurienne et le Graal, 205 ff. — Nach J. Marx ist Parzivals Disponibilität derart zwingend, daß sie ihm einen Aufenthalt bei seiner Gattin gar nicht gestattet. Also nicht ‚Keuschheit' wäre die Haupttugend des ‚Simple', sondern die Bindungslosigkeit, die Fähigkeit, alles um eines Neuen willen aufzugeben und weiterzugehen (211). Sosehr diese Erklärung einleuchtet und vom Keltischen her sicher richtig ist, sosehr ist sie fragwürdig in ihrer Ausschließlichkeit für den christianisierten Roman.

76) C. O'Rahilly, Ireland and Wales; Gruffydd, Math Vab Mathonwy, 324 ff. (zitiert bei Marx a. a. O. 207).

77) Marx a. a. O.: „Mais le Simple qu'on nous décrit ici est aussi autre chose, car sa simplesse va cautionner et conditionner les aventures."

seiner endlichen Krönung als Gralskönig. Das Märchen ist Anfang und Ende des ‚Parzival': die Krönung ist Bild des Erfolgs schlechthin; ein Märchenerfolg, wie er besser, sublimer und dem Märchen konformer nicht mehr gedacht werden kann[78]). Das Märchen — das sich scheinbar in der Romanmitte vor dem Ansturm der Romanfragwürdigkeiten verzieht — ist im Schluß, in der Apotheose der Disponibilität, erneut präsent, stärker als je. Das Märchen *gewinnt* im Roman, indem der Protagonist zur Gralskrone gelangt. Der Erfolg präsentiert sich dem Helden der Disponibilität als Märchenerfolg, als Märchenertrag und Märchenglück. Die Gralsmythologie spricht ein letztes Wort als Märchenglück.

Schließlich läßt sich die Endfrage hinsichtlich des Dümmlingsmärchens überspitzt so formulieren: Wer ist der Gewinner in diesem fragwürdigen Roman-Märchen-Spiel? Der Zuhörer? Der Held: Parzival? Oder etwa gar der Dichter: Wolfram von Eschenbach? Sicher sind alle Genannten Gewinner: größter Gewinner und zugleich Gewinnendster aber ist Wolfram, der sich das Märchen zum geheimen Gehilfen im Geschäft des Dichtens gemacht und so die *linge* zur allseits beglückenden Revue eines sich preisgebenden Menschendaseins gestaltet hat. Die *linge* arriviert höfisch als Märchen, das den Roman gesellschaftsfähig präsentiert. Die Information des Romans, märchenhaft dargeboten, hebt das Über-sich-Hinausweisen des Tatsächlichen hervor: das Ertragreiche daran ist das Ideal — oder die Utopie? Man muß alles in der Schwebe belassen, in der sich alles anbietet. Das Märchen, das schließlich den Roman verzehrt, ist von Bewegungen adoptiert, die ihren utopistischen Gehalt mit immer neuen Alibis schöpferisch verklären, bis Märchen und Roman zum Alibi selbst

---

78) „Das Einzigartige dieser Romane (der Ritterepik des Mittelalters), ihre Traumschönheit und Zaubergrazie, besteht darin, daß alles Suchen in ihnen doch nur der Schein eines Suchens ist, daß jede Verwirrung ihrer Helden von einer unfaßlichen metaformellen Gnade geführt und gesichert wird, daß in ihnen der Abstand, seine gegenständliche Realität verlierend, zum dunkelschönen Ornament und der ihn überwindende Sprung zur tanzartigen Gebärde wird, beide also zu rein dekorativen Elementen. *Diese Romane sind eigentlich große Märchen,* denn die Transzendenz ist in ihnen nicht aufgefangen, immanent gemacht und in die gegenstandschaffende, transzendentale Form aufgenommen, sondern verharrt in ihrer ungeschwächten Transzendenz; nur ihr Schatten füllt dekorativ die Risse und Abgründe des diesseitigen Lebens aus und verwandelt dessen Materie — wegen der dynamischen Homogeneität jedes wahren Kunstwerks — in eine ebenfalls aus Schatten gewobene Substanz. ... Mit der gleichen Allgewalt beherrscht hier das unfaßbare, göttliche Prinzip das Menschenleben und seine über sich hinausweisende Ergänzungsbedürftigkeit; *diese Flächenhaftigkeit nimmt den Menschen das Relief, verwandelt sie in reine Oberfläche*", Lukàcs a. a. O. 101 ff. (Hervorhebungen von mir).

sich wandeln. Sicher ist daher das Märchen Wolframs Alibi schlechthin; *wofür* aber läßt sich im Letzten nicht ausmachen: das interpretatorisch verzweckte Märchen sagt den Dienst auf, sobald es in den Umkreis einer totalen Erläuterungsspekulation geschoben wird: es ist nurmehr (und pejorativ) ‚bloßes Märchen'. Der letzte Erklärungsgrund für dieses märchenhafte Alibi ist aber sicher innerhalb einer reinen Positivität zu suchen; das Gralsmärchen lebt von der Analogie zum Sein, der Dummling von der Analogie zum Heiligen.

Zuletzt würde sich noch die heikle und kaum lösbare Frage nach der Herkunft des Dümmlingsmärchens (und damit des Märchens schlechthin) stellen. Motivisch und erzähltechnisch ist das Märchen die Grundmasse des Parzivalromans. Nur wird der Märchenheld, gattungsmäßig gesehen, in erregender Verkehrung zum Romanhelden, der schließlich wieder im Märchen seine Erfüllung findet. Zeitgeschichtlich und historisch betrachtet, ist dies aber fragwürdig. Könnte es — um eine schon verschiedentlich angetönte Meinung in die Form einer Frage zu kleiden — nicht auch der Roman sein, der das Märchen gleichsam aus den ihm eigenen Stilansätzen heraustreibt, so also, daß die kompliziertere Form die einfachere aus sich entließe und die konkretere das Abstrakte hervortriebe? Vom ‚Parzival' her spricht alles für diese nicht eben gängige Ansicht. Schließlich ist sich ja die Märchenforschung über die Herkunft des Märchens schlechterdings nicht im klaren. Ein so eigenwilliger Forscher wie Wesselski zum Beispiel[79]) behauptet entschieden, daß sich Märchen vor dem vierzehnten

---

[79]) A. Wesselski, Märchen des MA's, Berlin 1925; ders., Versuch einer Theorie des Märchens, Reichenberg 1931. W. nimmt an, das Märchen sei an einem bestimmten Punkt einmal entstanden (M. des MA's 208) und werde nun durch literarische Übertragung weiterverarbeitet. Die Entstehung des Märchens setzt er mit guten Gründen ins Spätmittelalter (‚Das Eselein' KHM 144 ist das erste Märchen). Die Ansicht, wonach „zu der Feststellung eines Zusammenhangs über Jahrhunderte hinaus ... keineswegs flüchtige Ähnlichkeiten" genügen, trifft sich bestimmt mit Lüthis Ergebnissen, die zeigen, daß das Märchen eine relativ beachtlich hohe und differenzierte Kunstform ist (Theorie des Märchens 116). „Wollte man als die Zeit, wo das erste Märchen entstanden ist, das späte Mittelalter noch nicht gelten lassen, so würde man auf der Suche nach dem ersten Märchen etwa zu Straparola oder zu Donis Vorgänger kommen oder, bei einer noch größeren Skepsis, als sie uns Skeptikern eignet, sogar zu Basile oder zu Perrault; Versuche aber, das Märchen schon vor der Zeit des ersten Eindringens orientalischer Stoffe in die erzählende Dichtung Europas zu konstruieren, müßten aus den sattsam erörterten Gründen durchaus fehlzuschlagen verurteilt sein" (a. a. O. 196). So darf man denn ehrlicherweise bloß von einem ‚stilistischen Zwang' sprechen, „der die Abenteuer eines Artus-Epos in einem unwirklich märchenhaften Raum spielen" und — möchten wir zufügen — enden

Jahrhundert nicht konstatieren lassen. Wir nehmen diese Auskunft als willkommenes Indiz für unsere Ansicht, die wir bloß als Frage formuliert haben möchten.

„läßt“ (Deinert, Ritter und Kosmos im Parzival 94). Die Analogie, in welcher der Schluß des ‚Parzival‘ zu anderen Romanschlüssen der höfischen Epik steht, beweist das augenfällig (vgl. dazu: H. Emmel, Formprobleme des Artusromans und der Gralsdichtung, Bern 1951, 138; H. Schneider, Parzival-Studien, München 1947, 46; W. J. Schröder, Der dichterische Plan des Parzivalromans, Halle [Saale] 1953, 47—49). Sicher trifft dagegen auch Weber ein Richtiges, wenn er sagt: „Mit Märchenwesen hat solcher ins Absolut-Ethische transzendentierender gotischer Entwirklichungswille freilich nichts zu tun. Man muß aber als analysierender Wissenschaftler in der Tiefe christlich denken und empfinden können und wollen, um Wolframs Idee und Stilführung zu begreifen“ (Parzival 140 Anm. 1). Nur bedeutet andererseits die Konstatierung eines ‚Märchenwesens‘ im ‚Parzival‘ noch nicht den Verzicht auf christliches Denken. Die genaue Beobachtung einer Stilkomponente im ‚Parzival‘ und der Identifikation mit Märchenstil ist freilich substantieller als deren Gleichsetzung mit ‚gotischem Entwirklichungswillen‘, obwohl auch eine solche Aussage bei sinngemäßer Umschreibung des hermeneutischen Reizes nicht entbehrt.

Die Herleitungen der Parzivalgeschichte aus irgendwelchen Märchen — wie es Ehrismann (vgl. S. 195 ff.). und V. Junk (aus dem bretonischen Märchen ‚Peronik der Einfältige‘ [Franz. VM] in: Gralssage und Gralsdichtung, Wien 1911; zur Kritik dieses Unterfangens vgl. Golther, a. a. O. V) getan haben und wir selber versucht waren, es zu tun (z. B. für die Frühgeschichte Parzivals mittels des nordischen Märchens ‚Bryam der Dümmling‘ [Isländ. VM]; vgl. dazu: Stith Thompson, Motif-Index of Folk-Literature, Kopenhagen [2]1955—1958, Nr. J 2461), — sind im Ganzen gesehen äußerst fragwürdig. Einerseits sind die Märchenüberlieferungen viel zu jung, als daß sich zeitliche Hypothesen für deren Verwendung im höfischen Roman anstellen ließen, andererseits sind ebendiese Märchenerzählungen in ihrer Frühform sicher nichts anderes als Mythenerzählungen gewesen, jedenfalls keine Märchen (die relativ aus später Zeit überlieferten ‚Mabinogion‘ zeigen das!).

Es bleibt also letztlich die schon von Wehrli angetönte Vermutung, daß das Märchen im Roman selbst entstanden sei („Und was hier, vor allem im Artusroman, in Motiven und Motivationen herrscht, das ist die Welt des Märchens, von der noch immer ungewiß ist, wieweit es sich um echte keltische und orientalische Märchensubstanz und wieweit gerade um neue Märchenhaftigkeit im Rahmen von Chrestiens neuer Schöpfung handelt, *also um die Welt eines Kunstmärchens.* Das letzte würde gerade im Licht der literaturwissenschaftlichen Märchenbetrachtung Max Lüthis plausibel sein“ [Strukturprobleme 336]).

Schließlich wäre noch darauf hinzuweisen — womit sich der Kreis unserer Betrachtung schließt —, daß sämtliche von Ehrismann (vgl. oben S. 196) zitierten Dümmlingsmärchen von Friedrich von der Leyen entwicklungsgeschichtlich in die Zeit der mittelalterlichen Ritterdichtung verlegt werden (Kinder- und Hausmärchen der Brüder Grimm, Jena 1912; vgl. Bolte/Polivka IV 463). Was

Jenseits der verbalen Verumständungen einer Dichtung wächst deren Gestalt: Parzival tritt fordernd und spröd aus den Schlacken seiner Materialität, den bloßen Worten, heraus in einen jenseitigen Bereich, wo Worte sich mit Bedeutung identifizieren und nur daraufhin tauglich sein dürfen. Parzival als dem innerst gemeinten Gebilde ist die Rede vom Kunst*gegenstand* unangemessen. Nicht der Dichter steht seinem Werk gegenüber, sondern das Werk seinem Schöpfer, der ihm nicht mehr beikommt. Nicht der Künstler verfährt mit seiner Kunst, sondern sie mit ihm. Parzival transzendiert, überschreitet den dichterischen Alltag seines Erschaffers Wolfram von Eschenbach — wie dichterisch immer dieser gewesen sein mag. Das wird schon in der objektiven Gestalt der mittelalterlichen Dichtungsmaterialien grundgelegt sein: die ,ewige' Gestalt ist hier mehr wert als deren Novität[1]). Man arbeitet an Parzivals Gestalt, nicht um sich selber daran zu produzieren, sondern um deren *Gültigkeit* zu demonstrieren (demonstrare — ein altes, zumeist mißverstandenes Wort mittelalterlicher Philosophie; es will besagen: ,weisen', evident machen!). Zeitlose Repräsentanz steht vor dem Blitz des kurzatmigen Heute. ,Lehre', Prinzip und Geheimnis[2]) — alles was sich intensivem Hinschauen und Horchen als Fülle ergibt — sind Kennmarken dieser Haltung. Erst die Totalität des Geschauten, die dem Hemmschuh bloßer Worte entrann, darf wahrer Ertrag des Betrachteten sein, alles andere ist Stückwerk und Teil (man erinnere sich: ,Der Stoff der Heiligen Schrift ist der *totale* Christus, *Haupt und Leib*'). Nur das Ganze ist Weg, der zum Beschrittenwerden auffordert.

Die Gewalt der objektiven Überlieferung, der zu dienen es den Dichter und den Hörer verlangt, aber reicht tiefer. Was ein Arbeitsgesetz des

---

wiederum mit H. Kuhns Feststellung, wonach für den „rein höfischen und märchenhaften Aspekt (des ,deutschen, antimythischen, aber selbst fortschreitend mythisierten Geschichts- und Raumbewußtseins der Kreuzzugszeit') ... die Gattung, der höfische Roman, mitverantwortlich sein" mag, korrespondiert (Dichtung und Welt im MA 161).

1) Vgl. S. 10 Anm. 3. Mit Galfrieds von Vinsauf Bevorzugung der *guten* Behandlung eines banalen Stoffes ist in nuce ein Gesetz mittelalterlichen Dichtens überhaupt formuliert. Zur ,Objektivität' der mittelalterlichen künstlerischen Form vgl. H. Kuhns kritische Anmerkungen in: Dichtung und Welt im MA 5 ff. (Zur Deutung der künstlerischen Form des MA's 1—14).

2) Vgl. oben S. 182 de Lubacs Umschreibung des allegorisch-mystischen Schriftsinns.

Künstlers ist, ist auch Lebens- und Daseinsformel, ist mentale Grundhaltung überhaupt[3]). „Nihil visibilium rerum est quod non incorporale quid et intelligibile significet“[4]); mit anderen Worten: alles ist Symbol, alles Erscheinende umschließt einen unkörperlichen Kern, dessen Intelligibilität es *als ein anderes* ausspricht. Allegorie in einem unprätenziösen Sinn ist die Goldader der seienden Dinge, die der Dichter in der Gestalt erschließt. Die Gestalt, die Lehre, das Prinzip oder das Geheimnis ist mithin das Andere, das diaphan in der Dichtung aufscheint. Das incorporale ist — für moderne Ohren horribile auditu — die Gestalt, die Gestalt, die jenseitig erscheint und als ein Anderes im unmittelbar Gesagten mittelbar als Zu-Sagendes aufklingt, so daß — wie auch heute noch im geglückten Sagen — gerade die Absenz des Zu-Sagenden im Gesagten aufspringt zur Präsenz des Sagbaren überhaupt. Innerhalb der Sicht auf die Gestalt wird Gesprochenes Sprache, Gedeutetes Deutung und Geschautes zur Schau; das Dichtwerk in seiner Totalität, nicht in irgendeiner mehr oder weniger zusammengestückten Ganzheit der Teile, gelangt in den Kreis einer ‚höheren‘ Übersicht und Umschau. Auch der ‚Parzival‘ Wolframs von Eschenbach hat teil an dieser ästhetischen Differenz von Kunst*werk* und darüber hinausweisender Bedeutung. Nicht zuletzt spricht hier die Ruhmesgeschichte Parzivals selbst ein gewichtiges Wort: Parzivals Ruhm und Bedeutung innerhalb der deutschen Geistesgeschichte wächst Parzival selbst als symbolhafte Charakterisierung — bisweilen bis zur mythischen Rune hin[5]) — zu. Parzivals Weg zum Gral birgt viele allegorische Möglichkeiten der Deutung; der *tumbe* Parzival und dessen königliche Apotheose vor dem Gral läßt sich vierfach aufgliedern; gleichsam vier Bestimmungen sind es, in deren Lichtkegel Parzival gerückt wird: Parzival der homo simplex — Parzival der Heilbringer — Parzival der König — Parzival der Mensch schlechthin. In diesen vier Merkmalen seiner *tumben* Existenz läßt sich die anderes besagende, allegorische Bedeutung seiner Gestalt fassen. Wer genau hinsieht, wird bemerken, daß es sich hier um dieselbe Spannbreite des Daseins handelt wie beim Parzival zwischen Märchen und Roman. Was vorher Märchendummling war, ist nun homo

---

[3]) Vgl. Chenu, La théologie au XIIe siècle, Paris 1957, das Kapitel: La mentalité symbolique 159 ff.

[4]) Ein Wort Scotus Eriugenas, zitiert nach: E. de Bruyne, L'esthétique du moyen âge, Louvain 1947, 88.

[5]) Zum Beispiel immer wieder in den Gedichten Elisabeth Langgässers (Gedichte, Hamburg 1959, 117, 142) oder in einem Gedicht Erwin Jaeckles (das Gedicht ‚Rehte Enmitten Durch‘ in: Das himmlische Gelächter, Zürich 1962, 20).

simplex, was Romanheld hieß, erscheint nun als Mensch schlechthin, als Gestalt des Menschen. Gewandelt hat sich einzig die Stufe der Betrachtung: der Litteralsinn — soll er bestehen können und nicht in die Materialität seiner bloßen Erscheinung absinken — ist überschritten in die ‚Schau der Gestalt' (H. U. von Balthasar). Das Geheimnis von Parzivals Weg ist nicht irgendwelche in Leere sich artikulierende Abenteuersuche — wenn das der Fall wäre, dann müßten wir von einem Dreigroschenroman des Mittelalters sprechen (auch das gab es) —, sondern Menschwerdung anhand der demonstrierbaren Gesellschaftsstrukturen mittelalterlicher Feudalordnung und gewisser archaisch-mythischer Elemente. Was hier Menschsein und -werden heißen, läßt sich an Parzival ablesen, so daß sich letztlich ein plausibles, in sich evidentes Menschen*bild* als Aufforderung analoger ‚Humanität' präsentiert, die sich von der Schönheit dieses Menschenbildes herleitet und in sich ästhetische, ethische und andere Qualitäten umgreift, die uns heute leider kaum mehr als Schönheit berühren.

Homo simplex: Der Sammelname ‚homo simplex', den ich zur Kennzeichnung Parzivals gebrauchen möchte, läßt sich nur innerhalb einer von der Antike bis ins Mittelalter reichenden Bezeichnungstradition verstehen, die sich an das Gegensatzpaar litteratus - illitteratus knüpft[6]). Unter ‚homines idiotae' oder ‚illitterati' verstand man im Hochmittelalter des Lateins, des Lesens und Schreibens unkundige Leute, die deswegen gar nicht unbedingt ‚ungebildet' zu sein brauchten. Es waren ganz einfach Laien, die als Adlige und Ritter ihre spezifisch höfische Laien- und Adelsbildung mit eigener, vielfältiger Tradition besaßen, deren Übermittlung nicht via Schrift und Buch, sondern durch ‚Singen und Sagen' sich vollzog. Die Geschichte von König Artus und seiner Tafelrunde zum Beispiel blieb über Jahrhunderte hin lebendig und bildungskräftig, ohne je aufgeschrieben worden zu sein. Und gerade „in der Stauferzeit hatte das Rittertum der höfischen Kultur sein eigenes hohes Bildungsideal — aber dazu gehört es nicht, schreiben und lesen und Latein zu können wie die Kleriker und Mönche. Sogar der Parzivaldichter Wolfram von Eschenbach sagt ausdrücklich (115, 27): *ine kan decheinen buochstap*, das heißt: ich bin *illitteratus*, und nochmals im Willehalm (2, 19 f.): *swaz an den buochen stet*

[6]) H. Grundmann, Litteratus - illitteratus, Der Wandel einer Bildungsnorm vom Altertum zum Mittelalter, in: Arch. f. Kulturgesch. 40 (1958) 1—65. Ansätze dazu bei dems., Religiöse Bewegungen im Mittelalter, Darmstadt [2]1961. Vgl. auch P. Riché (Recherches sur l'instruction des laics du IXe au XIIe siècle, CCM 5 [1962] 175—182), der allerdings Grundmanns Aufsatz nicht zu kennen scheint und so — mit allzu wenig Belegen! — die Geltung der illitterati zu sehr einschränkt.

geschriben, des bin ich künstelos beliben. So schwer es Büchermenschen fallen mag, das beim Wort zu nehmen und dem Dichter (der nachweislich kein Latein verstand, also auch schwerlich lesen konnte) die Gedächtniskraft zuzutrauen, sein Werk schriftlos zu schaffen, jedenfalls hält Wolfram es nicht für standesgemäß, Literat zu sein. Er betont vielmehr (Parz. 115, 11): *schildes ambet ist min art* — ich bin Ritter, und damit ist es wohl vereinbar, Dichter und Sänger zu sein im Dienst der Frauen, nicht aber Bücherschreiber und -leser. Mitten im Parzival (115, 29 ff.) steht eine scherzhafte Verwünschung dessen, der diese *aventiure* für ein Buch hielte! Als etwas ganz Besonderes sagt Parzivals alter Oheim Trevrizent, der Bruder des Gralskönigs Amfortas: *Doch ich ein leie waere,* — obgleich ich Laie bin, — *der waren buoche maere kund ich lesen unde schriben*“[7]). Man darf die Umkehrung mit gutem Gewissen wagen und alles, was Wolfram hier über sich selbst und sein Unterfangen äußert, auf sein Geschöpf, den *tumben* Parzival übertragen, das um so mehr, als sich die *tumpheit* abstrichlos in diese selbstbewußte, sicher germanischen Ursprüngen entstammende Ritterideologie einfügt[8]). So paradox Parzivals Jugend im einsamen Walde einen Ritter anmuten mußte, so sehr wird ihm die in freier und befreiender Waldumgebung wachsende Torenmutwilligkeit Parzivals evident und selbstverständlich erschienen sein. Das stolze Bewußtsein, Lesen und Schreiben und alles, was nur im entferntesten an klerikale Bildung und Kultur gemahnte, ruhig den Frauen[9]) und den dazu bestellten Fachleuten, den Klerikern, überlassen zu können, um das Eine, das *schildes ambet*, ungehemmt von feig machenden kulturellen Ambitionen ausüben zu können, spricht auch aus Parzivals früher, für die Ritter erstaunlicher Erscheinung. Er ist selbst als Märchentor der *künstelose leie*, der sich seinen Bereich ohne fremde Hilfe schaffende simplex laicus[10]); geschenkt wird ihm — außer Märchengaben — ohnehin nichts;

---

[7]) Grundmann, Litteratus 8 f.

[8]) a. a. O. 25 ff.

[9]) Grundmann, Die Frauen und die Literatur im MA, Ein Beitrag zur Frage nach der Entstehung des Schrifttums in der Volkssprache, Arch. f. Kulturgesch. 26 (1935) 129—161; ders., Die geschichtl. Grundlagen der dt. Mystik, DVjS 12 (1934) 400 ff.

[10]) Fr. Ohly (Wolframs Gebet an den Heiligen Geist im Eingang des Willehalm, ZfdA 91 [1961] 30) sagt dasselbe von Wolfram selbst: „Wolfram ist ein simplex laicus; er zählt zu denen, die *etsi non sint litterati non tamen indocti*; er ist *speciali sensu caelitus inspiratus,* einer derer, denen Gott *sensum inspiravit ad loquendum*“. Dieser Aufsatz ist eine vorzügliche und von großem Wissen getragene Einführung in die Mentalität der mittelalterlichen Illitteralität.

er erringt sich alles, schließlich auch den Gral. Die rusticitas von Parzivals Erscheinung ist keineswegs bäurisch, sondern entspringt einem alten Erbe herrschender Schichten. Parzivals Jugendtaten sind der sermo humilis eines Helden.

Das wäre aber eine fragwürdige Art allegorischer Dichtung, die nichts anderes präsentieren könnte denn einen späten Ableger epischer Reckenhaftigkeit. Das ist denn auch im ‚Parzival' keineswegs der Fall. Der Stolz des zeitgenössischen schreibunkundigen Ritters, ja Dichters, ist bloß das Initiativ einer weitergreifenden, sublimierenden Gestaltung des homo simplex — innerhalb der höfischen Welt — zu exemplarischer Größe.

Seltsamer- und bezeichnenderweise läßt sich auch in der historischen Darstellung religiöser Bewegungen des Mittelalters — wie Grundmann es vorbildlich getan hat — der Begriff des illitteratus in eigenartig positivierter Eigenschaft feststellen. „Tatsächlich entstand hier — wie gleichzeitig in der höfischen Dichtung — eine neuartige Literatur, paradox gesagt: eine ‚Illitteraten-Literatur' für Leser, die nicht Latein verstanden und doch die biblische Überlieferung, theologische Erörterungen und erbauliche Betrachtungen in ihrer Muttersprache ... hören ... wollten“[11]). Die Worte: simplex, idiota und illitteratus treten aus ihrer indifferenten, rein bezeichnenden oder schon pejorativen Bedeutung heraus und bekommen beinahe den Charakter von Ehrentiteln. Sicher fließen im ‚Parzival' die beiden Bedeutungsströme — der religiöse und der laienstolz-höfische — zusammen, so daß Parzival selbst zum reich facettierten Bild des *tumben* Laien werden kann, der in voller Repräsentanz für die ritterlichen Laien das Heil gewinnt — trotz *tumpheit*, d. h. Unerfahrenheit, Autoritätshörigkeit usw.! Nur muß sich die *tumpheit* in simplicitas wandeln und in humilitas verklären lassen.

Die erste, für einen ritterlichen Hörer spürbarste ‚mystische' Bestimmung von Parzivals *tumpheit* ist daher deren Repräsentanz für ritterliches, laienhaftes Arrivieren überhaupt. Daß der *tumbe* Parzival den Gral zu erringen vermag, ist Gewähr einer totalen ritterlichen *linge*. Die *tumpheit* ist Signatur eines aus den Ursprüngen ritterlichen Daseins gewonnenen und übernommenen Selbstbewußtseins und gleichzeitig Signal einer neuen religiösen Innerlichkeit (die sich im Geheimnis des Grals konkretisiert), deren Kraft sich historisch in den neuen Orden schon anzeigt und sicher am empfindlichsten von den Hütern der ständischen Ideologie gespürt und zugleich aufgenommen und den eigenen Innervationen eingeführt wird.

---

[11]) Grundmann, Litteratus 57.

„Ständisches Vorbildmenschentum"[12]) und neureligiöses Bewußtsein eines selbstsicheren apostolischen Laientums sind die Bestimmungen, denen die Gestalt Parzivals Genüge leistet, ohne doch ausschließlich dem einen oder anderen zuzugehören. Auch hier funktioniert die Jenseitigkeit seiner dichterischen Erscheinungsgestalt: aus dem stultorum infinitus ... numerus, den Marsilius von Padua in seinem ‚Defensor pacis' behauptet, ist Parzival ein stultus ohnegleichen. Es gilt von ihm, was Hildegard von Bingen von sich selber sagt: homo sum indoctus de ulla magistratione cum exteriori materia, sed intus in anima mea sum docta[13]). Parzivals ‚Gelehrsamkeit' ist letztlich der innerliche sermo humilis[14]), den er mit der Selbsteinsicht: *‚hêrre, in bin niht wîs* (178,29) eröffnet und als Zuständlichkeit des *unwizzende* (250,29) bis zur Erreichung des Gralskönigtums nicht aufhört, in Worten und Taten zu sprechen. Die *diemüete* ist dessen Schlußsatz, während die *tumpheit* das Pathos des Vorhergehenden vielfach instrumentiert und vom Humorvollen[15]) bis zum äußersten Nichtmehrwissen chargiert. Ist die *tumpheit* das erzählerische Moment in Parzivals Lebensgeschichte, so ist die *diemüete* deren Schlußstein (daher muß denn Parzival seine *tumpheit klagen* 488,15!).

Parzival, der vir simplex, verkörpert also, um das Gesagte zusammenzufassen, eine doppelte Möglichkeit des zeitgeschichtlichen Menschseins in einer Person. Seine Gestalt bejaht das zeitgeschichtliche Ideal illitteralen, aber seiner selbst gewissen Menschentums, das sich historisch im Laienbewußtsein höfischer Kreise normiert und im demütig-stolzen Sendungsbewußtsein weiter christlicher Volks- und vor allem adliger Kreise eine konsequent christlich-apostolische[16]) Beredsamkeit entwickelt, deren Kern der altchristliche sermo humilis ist. Unter diesen Schlaglichtern der Historie bekommt Parzivals *tumpheit* eine gestaltliche Sonderheit, deren Tragweite im historischen Raum des 13. Jahrhunderts nicht leicht zu überschätzen ist.

---

[12]) E. Köhler, Zum Begriff des Wissens im höfischen Kulturbild (Klerus und Rittertum), in: Libris et Litteris (Festschr. H. Tiemann), Hamburg 1959, 186—201 (Zitat: 193).

[13]) Ohly a. a. O. 30; Grundmann a. a. O. 58 f. (PL 197, 190); B. Widmer, Heilsordnung und Zeitgeschehen in der Mystik Hildegards von Bingen, Basel 1955.

[14]) Über den Zusammenhang zwischen sermo humilis und höfischer Dichtung vgl. E. Auerbach, Literatursprache und Publikum in der lateinischen Spätantike und im Mittelalter, Bern 1958, 163 f.

[15]) Vgl. neuerdings H. Fromm, Komik und Humor in der Dichtung des deutschen MA's, DVjS 36 (1962) 321—339.

[16]) Über ‚apostolisches Leben' und ‚christliche Armut' dieser zum Teil häretischen, zum Teil rechtgläubigen Kreise vgl. Grundmann, Rel. Bewegungen 13 ff.

Heilbringer: Parzivals faßbare ignarus-Gestalt muß auf die ignari der Zeit ähnlich gewirkt haben wie die frühe romanische Kunst auf die Gemüter derer, die als Analphabeten hier ihre ‚Bildung' holten[17]): die Illitteraten-Literatur lebt ja auch von dieser Art Kunst. Beiden ging es um die Belehrung und ‚Bildung' über das Heil; der ignarus mußte über nichts anderes denn über sein Heil aufgeklärt und belehrt werden. Gerade auch der Unwissende, der Kenntnislose, dem die Heilsgewißheit nicht unbedingt innerlich war, brauchte die Gestalt eines ihm faßbaren, ihn und seinen Stand betreffenden Heilbringers. Parzival ist der Heilbringer der höfischen Welt, die zwar nicht lesen und schreiben konnte (wenigstens was die Männer betraf), aber doch von einer hohen und bisweilen äußerst subtilen Bildung geprägt war. Parzival ist ein Laienheilbringer und beweist für *seinen* Stand, was Gerhoh von Reichersberg global verkündigte: „Wer in der Taufe dem Teufel, seinem Pomp und seinen Einflüsterungen einmal abgesagt hat, hat endgültig — selbst wenn er nie Kleriker oder Mönch wird — der Welt abgesagt. Wer völlig im Teufel seinen Platz gefunden hat, wird zu dessen Pomp selbst. Indessen haben alle Christen ein für allemal auf solches Gepränge verzichtet. So sollen denn hinfort jene, die auf die Welt angewiesen sind, so sein, als machten sie keinen Gebrauch von ihr. So gut, daß reich oder arm, Herr oder Diener, Kaufmann oder Bauer, überhaupt alle, die sich zu ihrer christlichen Berufung bekennen, verwerfen, was des christlichen Namens unwürdig ist, und dem folgen, was ihm entspricht. Jeder Stand, jeder Beruf besitzt ohne Ausnahme die seiner Eigenheit nach dem katholischen Glauben und apostolischer Lehre adäquate Regel und, nach Maßgabe dieser Regel kämpfend, wird er die ewige Krone erlangen"[18]). Wer sich nicht scheute, den ‚Parzival' zu schematisieren, könnte mit Leichtigkeit eine Art Berufsregel für den christlichen Ritter daraus ableiten und käme damit in große Nähe zu Bernhard von Clairvaux' Ausführungen über die militia Christi.

---

[17]) M.-M. Davy, Essai sur la symbolique romane, Paris 1955, 54f. Daß die Möglichkeit von ‚Bildung' aber nicht erst mit der Kunst gegeben war, sondern schlechthin schon mit der Zuhandenheit von ‚Welt' überhaupt, macht eine Stelle bei Augustinus deutlich, der man mittelalterliche Entsprechungen (z. B. Berthold von Regensburg) beliebig zur Seite stellen könnte: „Liber sit tibi pagina divina, ut haec audias; liber sit tibi orbis terrarum, ut haec videas. In istis codicibus non ea legunt nisi qui litteras noverunt; *in toto mundo legat et idiota*", Enarr. in ps. 45,7; PL 36, 518.

[18]) PL 194, 1302; zitiert in: Leclercq/Vandenbroucke/Bouyer, La spiritualité du moyen âge 316.

In der Gestalt Parzivals jedoch wird das christliche Bild des Heilands mit der Patina eines mythischen Heilbringers überzogen, so daß sich letztlich fragen läßt, wieweit das Bild des Gralheilands noch mit dem Jesu Christi — der eben nicht Bild, sondern historischer Mensch war — vergleichbar ist. Die Paradoxie ergibt sich, daß Parzival gerade aus christlichen Überlegungen heraus in einer Art mythisiertem Antimythos aufzutreten gezwungen ist. Parzivals Exemplarität ist identisch mit dem Mythologem des Welterretters, das er als Protanthropos, als erster Mensch, der das Menschenlos vorbildlich durchzuleiden hat, verkörpert[19]). Er ist der große Vorläufer aller einzelnen Menschen — immer innerhalb der Klammer höfischer Existenz —, der präfigural — im Sinn eines mythischen ‚Gottmenschen' (oder auch: eines zweiten Adam)[20]) — der Menschheit die Rettung bringt. Parzivals messianische Heilsmission, ihrer Materialität nach in östlichen Errettersagen verdämmernd, ist aber — die im 12. und 13. Jahrhundert anzusetzende, also historisch fixierbare *tihte* des höfischen Romans vermeldet es unüberhörbar — wesentlich nachmythisch (das Märchen im Roman gibt dieser Erkenntnis die Schärfe)[21]); Parzivals literarische Historizität — eine Geschichtlichkeit also aus zweiter Hand — verwehrt dessen reine Verwertung im Mythos. Die reine Torheit — die mythische Signatur reiner Heilstat — ist nun gekoppelt mit Schuld[22]). Der edle ignarus — der Nicht-Wissende, weil völlig ident seiner Mission und seiner demonstrablen Menschlichkeit! — ist der solaren Reinheit christlich

[19]) Zur Gestalt des Heilbringers als eines ersten Menschen, der das kosmische Leid stellvertretend durchleiden muß, vgl. H. Güntert, Der arische Weltkönig und Heiland, Halle/S. 1923, 399; F. R. Schröder, Parzivals Schuld, GRM 9 (1959) 11 f.; R. Guénon, Le roi du monde, Paris [8]1958, 40 ff.

[20]) Köhler, Ideal und Wirklichkeit 232 Anm. 3.

[21]) Das Märchen bekommt hier als ein ‚Kind des Mythos' (Wesselski) den Stellenwert eines dem Mythos auferlegten Korrektivs: indem es den im Kern tragizistischen Mythos zum bloßen Spiel erhöht (oder degradiert), nimmt es der Geschichte den heidnisch-chthonischen Charakter und macht ihn verwendbar innerhalb christlicher Prägorativen.

[22]) Köhler a. a. O.: „Weil er (Perceval) eine Schuld trägt, von welcher er befreit werden muß und von der er als jugendlicher Tor doch letztlich frei ist — das Kennzeichen seiner Heilsmission —, deshalb ist auch Perceval der „erlöste Erlöser", „der in die Welt kommende fremde Mann", der „aber mit demjenigen, zu welchem er kommt, im Letzten identisch ist". Perceval ist der vollkommenste Sproß des Rittertums und zugleich dessen Erlöser" (Köhler zitiert J. Taubes, Abendländische Eschatologie, Bern 1947, 31). Percevals Ent-schuldigung durch die jugendliche Torheit ist richtig nur innerhalb der Unterscheidung von objektiver und subjektiver Schuld.

entwachsen und steht nun in dem schärferen Licht der ‚Geschichte', deren Inhalt immer — solange Christus der einzige Erretter ist — Schuld und Sünde und Abkehr vom göttlichen Gesetz ist. Parzivals ‚*tumpheit*' ist nicht mehr *tumpheit* fraglosen, mythischen Leids und fragloser Sendung; das christliche Torenkleid gibt nur mehr schüchterne Durchblicke auf den mythologischen Goldkern; Parzivals Sonnenglück ist schon überschattet von der Sonne Christus[23]). Daher ist das vorbildlich durch den mythischen Gottmenschen erlittene *Weltenleid* in leidvolle *Schuld* verwandelt. Es ist höchst schwierig auszumachen, ob Parzivals *tumpheit* nicht glatterdings Schuld oder Zustand unsäglicher Sünde sei. Schon Anfortas' Leiden und Krankheit ist ja nicht mehr fragloses Götterleid oder unerklärliches Verhaftetsein mit erdigem Mythos, sondern schon ganz deutlich augustinisch belegbare Strafe der cupiditas-Sünde. Auch Parzivals materiale Sünde läßt sich objektiv nicht wegdisputieren, sosehr Parzival subjektiv sich ihrer um seiner jugendlichen Torheit willen zu entwinden vermag. Parzivals jugendliche Torheit, einerseits mythischer Restbestand seiner Heilssendungsbeglaubigung, andererseits stilistisches und gehaltliches Aussonderungsmoment, steht unmißverständlich im Schatten der Schuld, und zwar christlicher Schuld, die im Wesen antimythisch ist. Und doch — wer möchte es bestreiten? — endet Parzivals Schicksal, das in seinen Anfängen dem vieler anderer Friedensbringer und Erretter ähnlich war (ein unerfahrener Jüngling kommt aus der Einöde in die Welt)[24]), erneut im mythisierten Märchen der esoterischen Gralsherrschaft, in einem „Lichtland der Seelen"[25]), wo der Gral die Welt bedeutet. Parzivals christlich-mittelalterlich-höfischer Heilsweg scheint von seinem Ende her zu einer Lebensformel zu schrumpfen, die in das Gesetz vom Wandel des Lebens und des Todes, des Lichtes und der Finsternis oder in das geistige Gesetz der Entfaltung des Selbstbewußtseins (vom Toren zum Wissenden?), der Läuterung des Ethischen, der Heraufführung der ‚höheren' Persönlichkeit usf. verfangen ist; eine mythische „Welt aus Wesen und Mächten"[26]) scheint Parzival schließlich zu verschlingen, so daß er bloß ein Segenspender unter anderen, ein Heilbringer inter pares ist. Dagegen muß man

---

[23]) Zum Prädikat der Sonnenhaftigkeit Christi vgl. Hugo Rahner, Griechische Mythen in christlicher Deutung, Zürich 1957, 125 ff.

[24]) Vgl. F. Kampers, Vom Werdegang der abendländischen Kaisermystik, Leipzig/Berlin 1924, 37 ff. (über Parzival: 39 f., 62, 123 f., 127, 131, 135 f., 138).

[25]) a. a. O. 124.

[26]) R. Guardini, Der Heilbringer in Mythos, Offenbarung und Politik, Eine theologisch-politische Besinnung, Zürich 1946, 11. Guardini arbeitet sehr schön die Unterschiede zwischen Mythos und christlichem Glauben heraus.

fragen: Läßt sich das Geheimnis der Heilsverwirklichung *außerhalb* des historischen, einmaligen Christus-Ereignisses feiern? Die Antwort ergibt sich nicht innerhalb eines Entweder-Oder von Ja oder Nein. Die Tatsache, daß das höfische Rittertum im ‚Parzival' — ohne ein Jota seines kirchlichen Glaubens preiszugeben[27]) — eine Vokabel seines Selbstverständnisses und seiner Heilssicherheit zu sehen fähig war, verweist auf die andere, nicht minder mittelalterliche Tatsächlichkeit des Sic *et* Non, d. h. der doppelten Gegenwärtigkeit eines Ja und Nein, der existentiellen Sicherheit des mittelalterlichen Menschen, innerhalb des Geschaffenen — und sei es die *tihte* oder das *maer* vom mythisch-arrivierenden reinen Toren — gemäß der Lebensformel der analogia entis das Geheimnis des Heils erforschen zu können. Daß uns solche Möglichkeiten abhanden gekommen zu sein scheinen, besagt noch nichts über deren Gegenwärtigkeit vor sechshundert Jahren. Die mythische Toreneinfalt Parzivals und deren höfische Gestik ist daher nichtsdestoweniger sinnvolle Bildwerdung des zeitgenössischen illitteratus und dessen saubere Hinüberführung in die unsterbliche Gestalt eines unwissenden, daher die Sünde als eine objektive aussparenden Toren, der in der esoterischen Apotheose als Gralskönig seine letzte und repräsentativste Beglaubigung erfährt[28]).

König: Die dritte, nun wieder mehr zeitgenössischen Repräsentationsfigurationen entstammende, ‚mystische' Bestimmung des *tumben* Parzival ist die seines Königtums. Der Heilbringer ist mittelalterlich kenntlich nur als Gekrönter; die Krone ist das *insigel* dessen, der selbst schon metaphorisch *krône* geworden ist. Daher redet denn die reuige Cundrie, deren Gralsverbundenheit durch die *turteltiubelîn* auf ihrem Gewand anschaulich gemacht ist, den von ihr früher Verfluchten gerade in seiner metaphorischen Heilbringereigenschaft an:

> ‚nu wis kiusche unt dâ bî vrô.
> wol dich des hôhen teiles,
> du krône menschen heiles!
> daz epitafjum ist gelesen:
> du solt des grâles hêrre wesen.' (781,12—16)

Parzival — *krône menschen heiles* — soll aufgrund seiner Heilfunktion innerhalb der höfischen Menschheitsgemeinschaft *künig* und *hêrre* des Gra-

[27]) Daß ‚kirchlicher Glaube' nicht mit einem Fürwahrhalten eines eng gefaßten dogmatischen ‚Gehalts' identisch ist, scheint sich nach Webers Forschungen allmählich bedeutsam durchzusetzen.

[28]) Das Widerspiel von Mythos und christlichem Gehalt behandelt H. Kuhn, Dichtung und Welt im MA 175 ff.

les (796, 21) werden. Die mythische Erretterfunktion ist übergängig in deren königliche Repräsentanz, d. h. das bloß Mythische am reinen Toren wird eingefangen in die zeitgenössisch verständliche, königliche Repräsentanz. Parzivals Aventiure-Kette wird am Ritual der königlichen Selbst- und Heilsrepräsentanz gebrochen und als sinnvoll erwiesen. Parzivals *tumpheit* — *insigel* seiner mythisch-märchenhaften Auserwählung und seiner Heilsmission, aber auch Kennzeichen seiner menschlichen Integrität, seiner charakterlichen Geradheit — wird auf dem Höhepunkt herrscherlichen Daseins diaphan auf die den Herrscher und König auszeichnende *diemuot* (vgl. Trevrizents Mahnung: *nu kêrt an diemuot iwern sin* 798, 30). Die zeitgeschichtlich bekannte pars-pro-toto-Wendung, in der corona für die Gestalt des Königs schlechthin gesetzt wird[29]), kann daher mit voller Legitimation übernommen, aber nicht bloß übernommen, sondern in einer typischen Ausweitung auf die ganze Menschheit abgeändert werden, so daß das königliche Ritual, das Parzival vor und im Auftrag der ganzen Menschheit übernommen hat, auch ja genügend mit *sin* geladen sei: Parzival wird als die *krône menschen heiles* angesprochen. Diese Formel kann nicht ernst genug genommen werden; denn nicht nur der Heilbringermythos kommt darin zu seinem Gehalt, sondern auch der Mensch schlechthin, nicht ein Ritterideal wird damit institutionalisiert, sondern wiederum die Würde und Geltung menschlichen Daseins überhaupt. Das Geheimnis und Prinzip des Parzivalromans schwenkt letztlich ein in eine Darstellung nicht etwa des *großen* Menschen, sondern des Menschen schlechthin.

Der Interpret ist schlecht beraten, der den ‚Parzival' einzig auf die reaktionäre Ideologie eines erneuerten Sacrum Imperium hin auslegen möchte[30]), die Idee des Gralskönigtums ist selbst eben nur pars-pro-toto-Formel für eine umfassendere ‚Ideologie', die den Menschen jenseits von historischem Engagement und zeitgeschichtlicher Weltverquickung meint. So interessant eine ‚historische' Auslegung des ‚Parzival' auf ein reaktionäres Kaiser- und Königtum hin ist, so verfehlt ist damit der mystisch-allegorische Sinn des Ganzen. Das Ganze verzehrt die Teile in seine

[29]) „Besonders die Krone gilt als Zeichen königlicher Würde, corona, krône wird nicht selten für den Herrscher selbst gebraucht" (A. Kühne, Das Herrscherideal des Mittelalters und Kaiser Friedrich I., Leipzig 1898, 39). Zum Herrscherideal vgl. neben den Werken Heers, von den Steinens usw.: L. Sandrock, Das Herrscherideal in der erzählenden Dichtung des MA's, 1931. Über den Zusammenhang des irdischen mit dem Königtum Christi vgl. J. Leclercq, L'idée de la royauté du Christ au moyen âge, Paris 1959.

[30]) Fr. Heer, Die Tragödie des heiligen Reiches, Stuttgart 1952, 347 ff.

katholische Idee hinein, so daß dichterischer (= mystischer) Sinn den Teilen und Anleihen an der Zeit eben immer transzendent bleibt. Der Adäquation des dichtungsimmanenten ‚Sinnes' an die Konkretionen der hier und jetzt erscheinenden, also zeitgenössisch-hiesigen Welt läßt sich nie und nimmer ein totaler Regreß der Dichtung zu Zeitgenössischem abhandeln, im Gegenteil, das Maß der Übernahme von Zeitgenössischem in die Parzivaldichtung wird bestimmt vom Über-maß des Dichterischen selbst, so daß die ästhetische Differenz von historischem und allegorisch-mystischem Sinn mit gutem Recht zugunsten des letzteren entschieden werden muß. Insofern fallen dann die bisherigen drei dichterisch gebrauchten Stigmata Parzivals: seine Illitteralität, sein Heilbringertum und sein Königtum, der Transzendenz anheim, die auf die Gestalt des Menschen tendiert. Parzivals *tumpheit* erhält aus dieser Sicht eine eigene Bedeutung.

Der Mensch: Nirgends gibt es Gestalt, es sei denn die Gestalt des Menschen gemeint. Gegenüber allen existentialistischen Auflösungen der Gestalt in Energeia bleibt diese bestehen; schöne Verhältnisse, kraftvolle Selbstbewegung, romanhafte Darlegung von Menschlichem, alles hat nur Sinn von der umschreibbaren menschlichen Gestalt her, umschreibbar allerdings nicht im Sinn einer De-finition, sondern im Sinn eines Darstellbaren schlechthin, plausibel, darweisbar, beschreibbar im Sinn einer Evidenz: Ecce Homo! Ein altes Kunstideal — schon in der griechischen Kunst humanistisch gesichtet, dann in der christlichen Kunst breit entfaltet — versuchte *den* Menschen zu zeigen, den Menschen, so wie er sein soll; das allerdings nicht im Sinn einer Sprechart, die von ethisierter Kunst spricht. Denn Ethos ist mittelalterlich kein Kunstfremdes[31]). Daher ist Kunst schlechterdings ethisch, oder sie ist nicht, oder sie ist ein Zerrbild von Kunst: l'art pour l'art, eine ästhetische Tautologie, wie sie nur schönheitsuntauglichen Hirnen entspringen kann.

Jeder einzelne ‚Sinn' ist gehaltvoll nur vom ‚Umschreibbaren' der Gestalt her; die typologischen Ausfaltungen des *tumben* Parzival sind daher letztlich gestalthaft gebunden, sie sind Implikationen der Menschen*gestalt*, die ‚mittels' der Parzivaldichtung gemeint und intendiert ist. Hier ist sowohl die Aktivität des Märchens wie die Historizität der Illitteraten- und Königsgestalt als auch der mythische Rest der Erretterfigur an die Grenze verwiesen, jenseits derer sich die Menschengestalt Parzivals abzeichnet. Was Ranke hinsichtlich der Aktivität des Märchens feststellt,

---

[31]) G. Ehrismann, Studien über Rudolf von Ems, Beiträge zur Geschichte der Rhetorik und Ethik im MA, Heidelberg 1919, 20 f.

gilt für alle weiteren typologischen Konkretionen: Letztlich „würde diese Aktivität und der ihr zugeordnete unbedingte Wille allein nicht zum Erfolg führen, wenn ihr nicht das reine Herz als Wesenskern dieser tätigen Kraft aufs innigste verbunden wäre. In Einfalt und Güte erscheint der Held der Alltagswelt oft als der ‚tumbe tor'. Aber diese Eigenschaften sind dennoch immer wieder der Grund des Erfolges. Es wird ungemein häufig ausgesprochen, daß die Hilfe der jenseitigen Welt nur dem unschuldigen Herzen geschieht"[32]). Fern sei uns die Zwängerei, zugunsten einer ‚positiven' Interpretation einen schlechterdings lauteren Parzival dem Roman zu substituieren. Solches widerspräche der Phänomenologie von Parzivals *tumpheit.* Und doch, der eigentliche Transzendenzpunkt in seiner Erscheinung ist diese einfältige Herzmitte, deren Entelechie hymnischer Töne würdig ist[33]). Zwar sind die Anfänge der *tumpheit* fragwürdiger; es läßt sich nicht gleich ausmachen, ob diese Unerfahrenheit die Möglichkeit einer (sogar höheren) Erfahrung, diese Unbewußtheit die Möglichkeit einer Bewußtheit miteinschließt. Aber gerade diese echte In-Frage-stellung durch handfeste, echte ‚dumme' *tumpheit* birgt einen Kerngehalt möglicher Entfaltung. Vielleicht zeigt sich in der dichterischen Approbation der *tumpheit* Parzivals durch den Dichter — (der sich vielleicht selbst als *tump* bezeichnet hat!) — am eindeutigsten das Lebensgesetz, nach dem Parzival angetreten ist; es lautet: *Werde, der du bist.* Dadurch daß sich in Parzivals Dasein *tumpheit* als ein Konstituens durchhält (wenn auch in vielfacher Wandlung), wird dieser alte pindarische Spruch zum Ertrag des Parzivalromans[34]). Die *tumpheit* ist das Ewig-Menschliche an Parzival, das Möglichkeiten des Verfehlens wie des Gelingens enthält. Daher deren Fragwürdigkeit, daher deren leichtfertige

---

[32]) Betrachtungen zum Wesen und zur Funktion des Märchens, Studium generale 11 (1958) 652f.

[33]) H. Brinkmann, Geschehen, Person und Gesellschaft in der Sprache des deutschen Rittertums, WW 2. Sonderheft (1953/54) 30.

[34]) Das ‚Werde, der du bist' ist auch im Mittelalter nicht unbekannt: vgl. R. Javelet, Psychologie des auteurs spirituels du XIIe siècle, Strasbourg 1959, 52: nach Augustinus hat auch Richard von St. Viktor diese Formel gebraucht (PL 196, 1282 D), und zwar im Sinn: man schafft sich seine Persönlichkeit selbst, deren Natur hingegen nicht.
Für das christliche Altertum vgl. H. U. von Balthasar, Kosmische Liturgie, Das Weltbild Maximus' des Bekenners, Einsiedeln ^{2}1961, 113.
Die Formel ist auch Nietzsche teuer gewesen: Werke III (Schlechta) 1181, in einem Brief an Lou von Salomé. Für das Nachwirken der Formel in heutiger Schriftexegese vgl. A. von Speyr, Die katholischen Briefe II: Die Johannesbriefe, Einsiedeln 1961, 92.

Identifikation in der Forschung mit Parzivals Schuldanlage. Die wirkliche reductio in mysterium — und es gehört zur Herausstellung des ‚mystischen' Sinns, der Dichtung ihr Geheimnis zurückzugeben! — muß jedoch breiter ansetzen, nämlich beim ganzen Menschen Parzival, so wie er erscheint. Da ist es dann sehr schwierig und beinahe unmöglich, dessen liebenswerte *tumpheit* in eine dumpfe Triebhaftigkeit zur Sünde und Schuld zu verdunkeln.

Parzival, der Mensch, beginnt sein Dasein gewiß mit einer weithin gestikulierenden Stultologie[35]) seines ganzen Wesens, deren Folgen das Verlassen der Mutter, der Mord an Ither und das falsche Schweigen zu Munsalväsche sind. Gewiß, alles gedeiht Parzival als Stultologie, als Dummheitsrede: in Tat und Wort gelingt ihm anderes nicht. Dazwischen aber und darüber hinaus wachsen die Einsicht und die Erkenntnisse, deren wesentlichste die Einsicht in den *tumpheits*-Zustand ist. Und gerade hier beginnt Parzivals ‚Selbstwerdung', die Parzival in einem transpsychologischen Begriff aufgetragen ist. Die Spitze dieses ‚Werde, der du bist' gipfelt letztlich ja nirgendwo anders, als wo sie schon für Benedikt von Nursia angesetzt wurde, nämlich in der Formel: *scienter nescius et sapienter indoctus*[36]). Mit Parzivals *tumpheit* beginnt dichterisch nichts anderes als die Bildwerdung des Paradoxes der docta ignorantia, deren Siegeslauf im Roman, der über den ‚Simplizissimus' und den ‚Don Quijote' hinaus bis in unsere Zeit reicht und immer noch nicht abgebrochen ist. Der Roman kann seine platonischen (sokratischen) und christlichen Wurzeln (Benedikt — Nikolaus von Cues) nicht verleugnen, es sei denn, er gäbe sein Eigenstes preis.

Es läßt sich teleologisch Parzivals Lebensweg in dieser Formel fassen. Wie kann man Parzivals Haltung anders umschreiben als mit ‚scienter nescius', nachdem er von Sigune die Aufklärung darüber erhalten hat, daß der Gral nur *unwizzende* (250, 30) erreicht werden kann, und er, Parzival, aus einem Wissen gegen alles Wissen nicht aufhört, nach dem Gral zu suchen? Und dann, nachdem Parzival wider aller Erwarten und aufgrund seiner *tumben* Beharrlichkeit — wird er doch von Trevrizent deswegen

---

[35]) ‚Stultologie' ist eine zeitgeschichtliche Prägung: Bernhard wirft Abälard „wissensstolzes, im letzten verantwortungsloses Gerede" vor; vgl. Heer, Das Mittelalter, Zürich 1961, 180. — Hier ist diese Worterfindung wörtlich genommen als ‚dummes Gerede'.

[36]) Vgl. Grundmann, Litteratus 23; Ohly, Wolframs Gebet 11; Leclercq, L'amour des lettres 18. Die Stelle findet sich in den Dialogen Gregors des Großen (PL 66, 126).

tump gescholten — den Gral doch gefunden hat und Gralskönig geworden ist, was ist er nun anderes als ein ‚sapienter indoctus'? Wirklich, Anfang und Ende von Parzivals Weg liegen darin beschlossen: Werde der du bist — derart, daß das Sein vom Werden einzig so differiert wie das ‚scienter' vom ‚sapienter'. Mit anderen Worten: die *tumpheit* lebt in Parzival fort als eine Nuance der schließlich mit dem Gral aus Gnade als gratia gratis data erlangten sapientia, die sich — man darf das aus dem Rückblick sagen — immerhin schon in der handgreiflichen scientia des tüchtigen, wenn auch sich verschuldenden Toren vorzeichnete. Was sich also durch Parzivals ganzes Dasein durchhielt, ist die glückselige Negativität des ‚nescius' und des ‚indoctus'; kein Königtum vermag diesen *tumpheits*-Grund zu überglänzen, ist das doch die Narrenfreiheit, die auch ein Gralskönig nicht entbehren kann.

In Parzival kommt der Kernbegriff der areopagitisch-eriugenistischen apophatischen Theologie, die *sapiens ignorantia*[37]), zum menschlich-warmen Gehalt. Negative Theologie, ins Fleisch der Kreatur versetzt, wird zum Stachel und Antrieb romanhafter Handlung. Das heißt: die Romanwelt befaßt sich hier mit einer Art kreatürlicher Grundlagenforschung, nach deren Ergebnissen jedes Wissen als Basis ein Unwissen, einen Wahnsinn hat — eine Erkenntnis, derer sich schon die disputierende platonische Philosophie und dann auch die christliche Philosophie des Altertums vergewissert hatten[38]). Gott einzig kann des ‚eingegossenen Wissens' entbehren, da er selbst „das substituierende Wissen in voller Aktualität, ohne Beimischung einer Potentialität ist"[39]), der Mensch hingegen in seiner bloßen Analogieform zu Gott baut auf dem Un-wissen. Man muß tatsächlich weit zurückgreifen, um dieses echt Menschliche, in einem pauschalen Begriff ‚Philosophische' sichten zu können. Parzival, als das ‚Schema Mensch' (Phil. 2, 7)[40]), als das er immer wieder erschienen ist, steht im Konflikt von Wissen und Un-wissen mitteninne. Gerade weil der Held des höfischen Romans nicht im Sinne eines ‚Lebenszentrums'[41]), einer individuellen Menschwerdung interessant ist, ist er als allgemeiner Mensch, als Schema Mensch, als Mensch-Figur interessant. Parzival ist Mannequin des Menschlichen und als solcher geprägt von der *tumpheit* generellen Nicht-wissens und dem Auftrag, diese *tumpheit* hinüberzuführen in die

[37]) Vgl. A. Dempf, Metaphysik des MA's, München 1930, 41.

[38]) H. U. von Balthasar, Kosmische Liturgie 133.

[39]) a. a. O.

[40]) Przywara, Demut Geduld Liebe, Düsseldorf 1960, 17.

[41]) Wehrli, Strukturprobleme 342.

Analogieform des Wissens, in *diemüete*, die höfische Form der sapiens ignorantia. Die Globalformel für den höfisch-menschlichen *saelden wec* ist in Hartmanns ‚Erec' so formuliert: *Ich wiste wol, der saelden wec gienc in der werlt eteswâ, rehte enwiste ich aber wâ, wan daz ichn suochende reit in grôzer ungewisheit.* Wehrli kommentiert in genauer Ausmessung der Spannungsgegensätzlichkeit, die sich hier vom Ritterlichen her gegenüber dem Christlichen ergibt: „Es wird den Aufbau des Romans bestimmen, wie hier *ungewisheit* des Ritters und christliche Gewißheit sich ins Reine setzen"[42]). Mit anderen Worten: es geht um nichts Geringeres als um den ‚höfischen Aufbau einer analogia entis', letztlich also um die dichterische Repräsentation des ‚Schema Mensch', der Mensch-Figur, in der dieses in vielerlei Spannungsgegensätzlichkeiten schwebende Rittermenschendasein beruhigt und zur ‚schönen Menschengestalt' geglättet erscheinen darf.

Die *tumpheit* als Substrat und Basis dieses repräsentativen Ausgleichs, als Inchoativ der ritterlichen *ungewisheit* und des *zwîvels*, ist daher innerhalb dieses Ausgleichs nicht überfällig, im Gegenteil, ihr kommt ein Stellenwert zu, der sich neuwertig, als simplicitas cordis oder *diemüete*, verwandelt dem verwandelten Gesamtbild Parzivals einfügt[43]).

Der letzte Nenner dieses wolframschen Menschenbildes ist der Standesbegriff — und wie weit reicht dieser Begriff über Ständisches hinaus! — der *mâze*. Der Begriff der *mâze* impliziert nicht den ‚harmonischen Ausgleich' bloß zweier antinomischer Strebungen im Menschen[44]). Der Kern liegt tiefer, dessen Oberfläche ist weiter, offener. Der Mensch erschöpft sich in keiner Art durch die Definition zweier oder einiger Strebungen in ihm. Er ist das Offene selbst, ja mehr noch, er ist — da Geschöpf Gottes — ex-sistentia, in sich ständige Sistentia in totaler Relation zum Schöpfer,

---

[42]) a. a. O. 336.

[43]) Vgl. E. Gilson, L'esprit de la philosophie médiévale, Paris 1948, 18 Anm. 1.

[44]) Vgl. Deinert, Ritter und Kosmos 48 Anm. 1. De Boor definiert zwar das Problem der *mâze* als den „Ausgleich zweier bestimmender Pole" (Gesch. d. dt. Lit. II 73). Wir fassen den Ausdruck bewußt weiter, im Anschluß an Deinerts kosmische Erklärung der *mâze*.
Die *mâze* kann im höfischen Bereich — aufgrund einer ganzheitlichen discretio (= Gabe der Unterscheidung) — sowohl einen *tumpheits*-freundlichen wie einen *tumpheits*-feindlichen Aspekt haben; einmal wird es als ein „Vorzug des Gebildeten" angesehen, „einige Dinge nicht zu wissen": die *mâze* nimmt *tumpheit* als eine Art Selbstschutz in Beschlag; dann aber bedeutet *mâze* Auswahl seines Umgangs, und da heißt es denn: *Vliuh den tumben swâ er sî* (Gregorius). Vgl. M. Bindschedler, Der Bildungsgedanke im MA, NSR 22 (1954) 278—292 (besonders 281 f.).

Sistentia in einem ständigen Ex[45]). Es „ist der Mensch gerade so der Offene, der nicht in sich selbst hat, was er braucht, um er selber zu sein“[46]). Moderne und mittelalterliche Theologie treffen sich in der Radikalität der Umschreibung der Abständigkeit des Geschöpfs vom Schöpfer. Insofern also die geschöpfliche Offenheit sich artikuliert, steigert sich der Ausgleich der *mâze*, denn alles ‚Geschöpfliche‘ formiert sich zu der einen Offenheit, welche die Leere bewirkt, die dem Geschöpf zuträgt, was es selber nicht hat, aber braucht, um es selber zu sein, nämlich Gott. Die *mâze* sind daher nicht bloß, das zwar auch, An-stand des Alltags, höfisches Benehmen, sondern im Letzten Wahrung der Offenheit, Gegensätze und Spannungen austragende Aus-ständigkeit des Geschöpfs auf seinen Schöpfer hin, also nichts anderes als die volkssprachliche Umschreibung der analogia entis, der ‚dynamischen Transzendenz‘, gemäß der selbst im Ritterlichen und durch alles Ritterliche hindurch in der ‚noch so großen Ähnlichkeit‘ zwischen Schöpfer und Geschöpf ‚die jeweils größere Unähnlichkeit‘ zwischendurchfährt[47]). Mittelalterlich gesprochen, ist mit den *mâzen* die höhere Harmonie des minor und maior mundus gemeint, die durch die Sünde gebrochen, mit Christi Erlösung aber potentiell wieder möglich wurde[48]). Mensch und Welt in Einklang gerade aufgrund der absoluten Anerkennung von Gottes Vormacht, Herrschermacht und totaler Verfügungsgewalt über seine Geschöpfe! Der Mensch in dieser Situation ist der ‚Homo Analogia‘, wie ihn Przywara nicht müde wird, dichterisch und denkerisch zu deuten und zu zeigen[49]).

So ist denn auch Parzival allegorisch und mystisch gerade von seiner ihn bewirkenden, ihn ins Spiel setzenden und ihm als Substrat subsistierenden *tumpheit* her ‚Homo Analogia‘, ‚*mensch mâze*‘, Mensch, der im harmoni-

---

[45]) Diese Redeweise ist mittelalterlich. Vgl. Javelet, Psychologie des auteurs spirituels 77 ff. Vgl. S. 173 Anm. 6.

[46]) K. Rahner, Schriften zur Theologie III, Einsiedeln ^{3}1959, 42.

[47]) Przywara, Um die Analogia entis, in: In und Gegen, Nürnberg 1955, 277 ff. Bezeichnenderweise ist diese Form der Analogia entis gerade zu Beginn des 13. Jahrhunderts auf dem vierten Laterankonzil 1215 definiert worden.

[48]) Vgl. Heer, Die Tragödie des Heiligen Reiches 183.

[49]) Zuletzt umfänglich und bedeutsam in: Mensch, Typologische Anthropologie I, Zürich 1959: „Wie der Verfasser in seiner ‚Analogia entis‘ (1932) die differenten großen Typen einer Metaphysik auf den Einen Spannungs-Rhythmus des ‚Sein als Analogie je-über-Hinaus‘ rückführte, so will er in seiner Anthropologie (als dem wesentlichen Gegenüber hierzu) die differenten großen Mensch-Bilder in das ‚Zwischen‘ des Menschen als ‚Mensch Analogie‘ überführen“ (V). Leider fehlt in dieser typologischen Anthropologie die Gestalt Parzivals!

schen Gegensatzspiel seiner Strebungen und Kräfte jene Offenheit erreicht hat, ohne die er nicht erhält, was ihn zu sich selber bringt. Gewiß, die *tumpheit* ordnet sich von daher ein in das menschlich ausgetragene Widerspiel aller Welt- und Frömmigkeitsgehalte in Parzival: sie ist in einem chthonischen Sinn zur Materia prima von Parzivals romanhafter Existenz geworden. Die im Roman vorgetragene Etymologie des Namens Parzival: *Rehte enmitten durch* aber kommt im Wandel der *tumpheit* in *diemüete* zu ihrem vollen Gehalt (wie in all den anderen Gegensatzpaaren auch)[50].

Idiota moralis et tropologicus

Man erinnert sich, der moralisch-tropologische Sinn ist nicht identisch mit irgendeiner beliebig aus dem Text destillierbaren Moral. Moral im mittelalterlichen Wortsinn ist nicht zu verwechseln mit einem noch so hohen gesellschaftlichen Verpflichtungen entstammenden kategorischen Imperativ, wie ihn Kant als Maßeinheit intersubjektiven Verhaltens forderte. Die Moral, von der hier die Rede sein muß, ist die bare Konsequenz des konstitutiven Mysteriums, ist genauer Gesetz des Mysteriums selbst, wie es im Leben regulativ zur Anwendung, zur höheren Etikette im Tun und Lassen gelangt; Moral ist das Fleisch des geistigen Mysteriums, ist dessen conversio ad phantasmata, derer der Mensch als seiner ‚Lebensregel' inne wird[1]). Moral ist wie ein großes Aufgeschlagen-werden des inneren Auges, das des Geheimnisses als einer Gegenwärtigkeit ansichtig wird. Das Diktat ist, mittelalterlich wenigstens, der Moral wesensfremd, hingegen hat Moral wesentlich mit Gehorsam zu tun. — Das alles lehrt die Praxis der moralisch-tropologischen Bibelexegese; in ihrer Blickrichtung erscheint die ganze Bibel „als ein ‚Spiegel', darin der Mensch seine Schwäche und seine Sündigkeit erfährt, aber gleichzeitig die Vollkommenheit, zu der Gott ihn bestimmt und beruft. Die äußeren Geschichten, die sie erzählt, sind zugleich innere Ereignisse, ‚Stufen und Schritte der Seele' "[2]). Die Berechtigung einer moralischen Auslegung des ‚Parzival' ergibt sich zwanglos von der ähnlichen Intention her, die sowohl Wolfram wie die frühchristlichen Autoren bei der Verfassung ihrer Werke leitete, nämlich von dem Bestreben, den Menschen einen Spiegel ihrer Sündhaftigkeit und der Möglichkeit einer Rettung vorzuhalten. Das Vorgehen ist zwar beidseitig ver-

---

[50]) Über das Menschenbild Wolframs von Eschenbach im gesamten Gefälle der mhd. Literatur handelt W. Mohr, Wandel des Menschenbildes in der mittelalterlichen Dichtung, WW 1. Sonderheft (1952/53) 37—48.

[1]) Vgl. de Lubacs Ausführungen über den moralischen Schriftsinn, oben S. 182 f.

[2]) de Lubac a. a. O.

schieden: die frühchristlichen Autoren sprechen aus der direkten Teilnahme an Christi Leben heraus und unter der Inspiration des Heiligen Geists, Wolfram dagegen als ein gläubiger Christ mit all seinen Anfechtungen in der Form des Romans. Aber auch der ‚Parzival' ist ein Spiegel, darin der (höfische) Mensch seiner Sündigkeit ansichtig und seiner möglichen Vollkommenheit innewerden soll. Auch im ‚Parzival' sind ‚Stufen und Schritte der Seele' Parzivals erzähltechnisch vermerkt und als tropologische Hinweise für ein wahres ritterliches Dasein gemeint. Damit ist aber ein Kernproblem der Parzivaldeutung gestellt: Wie verhält es sich mit Parzivals Schuld und — wäre mit besonderer Betonung hinzuzufügen — deren ästhetischer Bildwirklichkeit?

Parzivals Schuld ist geradezu zur ‚cause célèbre' der Parzivaldeutung geworden, an der sich die Geister scheiden und auch bekämpfen. Schließlich ist aber auch das Problem von Parzivals *tumpheit* zutiefst mit der Schuldproblematik verhängt, so daß sich die Deutung der *tumpheit* von einer Deutung der Schuld nicht dispensieren kann, will sie wirklich den moralisch-tropologischen Kern dieser *tumpheit* faßbar machen[3]).

Die Synthese von Nichtwissen und Wissen, wie sie in Parzivals gelebter docta ignorantia sichtbar wurde, dieses Mysterium vorbildlich menschlichen Daseins, wandelt sich unter dem moralischen Blickwinkel notwendigerweise in die christliche Synthese von Schuld und deren Wiedergutmachung, in die Anschaulichkeit der felix culpa, wie sie im ‚Parzival' unter ganz speziellen Bedingungen und in eigentümlicher Weise demonstrabel wird. Beides, docta ignorantia und felix culpa, gehört wesentlich zum Christentum, beides mündet letztlich ins Geheimnis des Christlichen überhaupt[4]). Es kann daher bei der Besprechung dieses doppelten, nämlich mystisch-allegorischen und moralisch-tropologischen Geheimnisses nicht um dessen ‚Lösung' gehen, sondern erlaubt und erstrebbar ist hier einzig die ‚Herausführung' der ‚Logik', die solchen zutiefst christlichen Verfaßtheiten innewohnt und sie prägt.

Wissen und Nichtwissen, deren Verschlingung und konstitutive, geheim-

---

[3]) Die Literatur zur Schuldfrage findet sich gesamthaft verzeichnet bei: Franz R. Schröder, Parzivals Schuld, GRM 9 (1959) 2—20; und bei: B. Willson, Das Fragemotiv in Wolframs Parzival, GRM 12 (1962) 139—150. Vgl. auch die Besprechungen anderer Meinungen und die neuen Stellungnahmen bei: F. Maurer, Leid, Bern [2]1961, 124 ff.; Wapnewski, Wolframs Parzival 75 ff.; H. Kuhn, Dichtung und Welt im MA 271 f.

[4]) „Als Synthese von Wissen und Nichtwissen gehört die docta ignorantia wohl zum Wesen des Christentums wie die Felix culpa als Synthese von Schuld und Wiedergutmachung" (M. Bindschedler, Der Bildungsgedanke im MA 292).

nishafte Bedeutung im Menschen, wer möchte das leugnen? Hingegen: Schuld und Unschuld und deren Ineins im menschlichen Dasein, das ist schon weniger begreifbar, weniger faßbar und auch nennbar. Es bieten sich hier äußerst fragwürdige Hypothesen der Lösung an, die in einer gnostischen Verkennung der Schuld-Situation Sünde und Schuldlosigkeit in einer höheren Erkenntnis, im Dunst reinen Geistes, verdampfen und ident werden lassen, so daß man nur mit tiefstem Mißtrauen die praktikable Formel der felix culpa zur Erklärung herbeizieht.
Die apriorische ‚Tüchtigkeit' der felix culpa mag daher — des rechten Sehens wegen — vorerst nicht bemüht werden. Und doch ist der Blickwinkel jetzt ein anderer. Das Mythische an Parzivals Weg, das sich schon im vorigen Kapitel in den ‚Homo Analogia' hinein aufgeben mußte, verschwindet nun noch einmal — und diesmal endgültig — aufgrund der höheren *wârheit* des *maere*. Die gnostische Formel der Selbstwerdung Parzivals — durch E. Jung und M.-L. von Franz plausibel genug erklärt und herausgestellt — ist für diese *wârheit* unzulänglich, weil die Schuldfrage, ja nur schon deren Möglichkeit, sich jenseits alles Mythischen stellt. Denn gerade innerhalb der ‚moralischen' Problematik des ‚Parzival' muß sich alles Mythische zugunsten des Antimythos auflösen lassen. ‚Selbstentwicklung', ‚Selbstwerdung' (alles Begriffe, die an ihrem Ort ihre Richtigkeit haben!), alles Lösbare und sich Erlösende (mithin auch die felix culpa) versagt innerhalb des Moralischen. „Jeder inneren Selbstentwicklung widerspricht schon die plötzliche, augenblickliche Einsicht und Anerkennung der Schuld, jedesmal so betont wie nur möglich dargestellt. Sie ist keine Erleuchtung, sondern Erkenntnis einer metaphysischen Station. Vor allem: der Held findet sein Heil gerade nur im Außer-sich-Sein, in einer Unio mit Sinn und Wert jenseits des Selbst: als Minnedienst, Weltdienst, Gottesdienst. Jedem Erlösungsmythos widerspricht andererseits der bewußte Verzicht der Dichter auf eine von außen erlösende Instanz. Auch noch im Gralsroman! Wolfram bestätigt ebenso ausdrücklich Parzivals *mannes muot* wie seine Gralberufung. Innere Entwicklung und Erlösung wirken höchstens zusammen"[5]). Das ‚Werde, der du bist', das Bewahren und freie Hervortretenlassen des *art*, das dem Helden aufgetragen ist, beweist durch den geringen Raum, der hier vom Sein her dem Werden eingeräumt ist, die Erfordernis des ‚Außer-sich-Seins', der Ex-Sistentia. Denn das Sein, das Parzival werden soll, ist ihm selber tranzendent und jenseitig: er kann nur so werden, der er ist, wenn er sich selbst aufgibt, wenn er sich hinausstellt, wohin er seinsgemäß gehört: in den *art*, in die *sippe*, und höher: in

[5]) H. Kuhn, Dichtung und Welt im MA 171 f.

die Hut der *triuwe*, der *diemüete*, der schrankenlosen Gottergebenheit inmitten der ritterlichen Welt (wie es die Schlußverse herausstellen).
Der Prozeß dieses im *maere* evident gemachten, allmählichen Heraus-Stehens und letztlichen ‚Außer-sich-Seins' inbildet sich im Zeichen der Schuld, der Sünde. Im Zeichen der Schuld wird das immer größere Über-Hinaus Gottes über den ‚Homo Analogia' am deutlichsten.

Wie verhält es sich nun mit Parzivals Schuld, wie und was ist sie? — Bevor diese Frage annähernd beantwortet werden kann, muß eine näher liegende und bereits angeschnittene Frage geklärt werden, die Frage nämlich nach der Bedeutung, dem Stellenwert und der Funktion einer derart breit und umfänglich (das ganze neunte Buch und viel darüber hinaus in Beschlag nehmenden) Schuld Parzivals. Die Gegebenheit einer Schichtung im Parzivalroman, dann aber vor allem die höhere *wârheit* des *maere* machen es wahrscheinlich, daß Parzivals Schuld einerseits ein genauer Stellenwert (hinsichtlich ihres ‚Orts' in der Dichtung), andererseits aber (mit Rücksicht auf ihre zentrale Stellung) eine für das Ganze überragende Bedeutung zukommt. Stellen- oder Stufenwert von Parzivals Schuld und deren ganzheitliche Bedeutung sind Eines. Hugo Kuhns Akzentuierung der im Artusroman überall sich findenden ‚plötzlichen, augenblicklichen Einsicht und Anerkennung der Schuld' des Helden als eines Konstituens des Antimythischen im Roman gibt hier das Stichwort.
Ein paar allgemein gehaltene Überlegungen mögen das verdeutlichen. Anerkennung der Schuld bedeutet schlechterdings Verzicht auf Eigenes, Selbstverzicht, ‚Außer-sich-Sein', mithin Anerkennung eines Außen-Seienden, der Verzeihender und Antwortender in einem ist. Anerkennung und Geständnis von Schuld ist christlich deren Überantwortung an Gott, der je-jetzt sich verzeihend an sein Geschöpf entäußert. Das in diesem doppelten ‚Außer-sich-Sein' aktuierende Geschehen ist Geschichte, ist geschichtliche Energeia selbst[6]). Während mythische ‚Zeit' deren Negierung, also Zeitlosigkeit ist, ist christliche Zeit Geschichte, Geschehendes zwischen Schöpfer und Geschöpf, das um so mehr — ja einzig darum — weil der

[6]) Über die Grundlegung des Geschichtlichen im Christentum vgl. K. Löwith, Weltgeschichte und Heilsgeschehen, Die theologischen Voraussetzungen der Geschichtsphilosophie, Stuttgart ³1953; W. Kamlah, Christentum und Geschichtlichkeit, Untersuchungen zur Entstehung des Christentums und zu Augustins ‚Bürgschaft Gottes', Stuttgart/Köln ²1951; und ganz zentral: H. U. von Balthasar, Theologie der Geschichte, Ein Grundriß, Neue Fassung, Einsiedeln 1959; vgl. noch: E. Frank, Die Bedeutung der Geschichte für das christliche Denken, in: Zum Augustin-Gespräch der Gegenwart, Darmstadt 1962, 381—396.

Schöpfergott selbst dem Fleische, der vollen, unverminderten Lebenswirklichkeit nach Mensch geworden ist und, anstatt mythisch dem Tod zu unterliegen, ihn besiegt hat[7]). ‚Geschichte' und auch ‚Geschichten', d.h. der mythischen Gleichrednerei und unförmigen ‚Sage' entronnene, entelechial und eschatologisch gespannte ‚Erzählungen', gibt es daher in letzter Konsequenz nur im Christlichen. Das Einmalige ist einzig erzählenswert, die mythische Sage von der Wiederkehr des Gleichen, versinkt im Raunen der Weltgründe, aus denen sie nur momentan und flüchtig entrann. Parzivals Schicksal steht vom moralischen Blickpunkt aus bloß in einer leisen Analogie dazu; in einer Analogie, deren Relativität schon als eine Erkenntnis der mystischen Sicht — in Parzivals antimythischer Menschhaftigkeit — verbürgt war. Parzivals ‚Geschichte' verläuft — gerade aufgrund seiner *christlich* gefaßten Schuldhaftigkeit — quer zu allen ebenen Geleisen mythischer Weltsicht; das Ziel dieses Verlaufs ist zwar ein echtes Mythologem: Parzival ist auf der Suche nach dem Gral — als ritterlicher Christ —, verfehlt ihn mythisch, aber erreicht ihn als Märchengabe (also möglichst unmythisch). Parzival kassiert am Gral rein märchenhaft, was er mythisch davon erhoffte. Die Schuld gereicht ihm zur (christlichen) Rettung vor dem Mythos: das Mythologem des Grals wird emblematisch verchristlicht und der Analogia entis eingebaut, unter deren *bescheidenheit* (discretio = Unterscheidungsgabe) ohnehin der ganze Parzivalroman steht. Parzivals Schuld wird so zum Schibboleth christlicher ‚Geschichte', während der Mythos vom reinen Toren — nämlich die mythische Etikettierung des

---

7) „Wie in einem wahren Sinn die Sünde das Kreuz verursacht hat und Christus keinesfalls als ein Erlöser gekommen wäre, wenn die Schuld der Menschheit ihn nicht veranlaßt hätte, seine Bürgschaft bei der Schöpfung auf diese Weise einzulösen, so ist in einem anderen, tieferen Sinn das Kreuz die Bedingung der Möglichkeit nicht nur von Sünde, sondern von Dasein und von Prädestination überhaupt", Balthasar a.a.O. 50. Und noch enger auf die Geschichtlichkeit hin gefaßt: „Das Worumwillen der Geschichte ist die Aktion des Sohnes, dessen Einmaligkeit die Geschichte in ihre Eigentlichkeit hinein befreit und entläßt: daß es überhaupt so etwas geben konnte wie ein Paradies, einen Sündenfall, eine Sündflut, einen Bund mit Abraham, ein Gesetz und eine prophetische Geschichte, das alles hat seine sinngebende Mitte im Erscheinen des Sohnes, obwohl der Sohn in seiner Erscheinung sich gehorsam dem Formenspiel des Vergangenen und Bestehenden einpassen wird. Die Geschichte unterwirft sich dem Sohn und der Sohn der Geschichte. Aber die Unterwerfung der Geschichte unter den Sohn geschieht im Dienste der Unterwerfung des Sohnes unter die Geschichte, die ihrerseits nur Ausdruck seiner Unterwerfung unter den Willen des Vaters ist", a.a.O. 47f. Aus einer Analogie zu diesem Sachverhalt lebt letztlich auch Parzivals ‚Geschichte'.
Über die Geschichtslosigkeit ‚mythischer Verhältnisse' vgl. Kamlah, a.a.O. 17f.

Helden mit globaler, gehaltloser ‚Reinheit' — in der Heils-‚sage' verdämmert, von der her sie Bild wurde. Es läßt sich daher mit Vorbehalt der Parzivalroman ein ‚mythisierter' Antimythos nennen, insofern das Antizum bestimmenden Merkmal erklärt wird. Christlich wird dabei — und das ist gegen alle gerechtfertigte Polemik gegen Mockenhaupts ‚Märchenkausalität' festzuhalten — das Märchen, darin der Parzivalroman sein *christliches* Ende findet, zur christlichen Rettung vor dem Mythos[8]).
Diese strukturellen Erzählfakten sind sicher bei Betrachtung von Parzivals Schuld oft zu wenig beachtet worden. Und doch ergibt sich positiv Eines daraus mit Sicherheit: *Parzivals Schuld läßt sich weder gesinnungsethisch noch situationsethisch aufrechnen*[9]). (Was aber keineswegs heißt, daß damit alles Ethische im ‚Parzival' geltungslos oder ‚unrichtig' sei!) Wichtig ist einzig und allein die Wirkungsmächtigkeit der im Roman vorgetragenen *lêre*, die zwar im Resultat und in der Anwendung aufs Leben mit der üblichen Morallehre identisch ist, aber in ihrer Bildwerdung im Roman sich dieser entzieht. Mit anderen Worten: Obwohl die ‚Moral', die im Parzivalroman mittels Parzivals Schuld ‚doziert' wird, zeitgenössisch und theologisch ‚richtig' ist — also Vergleiche mit zeitgenössisch gültigen Normen usw. durchaus verträgt —[10]), ist andererseits ganz eindeutig hervorzuheben, daß der Prozeß, in dem Parzivals ‚Moral' gebildet, d.h. zum Bild wird, ein künstlerischer ist und *insofern* weder gesinnungs- noch situationsethisch aufgerechnet werden kann. Diese Tatsache ist äußerst

---

8) Das Märchen — zumindest das im christlichen Abendland stilisierte Kunstmärchen — ist also nichts, das einer ‚christlichen' Deutung entgegenstünde, im Gegenteil, es lebt von der christlichen Notwendigkeit, auch den Mythos zu taufen.

9) Gesinnungsethisch wird Parzivals Schuld z.B. bei Wapnewski verrechnet (Parzival „hat wissentlich und willentlich die Mutter verlassen, dem 4. Gebot des Dekalogs zuwidergehandelt. Er hat wissentlich und willentlich den Roten Ritter getötet, sich des *homicidium* schuldig gemacht", a.a.O. 86), situationsethisch negiert bei H. Kuhn (mit Bezug auf einen Aufsatz von K. Rahner [Schuld und Schuldvergebung als Grenzgebiet zwischen Theologie und Psychotherapie, in: Schr. z. Theol. II, Einsiedeln 1955, 282 ff.]: „Parzivals Vogeljagd, Weggehen von der Mutter, Kampf mit dem Roten Ritter als ... Tat-Sünden zu interpretieren, ist absurd", a.a.O. 272).

10) Folgende Sekundärliteratur wäre hier zu berücksichtigen: R. Blomme, La doctrine du péché dans les écoles théologiques de la première moitié du XIIe siècle, Louvain/Gembloux 1958 (wichtig!); Ph. Delhaye, L'enseignement de la philosophie morale au XIIe siècle, in: Mediaeval Studies 1949; ders., Une controverse sur l'âme universelle au IXe siècle, (AMN 1) Louvain/Lille 1950; ders., Gauthier de Châtillon est-il l'auteur du Moralium dogma?, (AMN 3) Namur/Lille 1953; ders., Le recours à l'Ecriture sainte dans l'enseignement de

wichtig und beachtenswert, an ihr soll denn auch die Schuld und deren Zusammenhang mit der *tumpheit* demonstriert werden.

Die Enthüllung der Schuld, die identisch mit Parzivals Geständnis vor Trevrizent ist, geschieht, dem geschichtlichen Prozeß entsprechend, den sie konstituiert, in einem Nacheinander von räumlichem Charakter[11]). Das

---

la théologie morale, Bull. Fac. cathol. Lyon, no. 19 (1955) 5—19, no. 20 (1956) 5—25; ders., Le problème de la conscience morale chez saint Bernard, Louvain/Lille 1957; ders., La charité reine des vertus, Heurs et malheurs historiques d'un thème classique, Vie spirituelle suppl. no. 41 (1957) 135—171; ders., ‚Grammatica' et ‚Ethica' au XIIe siècle, (AMN) Louvain/Lille 1959; ders., La philosophie chrétienne au moyen âge, Paris 1959; ders., Permanence du droit naturel, (AMN 10) Louvain/Lille/Montréal 1960; ders., L'organisation scolaire au XIIe siècle, (AMN) Louvain/Lille 1961; O. Dittrich, Geschichte der Ethik, Bd. III: Mittelalter bis zur Kirchenreformation, Leipzig 1926; A. Landgraf, Das Wesen der läßlichen Sünde in der Scholastik bis Thomas von Aquin, Bamberg 1923; ders., Die frühscholastische Streitfrage vom Wiederaufleben der Sünden, 1937; ders., Dogmengeschichte der Frühscholastik, 5 Teile, Regensburg 1952 ff.; O. Lottin, Psychologie et morale aux XIIe et XIIIe siècles, 6 Teile in 8 Bänden, Gembloux 1948 ff. (ein Standardwerk!); ders., Etudes de morale, Histoire et doctrine, Gembloux 1961; H. Maisonneuve, La morale chrétienne d'après les conciles des Xe et XIe siècles, (AMN 15) Louvain/Lille 1962; N. Merlin, Saint Augustin et les dogmes du péché originel et de la grâce, Paris 1931; H. Meyer, Geschichte der abendländischen Weltanschauung, Bd. III, 1948; P. Michaud-Quantin, Sommes de casuistique et manuels de confession au moyen âge, (AMN 13), Louvain/Lille/Montréal 1962; M. Müller, Ethik und Verantwortlichkeit, Regensburg 1932 (zitiert bei Maurer, Leid 158 ff.); Paré/Brunet/Tremblay, La renaissance du XIIe siècle, Les écoles et l'enseignement, Paris/Ottawa 1933; G. Robert, Les écoles et l'enseignement de la théologie pendant la première moitié du XIIIe siècle, Paris 1909; R. P. Sertillanges, Le problème du mal, I: L'histoire, Paris 1948, II: La solution, Paris 1951; Fr. Wagner, Geschichte des Sittlichkeitsbegriffes, Bd. III: Der Sittlichkeitsbegriff in der christlichen Ethik des MA's, Münster 1936. Dazu wären die schon verschiedentlich zitierten Werke von Chenu, de Ghellinck usw. heranzuziehen. — Diese Literaturangaben mögen zeigen, wie sehr die Moralgeschichte des 12. und 13. Jahrhunderts in letzter Zeit — besonders von französischer Seite — aufgearbeitet worden ist.

[11]) Was mit Parzival nun geschieht, ist ein stufenweises ‚Innewerden' seiner Schuld (vgl. 480, 26!), die sich ihm im geschichtlichen Bildcharakter der Erinnerung präsentiert. „Erkenntnis ist nicht mehr Er-fahrung (eines dreidimensional Räumlichen), die sich entweder erhärten ließe oder dann nicht standhält, sondern Schau (eines zweidimensional Räumlichen), ‚anschowunge' (M. 9), wobei sich dem Menschen nichts aufdrängt und er nichts zu erfassen sucht, sondern vom Erscheinenden erleuchtet und erhellt wird, so daß ihm alles klar ist" (Kobel, Untersuchungen zum gelebten Raum in der mhd. Dichtung, Zürich o. J., 132). Man denke an den Ausdruck, den Wolfram gebraucht: *mit sünden schîn* (463, 30).

literarische Procedere, dem Wolfram bei der Aufdeckung von Parzivals Schuld folgt, ist ebenso menschlich richtig wie sachgerecht: Parzival muß den Weg, den die Erzählung bisher gegangen ist, zurückgehen, muß also seine eigene ‚Geschichte' bis in deren Beginn wie ein Raumbild durchschreiten und — geführt durch den Dialog mit dem Beichtvater — die Requisiten des Vergangenen mit eigener Hand vor sich hinstellen, um sie von Trevrizent sachte und lösend beiseite schieben zu lassen. Die Schuld kommt Parzival in einer sehr bezeichnenden und vom Dichter sicher so gewollten Schichtung vor Augen; denn der Raum dieser dichterischen ‚Geschichtlichkeit' offenbart sich in einer merkwürdigen, je neuen Hintergründigkeit des Schuldcharakters. Der Stellenwert von Parzivals ‚Sünden' ist bezeichnet durch den Ort, den die jeweilige Sünde im Raum dieser ‚Geschichtlichkeit' einnimmt. Die Frage also nach Parzivals ‚willentlichen' oder ‚unwillentlichen' Sünden kann von daher sicher mit einigem Recht gestellt werden, nur darf dabei der Geschichts- und Erzählraum des *Ganzen* nie aus dem Auge gelassen werden. Erst das volle, abstrichlose, den Blick auf einen Hintergrund frei gebende Schuldbekenntnis garantiert die *Bildwerdung* des Geschichtlichen, welche Wolfram mit seinem ‚Parzival' — sicher mit lehrhaften Absichten! — bezweckt. Friedrich Maurer hat die bemerkenswerte Gliederung dieser als Geschichte komponierten Schuld herausgestellt[12]), und Max Wehrli[13]) hat sie im Anschluß an Schwieterings Aufsatz über ‚Parzivals Schuld'[14]) sehr eindeutig erläutert.

Die paar Stellen, in denen von Parzivals Schuld die Rede ist, seien mit einigen erläuternden Hinweisen nochmals genannt, damit danach kurz auf Parzivals *tumpheit* unter tropologischen Gesichtspunkten eingegangen werden kann.

1. Parzivals Eintritt in den Raum ‚geschichtlicher' Verantwortung trägt alle Kennzeichen des *unwizzende*, unter dessen Vorbehalt er sich hätte zum Gral erwählen lassen müssen: indem er, nach der Begegnung mit dem Ritter Kahenis, an einem Karfreitag, seinem Pferd die Zügel überläßt, damit es gehe *nâch der gotes kür* (452,9), gibt er Gott gleichsam eine Chance der Bewährung seiner *helfe* (5). Bewußt unwissend versucht er *des grâles vremde* (445,30) zu wenden; aus dem *zwîvel* an Gottes Helferwillen heraus verschanzt er sich im *unwizzende* und fordert Gottes *helfe*

---

[12]) Maurer a. a. O. 115 ff.

[13]) Wehrli, Erzählstil 38 f.

[14]) ZfdA 81 (1948), 77—104. Neuerdings in: J. Schwietering, Mystik und höfische Dichtung im Hochmittelalter, Darmstadt 1960, 37—70.

heraus. Daß Gott dieser Aufforderung Folge leistet, ist ein Zeichen mehr für Parzivals Auserwählung.

Wenn so durch das Arrangement, kraft dessen Parzival seinen Oheim Trevrizent auffindet, die *tumpheit* in ihrer Bedeutung für die Romanhandlung weitgehend positiv neuwertig wird, so ist darin unbedingt eine proleptische Anlehnung ans Kommende zu sehen, eine Anlehnung also, die in spezifischer Weise in Beziehung zur später zur Sprache kommenden *tumpheit* steht. Es ist daher unerläßlich, auf diese ‚Initiation' Parzivals in die Klause Trevrizents zurückzukommen. Im Folgenden aber steigert sich die Romanhandlung zur eigentlichen Konfliktlage und deren Austragung im Wort. Es seien hier nur die Requisiten der Schuld genannt, die im Problem ihrer Enthüllung relevant werden.

Parzival eröffnet sein Sündenbekenntnis vor Trevrizent mit folgenden Worten: *‚hêr, nu gebt mir rât: / ich bin ein man der sünde hât'* (456,29/30). Das ist auf keinen Fall eine bloß analogische Aussage mit nur prinzipiellem Charakter, sondern eine Aussage, die auch eine Entscheidung über Parzivals praktisches Verhalten enthält. So ist auch jede Entscheidung, die man über den Gehalt dieser Worte trifft, subjektiv verfälscht, wenn der objektive Text auf ein bloßes ‚Sündenbewußtsein', auf Parzivals bloße, ‚tödlich sündhafte Verfassung' (Kuhn) hin relativiert wird. Die Endgültigkeit von Parzivals Bekenntnis ist sowohl spontan wie reflex wie emphatisch gesichert. Parzival ist *ein man der sünde hât*; selbst Maurers Hinweis auf die Bedeutungsbreite des mhd. Wortes *‚sünde'* und dessen abgeschwächten Gebrauch an verschiedenen Stellen vermag nichts gegen diese ins Endgültige modifizierte Sprechsituation, in der Parzival sich des Wortes bedeutsam bedient[15]).

Und weiter folgt Parzivals reflektiertes Schuldbekenntnis, das sich dem ersten Pauschalgeständnis wie ein erster Gehalt der Form zur Seite stellt:

> ‚alrêrst ich innen worden bin
> wie lange ich var wîselôs
> unt daz freuden helfe mich verkôs',
> Sprach Parzival. ‚mirst freude ein troum:
> ich trage der riwe swaeren soum.

[15]) Damit kein Mißverständnis entsteht, ist gleich anzumerken, daß Maurer selbst die Eigenheit des Wortes *sünde*, nämlich „daß sein Umfang sehr weit, sein Inhalt vielfältig und fließend ist, daß es Leichteres und Schwereres, Tiefes und weniger Tiefes vereinigt" (a. a. O. 143), zugibt, — was sicher nicht in Abrede zu stellen ist —; an dieser Stelle aber versteht er es in scharfem, dogmatischem Sinn (vgl. a. a. O. 123).

hêrre, ich tuon iu mêr noch kuont.
swâ kirchen ode münster stuont,
dâ man gotes êre sprach,
kein ouge mich dâ nie gesach
sît den selben zîten:
ichn suochte niht wan strîten.
ouch trage ich hazzes vil gein gote:
wand er ist mîner sorgen tote.
die hât er alze hôhe erhabn:
mîn freude ist lebendec begrabn.' (460,28 — 461,12)

„Das sind die Sünden, deren er sich bewußt geworden ist; die tatsächlich auch im Ablauf der bisherigen Handlung als solche offenkundig und deutlich geworden sind, die er eindeutig und bewußt begangen hat. Sich im Trotz von Gott abwenden, die kirchliche Gemeinschaft aufgeben, die dankbare freudige Haltung mit einer räsonnierenden, kummervollen vertauschen, das sind Vergehen gegen Gottes Willen und Ordnung. Es sind Sünden auch im Sinn dogmatischer und moraltheologischer Auffassung eines Augustin oder Thomas von Aquin oder auch der Zeit Wolframs selbst. Alle drei Sünden entspringen der Reaktion auf Leid und Entehrung, dem Trotz, der falschen Gottesauffassung"[16]). Und in der Tat läßt sich hier von einer *willentlichen* Schuld Parzivals sprechen, das um so mehr, als diese Schuld gleichzeitig auf zwei Ebenen gelagert ist. Einerseits ist Parzivals Einsicht in seine ‚willentliche' Sünde ein Moment des ihm in der Gestalt Kahenis' und dessen Gefährten demonstrierten, karfreitäglichen Erlösungsgeschehens (*alrêrst ich innen worden bin* . . . beginnt Parzival sein Geständnis!). Andererseits beginnt er im gleichen Atemzug, die Innewerdung der Schuld deduktiv für die Gegenwart zu entfalten, so daß er — immer zorniger werdend — schließlich beinahe mit derselben emphatischen Frage schließt, die ihn einst zum Gotteshaß verführte. Der Anlaß zur Einsicht wird so Anlaß gleichzeitig der Erkenntnis und neuerlicher Gotteslästerung. Parzivals Fragen münden in eine einzige Anklage gegen Gott, und der Monolog des Gotteshasses scheint schließlich weniger abgebrochen denn je.

‚kunde gotes kraft mit helfe sîn,
was ankers waer diu vreude mîn?
diu sinket durch der riwe grunt.
ist mîn manlich herze wunt,

[16]) Maurer a. a. O. 123.

od mag ez dâ vor wesen ganz
daz diu riuwe ir scharpfen kranz
mir setzet ûf werdekeit
die schildes ambet mir erstreit
gein werlîchen handen,
des gihe ich dem ze schanden,
der aller helfe hât gewalt,
ist sîn helfe helfe balt,
daz er mir denne hilfet niht,
sô vil man in der hilfe giht.' (461, 13—26)

So doppelt Parzival seine ‚willentliche' Schuld auf der Ebene der Gegenwärtigkeit, monologisch auf einen Dialog hin spekulierend, nach. Parzival ist aktuell aus Uneinsicht schuldig geworden, er ist negativ ‚außer sich'. Daher Trevrizents Aufforderung an Parzivals *sin* (*hêrre, habt ir sin* . . . 28), an seine *triuwe*; daher diese wunderbare Repetition der menschlichen Heilsgeschichte, die zum zweiten Bild von Parzivals Schuld überleitet, zu Parzivals Einsicht in seine ‚unwillentlichen' Sünden, die sich in einer viel tieferen Schicht lösen lassen müssen.

2. Das Seltsame ist nun, daß noch eine andere Gruppe von Sünden Parzivals genannt wird, „die ihm besonders Trevrizent vorhält, für die er im Sinn der kirchlichen Bußdisziplin Buße tut, und die ihm schließlich Trevrizent, ebenfalls im Sinn kirchlicher Beicht- und Bußdisziplin, abnimmt"[17]. Es sind dies die drei sogenannten ‚unwillentlichen' Sünden Parzivals, die bisher zumeist Gegenstand der Deutung und Untersuchung gewesen sind, nämlich: der durch Parzivals Weggehen verschuldete Tod der Mutter; Parzivals Totschlag des ihm versippten Ither, des Roten Ritters; die Unterlassung der Frage beim ersten Besuch auf der Gralsburg.

Der Verwandtenmord an Ither und die Schuld am Tod der Mutter kommen zusammen zur Sprache: die erste Sünde gesteht Parzival, die zweite erfährt er aus dem Munde Trevrizents. Indem Parzival dem Wirt seinen Namen und seine Herkunft erläutert, kommt — ganz dem Zwang des Rückblickens entsprechend — zuerst der *rêroup* an Ither zur Sprache (nachdem die Sünde der nicht gestellten Frage — als das dem Zeitpunkt des Gesprächs am nächsten liegende Geschehnis — von Trevrizent konsequenterweise schon genannt worden ist: vgl. 473, 12 ff.):

‚hêrre, in binz niht Lähelîn.
genam ich ie den rêroup,
sô was ich an den witzen toup.

[17]) a. a. O. 123 f.

ez ist iedoch von mir geschehn:
derselben sünde muoz ich jehn.
Ithêrn von Cucûmerlant
den sluoc mîn sündebaeriu hant: ...‘ (475,4—10)

Nach einem Schmerzensschrei über die Welt (*owê werlt, wie tuostu sô?* 13) und einer Ruhmrede auf den toten Ither schließt Trevrizent einigermaßen abrupt: *mîn swester lac ouch nâch dir tôt, / Herzeloyd dîn muoter* (476,12f.).

Und später nach langen Reden und Widerreden schließt Trevrizent: *du treist zwuo grôze sünde: / Ithêrn du hâst erslagen, / du solt ouch dîne muoter klagen* (499,20—23). Eine Aufforderung zur *buoze* (26ff.) wird angeschlossen, so daß der Eindruck, daß es sich bei diesen beiden Sünden nicht um eigentliche Sünden handeln könne, gar nicht mehr aufkommen kann.

Zwischen der Eröffnung der beiden Sünden (deren eine Parzival selbst gesteht, deren andere Trevrizent Parzival vorhält) und diesem letztgenannten Schlußfazit liegt das andere Geständnis jener dritten Sünde, die Parzival begangen hat, nämlich Parzivals Enthüllung, daß er jener *tumbe man* gewesen sei (den Trevrizent schon zweimal erwähnt hatte: 473,12ff. und 484,23ff.), der beim Gral die Frage an den kranken Anfortas zu stellen unterlassen habe. Nach diesem Geständnis (488,14—20) steht jene wichtige Aufforderung Trevrizents zu *herzenlîcher klage* (488,23) *in rehten mâzen* (489,3) und jener nicht minder wichtige Ausspruch: *diu menscheit hât wilden art* (489,5). Seltsamerweise wird diese ‚Sünde‘ bei jenem Sündenfazit gleichsam à part behandelt und scheinbar keineswegs so streng getadelt wie die beiden ersten. Trevrizent meint:

‚dâ mit du sünden bist gewert,
sît daz dîn wol redender munt
dâ leider niht tet frâge kunt.
die sünde lâ bî den andern stên:
wir suln ouch tâlanc ruowen gên.‘ (501,2—6)

Jenseits dieses Tatbestandes und mit ihm stellt sich nun die Frage nach der näheren, moralischen Bestimmung dieser Sünden. Diese Bestimmung aber ist gerechterweise nicht möglich ohne eine Berücksichtigung des stilisierten dichterischen Rückblicks, den Wolfram anhand von Parzivals Geständnissen und Trevrizents Kommentaren und Ratschlägen belehrend vermittelt.

Zunächst die Requisiten dieser komplexen Schuld: zuerst gesteht Parzival seine willentlichen ‚Sünden‘: Trauer (acedia), Versäumnis des Kirchenbesuchs, Gotteshaß; dann folgt die Eröffnung der unwillentlichen Sünden: versäumte Frage (noch ohne das Wissen Trevrizents), Verwandtenmord an Ither, indirekte Tötung der Mutter, wiederum versäumte Frage (nun von Trevrizent beklagt): alles in einem genauen Rückblick in den Raum der Vergangenheit; die Requisiten der Schuld werden so zu Requisiten des Zeit- und Dichtungsraums. Das aber, was sich an, hinter und zwischen den Schuldrequisiten zeigt, ist das ‚Moralische', das ‚Ethische' des Romans selbst.

Immer wieder ist Parzival als der ‚unschuldig Schuldige' taxiert worden — auch uns ist dieser gängige Begriff unterlaufen (siehe oben S. 149). Bei diesem Paradoxon darf es aber nicht bleiben, Parzivals Exemplarität erschöpft sich darin nicht. Es gilt daher, die beiden Schuldkomplexe näherhin anzusehen.

Was gleich auffällt, ist die Tatsache, daß Trevrizent dem ersten, ‚willentlichen' Schuldkomplex keine allzu große Bedeutung beizumessen scheint: diese Sünden sind das Alltägliche, das in der Beichte immer wieder Vorgebrachte, das so schrecklich Geheimnislose, Freudlose (vgl. Parzivals *riuwe*[18]), sein *leit*!). Ein Anspruch an den *sin* des Beichtenden, eine eindringliche Mahnung, Gott zu *getrûwen*, mögen hier Wunder wirken. Wohlgemerkt, Trevrizent bagatellisiert Parzivals willentliche Sünden keineswegs (vgl. nach dem Geständnis: *der wirt ersiuft unt sah an in* 461, 27), sondern möchte lediglich das Tiefere, deren *anvanc* wissen (*sagt mir mit kiuschen witzen, / wie der zorn sich an gevienc, / dâ von got iuwern haz enpfienc* 462, 4—6).

Ein Zweites, das auffällt, ist die Zusammenfassung der beiden Untaten: Tötung der Mutter, Mord an Ither, beides mehr oder weniger unwillentlich geschehen, wenigstens was den Willen betrifft, der sich auf die Konsequenzen solchen Tuns bezieht. Die beiden ‚Sünden' werden Parzival in voller Schärfe angerechnet, denn es sind *grôze sünden*! Ihre Tilgung macht *buoze* (499, 26 ff.) notwendig.

Ein Drittes: das Versäumnis Parzivals, die Frage an den todkranken Anfortas zu stellen, löst bei dessen Enthüllung Trevrizents Aufforderung zur *klage* (488, 23) aus. Und schließlich fordert Trevrizent seinen Pönitenten gar auf, *die sünde . . . bî den andern stên* zu lassen (501, 5).

Es ist unverkennbar, wie sehr diese den Geschichtsraum nach rückwärts ausmessende Stufung der Sünden Parzivals eine *lêre* oder eine *wârheit*

---

[18]) W. Schröder, Zum Wortgebrauch von *riuwe* bei Hartmann und Wolfram, GRM 9, 228—234.

intendiert, nach deren Maßgabe sich ein Maß-Bild des Moralischen überhaupt erkennen lassen muß, das dichterisch in einer überformenden Maß-Ästhetik beruht. „Daß Maß-Ästhetik und Maß-Ethik in ihrem untrennbaren Zusammenhang auch die Grundlage für die volkssprachliche Kunstdichtung bildeten“, hat neuerdings E. Köhler von der Romanistik her überzeugend dargetan[19]); seine Resultate gelten abstrichlos auch für den deutschsprachigen höfischen Roman, in dem das Ästhetische tropologisch als demonstrable Ethik erscheint (und selbstverständlich auch umgekehrt). Dazu aber tritt im Parzivalroman Wolframs von Eschenbach ein Moment, das sowohl die immanente Maß-Ethik wie die übergreifende Maß-Ästhetik nochmals umfaßt, nämlich „der Vorrang des Religiösen“[20]), die Hereinnahme der religiösen Rechtfertigung in die ritterliche Erzählung, das Problem der seelischen Spontaneität und Erschlossenheit zur Umkehr von der Sünde, die religiöse Symbolik und deren Ausformung als *lêre*, schließlich die Relativierung aller Problemschichten auf das Christliche als auf das Höchste und Übergreifendste hin[21]). Gerade die unbestrittene Tatsache, daß im Parzivalroman schlechthin alle Formen mittelalterlichen Weltseins gestuft zur Darstellung gelangen, beinhaltet apriori, analog zum Vollzug der hochmittelalterlichen Gottesbeweise (als ‚Wege der Gotteserkennt-

---

[19]) Trobadorlyrik und höfischer Roman, Berlin 1962, 22 f.

[20]) Schwietering, Parzivals Schuld 50. Gerade auf Grund des ‚Vorrangs des Religiösen‘ werden solche Aussagen, wie sie zum Beispiel G. Misch vom säkularisiert Philosophischen her macht, sehr eingeschränkt und in Frage gestellt. Was soll zum Beispiel diese auf das ‚Heldische‘ Parzivals bezogene Bemerkung: „Die Unschuld des Herzens, die nach der Natur des Lebens den Menschen nicht davon bewahrt, daß er sich in Schuld verstrickt, ist bei dem jugendlichen Helden noch ungeschieden von der Einfalt des Verstandes, die sich an Regeln hält, wo Entscheidung geboten ist. Aber diese Torheit ist nicht bloßes Zeichen der Unreife, sondern zugleich Äußerung der Kraft des zum Handeln geborenen Menschen“ (Wolframs Parzival, Eine Studie zur Geschichte der Autobiographie, DVjS 5 [1927] 213—315, Zitat 251; vgl. auch dens., Geschichte der Autobiographie, Frankfurt a. M., II 1. Hälfte, 42)? Die säkularisierte Transzendenz ist zu schwach, bei der Schuldfrage zum Kern vorzudringen. Noch schlimmer ist es mit der Behandlung der Schuldfrage bei Keferstein, Parzivals ethischer Weg, Jena 1937, bestellt. Zwar erkennt Keferstein die Tatsache, daß Parzivals *tumpheit* die „ethische Schuld (Parzivals) in gar keiner Weise“ aufhebt (35), aber letztlich handelt es sich eben doch bloß um eine „schwere ethische Schuld“ ohne weiteren Hintergrund! Zur Kritik an Misch vgl. R. Lowet, W. v. E’s Parzival im Wandel der Zeiten, München 1955, 178 f.

[21]) Max Wehrli hat das in seiner Vorlesung: Die Erzählformen des MA’s (WS 1961/62) ausführlich erörtert.

nis')[22]), daß jene Spitze allen Seins gesichtet werde, die behütend alles umfaßt, indem sie es transzendiert, und die ,wir Gott nennen' (wie Thomas von Aquin seine ,Wege der Gotteserkenntnis' zu ,schließen' pflegt). „In Wolframs Dichtung sind Gott und Welt so eng aufeinander bezogen, daß der im Gesellschaftlichen ausbrechende Konflikt des Helden ohne weiteres zum religiösen Konflikt wird, daß Scheitern im Höfischen und Ritterlichen unmittelbar seinen Haß gegen Gott hervorruft, wie das Streben nach ritterlicher Vollendung, nach dem Besitz des zunächst mißdeuteten Grals vergeblich bleibt, solange es ohne Gott und wider Gott geschieht. Dadurch daß Wolfram das Nebeneinander von Religiösem und Ritterlichem in ein Ineinander wandelt, wie es das Symbol des Grals am sinnfälligsten verkörpert, wird die Frage nach ritterlicher Sittlichkeit und Vollendung zu einer primär religiösen Frage"[23]). Zu einer religiösen Frage, wäre beipflichtend hinzuzufügen, deren Stringenz als ein Letztes die im Parzivalroman intendierte Totalität selbst *ist* und mithin sich auch nur religiösem Fragen enthüllt.

Damit ist der letzte Horizont des Parzivalromans eröffnet und die Logik des Tropos, der sich im Parzivalroman äußert, darstellt und inbildet, muß sich gleichsam schon im vorweggenommenen Licht des anagogischen Sinns als eine christliche herausstellen lassen. Das kann aber, ohne daß deswegen der Parzivalroman schon auf kunstfremde, nämlich zeitgenössische ,Moral' nivelliert werden müßte, nur durch einen Rekurs auf Theologisches, wie es sich zeitgenössisch gibt, mit einigem Erfolg gewagt werden. Es kommt dabei alles auf eine äußerst vorsichtige, reine Parallelisierung[24]) des theo-

---

[22]) Vgl. dazu G. Siewerth, Das Schicksal der Metaphysik, Von Thomas zu Heidegger, Einsiedeln 1959, 471 ff.

[23]) Schwietering a. a. O.

[24]) Vgl. Wehrli, Besprechung von Wapnewski, Wolframs Parzival, in: AfdA 68 (1955) 111—119. Wehrli betont, „daß es sich im Parzival manchmal um Fragen handelt, z. B. in der Gnadenlehre, die schon bei Augustin und erst recht in einem allgemein christlichen Glauben wesenhaft abgründig sind und ins Mysterium reichen. Zuweisungen zu biblischer, augustinischer, bernhardinischer, thomistischer und selbst abälardischer Lehre sind bei Wolfram sehr wohl möglich, aber haben nur als vorsichtige Parallelisierung und nur im Blick auf das dichterische Ganze einen Sinn. Gerade dann aber kann es sich nicht mehr um exakt beweisbare Abhängigkeiten und Einflüsse handeln" (111). Es kann sich daher nicht um eine „lehrgeschichtliche Festlegung einer immer komplexen Bild- und Handlungswelt" (a. a. O.) handeln, sondern gerade um den Versuch einer ,herausführenden' Erläuterung dieser Bild- und Handlungswelt aufgrund lehrgeschichtlicher Daten, die eigentlich nichts anderes ,beweisen' will als eine höhere und ,richtige', d. h. theologisch vertretbare Sinngebung des Parzival-

logisch Zeitgenössischen[25]) mit dem dichterisch Vorgestellten an! Schlechterdings *keine* gefundene Koinzidenz darf sich hier in jene zur Genüge bekannte Aha-Freude des findigen Quellenforschers verkehren, der in Ähnlichem immer schon das handfest Gleiche etabliert.

Die *tumpheit*, von der nun wieder zentraler die Rede sein soll, bietet Anlaß genug, sich in der geistlichen Moralkasuistik der Zeit umzusehen. Es ist dabei von der durch Maurer erarbeiteten Prämisse auszugehen, nach welcher *tumpheit* und augustinische *ignorantia* „geradezu identisch untereinander“[26]) sind. Wenigstens verbal ist das anzunehmen[27]). Was aber über die verbale Identität hinausliegt, ist der Gebrauch der *tumpheit* im Parzivalroman Wolframs selbst: die ignorantia Augustins[28]) wird schon rein formal, indem dichterisch über sie verfügt wird, zu einem innerhalb des *maere* selbst Verfügenden, d. h. Parzivals *tumpheit* ist ein Moment des

---

romans von seiten des Dichters, derart, daß zum Beispiel jener sachlich unbegründete Hinweis O. Rahns (Kreuzzug gegen den Gral, Freiburg 1933) oder E. Przywaras (Humanitas, Der Mensch gestern und morgen, Nürnberg 1952, 374 f., 876), wonach „der albigensische Manichäismus der reale Untergrund der Grals-Sage“ wäre (a. a. O. 867), entfällt.

[25]) Einer solchen vorsichtigen Parallelisierung kommt die vorscholastische, zeitgenössische Theologie in hohem Maße entgegen, insofern sie selbst ‚dichterisch‘ geprägt, d. h. biblisch inspiriert (wie auch die zeitgenössische Morallehre: vgl. de Lubac, Exégèse médiévale I 66; und: Ph. Delhaye, Le recours à l’Ecr. sainte dans l’enseignement de la th. morale, 1. le moyen âge; B. des Fac. cath. de Lyon, 1955, 2, 5—19) und, biblischem Denken entsprechend, noch völlig eingebunden ist in die theologische Denkeinheit, die explizit philosophische und explizit theologische Fragestellungen gleicherweise *impliziert*: vgl. Balthasar, Kosmische Liturgie 94; Gilson, L’esprit de la philosophie médiévale 1 ff.; Javelet, Psychologie des auteurs spirituels du XIIe siècle 10, 17 f., 116; Kamlah, Christentum und Geschichtlichkeit 191 ff. (hier derselbe Nachweis schon für das Denken des hl. Augustinus); Schlette, Die Nichtigkeit der Welt, Der philosophische Horizont des Hugo von St. Viktor, München 1961, 25, 51, 134; Weber, Parzival, Ringen und Vollendung 102 (Anm.), 109, 110.

[26]) Leid 148. Vgl. ders., Das Grundanliegen Wolframs von Eschenbach, DU 8 (1956) Heft 1, 54 f.; H. Rupp, Das neue Wolframbild, DU 5 (1953) Heft 2, 84; ders., Die Funktion des Wortes *tump* ... 97 ff.; F. R. Schröder, Parzivals Schuld 19.

[27]) Vgl. W. Stammler, Ideenwandel und Literatur des deutschen MA’s, DVjS 2 (1924) 765. Vgl. Triers Umschreibung der *tumpheit* als Nichtwissen: oben S. 26.

[28]) Über den Begriff der ignorantia bei Augustin vgl. J. Mausbach, Die Ethik des hl. Augustinus, 2 Bde, Freiburg/Br. 1929, II 147, 154, 184, 207, *226 ff.*, 355; Maurer, Leid 91 ff.

dichterischen Verfügens selbst[29]). Daher ihre Vieldeutigkeit, ihr ständiges bloßes Auf-dem-Wege-sein zur vollgültigen *lêre*, ihre Vorläufigkeit zwischen positiver und negativer Bestimmung. Aber es ist gleich anzumerken, daß sich diese Vorläufigkeit der *tumpheit/ignorantia* in der zeitgenössischen, zumeist scholastischen Literatur zur Moralkasuistik leicht belegen läßt.

Neben der real-zeitgenössischen Aufwertung des *tumben leien*[30]), der simplices sacerdotes[31]), der ignorantes in einem umfassenden Sinn (nicht nur innerhalb häretischer Bewegungen)[32]) findet sich eine weit zurückgreifende Tradition, deren Gehalt ein philosophisch-theologisches Fragen um die Bestimmung der ignorantia ist. Seit Augustinus taucht der Begriff der ignorantia immer wieder in der geistlichen Literatur im Zusammenhang mit einer werdenden Moralkasuistik auf, wobei im einzelnen Fall auszumachen wäre, was ignorantia je Besonderes beim je verschiedenen Autor heißt. Über Augustinus[33]), Gregor den Großen[34]), Johannes Scotus

---

[29]) Womit zum vornherein W. J. Schröders groteske Einstufung der *tumpheit* unter die Laster (Der Ritter zwischen Welt und Gott, Idee und Problem des Parzivalromans W's v. E., Weimar 1952, 215; differenziertere Äußerungen über Parzivals *tumpheit*: 72!) als falsch erwiesen ist. G. Weber schreibt in seiner Besprechung über diese Auffassung (AfdA 66 [1952/53] 85): „Die Tabelle (215), in der *tumpheit* unter den Lastern erscheint! — soll nicht als ‚System' aufgefaßt werden (192), ist aber geradezu Hohe Schule konstruierender Verwandlungskünstelei."

[30]) Vgl. Heer, Die Tragödie des heiligen Reiches 311: Heer schließt Walther von der Vogelweides Anrede an die *tumben leien* (31, 13 ff.) gehaltlich an die Pauper-Christi-Idee Abälards, Bernhards, des Johannes von Salisbury und Alexanders des III. an und meint, daß Walther für die „Frömmigkeitsbewegung des laikalen Volkes" spreche; eine These, die zum mindesten hinsichtlich der aufkommenden Eigenständigkeit des mittelalterlichen Laienmenschen besticht.

[31]) a. a. O. 282. Derselbe Sachverhalt auch hier: der simplex erklärt dem *wîsen*, wie es in Wahrheit mit Gott bestellt ist.

[32]) Vgl. oben S. 232 ff.; und Heer, Das Mittelalter, Zürich 1961, 345 (Katharer und Unwissenheit).

[33]) Vgl. oben S. 262 Anm. 28. Beizufügen wäre noch: Davy, Essai sur la symbolique romane 32 (hier wird vor allem das Selbst-Bewußtsein, als ein sich-Kennen, als unabdingbare Voraussetzung der persönlichen Freiheit von Sünde hingestellt: sich nicht kennen ist der Anfang von Sünde).

[34]) Ph. Delhaye, Le problème de la conscience morale chez S. Bernard 80: „La plupart des auteurs médiévaux semblent avoir étudié l'incidence de l'ingorance sur la vie morale à propos d'un texte de saint Grégoire ...". Diesen Text siehe unten S. 264 Anm. 40.

Eriugena[35]), Petrus Damiani[36]), Bernhard von Clairvaux[37]) und Richard und Hugo von St. Viktor[38]) bis in die Schulendiskussion der Hochscholastik dauert die Problematik der ignorantia an, um dann auszumünden in die iuridische Problematik der ignorantia iuris[39]), die selbst heute noch nicht ‚gelöst' ist. Ein paar willkürlich ausgewählte Hinweise mögen diese eigengeartete Fragestellung um die ignorantia aufweisen, damit dann um so leichter aus der Wolfram zeitgenössischen Diskussionslage heraus der Zugang zu einer Erklärung (= Erläuterung) von Parzivals Schuld unter einem neuen, sichtlich ‚moralischen' Aspekt ermöglicht wird.

In seinen ‚Moralia in Job' unterscheidet Gregor der Große drei Arten, eine Sünde zu begehen: aus ignorantia, aus infirmitas oder aus studium, wobei die Sünde aus ignorantia die verzeihlichste ist[40]). Während Gregor die ignorantia-Sünde mit dem noch unbekehrten hl. Paulus in Beziehung setzt, verbindet sie Isidor[41]) mit der Sünde Evas im Paradies, mit der Erbsünde

---

[35]) Leclercq/Vandenbroucke/Bouyer, La spiritualité du moyen âge 121: Christus, der vollkommene Mensch, hat nach Eriugena die volle menschliche Natur, mit Ausnahme der Sünde und gewisser Sündenfolgen, wie z. B. der *Unwissenheit*, übernommen. Die ignorantia ist also eine Art negativen Vorbehalts des durch die Erbsünde geschwächten Menschen.

[36]) Petrus Damiani kennt eine positive Unwissenheit. Vgl. J. Leclercq, Saint Pierre Damien, Ermite et homme d'Eglise, Rom 1960, 198. Antidialektisch verteidigt er den simplex, purus, ac mundanae pravitatis ignarus (Op. 57, I, 4 823 B). Weiteres über diesen Eremiten und Heiligen siehe unten S. 294 ff.

[37]) Davy, a. a. O. 32. Vgl. S. 274 Anm. 73.

[38]) Schlette, Nichtigkeit der Welt 43, 122, 133.

[39]) Vgl. dazu: I. Montes, La ignorancia en el derecho penal, in: La Ciudad de Dios 148 (1927) 354—369; 149 (1927) 43—60, 213—226; 150 (1928) 39—53, 277—297, 321—338. C. Esposito, La conoscenza delle legge nel diritto e nella morale, in: Riv. intern. di filos del dir. 15 (1935) 407—419. S. Romani, De ignorantia legis, in: Acta Congressus Iuridici Internationalis IV, Rom 1937, 61—119. Dizionario di Teologia morale (diretto dal Card. F. Roberti e P. Palazzini), Rom ³1961, das Stichwort ignoranza. Zuletzt historisch: O. Lottin, Psychologie et morale . . ., tome III, Problèmes de morale, seconde partie I, 55 ff.

[40]) Lib. 25, cap. 11 (PL 76, 339 A): Sciendum est quippe quod peccatis tribus modis committitur. Nam aut ignorantia, aut infirmitate, aut studio perpretatur. Zitiert nach Delhaye, Le problème de la conscience morale chez S. Bernard 80. Das Folgende stützt sich auf Delhayes Ausführungen.

[41]) Sententiae, lib. 2, cap. 17, no. 3, (PL 83, 620 A): Ignorantia namque peccavit Eva in paradiso sicut Apostolus ait: *Vir non est seductus, mulier autem seducta in praevaricatione* (1 Tim 2, 14). Ergo Eva peccavit ignorantia, Adam vero industria, quia non seductus sed sciens prudensque peccavit. Qui vero seducitur, quid consentiat evidenter ignorat. Delhaye a. a. O. 81.

also: die Erbsünde selbst ist von seiten Evas eine ignorantia-Sünde, die Isidor ziemlich streng beurteilt (Nemo igitur se de ignorantia excuset ...)[42]), da sie eine systematische Mißachtung des göttlichen Willens oder einen Mangel an Eifer im Guten impliziere. Die Streitfrage, wer mehr und aus welchen Gründen gesündigt habe, Eva oder Adam, wird in der Summa Sententiarum[43]) aufgegriffen und folgendermaßen gelöst: Eva hat aus ignorantia gesündigt, hat sich also über die Konsequenzen ihrer Tat keine Rechenschaft abgelegt: sie kann daher nicht entschuldigt werden. Während Petrus Lombardus im Gegensatz dazu eine ignorantia vincibilis als eine bloße Folge der Erbsünde annimmt[44]), identifiziert Hugo von St. Viktor die Erbsünde mit ignorantia und concupiscentia[45]). Richard von St. Viktor transponiert dann die ignorantia in die Bedeutung eines bloßen error[46]).

Der Streit um die ignorantia entbrannte dann wieder — wenn auch nicht explizit, sondern nur über Wilhelm von St. Thierry, der Abälard bei Bernhard von Clairvaux dahin anschwärzte, daß dieser die ignorantia-Sünde leugne — in dem großen Disput zwischen Bernhard und Abälard[47]). Abälard reagierte scharf auf eine allzu materielle Sündenauffassung der Zeit und verlegte die Sünde völlig in eine böse Intention[48]). Gegen diese Gesinnungsethik wandte sich Bernhard; für ihn ist ein konsequenter Objektivismus in Ethik und Moral höchste Regel, da die In-

---

[42]) Sent., lib. 2, cap. 17, no. 6 (PL 83, 620 B—C); Delhaye a. a. O. 82.

[43]) a. a. O. 83.

[44]) a. a. O. 84.

[45]) De Sacramentis, lib. 1, Pars 7, cap. 26 (PL 176, 298 B): Hoc vitium originis humanae duplici corruptione naturam inficit, ignorantia scilicet mentem et concupiscentia carnem. Und in der Summa Sententiarum heißt es lakonisch: Originale peccatum est concupiscentia mali et ignorantia boni (tract. 1, cap. 11; PL 176, 107 A).
Zu Hugo von St. Viktor vgl. J. Gross, Ur- und Erbsünde bei Hugo v. St. Viktor, ZGK 73 (1962) 42—61. Schlette, Nichtigkeit der Welt 43, 122, 133; zu Hugos Auffassung von Moral im allgemeinen: R. Baron, Science et sagesse chez Hugues de Saint-Victor 59 f., 85, 264.

[46]) Delhaye a. a. O. 85 f.

[47]) a. a. O. 87 ff.

[48]) Zu Abälards Gesinnungsethik vgl.: Blomme, La doctrine du péché dans les écoles théologiques de la première moitié du XIIe siècle 113 ff.; Landgraf, Das Wesen der läßlichen Sünde in der Scholastik bis Thomas von Aquin 15 ff. (unter dem besonderen Aspekt der läßlichen Sünde).

tention sich ja unmittelbar in der Natur der Tat äußere[49]). Dieser Objektivismus darf — gestützt auf die Autorität Delhayes — als für das Mittelalter bindend gelten, im Gegensatz etwa zu Augustins Auffassung der Sünde, wonach die intentio eines Aktes immer das Primäre ist[50]).

Schließlich bildete sich, um auf die ignorantia zurückzukommen, eine Art Spannungsfeld durch die Polarität einer doppelten Streitfrage[51]): an ignorantia sit peccatum? und: an ignorantia excuset?. Im Grunde ging es um die Bedeutung der ignorantia innerhalb der Fragestellung einer praktischen und einer theoretischen Moral: ist eine Tat, aus Unwissenheit begangen, Sünde? und: in welchem Sinn ist diese Unwissenheit Sünde? Die volle Entfaltung dieser quaestio blieb dem mittleren 13. Jahrhundert mit seinen großen Summen vorbehalten. Uns interessiert aber lediglich der

---

[49]) „Bernhard von Clairvaux hält an einer objektiven Norm fest, wenn er die Schwere der Sünde durch die Notwendigkeit, Nützlichkeit oder Würde der Sache bestimmen läßt, gegen die gefehlt wird, und durch den Nachdruck, mit dem ein Gebot erlassen worden ist" (Landgraf a. a. O.). Vgl. auch Delhaye a. a. O.: „Manifestement pour lui (Bernard), l'objectivisme est la règle suprême en morale et l'intention elle-même est intrinsèquement liée à la nature de l'action."

[50]) Delhaye a. a. O. 81: „Nous (les modernes) avons tendance à fractionner les actes et à les juger séparément. Peut-être les casuistes nous ont-ils rendu un mauvais service à ce propos. Les anciens, eux, sont beaucoup plus sensibles aux dispositions générales, à la continuité des événements moraux et psychologiques d'une vie. Un fait qui, pris seul, peut sembler exempt de tout péché, est souvent rattaché par eux aux dispositions ou aux actions antécédentes." Trotz Mockenhaupts gerechtfertigtem Einwand gegen eine undifferenzierte Betrachtung der Sündenauffassung des Mittelalters — als ob man damals nicht zwischen gewollter und ungewollter, zwischen bewußter und unbewußter Sünde habe unterscheiden können — bleibt die Tatsache einer möglichen Betrachtung von Sünde unter dem Aspekt von deren Disposition und Verkettung mit psychologischen Fakten oder vorausgehenden Taten bestehen; mittelalterlich ist diese sachgerechte Schau, wenigstens was die Vorscholastik betrifft, entscheidend. Mockenhaupt selbst schließt: „Dies freilich bleibt dabei unangetastet, daß die letzten Wurzeln der Sünde viel tiefer liegen als in einem augenblicklichen Willensentscheid, denn in ihrem Wesen ist sie ein nur im Glauben erkennbares Geheimnis, mysterium iniquitatis" (Die Frömmigkeit im Parzival 223). Dieses mysterium iniquitatis aufgrund dessen tieferen Verhängtheit mit der totalen, anthropologischen Verfassung (die im Kern eben durch die Erbsünde versehrt ist) herausgestellt zu haben, ist das dichterische Verdienst Wolframs (im Gegensatz etwa zu Chrétien, der die Sünde kausal dingbar macht).

[51]) Das Folgende referiert O. Lottin, Psychologie et morale ..., tome III, Problèmes de morale, seconde partie I, 11 ff.

Stand der Frage zur Zeit, da Wolfram dichtete, also etwa in den Jahren von 1200 bis 1210[52]).

Nach Lottins umfänglichen Belegen sind drei zeitlich gestaffelte Lösungen dieser Streitfrage zu unterscheiden: 1. die Unwissenheitssünde ist Sünde, insofern sie gleichzeitig an der Erbsünde und an der Tatsünde teilhat[53]), 2. die ignorantia ist nie Sünde, da sie kein Akt ist; denn ignorantia ist nur hinsichtlich eines positiven Willensaktes Sünde[54]), 3. die ignorantia als solche ist Sünde, gerade weil sie konstituiert wird durch eine Unterlassungssünde, die keinen speziellen Willenscharakter erfordert[55]). Die erste Meinung, in Ansätzen vorgetragen von Hugo von St. Viktor, wird bis gegen 1215 verfochten, während die zweite zwischen 1220 und 1245 und die dritte erst in der albertinisch-thomistischen Schule des Hochmittelalters vertreten wird. Selbstverständlich kann für unsere Zwecke nur die erste Meinung, welche die ignorantia-Sünde zuerst mit der Erbsünde, dann auch mit der Tatsünde verbunden sein läßt, von Belang sein, da sie schon explizit formuliert war, bevor Wolfram zu dichten begann (womit immer noch nicht eine ‚Quelle' dingbar gemacht sein soll, sondern nur die Möglichkeit einer [beeinflußten?] Schau).

Genannt seien nochmals die schon erwähnten Vertreter dieser ersten Meinung: sowohl Hugo von St. Viktor wie der Autor der Summa Sententiarum identifizieren die Erbsünde mit ignorantia (und concupiscentia). Eudes von Soissons und Peter von Poitiers nehmen diese Ansicht wieder auf, wobei der letztgenannte jenes berühmte Beispiel formuliert, das hinfort in allen Diskussionen um die ignorantia-Sünde immer wieder auftaucht: Ein Priester versteht nichts von Theologie und klagt sich daher in der Beichte des Nichtwissens an. Die Schuld wird vergeben, die ignorantia aber bleibt bestehen (ignorantia transit reatu et non actu). Und, fragt sich der Autor, verhält es sich mit der Erbsünde nicht gleich? Er bejaht die Identität und schließt: Ob hoc dixerunt viri magnae auctoritatis, non irrationabiliter, ignorantiam esse originale peccatum[56]).

Einen neuartigen Einstieg mit neuen Resultaten legt dann *Stephan Lang-*

---

[52]) H. de Boor, Gesch. d. dt. Lit., Bd. II, München 1953, 93; Ehrismann, Gesch. d. dt. Lit., III, 232.

[53]) Lottin a. a. O. 12 ff.

[54]) a. a. O. 18 ff.

[55]) a. a. O. 40 ff.

[56]) a. a. O. 13.

ton vor[57]). Er behandelt die ignorantia-Sünde und deren Problematik zu zweien Malen mit je verschiedenem Ergebnis, so daß anzunehmen ist, daß zwischen den beiden Exposés ein gewisser Zeitraum vergangen sein muß.

a) Bevor noch die Seele mit dem Körper vereinigt wird, hat sich der Körper schon eine feditas zugezogen, rein durch die Tatsache, daß er aus einem durch die Sünde geschwächten Fleisch gebildet wird; die feditas ist zwar keineswegs Sünde, aber Sündenstrafe, die sich der Seele überträgt, sobald sie mit dem Körper vereinigt wird. So zieht sich auch die Seele eine macula zu, die nichts anderes ist als der reatus der Erbsünde. Die Taufe tilgt diese macula, die feditas aber bleibt. Gleich verhält es sich mit der ignorantia: zwar ist sie selbst nicht Sünde, aber sie ist Sündenstrafe, macula; auf Wahrheiten bezogen, die man kennen müßte, entsteht ein neuer Makel, der reatus der ignorantia-Sünde. *Daher verhält es sich mit der ignorantia-Sünde bisweilen wie mit der Erbsünde, manchmal wie mit der Tatsünde.*

b) In einem zweiten Abschnitt befaßt sich Stephan wiederum mit der ignorantia-Sünde. Es gibt zwei Arten, etwas nicht zu wissen: wie man etwas Verbotenes *mit* Mißachtung oder *ohne* tun kann, so kann man auch etwas nicht wissen, ohne oder mit Verachtung. Er unterscheidet daher eine ignorantia simplex und eine ignorantia affectata. Ignorantia (simplex) ist also — schließt Stephan — keine Sünde im strikten Wortsinn (da sie ja nur eine Unterlassung ist). In einem weiten Sinn jedoch ist sie Sünde: ganz gleich wie die Erbverderbnis in der Seele den reatus der Erbsünde schafft, so schafft auch die ignorantia — soweit sie nicht unbesieglich ist — den reatus der ignorantia-Sünde in der Seele. *Ignorantia ist daher weder identisch mit der Erbsünde noch mit der Tatsünde, sondern hat Ähnlichkeit mit beiden* (Nos vero dicimus quod ignorantia non est originale nec actuale, immo similitudinem habet cum utroque . . .). Und so wird die ignorantia zum ‚Medium' zwischen Erbsünde und Tatsünde (quoddam medium inter originale et actuale)[58]), eine Ansicht, die in der Folgezeit immer wieder von den Scholastikern referiert wird[59]).

---

[57]) Über Stephan Langton vgl. M. Grabmann, Geschichte der scholastischen Methode, Darmstadt ²1961, Bd. II 497 ff.; F. Ohly, Hohelied-Studien 119; Riedlinger, Die Makellosigkeit der Kirche 132 ff. Gestorben ist Stephan Langton 1228. Das Folgende siehe Lottin a. a. O. 13 ff.

[58]) a. a. O. 21: diese Formel sammt von Prevostin von Cremona.

[59]) Zum Beispiel von Wilhelm von Auxerre (a. a. O. 26), Hugo von St. Cher (a. a. O. 27 f.), in anonymen Quästionen (a. a. O. 31) und bei Alexander von Hales (a. a. O. 38).

Unter Beachtung all der Komponenten, die im Gefälle zwischen Erbsünde[60]) und Tatsünde wirksam sind, läßt sich folgende Sündenreihe aufstellen:

Erbsünde
ignorantia (+ concupiscentia)[61])
Tatsünde.

(Dabei ist anzumerken, daß die ignorantia im Ablauf der Jahre von ca. 1150 bis 1245 nicht als Sünde im eigentlichen Sinn, sondern als Sünde bloß in einem weiten Sinn gehalten wird.)

Eine Konfrontation dieser Auffassung der ignorantia mit deren Darstellung im ‚Parzival' als *tumpheit* führt zu einer Klärung von Parzivals Schuld überhaupt, wie sie dichterisch bildhaft dargestellt ist. Schon im ersten großen Teil unserer Arbeit erwies es sich, daß Parzivals *tumpheit* immer an jenen neuralgischen Punkten der Dichtung zur Sprache kommt, da Parzival sich gegen Gott auflehnt oder sich gegen Gottes Gesetz vergeht. Die *tumpheit* ist zu innerst mit Parzivals Schuldig-werden verhängt (was ja ihrer Charakterisierung als Movens der ‚Geschichte', als An-stoß der sich aktuierenden Erzählung nicht widerspricht). Dazu aber tritt ein weiteres: nämlich die unverkennbare Verquickung aller Sünde im ‚Parzival' mit der Erbsünde *und* der Tatsünde als faktischen ‚Größen' der Sündigkeit. Daher ja das Werweissen um willentliche oder unwillentliche Schuld, um Tatsünde oder Erbsünde, um Sündhaftigkeit oder Sündlosigkeit von Parzivals Tun! Kasuistisch hat sich Parzivals Schuld nie auflösen lassen, hingegen läßt sich deren Bildhaftigkeit evident machen, wenn die drei Unterscheidungen: Erbsünde — Ignorantia — Tatsünde als deren Bildwahrheit angemessene Termini in der Interpretation gebraucht wer-

---

60) Zu Stephan Langtons Auffassung von der Erbsünde vgl. Lottin, a.a.O., tome IV, Problèmes de morale, troisième partie I, 97 ff. Er identifiziert die Erbsünde nicht wie beinahe die ganze augustinische Tradition mit der concupiscentia, sondern nennt sie eine der Seele immanente macula spiritualis, die in der Taufe getilgt wird (transit reatu), aber remanet actu, nämlich in der Konkupiszenz als eine Sündenstrafe und als eine pronitas peccandi (a.a.O. 101).

61) Zur concupiscentia (Begierlichkeit) und deren Zusammenhang mit der Erbsünde und zu ihrer im Verlauf der Geschichte wechselnden Auffassung vgl. J. N. Espenberger, Die Elemente der Erbsünde nach Augustin und der Frühscholastik, Mainz 1905; O. Lottin a.a.O.; B. Stöckle, Die Konkupiszenz bei Bernhard von Clairvaux, Ein zeitgenössisches Stück mittelalterlicher Geschichte, GuL 35 (1962) 444—453.

den. Denn alle drei sind an den einzelnen *sünden*, die Parzival begangen hat, zu je verschiedenen Teilen beteiligt[62]).

Eine Bemerkung, den stultus litteralis und ignarus mysticus betreffend, ist hier am Platz: der Märchendummling Parzival, an sich schon eine Erscheinung des Christlichen (wie wir gegen Mockenhaupts pejorative ‚Märchenkausalität' festhalten möchten), fällt unter ‚moralischen' Rücksichten als ein stilistischer Übertrag ab, aber auch Parzival der mythische Heilbringer wird moralisch überfällig: es bleibt nun Parzival, der sündige Mensch vor seiner Verantwortung, der homo peccator im Spannungsfeld von Erbsünde, Tatsünde und Ignorantia.

1. Parzivals Aufsage seines Dienstes an Gott (*nu wil i'm dienst widersagen*: 332,7) aus *zwîvel* an ihm trägt das Charakteristische einer voll zu verantwortenden, persönlichen Tat; Parzivals Abkehr von Gott ist *Tatsünde* in einem ersten Sinn. Und doch — es ist schon gesagt worden (124) und Parzival selbst stellt es in einer unnachahmlichen Wortstellung heraus — ist dieselbe Tatsünde für Parzival ein objektives Leid, ein Geschick. *Gotes haz* — ist damit *gotes haz* gegen Parzival oder Parzivals *haz* gegen Gott gemeint? Parzival läßt darüber keinen Zweifel, fügt er doch hinzu: *hât er haz, den wil ich tragn* (8); für Parzival ist sein subjektiver *haz* gegen Gott dessen objektives Geschick, das ihm Gott selber aufgebürdet hat. Die Tatsünde wird von einem Objektiven dermaßen überspielt, daß das Subjektive darin als ein bloß Passives untergeht. Erst im Geständnis

[62]) Die vielen sich widerstreitenden Erklärungen von Parzivals Schuld finden in diesem Ternar der menschlichen Sündigkeit einen gemeinsamen Nenner, und — was vor allem wichtig ist — der Ternar von Erbsünde, ignorantia und Tatsünde involviert die Sündigkeit in ihrer vollen verderblichen Breite, was sicher Wolframs Intentionen entspricht: er will das Ganze der Heillosigkeit zeigen, wie er auch das ganze abstrichlose Heil dichterisch aufweist. Alles, was man bisher ‚moralisch' oder kasuistisch von Parzivals Schuld hat dingfest machen wollen, ist immer nur Teil, Quantität, hinter der die volle heillose Qualität der Sünde zu erspüren wäre. Gewiß, Parzivals *zwîvel* ist — nach einem treffenden Wort Hans Urs von Balthasars (Herrlichkeit II: Fächer der Stile, Einsiedeln 1962, 411) — existentiell nicht aufhellbar, und Parzivals ‚objektive Schuld' *ist* verhängnisreich; aber das nur in einem gewissen Sinn: der *zwîvel* wird auch für die Existenz fruchtbar, sobald der Hörer und Leser den Umweg über die Schau sub specie aeternitatis eingeschlagen hat, eine Denkform, die mittelalterlich nicht unbekannt ist. Die Rettung trotz *zwîvel* und verhängnisreicher objektiver Schuld, ein Apriori, das Wolfram schon im Prolog vorträgt (derjenige, dem *zwîvel herzen nâchgebûr* ist [1,1], *mac dennoch wesen geil* [7]!), ist keine bare Heilsgewißheit, sondern ein Heilskonstitutiv, das sich von der Erlösung der Menschheit in Jesus Christus her selbst erläutert: das Aufhellbare ist hier einzig Christus und dessen Heil für die Menschen.

(461, 9) kann der durch das leidvolle Geschick verdeckte Sachverhalt der willentlichen Sünde hervortreten (aber auch hier gleich im folgenden Vers die bezeichnende Überantwortung der Schuld ans Objektive, an Gottes Verfügungsgewalt über sein Geschöpf: *wand er ist mîner sorgen tote*!). Die subjektive Tatsünde Parzivals — in einem ersten Sinn auch das Erstgemeinte — öffnet sich durch das subjektiv die Schuld anerkennende Geständnis hindurch ins Objektive des Geschicks. Die *riuwe* und die Aufgabe der kirchlichen Gemeinschaft sind das subjektiv Spürbare dieses objektiven Vorgangs, unter dessen Bann Parzival steht. Was ist diese Tatsünde also anderes als ein Ausfluß leidvollen menschlichen Geschicks oder theologisch und genauer: eine Folge der *Erbsünde*? Der *zwîvel*, aus dem heraus Parzival falsch und sündhaft handelt, was ist er anderes als die aus der Erbsünde erwachsene, dem Geschöpf innate pronitas peccandi? Die *tumpheit* ist an dieser ersten Sündengruppe nur mittelbar beteiligt: sie ist aber immerhin als ein globales Nichtwissen um den geschöpflichen Status und um die Erlösung durch Gottes *triuwe* (462, 19) gekennzeichnet, als eine Ignoranz des Falls der Engel und Menschen (463, 4 ff.), der *gotes helfe* (468, 9) und der *gotlîchen minne* (465, 29), die den Fluch des Menschen — *daz wir sünde müezen tragen* (465, 6) — gelöst hat. Nicht umsonst schließt sich an dieses erste Geständnis eine weitläufige Erläuterung Trevrizents über den *sünden wagen* (465, 5) und die *sippe* der Menschheit (der sich selbst Gott nicht entschlagen hat). Die kernhafte, tief dem Menschen von Urzeiten her (*von Adames künne* 465, 1) eingesenkte Doppelung von *riuwe* und *wünne* ist Parzival unbekannt, die Haupttatsachen des Sündenfalls und der Erlösung kennt er nicht: Ignoranz und Erbsünde spielen im Faktum dieser Tatsünde mithin eine äußerst wichtige Rolle. Man kann deshalb diese Sünde nicht isolieren, denn in ihr fließen die drei Bestimmungen: Erbsünde, Tatsünde und Ignorantia zusammen zur einen negativen Last des menschlichen Daseins, die allerdings durch den *wâren minnaere* getilgt und in der Beichte und in der Zuwendung zu Gottes jeneuen Gnadenerweisen immer wieder aufgehoben werden kann.

2. Ganz anders, ja geradezu umgekehrt verhält es sich mit den beiden anderen Sünden Parzivals, die man als unwillentliche bezeichnet. Trevrizent nennt sie dagegen ganz auffällig *zwuo grôze sünde* (499, 20), es sind also „ernst zu nehmende Sünden, Sünden von vollem Gewicht“[63]). Es geht

[63]) Schwietering, Parzivals Schuld 56. Schwietering ist einer der einzigen, der beides gesehen hat, die Erbsünde sowohl (a. a. O. 55) als auch diese Sünden ‚von vollem Gewicht‘. Seine Deutung von Parzivals Schuld bleibt daher die umfassendste.

nicht an, das Attribut *grôze* kasuistisch wegzudisputieren, wie es Maurer und Kuhn versuchen: es widersteht jedem interpretierenden Zugriff. Ist es aber nicht eine willkürliche Verunklärung, wenn Wolfram gerade die beiden unwillentlichen, aus *tumpheit* und Konkupiszenz begangenen ‚Sünden' derart herausstellt? Aber gerade das Gegensätzliche zwischen dem ersten Sündenkomplex und diesem zweiten sollte zu denken geben. Während dort von einer subjektiv faßbaren Schuldsituation her die heillose Objektivität der Erbsünde gesichtet und berufen wird, wird hier von der reinen Objektivität einer subjektiv[64]) nicht verantwortbaren Schuld her das Subjektive eines totalen Schuldbewußtseins gefordert, d. h. die volle und abstrichlose Einsicht in eine Sünde als die meinige. Die Mutter zu verlassen und ihr so den Tod zu geben, den Roten Ritter Ither zu töten und so einen Verwandtenmord zu begehen, das sind wohl Akte, aber von Wolfram peinlich als Parzival äußerliche, ihm im eigentlichen Sinn nicht zurechenbare Taten geschildert: beide Male wird die *tumpheit* zum Alibi der Schuldlosigkeit. Warum sind es aber für Trevrizent doch *grôze* Sünden? Zu antworten wäre: weil auch hier das eine nicht möglich ist ohne das andere. Der Charakter einer Erbsündenfolge — figural und vorbildlich an Parzival demonstriert —, der diesen Sünden anhaftet, vermag nichts gegen deren Charakter als peccata actualia, der sich aufgrund des mittelalterlichen Objektivismus (der natürlich christlich ist!) nicht wegdisputieren läßt[65]). Parzival hat getötet (das eine Mal aus Hartherzigkeit und aus Konkupiszenz, das andere Mal aus einer ritterlichen Commentverpflichtung heraus)[66]). Es ist absurd, den Verwandtenmord mit einem Autounfall zu vergleichen, da dichterische Wahrheit mit der Realität zumindest der heutigen Zeit nicht das geringste zu tun hat[67]). Beim ersten

---

[64]) Das heißt: einer kasuistisch nicht einstufbaren Schuld. Vgl. Delhayes warnenden Hinweis (oben S. 266 Anm. 50) auf die mittelalterlich ‚existentielle' Beachtung der Dispositionen und Gestimmtheiten menschlicher pronitas peccandi.

[65]) Den Einfluß Bernhardischer Leidens- und Liebesfrömmigkeit auf den ‚Parzival' hat schon Schwietering herausgestellt (Mystik und höfische Dichtung im Hochmittelalter 27). Vgl. H. Rupp, Deutsche religiöse Dichtungen des 11. und 12. Jahrhunderts, Freiburg 1958, 298. Bernhards Sündenobjektivismus wäre damit gleicherweise faßbar.

[66]) W. Mohr, Parzivals ritterliche Schuld, WW 2 (1951/52) 148—160.

[67]) „Verwandtentod: wie jemand, der bei einem Autounfall seine Frau tötet", Kuhn, Dichtung und Welt 272. Sehr richtig weiter unten dann aber die Feststellung, daß es bei Parzival „auf die Erweckung des Gewissens, der Verantwortung überhaupt und allgemein ankomme"; doch kann man daraus schon den Zwang zum Verzicht auf zeitgenössische Sündenlehren zur Interpretation ableiten?

Sündenkomplex hatte Parzival die Einsicht selbst gewonnen, hier, wo die Verhältnisse tiefer liegen und wo Sünde mit Konkupiszenz und Ignoranz verhängt ist, muß sie ihm ent-hüllt, zudiktiert werden. Galt es das erste Mal, via Tatsünde die Erbsünde zu sichten, so gilt es hier, via Erbsünde (die man nur zu leicht als Alibi einer fragwürdigen Schuldlosigkeit und Sündenherrlichkeit zu nehmen gewohnt ist)[68]) die Tatsünde zu sehen. Beides ist von gleicher Wichtigkeit, da sich das eine ja durch das andere definiert und einsichtig machen läßt. Genauer: Parzival muß seine Tatsünden einsehen, weil es um die Einsicht schlechthin geht, um die Eröffnung des ganzen Menschen auf den liebenden Gott hin, um die Bereitschaft, das göttliche Gebot auch in seiner äußersten Werkhaftigkeit und objektiven Aufgegebenheit zu tun. Es geht christlich um den ‚Täter des Worts', der sich weder durch eine ignorantia vincibilis noch durch eine ignorantia invincibilis in seinem Tun schwächen lassen darf, dem also die reine Positivität des Mensch- und Christseins aufgegeben ist. Gerade darum erhält das unbewußt und unwillentlich Getane eine erhöhte Bedeutung innerhalb dieser christlich-total-menschlichen Aufschließung der Bereitschaft des Geschöpfs, die Auf-gaben des Schöpfers zu tun und das Verfehlte zu bereuen.

3. Parzivals letzte Sünde, sein Stummsein und Nichtfragen beim leidenden Anfortas auf dem Gralsschloß, ist vielleicht die am schwersten greifbare ‚Sünde' Parzivals, da sie wesentlich Parzivals äußerlichste (aus Autoritätshörigkeit begangene; vgl. S. 106 f.) und objektivste Sünde (als Symptom[69]); vgl. S. 158) ist. Man kann diese Unterlassungssünde aus wohlmeinender

---

[68]) Gerade die Erbsünde ist — wie es die Kirchenväter und Heiligen (wer ist kompetenter zu Aussagen über die Sünde?) immer wieder zeigen — vom Christen immer neu als die jemeinige Schuld aufzugreifen und zu bekennen.

[69]) Wehrli, Erzählstil 38 f. schreibt: „Die Weisheit und Vornehmheit des Dichters bewahrt die Schuld des Helden im Bereich eines scheinbar irrationalen, märchenhaften Versagens; auf dem Unterschied zwischen willentlichen und unwillentlichen Verfehlungen liegt kein Gewicht, und wo, fast etwas nachträglich, die Schuld an Herzeloyde und Ither in den Mittelpunkt gerückt wird, kann es sich nur um die Symptome einer tieferliegenden, irrationalen, metaphysischen Verschuldung handeln." So richtig dieser Gesichtspunkt ist, so wenig ist es verwehrt, im Folgenden das *Getane*, das in der Tat konkretisierte Sündhafte herauszustellen, da Wolfram selber es ja auch tut. Man muß sich also fragen, weshalb Wolfram das tut. Die Scheinerkenntnis einer bloßen Anwendung christlicher Lehre im ‚Parzival', die man hier nach Wehrli — und mit Recht — nicht suchen darf, verkehrt sich dann bald in die Sicht und Evidenz christlicher Substanz, deren Quête dem Parzivalroman nicht zuletzt um der zu schaffenden Totalität willen ein Hauptanliegen ist.

ignorantia mit gutem Recht zur reinen *tumpheits*-Sünde erklären und ihr jegliche Sinnhaftigkeit absprechen. Daß dem nicht so ist, hat Willson[70]) kürzlich gezeigt, indem er die objektive Schuld der unterlassenen Mitleidsfrage (einer umfassend karitativen compassio) gleichsam tiefenperspektivisch enthüllte und von Bernhardischen Prämissen her Parzivals Sünde als dessen eigene, undiskutierbare Schuld, die geradezu an die Wurzeln menschlicher Nächstenliebe rührt, auswies.
Die curiositas ist nach dem hl. Bernhard sündhaft, mit der einen Ausnahme, daß man, um seinem Nächsten zu helfen, geradezu neugierig sein muß, denn dann wird der Gegensatz zwischen curiositas und humilitas (in gewöhnlichen Neugierdesünden sonst unversöhnbar!) aufgehoben[71]) Parzival hätte also Anfortas fragen *müssen*, nicht wegen dieses Gebotes, sondern um der *helfe* willen, zu der er verpflichtet gewesen wäre. Daher: „die Schuld liegt an Parzival selbst, der, wegen seiner Unreife und Unerfahrenheit, seiner *tumpheit* nämlich, zwischen einer Situation, in der *compassio* unbedingt demonstriert werden muß, und einer, in der sie keine Rolle spielt, nicht zu unterscheiden vermag"[72]). Die Tatsünde ist hier Resultat von Parzivals *tumpheit*, wobei die dritte Komponente, die Erbsünde, wiederum induktiv erschlossen werden muß (wie bei 1. die *tumpheit* und 2. die Tatsünde). Was kann schließlich diese Ignoranz, in sich so harmlos und ‚gut' (da Parzival ja ihretwegen bei Gurnemanz und überall, wo er lehrwillige Leute antrifft, alles Mögliche gelernt hat!), anders sein als direkter Ausfluß und unmittelbare Auswirkung der Erbsünde, der ihm eingeborenen pronitas peccandi? Darüber hinaus ist Folgendes von größtem Belang: „Was Wolfram anbetrifft, so kann es keinem Zweifel unterliegen, daß seine Betonung der *tumpheit* Parzivals mit St. Bernhards zentraler Vorstellung der Erkenntnis, zumal der Selbsterkenntnis als unentbehrliche Vorstufe zur humilitas und caritas, in enge Beziehung gestellt werden muß. Für Wolfram ist *tumpheit* ein höchst bedeutungsschwerer Begriff: sie ist Mangel an Selbst-, Menschen- und Gotteserkenntnis[73]) und

---

[70]) Das Fragemotiv in Wolframs Parzival, GRM 12 (1962) 139—150.

[71]) De gradibus humilitatis et superbiae X, 29 (PL 182, 957—958), nach Willson 143.

[72]) a. a. O. 145.

[73]) Für Bernhard von Clairvaux sind die ignorantia sui und die ignorantia Dei die schlimmsten Sünden: Et quemadmodum ex notitia tui venit in te timor Dei, atque ex Dei notitia itidem amor, sic e contrario de ignorantia tui superbia, ac de Dei ignorantia desperatio venit (Super Cantica, sermo XXXVII, III 6; Sancti Bernardi Opera Vol. II, Rom 1958, 12). Diese Worte klingen beinahe wie auf Parzival gemünzt.

an Einsicht in das caritas-Band, welches Himmel und Erde mystisch vereint"[74]).

Die scholastische Stufung der Sündenwirklichkeit nach Stephan Langton beläßt der ignorantia gehaltlich einen mittleren Platz, ihr Ort ist zwischen Tatsünde und Erbsünde als ein Mittleres, als ein medium. Nach Wolfram jedoch — und auch nach dem mit der ‚Praxis' christlichen Lebens verwobenen, heiligen Bernhard! — ist die *tumpheit* (ignorantia) das existentielle primum, dem die Einsicht in die Tatsünde und schließlich in die Totalität der Erbsünde[75]) folgen muß: so und nicht anders wird der Sündenweg menschlichen Daseins ins Heil hinein gerettet; erst die Einsicht in die unheilvolle Verkettung dieser Sündenglieder und deren gesamthaftes, reuiges Geständnis vermittelt das Heil, das proleptisch und inchoativ schon hienieden ins Werk gesetzt werden muß. Nicht umsonst steht nun neben der Gestalt des räsonnierenden Stephan Langton die viel glühendere Gestalt des heiligen Bernhard, die Wolfram so nahe gestanden haben mag wie die keines anderen Theologen der Zeit. Nicht umsonst: Wolfram teilt den Sündenrealismus und Objektivismus des Heiligen, der in der ignorantia sui und Dei den existentiellen Anfang von Sünde überhaupt (als superbia) wahrnahm und über die in ihrer unübersehbaren Objektivität nicht negierbare Tatsünde hinaus auf die tiefere Schuldverfaßtheit verwies, auf die Erbsünde, deren härteste objektive Wirklichkeit durch die hinabgestiegene Gnade der göttlichen Erlösung ein für alle Mal getilgt wurde, womit jenes bräutliche Mysterium von Bernhard genannt

---

[74]) Willson a. a. O. 150.

[75]) Die Bedeutung der Erbsünde für das Schrifttum der hochhöfischen Zeit verlangte eine eigene Studie, etwa anhand folgender Literatur: A.-M. Dubarle, Le péché originel dans l'Ecriture, Paris 1958; Espenberger, Die Elemente der Erbsünde.. (vgl. S. 269 Anm. 61); G. Feurer, Adam und Christus als Gestaltkräfte und ihr Vermächtnis an die Menschheit, Zur christlichen Erbsündelehre, Freiburg 1939; J. Gross, Entstehungsgeschichte des Erbsündedogmas, Von der Bibel bis Augustinus, München/Basel 1960; ders., Die Erbsündenlehre Manegolds von Lautenbach nach seinem Psalmenkommentar, ZGK 71 (1960) 252—261. L. Ligier, Péché d'Adam et péché du monde, Bible-Kippur-Eucharistie: L'Ancien Testament; Paris 1960; ders., Le péché d'Adam ...: Le Nouveau Testament, Paris 1961; O. Lottin, a.a.O. (vgl. S. 269 Anm. 60); N. Merlin, Saint Augustin et les dogmes du péché originel et de la grâce, Paris 1931. Auf die Erbsünde als den tieferen Grund von Parzivals Schuld verweist auch A. Kraus, Über die Dummheit, Frankfurt [1]1948, 34 ff. (in der zweiten Auflage, Köln/Olten 1961, fehlt der Hinweis auf Parzival); vgl. dazu noch: P. Wust, Naivität und Pietät, Tübingen 1925, über Parzivals *tumpheit* 100 ff. Und schließlich zur Erbsündeauffassung im MA im allgemeinen: W. v. d. Steinen, Kosmos des MA's 264, 306.

werden mußte, das er als einziger voll enthüllte: „was der Eine Mann und die Eine Frau schadeten in Missetat“, „alles wird wiederhergestellt durch Einen Mann und Eine Frau“, „ja, es übersteigt (excedit) alle Schätzung des Schadens die Größe der Wohltat“, „indem der überweise und übermilde Künstler das, was zerbrochen war, nicht vollends hinbrach, sondern durch und durch wiederschuf, (darin) daß er einen neuen Adam bildete aus dem alten, Eva aber hinübergoß in Maria“ (de verbis Apoc. c. 12)[76]. Und der Einbruch der neuschaffenden Erlösungsgnade ist — wie Wolfram diese *lêre* aufgreift und deutet — im Leben eines jeden Christenmenschen in direkter Abkünftigkeit von Christi Erlösungstat je neu und real wiederholbar zur geglückten *nützïu arbeit* der Ineinssetzung von Gottes- und Welthuld. Die Erbsünde als das Letzte von Schuld überhaupt (und darin einbeschlossen: als das Erste) gewinnt von daher eine überraschend heilende und wunderbare Charakterisierung: nicht als göttliche Strafaktion über die Ureltern erscheint sie nunmehr, sondern als erbarmende Hinneigung Gottes zum schwachen Menschen, wie sie Irenäus von Lyon geschildert hat: „Gott entfernte den Menschen aus Erbarmen von dem Baume des Lebens ... damit der Mensch nicht für immer Sünder bleibe und die Sünde nicht unsterblich wäre und das Übel nicht unendlich und unheilbar. So setzte er der Übertretung einen Damm, indem er den Tod dazwischenlegte und der Sünde ein Ende machte durch die Auflösung des Fleisches in die Erde, damit der Mensch endlich aufhöre, der Sünde zu leben, und sterbend anfange, für Gott zu leben“[77]. Und so fällt auch auf die *tumpheit* Parzivals ein mildes Licht.

Darüber hinaus darf nun mit aller Vorsicht jene felix culpa genannt werden, die eingangs mit viel Mißtrauen erwähnt wurde. Parzivals conversio *wäre* nicht, gäbe es diese Schuld nicht, mehr mag damit nicht gesagt sein: denn die *felicitas* der Schuld beruht einzig und allein in der Erscheinung eines *solchen* Erlösers, der sie tilgte.

Insanus anagogicus

Gerade der Parzivalroman lebt von der Lust, jeden künstlichen Rahmen zu sprengen und jedes ‚Letzte‘, das findige Forscher ein für alle Mal glauben gefunden zu haben, durch ein ‚Letzteres‘ in Frage zu stellen. Wolfram

---

[76]) Die Übersetzung von E. Przywara in: Mensch, Typologische Anthropologie, Bd. 1, Zürich 1959, 330.

[77]) Zitiert nach L. Boros, Mysterium mortis, Der Mensch in der letzten Entscheidung, Olten 1962, 123.

hat immer neue Maskierungen bereit, seinen Hörer oder Leser zu narren, auf daß dieser nicht meine, den ‚Parzival' ertragsweise in Zettelkästen abbauen zu können: Kyot, dieser einstige vivus in der Forschung, dann aber für lange Zeit apodiktisch zur Inexistenz verurteilt, ist kürzlich als Kyot redivivus (in den Forschungen der Kahane)[1]) wieder auferstanden, so daß man ihn ernster denn je zu nehmen hat. Und das ist nur ein Beispiel unter vielen anderen für Wolframs Undurchschaubarkeit. Die innerste, ‚erläuternde' Kennzeichnung des Parzivalromans ist daher das ehrliche Zugeständnis von dessen Lebendigkeit und je-neuen Gegenwärtigkeit. Am besten schwingt man sich daher sattellos und *unwizzende* (wie Parzival selbst) auf den Rücken dieses ungebärdigen Geschöpfs und läßt sich, die wilde Mähne haltend, von ihm selber tragen, wohin es ihm gefällt.

Der anagogische Schriftsinn intendiert eine Aussage über das ‚letzte Ziel' des Dargestellten, eine Konfrontation des weltimmanent Vorgebrachten mit ‚himmlischer und göttlicher Wirklichkeit', mit den ‚Geheimnissen des kommenden Aeons', mit jenen ‚letzten' Wirklichkeiten, die das Gleichnis keiner weiteren mehr sind. Anagogischer Sinn ist also eschatologischer Sinn, ist Enthüllung der Logie des Eschaton, des Allerletzten des Gesagten. Daß Eschatologie der Dichtung nicht ein wesensfremder Gesichtspunkt ist, sondern gleichsam deren ‚apokalyptische' Enthüllung, erhellt aus der weitgreifenden Untersuchung Hans Urs von Balthasars, betitelt ‚Apokalypse der deutschen Seele'[2]). Hier findet das in je verschiedener Dichtung vereinzelte Eschaton (= das darin objektivierte „Verhältnis der Seele zu ihrem ewigen Schicksal")[3]) zur letztgeforderten Synthese zurück, in der „Offenbarung der Seele und Offenbarung Gottes ... in ihrer strengen Zuordnung nur e i n e Geschichte (sind), als der Funkensprung von Seinsmitte zu Seinsmitte und darin Lichtung der Zentren"[4]). Balthasar unterscheidet axiologische von teleologischer Eschatologie, „je nachdem der Geist als ein seiender oder als ein werdender sich zum Ewigen verhält. Als seiender tritt er zum Ewigen in ein direktes Verhältnis, das entweder

---

[1]) H. u. R. Kahane, Wolframs Gral und Wolframs Kyot, ZfdA 89 (1958/59) 191—213; Herbert Kolb, Munsalvaesche, Studien zum Kyotproblem, München 1963 (ein Buch, das ich nicht mehr einsehen konnte).

[2]) Drei Bände, Salzburg/Leipzig 1939; der 1. Band wurde neu aufgelegt unter dem Titel: Prometheus, Studien zur Geschichte des deutschen Idealismus, Heidelberg 1947.

[3]) Prometheus 4.

[4]) a. a. O. 5.

einen Besitz oder einen Nichtbesitz oder eine paradoxe Spannung von ‚Haben' und ‚Nicht-haben' zum Inhalt hat, als werdender wird dieses Verhältnis zum teleologischen Problem der Ausstandsbehebung. Sofern der Geist aber die paradoxe Einheit beider Aspekte ist, sind beide Eschatologien aber nicht nur verbunden, sondern eine dialektische, unlösbare Zweieinheit"[5]). Die im Christentum ausgeprägte Eschatologie-Struktur zeichnet sich dadurch aus, daß sie von der Spannung der Axiologie (zwischen ‚Haben' und ‚Nichthaben') ausgeht und zur spannungslösenden Teleologie vorschreitet, die aber nur transzendental gewonnen werden kann. Dem entsprechend verläuft Parzivals Weg vom axiologischen Spannungszustand zwischen einem Noch-nicht des Habens (z. B. zuerst des Rittertums, dann des Grals) und einem potentiellen, vom *art* her gewährleisteten Schon-Haben aufs spannungslösende, end-gültige ‚Haben' und Besitzen des *schildes ambets* und des Grals hin, und zwar so, daß sich der Umschwung von der in sich verspannten Doppelung von ‚Noch nicht' und ‚Schon' in ein Nunc stans des end-gültigen Besitzens und Habens in der gottbezogenen, also radikal transzendent ausgerichteten *bîhte verte* (446, 16) des seine Sünden bereuenden Parzival vollzieht. Gerade Parzivals Schuld schiebt sich wie ein Keil in die paradoxe Spannung von Haben und Nichthaben und löst das teleologische, d. h. das auf das telos hin ausgerichtete Werden des Protagonisten auf Ritterschaft und Gral hin aus, ein Werden also, das schon axiologisch und seinsmäßig potentiell gesichert ist, vorausgesetzt, daß die notwendige Transzendenz statt hat. Das über die Schuld und deren Vergebung hinaus sich Erstreckende ist die Transzendenz, die als ein Letztes die Geschichte in die *linge* einstimmt. Parzivals Schuld und Schuldvergebung wird so zu einem Transzendenzpunkt, an dem die für alle transzendenten Systeme schon im Mittelalter bedrohlichen, neuplatonisch-gnostischen Evolutions- und Apokatastasisideen in ein bloß utopisches Märchen abgebogen werden und so jene mit Joachim von Fiori entscheidend einsetzende Immanentisierung des jenseitigen Reiches für den ‚Parzival' Wolframs von Eschenbach noch nicht gilt. Die Gattung des Märchens wird zum Alibi theologischer Richtigkeit, weil in der märchenhaften Apokatastasis des Gralsreiches nur immanentisiert wird, was dem Dasein ja gar nie fehlen dürfte: die Vereinigung des menschlichen Berufs zur Welt und des ebenso menschlichen Rufes Gottes

---

[5]) Geschichte des eschatologischen Problems in der modernen deutschen Literatur, Diss. Zürich 1930, 3 f. Ähnlich auch in Prometheus 12 ff.: „Axiologie heißt also Schicksalsgegenwart in Erfüllungsgegenwart" (12). Die Terminologie geht auf Troeltsch zurück (Die letzten Dinge, Chr. Welt 22 [1908]).

zum Kreuz. Ausgerechnet die Aufhebung des romanhaften Telos in Märchenhaftes und dessen Ästhetisierung (= ‚Verschönerung') durch Märchenhaftes findet den ‚richtigen' Weg aus einer schon drohenden axiologisch-seinshaften Immanenz zur lösenden, ziel-bestimmten, teleologisch-werdenden Transzendenz quer zu aller Immanenz. Das Märchen hält so die Schwebe zwischen Immanenz und einer sie übersteigenden Transzendenz, indem es beide zu Spielformen seiner Art zurückbindet. Das in eigentlichem Sinn Letzte des Parzivalromans kann aber schließlich nicht der Märchenschluß sein, da dieser ja nur *Symptom* einer gerade noch ‚richtigen' (auch theologisch ‚richtigen') Lösung der dialektisch-axiologischen Verspannungen ist. Das Eschaton des Romans liegt nicht im formalen Märchenschluß (in einem zeitlosen, entwirklichten Gralsreich), sondern im Protagonisten selbst[6]).

Parzival selbst ist die kunstvoll manipulierte ‚Figur' und das ‚geschichtlich' arrangierte ‚Schema Mensch', das sein Telos auf ein Eschaton hin austrägt. Nur an ihm ist das Eschaton, das Letzte, abzulesen und nicht an der Märchenutopie, in die seine Gestalt, um der höheren Stimmigkeit willen, letztlich entrückt wird. Das also ist die große und unaufhörlich gestellte Frage dieses Romans: Wie ist es möglich, zugleich ganz weltlich und ganz gottgehörig zu sein? Wie ist es möglich, sein Leben so zu *verenden* (!), *daz got niht wirt gepfendet / der sêle durch des lîbes schulde* (827,20 f.), sondern gleichzeitig auch *der werlde behalten* werden kann *mit werdekeit*? Erst die ineinander greifende Doppelung von Welthuld und Gotteshuld und deren am und im Menschen Gestalt gewordene, ‚schöne' Totalität ist adäquate Lösung, ist adäquates Telos dieser Frage. Sichtbar wird solches nur am Menschen selbst, an Parzival, der als ‚Homo Analogia' und exemplarischer Mensch diese Fragwürdigkeit aus dem ursprünglich statischen Gegensatz in teloshafte Dynamik überführt, in ein Werden, das einholt, was nude crude schon da, aber noch nicht eingelöst ist. Mit anderen Worten: an Parzival selbst wird jene Überführung einer in sich verharrenden Sistentia in ihr Ex verbildlicht, so daß Parzivals statisches *art*-Sein gleichsam aktiviert und in der Transzendenz eines Seins*werdens* bis zur glückhaften *linge* (in der Ehe mit Condwiramurs und in der Gralsherrschaft) erzählerisch ausgeführt werden kann. Die „überpersönliche Anlage"[7]) des *art* wird so erfüllt, indem sie durch Par-

[6]) Wahr ist es daher zu sagen: „Wolframs Gral ist eine zeitlose Mär" (Balthasar, Herrlichkeit II 372), aber ebenso wichtig ist, die dem Protagonisten eignende christliche ‚Geschichtlichkeit' — da diese der Zeitlosigkeit der ‚Mär' als ein Korrektiv gegenübersteht — evident zu machen.

[7]) Schwietering, Natur und *art* 118.

zival in der Schuld verfehlt, in der Beichte geläutert und in Parzivals *riuwe* neu als die eigene, aber von Gott gegebene anerkannt und so transzendiert wird.

Parzivals Gestalt allein gibt Aufschluß über das Eschaton der ‚Geschichte', deren *sachewalte* er ist. Daß aber Parzivals *tumpheit* auch etwas, sogar etwas Zentrales, über dieses Letzte aussagt, beruht nicht bloß auf der Tatsache, daß diese *tumpheit* eben Parzivals eigene *tumpheit* ist und somit in dieses Letzte Parzivals irgendwie eingebunden sein muß, sondern tiefer in der mittelalterlich durchaus gelebten und lebendig vertretenen Meinung, daß alle Tugenden unter sich konnex und synonym sind (wie auf der anderen Seite die Laster auch)[8]. Parzivals *tumpheit* — an sich weder Laster noch erworbene Tugend, sondern als ein Mittleres zum axiologischen Seins-Bestand gehörig — kann daher — da es nur die Alternative zwischen Laster und Tugend gibt — sich dem einen oder anderen Komplex als ein Synonym anschließen. Die Heraufführung und Emporhebung und ‚Feier' Parzivals (was Anagogé wörtlich heißt), d. h. Parzivals teleologischer Werde-Gang und schließliche *linge* in der Gralsherrschaft und in der Ehe mit Condwiramurs, läßt keinen Zweifel darüber, daß Parzivals *tumpheit* selbst zwar nicht gerade Tugend ist, daß sie aber im *maere* in die Tugend, die sie material involviert, hinübergeführt wird. Schon innerweltlich ließ sich ein positiver Sinn der *tumpheit* verschiedentlich konstatieren. „Wie Einfalt des Herzens (nicht des Geistes) kann auch *tumpheit* als *tumpheit* gegenüber der Welt — als abwehrende Kraft positiv gemeint sein. Sie berührt sich bei Wolfram mit Unverbildetheit und Natürlichkeit, mit Treue zum *art*, wodurch der umschriebene Komplex (des *art*) bei Wolfram seine besondere Färbung erhält"[9]).

Damit aber ist das ‚Letzte' noch nicht gesagt, da das eigentlich ‚Tugendhafte' und jene Tugend, in welche die *tumpheit* ‚hinübergeführt' und ‚erhöht' wird, so noch nicht zur Sprache gekommen ist. Parzivals cognitio per ignorantiam[10]), d. h. seine Einsicht aus Nichtwissen und Sünde heraus und hindurch in Gottes verzeihende Vatergüte macht gleichsam nur die Negativität der *tumpheit* evident. Es drängt sich daher auf, die Positivität dieser cognitio näher anzusehen.

Von Walter Henzen ist die Anregung ausgegangen, neben anderen Verlaufskomponenten im Parzivalroman, „etwa einen Wandel von *tumpheit*

---

8) J. Leclercq, L'amour des lettres et le désir de Dieu, Paris 1957, 75 f.

9) Schwietering a. a. O. 137.

10) Diese Formel stammt von Hugo von Balma (Ende 13. Jahrhundert); vgl. dazu Leclercq/Vandenbroucke/Bouyer, La spiritualité du moyen âge 546.

zu *wizzen*" zu untersuchen[11]); dieser Hinweis verdient, näherhin beachtet zu werden. Ist es nicht tatsächlich so, daß Parzival *traeclîche wîs*, d. h. nach und nach eben doch immer tiefer die Zusammenhänge seiner eigenen ‚Geschichte' und Herkunft erkennend und sein eigenes Ziel immer bewußter und ‚reifer' (wie es bei vielen Wolframforschern immer wieder heißt!) ins Auge fassend, schließlich als der *wizzende* sein Ziel, den Gral, erreichen und besitzen darf? Etwa so, wie es Ludwig Wolff beschrieben hat: „Es ist der Weg eines Menschen, der aus *tumpheit*, die noch nicht in die Tiefe dringen kann, aber auch noch nicht gelernt hat, den Gedanken an den anderen jederzeit voranzustellen, in schuldhafter Weise irrt und in schweren Kämpfen zu geistiger und sittlicher Reife und zu wahrer Gotterkenntnis kommt"[12]). Parzivals Leben und Weg also ein Reifeprozeß, ein Vorgang, in dem sich ein diffuses Seelenmaterial zu Gestalt und Umriß läutert, so daß der anfangs Nichtwissende zuletzt der ‚Wissende' in einem esoterischen Sinn wird (das esoterische Gralsreich würde zu diesem Gedanken ganz gut passen!)? Aus einer *tumpheit*, die gleichsam nur de ratione peccati Bestand hat, zu einem *wizzen*, das durch die Reife, die es einschließt, Schuld und Gnade gleicherweise verzehrt?

Sicher verhält es sich damit nicht so, da Parzivals Weg — wie es immer wieder klar geworden sein dürfte — kein gnostischer Selbsterlösungsweg ist, sondern radikal ein allmähliches *wîse*-werden im Sinn einer Selbstaufschließung, einer Selbstentäußerung und Selbstpreisgabe an die waltende Gnade Gottes, wie ja schon Bernhards cognitio sui et Dei im Kern eben nicht materiale Selbsterkenntnis und Gotteserkenntnis ist, die man an sich selber als einen Reifegrad vermerken könnte, sondern rein formale, apriorische Kategorien eines viel wichtigeren Aposteriori der gelebten humilitas, die einzig mater salutis ist. Selbsterkenntnis ist so die Bedingung der Möglichkeit einer totalen Demut; nicht weniger, aber auch nicht mehr. Demut und Gottesfurcht bedingen und substituieren Selbst- und Gotteserkenntnis. Bernhard sagt es sehr klar: Ergo tenetis memoria quod teneam assensum vestrum, *neminem absque sui cognitione salvari, de qua nimirum mater salutis humilitas oritur, et timor Domini, qui et ipse sicut initium sapientiae, ita est et salutis* ... Noveris proinde te, ut Deum timeas; noveris ipsum, ut aeque ipsum diligas. In altero initiaris ad

---

[11]) Zur Vorprägung der Demut im Parzival durch Chrestien, PBB 80 (1958) (West), 422.

[12]) Die höfisch-ritterliche Welt und der Gral in Wolframs Parzival, PBB 77 (1955) 274.

sapientiam, in altero et consummaris, quia initium sapientiae timor Domini est, et plenitudo legis est caritas. *Tam ergo utraque ignorantia cavenda est tibi, quam sine timore et amore salus esse non potest*[13]). Gottesfurcht und Gottesliebe und deren Darstellung im Leben durch die Demut verlangen vom Menschen Ein-sicht[14]) in sich selber und in Gottes Größe. Ganz ähnlich steht es mit Parzival: auch ihm ist ein *wizzen* abverlangt, ein Wissen nämlich um seine eigene *tumpheit*, um sein Ungenügen in allen Belangen, um seine Niedrigkeit trotz ritterlichem *hôhem muot*, zuhöchst also ein *wizzen* um die Erfordernis der Gottes*furcht* und *diemuot* Gott gegenüber (nicht um ein ritterliches Lehensverhältnis zwischen Gott und Geschöpf). Insofern als *wizzen* rein als ein Moment der *diemuot* selbst dargestellt ist, verläuft auch Parzivals Weg nicht von *tumpheit* zu *wizzen*, sondern von *tumpheit* über jegliches *wizzen* hinweg in *diemuot* hinein, ein Weg, der gerade aufgrund des von der *diemuot* erforderten ‚Außer-sich-seins' keineswegs identisch ist mit irgendwelcher gnostischen, d.h. an sich selbst reifenden Selbstwerdung. Christlich ist ‚Selbstwerdung' nur möglich als Selbstentwerdung, eine Dialektik, die an Parzival genau ablesbar ist. Das ‚Letzte' von *tumpheit* ist mithin nicht *wizzen*, sondern *diemuot*, ein *wizzen* von jenseits unserer selbst, ein Advent Gottes auf uns zu, der uns zugleich offenbart, was Liebe in Wahrheit ist, und uns überführt, daß wir letztlich eben weder gekannt noch rechtes Wissen besessen haben (Parzival meinte, Gott zu kennen und hassend über ihn verfügen zu können!). Im Gnadengeschehen, in dem Parzival ‚erlöst' wird, wird ihm zwar gesagt: Si comprehendis, non est Deus; er ist aber aufgefordert, im Zeichen der *diemuot* auch „zu erkennen die jegliche Erkenntnis übersteigende Liebe Christi, um eingefüllt zu werden in das All der Fülle Gottes" (Eph 3, 19). Erst diese scheinbare Paradoxie von Erkennenmüssen und Nicht-erkennen-können wächst zur Bildwirklichkeit zusammen, in der Parzivals Weg verläuft[15]). Es läßt sich daher in der *wizzens*-

---

[13]) Opera II 9; Serm. super Cant. XXXVII, I. 1.

[14]) Bewußt ist hier Verzicht geleistet auf die subjektiv aufwendige Vokabel ‚Erkenntnis'; Ein-sicht ist eben schlechterdings Ein-sehen ins objektiv Vorfindliche; ob dieses Ein-sehen nun subjektiv gerade angenehm ist oder nicht, tut nichts zur Sache, geht es doch um ‚Wahrheit' an sich.

[15]) Der dialektische Sachverhalt einer theologischen ‚Gotteserkenntnis' ist in aller echten Theologie spürbar. Vgl. E. Przywara, In und Gegen, Nürnberg 1955, 307: „Von Gott kann nicht gesagt werden, *was* Er ist. Wie Thomas sagt: ‚Von Gott kann ... ich nur sagen ‚an est', daß Er ist, aber nicht ‚quid est', was Er ist.' "

Problematik nichts über *einen* Leisten schlagen; jede Verhärtung führt zu faktischer ,Häresie', eine Gefahr, die im ,Parzival' Wolframs von Eschenbach selbst genau und gültig vermieden ist.

Parzivals Weg verläuft also in einem Dreitakt von *tumpheit* zu *wizzen* zu *diemuot*, in einem Dreischritt also, an dem sich zeigt, wie das ,Erste' der *tumpheit* sich positiv synonymisch in der *diemuot* als dem ,Letzten' auflösen läßt, so daß sich das Indifferente und schwebend Mittlere (aber faktisch in der ,Geschichte' Erste) der *tumpheit* zugunsten der ,Tugend' und zuständlichen Tucht der *diemuot* letztlich aufzugeben hat.

Wenn die Haltung der *diemuot* als das Letzte im Parzivalroman aufscheint, so ist gleich nachzutragen, daß *diemuot* nicht etwa Letztes im Sinn einer absolut neuwertigen Transzendenz material am ,Schluß' des Romans erst zur Sprache kommt; im Gegenteil, die romanhafte Hinüberführung des axiologischen Seins-Bestandes in teleologische, erzählerische Dynamik verlangt die Herausstellung der *diemuot* gleich ,von Anfang an', ansonsten der axiologische, (für die Erzählung) ,werthafte' Seins-Bestand ja gar nicht nennbar wäre und sich als bloße Gedankenkonstruktion erwiese. Und in der Tat, *diemuot* ist Parzival nichts Lebensfremdes, nichts leer Transzendentales: *der aventiure wurf* wurde schon im Zeichen der *diemuot gespilt*; *diemuot* ist Parzivals köstlichstes Muttererbe, dessen Kontinuität durch Wolframs Absicht, „das mütterliche Erbe vor dem väterlichen zu betonen"[16]), einschlußweise gesichert ist.

Zu erinnern ist daran, wie Herzeloyde anläßlich der Kunde von ihres Gatten Tod beinahe jener *tumben nôt* des Leids zu erliegen droht, die Parzivals Dasein in Frage stellt; wie sie sich schließlich zur *diemuot* durchringt, aus der heraus Parzival geboren werden und die ,Geschichte' beginnen darf (113,16: *diemuot was ir bereit*; vgl. oben S. 58). Herzeloydes *diemuot* ist Pauschalbürgschaft genug, Parzival ins Leben zu entlassen und das *vliegende bîspel* des *maere* anzuheben.

Schwierig ist es, von nun an von der *diemuot* abzusehen: man hat mit vollem Recht Parzivals Weg einer Schola Humilitatis verglichen[17]). Bei Parzivals Ausritt wird Herzeloyde *ein stam der diemüete* (128,28) genannt, eine Lobrede, die von Wolfram bewußt in engen Zusammenhang

---

[16]) Schwietering a.a.O. 119.

[17]) Herbert Kolb, Schola Humilitatis, Ein Beitrag zur Interpretation der Gralerzählung Wolframs von Eschenbach, PBB 78 (1956) (West) 65—115. Dem entspräche auch Fr. Rankes Interpretation des Grals als eines Demutsteins (Trivium 4 [1946] 20—30).

gesetzt ist mit jener anderen, in der es frohlockend heißt: *owôl si daz se ie muoter wart!* (128,25). Darin wird Herzeloydes Mutterschaft geradezu kausal mit ihrer *lônes bernden vart* (26), mit ihrem glückseligen Weg zum himmlischen Lohn (vgl. Martin zur Stelle), verknüpft, so daß Mutterschaft und ewiges Himmelsglück sich für Herzeloyde gegenseitig bedingen. Beides aber ist eingebunden in der alles versöhnenden Haltung der *diemuot*, die so zusammen mit der Erbsünde (*diu sippe ist sünden wagen* 465,5) auf den Sohn Parzival vererbt wird (wie es in 128,30 vernehmbar wird)[18]. Parzivals Weg verläuft so in doppelter Weise zurück: als Einsicht in die versippte Schuld und als Einsicht in die heilende, überkommene *diemuot*.

Wenn Gurnemanz dem bei ihm beherbergten Parzival die Mahnung mitgibt: *vlîzet iuch diemüete* (170,28), so ist das eine Mahnung aus christlich ritterlicher Tradition und nicht „eine Pervertierung der wahren Demut"[19]), selbst wenn Parzival damit die *diemüete* noch nicht derart innerlich werden kann, daß er ohne weiteres bei seinem Gralsbesuch die Frage an den leidenden Anfortas ‚demütig' und erbarmungsvoll stellen könnte. Mag diese *diemüete* auch ‚bloßes' Gebot der *höfscheit* sein, so ist doch schon viel ‚Christliches' an Parzival gewonnen, wenn er sich *ritterlich* demütig verhält. Ritterliche *diemüete* ist passabel nur als Moment der ebenfalls ritterlichen Ineinssetzung von Gottes- und Welthuld, ritterliche *diemuot* — wie Gurnemanz sie Parzival lehrt — ist daher schlechterdings Analogieform christlicher humilitas, und nicht deren Fehlform (vgl.

---

[18]) Leider kommt Kolb in seinem sonst ausgezeichneten Aufsatz nicht näher auf Herzeloydes *diemuot* zu sprechen, die eine so wichtige Rolle gerade für Parzivals Geburt spielt. Daß Wolfram Herzeloyde einen *stam der diemüete* nennt, zeigt nicht nur an, daß „die Tugend der Demut ... im Gralsbereich fast ausschließlich *sub specie amoris*" steht (a.a.O. 82; vgl. auch Kolbs schöne Ausführungen zu Anfortas' Vergehen gegen die *diemuot*, a.a.O. 74—80), sondern darüber hinaus, daß Parzival als eine *fruht* von Herzeloydes *diemuot* geradezu *art*mäßig mit dieser Tugend verhaftet ist, was sich geschichtsmäßig als eine äußerst enge Verkettung von Mutterwelt und Sohneswelt auswirkt.

[19]) Kolb a.a.O. 85: Kolb versucht, in Anlehnung an G. Weber, eine strenge Differenz zwischen Gurnemanz' ritterlicher *diemüete* und christlicher Humilitaslehre zu etablieren, ein Unterfangen, das nur bedingt das Richtige sieht, da ja nur schon die Erwähnung der Messe anläßlich Parzivals Aufenthalt auf der Burg Graharz darüber Klarheit schaffen müßte, daß der Tenor von Gurnemanz' Ermahnungen zum mindesten nicht eine bloß ‚verweltlichte Demut und Barmherzigkeit' empfiehlt. Die ‚Überlegenheit' und das ‚hohe Selbstgefühl' des ritterlichen *art* ist nicht unchristlich, sondern Faktum des ordo.

oben S. 87)[20]. Indem Parzival diese *diemuot* als sinnschwere, seinem *art* entsprechende Grundtugend seines ritterlichen Daseins akzeptiert (vgl. Gurnemanz' Ausspruch: *ist hôch und hoeht sich iuwer art* 170,23), ist vielmehr ein Anfang jenes Gott und Welt vereinenden *schildes ambets* gesetzt, das ihm im Folgenden immer mehr ‚Problem' und schließlich *linge* werden soll. Andererseits ist es eine neue Frage, ob Parzival diese ritterliche *diemuot* bei seinem ersten Gralsbesuch in ihrer ganzen Tiefe und Sinnschwere schon zu beweisen fähig ist. Gurnemanz jedenfalls meint die *diemuot* in ihrer ganzen Fülle; daß Parzival sie verfehlt, ist nicht Gurnemanz zur Last zu legen, sondern Parzival allein, der seinerseits noch nicht genügend ‚belehrt' (gemäß der Schola Humilitatis) und vor allem noch nicht genügend *gedemütigt* ist. Wenn Gurnemanz' Rat sich schließlich als ‚unvollständig' herausstellt, so ist auch das nicht ein Fehler Gurnemanz' (vgl. oben S. 130), sondern ein ‚Fehler' der Situation, eine Unvollständigkeit der Situation, die aber gerade ein positiver Faktor des Geschehens selbst ist, ansonsten die Erzählung ja verfrüht zu Ende, mithin ‚erledigt' wäre. Erst vom Blickwinkel einer Situationsschau stellt sich heraus, daß dieser Rat unvollständig war, während in der Situation selbst die *diemuot* durchaus in verborgener Weise gegenwärtig war. Erst so ist der Schola Humilitatis als einer im Verschiedenen (ritterliche *diemuot* — geistlich-christliche *diemuot*) das immer Gleiche meinenden Belehrung der ‚scholastische' Charakter gewahrt, wobei allerdings typologische Differenzen feststellbar, aber letztlich nicht total unterscheidbar sind.

Wichtiger als alle Aufforderungen zur Demut, die im Verlauf des Romans an Parzival gerichtet werden, ist die Verdemütigung selbst, die in wachsender Schärfe an Parzival vorgenommen wird. Die Schola Humilitatis, in deren Zucht Parzivals Glücksweg verläuft, erschöpft sich keineswegs in äußerlich markierten Stationen, an denen Parzival je neu dosiert Demut verabreicht wird, sondern ist identisch mit einer Parzivals Herz versehrenden, je neu ankommenden Verdemütigung, einer Verdemütigung, die sich bruchlos über alle Merkpunkte dieses vorbildlichen Menschenwegs

---

[20]) Die von Kolb behauptete Antinomie von bloß ritterlicher und streng christlicher Demut stellt sich in diesem Zusammenhang nicht: „Menschen, die in Not sind, beizustehen, ist eine eminent christliche Tugend", also auch die von Gurnemanz Parzival anempfohlene *diemüete.* Mit Henzen (Vorprägung der Demut 430f.) ist in der Anempfehlung der Demut an Parzival von seiten Gurnemanz' und Trevrizents eine je neue „Steigerung der Aspekte" (431) festzuhalten und nicht mit Kolb (und G. Weber) eine unversöhnliche Gegensätzlichkeit von ritterlich-weltlicher und christlich-gralsbestimmter Auffassung der Demut.

breitet. Erst in dieser Verdemütigung wächst Parzival Demut zu. Daß Parzival seine Mutter herzlos verläßt und ihr so einen schmerzhaften Tod bereitet, daß er seinen Verwandten Ither ruchlos um dessen Hab und Gut willen erschlägt, daß er Condwiramurs, um seine Mutter wieder zu finden, fluchtartig verlassen muß, daß er es unterläßt, den todkranken Anfortas nach seinem Leid zu fragen, daß er in Sigune daher den Fluch der Menschheits-*sippe* und in Cundrie den Fluch der verratenen Gralssippe empfangen muß, ja daß er, in grotesker Verkennung der Situation, glaubt, Gottes eigenen Haß tragen zu müssen, da er ja selber der Hassende und Stolze ist, das alles sind Qualen und Leiden, nicht etwa bloß ‚leidvollen Geschicks', sondern eines Demutsweges mit tiefem Sinn. Was sich schicksalsmäßig nicht aufrechnen läßt, ist via humilitatis, Weg der Verdemütigung zur Demut. *Parzival, der gedemütigte Tor,* eine tiefere Formel läßt sich für ihn kaum mehr finden. Beides ist darin enthalten: Anlage und Weg, *tumpheit* als Anfang und *diemuot* als Ziel, *tumber* Kindessinn und wiedererworbene Reinheit des Herzens, Torheit und vertörte, gedemütigte ‚*wîsheit*'. Daher kann denn im neunten Buch mit allen Registern geistlichen Überschwangs die *diemuot* unter der Synästhesie aller Tugenden (*triuwe, minne, kiusche, schame, güete, reinde* usw.) erneut zur Sprache kommen, und zwar bezeichnenderweise gerade an einem Karfreitag (diesem Dante und Wolfram gleichermaßen wichtigen und entscheidenden Tag!)[21]). Die Szenerie ist hier mit dem höchsten ästhetischen und theologischen Takt gestellt: Parzival muß sich, um ein Wort Balthasars über Dantes ‚Bekehrung' mit tiefem Recht auf ihn zu beziehen, „bis in die letzte demütigendste Nacktheit der Seele (entkleiden), er muß sich die christliche Kathorthosis, Richtigstellung und Aufrichtung gefallen lassen, die untrennbar zugleich Beichte und Fegfeuer ist"[22]).

Steht bei Dante die „ethische Sanierung des Menschen"[23]) im Vordergrund, so bei Wolfram die Nachfolge Christi. Immer wieder ist im neunten Buch davon die Rede, immer wieder wird — wenn auch indirekt durch Aufweis des göttlichen Tuns mit den Menschen — hingewiesen auf die Facta Christi, die dem Menschen den Entscheid zur Nachfolge geradezu aufdrängen: *ir sult ûf in verkiesen, / welt ir saelde niht verliesen. / lât wandel iu für sünde bî* (465, 11 ff.). Weder um Summula noch um Theodizee geht es hier, sondern um die fehlerlose Demonstration christlicher Nachfolge im

---

[21]) O. G. von Simson, Über das Religiöse in Wolframs Parzival, in: A. Bergsträsser, Dt. Beitr. zur geistigen Überlieferung Bd. 2, München 1953, 38.

[22]) H. U. von Balthasar, Herrlichkeit II: Fächer der Stile, Einsiedeln 1962, 411.

[23]) a. a. O. 459.

Aufweis der Realität Christi als des Erlösers: „Abstieg Gottes in Tod und Hölle, Demütigung bis zur vollkommenen Kenose, stellvertretendes Tragen der ganzen Weltschuld durch Gott selber: diese Qualität der Glorie", die Balthasar bei Dante vermißt[24]), kommt durch Trevrizents Belehrung zur Geltung. Da ist die Nachfolge: Obwohl er, Trevrizent, ein *leie* ist, versteht er *der wâren buoche maere* (462,12) zu lesen und zu schreiben und weiß daher, *wie der mensche sol belîben / mit dienste gein des helfe grôz, / den der staeten helfe nie verdrôz / für der sêle wenken* (14 ff.). Und daher die Aufforderung: *sît getriuwe ân alles wenken, / sît got selbe ein triuwe ist* (18 f.). Die Menschwerdung Gottes: *er hât vil durch uns getân, / sît sîn edel hôher art / durch uns ze menschen bilde wart* (22 ff.)! Und: *got was selbe der meide kint* (464,26); ja: *got selbe antlütze hât genomn / nâch der ersten meide fruht: / daz was sînr hôhen art ein zuht* (28 ff.). Was aber *mit sünden schîn* wurde (463,30), das löste Gottes Abstieg in Tod und Hölle. Wofür Plato und *diu prophêtisse*, die geheimnisvolle Sibylle, wahrsagerisch aus mythischem Vorauswissen heraus prästierten, nämlich daß *uns solde komen al für wâr / für die hôhsten schulde pfant* (465,26 f.), hat sich geschichtlich in Gottes eigener Kenose ereignet: *zer helle uns nam diu hôhste hant / mit der gotlîchen minne* (28 f.). Gott, der *wâre minnaere*, das *durchliuhtec lieht* (466,1/3), Gottes *getriuwiu mennischeit* (465,9), Christus, *der schuldige âne riuwe* (466,11) hat die ganze Weltschuld als wahrhaft unschuldig Schuldbeladener getragen, aber nicht nur getragen, sondern mit eigener Hand seine *kiuschen* aus der *helle* herausgeholt und sie so erlöst.

Aus der wunderbaren Heils-Symphonie dieser beliebig weiter zitierbaren Worte Trevrizents muß Parzival Eines evident und klar werden: Gottes herabgestiegene Demut, Gottes eigene Verdemütigung und Vertörung ins Geschöpf hinein: vom Viehtrog bis zur Narrheit und Torheit des Kreuzesgalgens, Gottes eigener Demuts- und Verdemütigungsweg im Zeichen der Erlösung. Erst von dieser Vorbildlichkeit der göttlichen Kenose her darf global gesagt werden, was sonst nichts anderes als eine listig bezweckte Ermöglichung gesellschaftlicher *linge* wäre: *diemüet ie hôchvart überstreit* (473,4). Weil Gottes *diemüet* die *hôchvart* nicht nur aller menschlichen Bosheit und Sünde ‚überstritt', sondern die ‚hoffärtige' Bosheit des personal Bösen, des Teufels selbst, besiegte, gilt eindeutig: *diemüet ie hôchvart überstreit*, und zwar nicht nur im engen Kreis gesellschaftlichen Umgangs, sondern (ohne Seitenblick auf irgendeine *linge*, was ja wesentlich zur Demut gehört!) im Bereich des Menschlichen überhaupt. *Diemuot* ist

---

[24]) a.a.O.

so das Eigentlichste und tiefste Kriterium christlichen Selbstverständnisses überhaupt, weil darin, und einzig darin, eine analogische ‚Nachfolge Christi' möglich, ja faßbar ist[25]). Es kann daher nicht mehr erstaunen, daß Anfortas just wegen mangelnder Demut derart mit Krankheit (infirmitas)[26]) gestraft wird und werden muß: sein sündiger Schlachtruf ‚Amor', *der ruoft ist zer dêmuot / iedoch niht volleclîchen guot* (479, 1 f.)[27]).

Und wie mittelhochdeutsch ‚*ende*' sowohl ‚Ende' wie auch ‚Anfang' besagt[28]), enthüllt sich nun Parzivals Telos als identisch mit seinem axiologischen Werdens-Anfang. Da wo Parzival sich sorgend und mühend um sein *ende* zu kümmern beginnt, enthüllt sich das immer schon Gemeinte der ‚Geschichte', deren köstlicher Kern: das Ineins von *arbeit hie* in der Welt und von *ruowe dort* im Jenseits, die dem in Demut sich mühenden, verdemütigten Menschen (und Ritter) geschenkte, umfassende Identität von Gottes- und Welthuld[29]). Daher Trevrizents Rat:

‚nu volge mîner raete,
nim buoz für missewende,
unt sorge et umb dîn ende,
daz dir dîn arbeit hie erhol
daz dort diu sêle ruowe dol.' (499, 26 ff.)

---

25) „Demut ist nur ein anderes Wort für das Geheimnis der Menschwerdung: daß der große Gott Seine Größe, der weise Gott Seine Weisheit, der heilige Gott Seine Heiligkeit darin am eigentlichsten ‚versichtbart und darstellt' (Jo 1, 18), indem Er als das ‚Nichts' (Phil 2, 7), als die ‚Torheit' (1 Kor 1, 25), ja als die ‚Sünde' erscheint (2 Kor 2, 25), als ‚Lamm ..., auf sich tragend die Sünde der Welt' (Jo 1, 29). Demut ist damit das Wort für den ‚Wunderaustausch' (*admirabile commercium*), der in der Menschwerdung sich begibt: daß wir ‚aus dem Unsern' dem großen Gott das ‚Nichts', dem weisen Gott die ‚Torheit', dem heiligen Gott die ‚Sünde' reichen, weil Er sie ‚aus dem Seinigen' nicht hat" (E. Przywara, Demut Geduld Liebe, Die drei christlichen Tugenden, Düsseldorf 1960, 13). A. a. O. 16: „Teilnahme am Leben dieses Herrn bis zur Einheit des ‚Sinnes und Sinnens' mit Ihm als unserem eigentlichen Ich (Gal 2, 19—20) steht darum in Eins mit der ‚Demut' als Seinem ‚Sinn und Sinnen': ‚das sei Sinn und Sinnen in euch, was auch (ist) in Jesus als dem Christus, der in der Gestalt Gottes bestehend ...'. So ist Demut Mitvollzug des Abstiegs Gottes: in die ‚Gestalt des Sklaven' ‚hörig ... bis zum Tod ... des Kreuzes'." Przywaras großartige Darstellung einer Theologie der Demut beweist in Konfrontation mit dem Gehalt des ‚Parzival', wie tief christlich (und nicht manichäisch) dieser ist.

26) Vgl. Martin zu 472, 22.

27) Vgl. 819, 16 ff., wo Anfortas seinen *dienstlîchen muot* (17) wiedergewinnt und zu Gott zurückfindet: *nu hân ich diemuot mir erkorn* (20).

28) Mhd TW (Lexer) Vokabel ‚*ende*'.

29) Vgl. auch die Schlußworte 827, 19 ff.

Was daran noch für Parzival uneingelöstes Versprechen ist, holt die ,Geschichte' in den folgenden Büchern nach bis zu jenem Kulminationspunkt, wo Parzivals *ende* (im christlich bedingten ,Märchen') zugleich Vollendung seiner ,Sendung' besagt, wo Parzivals religiös-ritterliches „Abenteuer nicht zu Ende (ist), weil etwas anderes anfängt, sondern seine Zeitform, sein radikales Zu-Ende-sein, ... die genaue Ausformung seines inneren Sinnes" ist[30]), wo *guote lêre* identisch mit geschichtlichem Ereignen ist (wie es der Prolog 2,5 ff. als ein Resultat des *maere* selbst deklariert, nicht als das vorwitzige ,Erdenken' oder *künde hân*-Wollen eines *wîsen*!).

Die Anakephalaiosis des Romans ist daher gleichzeitig dessen Apokatastasis und Apokalypsis, eine seltene erzählerische ,Übereinkunft' von schließlicher ,Zusammenfassung im Haupt', im Kulminationspunkt der Handlung, und ,Wiederherstellung' und ,Enthüllung' des Sinns, im erzählerisch vermittelten und ausgetragenen ,Schluß'. Diese Enthüllung ist aber nicht nur Enthüllung für den Hörer, sondern auch für die Agierenden selbst: gerade Trevrizent, der am meisten und besten Wissende, der größte ,Frieder' (wie Zwingli den Friedensbringer bezeichnet) innerhalb der Handlung, muß demonstrieren, was Worumwillen des ganzen Romans ist, die Demut: da er, wiederum in einem Rat, Parzivals Lebensfazit zieht, demütigt er sich als einen, der nicht gewußt hat und doch tat, als hätte er gewußt; er muß zugeben, daß es mit Parzival anders gekommen ist, als selbst er, der Wissende, es vermutet hätte. Kennwort für sein Nichtwissen ist Gottes *tougen*, Gottes Heimlichkeit, Gottes geheime Ratschlüsse, Gottes Finsternis (eine Formel, der sich jede ,wissende' Theologie zu bequemen hat, in die jede positive Theologie als apophatische theologia negativa einzumünden hat)[31]), und zuhöchst Gottes Dreifaltigkeit:

> ,got vil tougen hât.
> wer gesaz ie an sînen rât,
> ode wer weiz ende sîner kraft?
> al die engel mit ir gesellesch aft
> bevindentz nimmer an den ort.
> got ist mensch unt sîns vater wort,
> got ist vater unde suon,
> sîn geist mac grôze helfe tuon.' (797,23 ff.)

---

30) Georg Simmel, Das Abenteuer, in: Philosophische Kultur, Potsdam [3]1923, 15.

31) Vgl. E. Przywara, Was ist Gott, Eine Summula, Nürnberg 1953, 30 ff.

Und dann weitet sich Parzivals Erringung des Grals zum *wunder*[32]):

> ‚groezer wunder selten ie geschach,
> sît ir ab got erzürnet hât
> daz sîn endelosiu Trinitât
> iwers willen werhaft worden ist.‘ (798, 2 ff.)

Eine *wunder* ist Parzivals Gralsfindung aber nur, weil Gott als Dreifaltigkeit Parzival den Gral ‚gewährt‘ hat, *obwohl* Parzival ihn Gott ‚abzuerzürnen‘ versuchte. Daher Trevrizents nochmaliger, das endgültig ‚Letzte‘ menschlichen Wandels intendierender Rat:

> ‚nu ist ez anders umb iuch komn:
> sich hât gehoehet iwer gewin.
> nu kêrt an diemuot iwern sin.‘ (798, 28 ff.)

Jedes vermeintliche *wîse*-Werden wird hier endgültig abgebogen in die tief christliche Dialektik des benediktinischen „‚in Erhöhung Absteigen und in Demut Aufsteigen‘ (*exaltatione descendere et humilitate ascendere*): wie ja Gott in Seiner Höhe abstieg und in Seiner Tiefe aufstieg“[33]). *Wîse*-Werden ist von dieser letzten Aufforderung Trevrizents zur Demut her ein bloß innerweltlicher Vorgang an Parzival, der sich auf ritterliches ‚Können‘, auf gesellschaftliches Versiert-sein oder auf ritterliches Verhalten ganz allgemein bezieht. Parzivals *tumpheit* hingegen in ihrem letzten, ‚eschatologischen‘ Sinn ist Substrat der *diemüete*, ist sub specie peccati sündhafte ignorantia, die sich sub specie salutis in absteigen müssendes Nicht-wissen-wollen zu wandeln hat, auf daß der verdemütigt *tumbe* aufsteige in *diemuot.*

Um nun das Letzte der *tumpheit* Parzivals endgültig zu sichten, gilt es, ein Vierfaches festzuhalten:

1. *Tumpheit* Parzivals, rein ‚erzählerisch-mythisch‘ genommen, ist Parzivals axiologisches Merkmal, wenn man will, sein ‚mythisches‘ Gewand, jenes erzählerische Stigma an ihm, das sich als *art,* als (künstlich von der Mutter arrangiertes) Erbe präsentiert, als seinshafte Anlage einer möglichen, zu ent-wickelnden Erzählung (im Gegensatz zum goethezeitlichen Entwicklungsroman wird im höfischen Roman nicht der Held ent-wickelt, sondern die Erzählung selbst wird in punktuellen, erzählerischen ‚Situationen‘ als eine je neu schon ent-wickelte vorgelegt: die Kausalität des

---

[32]) Hier wird das Legendenwunder zum romaneschatologischen Märchenwunder.

[33]) Przywara, Demut Geduld Liebe 20.

Entwickelns selbst bleibt diskret im Verborgenen, da sonst das je Neue des Abenteuers verloren ginge!)[34]). Zugleich aber — und darin erweist sich Parzivals *tumpheit* nicht nur als ein *list* Herzeloydes, sondern als ein listiger ‚Kunstgriff' und ‚Fund' des Dichters selbst — ist Parzivals *tumpheit* ein Movens des *maere*, Initiativ, das einen echten ‚Mythos' (von ‚Rede', ‚Wort' zu ‚Erzählung', ‚Nachricht', ohne den heute zerredeten Beigeschmack einer ‚bloß erdichteten, sagenhaften Erzählung', einer Mythe!)[35]) als ein echt dichterisches Stigma, d. h. als ‚Stich' und ‚Brandmal', bewegt und in Bewegung hält. *Tumpheit* ist Parzivals innate, undiskutierbare, unvermeidliche, ja notwendige Vorfindlichkeit, die ihn gleichzeitig zu teleologisch-eschatologischer, erzählerisch etwas abzielender Bewegtheit befähigt. Das ist der Teil des ‚Dümmlingsmärchens' an Parzival, das wohl erst hier zu gattungshafter Mächtigkeit gelangt.

2. Die moralische Verhängtheit der *tumpheit* mit erbsündiger ignorantia führt darüber hinaus in die Existentialität des christlich-mittelalterlichen Selbstverständnisses überhaupt, wobei es jedoch nicht bei dieser rein negativen Bestimmung ratione peccati bleiben kann[36]). Volle christliche Sichthelle ergibt sich nur im Ein-blitz christlicher Gnade und Erlösung,

---

[34]) P. Salmon (Ignorance and awareness of identity in Hartmann and Wolfram, An element of dramatic irony, PBB 82 [1960] [West] 95—115) billigt Wolfram einen Stil zu, der — eher im Sinn dramatischer Gestaltung — „spasmodically" (113), also stoßweise, wie wir es vom Gehaltlichen her feststellen, vorgeht.

[35]) Vgl. Menge-Güthling, Enzyklop. Wb. der griech. u. dt. Spr., Teil I: Griech. —Dt., Berlin [11]1951, die Vokabel: mythos.

[36]) Die ignorantia ist zu sehr mit dem Erlösungsgeschehen in unmittelbarem Zusammenhang gesehen, als daß sie rein moralisch relevant werden könnte: es geht mittelalterlich, wenn von Sünde die Rede ist, immer auch gleichzeitig um deren ‚Lösung', mithin, vom Sündenträger her gesehen, um das ewige Seelenheil. Das zeigt deutlich ein Zeugnis aus dem ‚Elucidarium' II, 10 (zitiert bei Deinert, Ritter und Kosmos 78 Anm. 2): (Discipulus) Possunt excusari qui Deum ignorant et bona, et ideo faciunt mala? — (Magister) Qui ignorat, ignorabitur. Qui enim Deum in fide et opere ut gentes ignorat, hunc Deus ut hostem suum damnat. Qui autem Deum per fidem noverunt, sed voluntatem simpliciter, ut rustici, ignorant, si damnantur, non graviter damnantur, ut dicitur: Servus voluntatem nesciens Domini sui, et non faciens, vapulabitur plagis paucis (Luc XII, 48). Qui autem per ingenium scire possunt, sed per malitiam scire dissimulant, ut clerici et monachi, durius punientur. — Gewiß bedeutet von daher der ‚Mangel' oder ‚Fehl', „durch den Parzival lange des Grales unwürdig ist, . . . eine Unfertigkeit und Unrichtigkeit seines g a n z e n Menschen" (Deinert a. a. O.), nur darf deshalb die ‚Sünde' als solche nicht zu einem schieren ‚Sündenzustand' verwischt werden (was bei Maurer und Kuhn der Fall

im Zeichen der ‚Torheit der Schande des Skandals und der Narretei des Kreuzes', wie Przywara pleonastisch und genau nach der Sprache des ersten Korintherbriefs sich ausdrückt[37]). Die erbsündig bestimmte, menschlich geschichtstreibende *tumpheit* gewinnt im ‚Parzival' Wolframs von Eschenbach jenes hohe Kriterium christlich-ritterlichen Daseins, in dem jede Tragik aufgelöst, weil er-löst ist. Jeglicher dolor, jegliches Weinen und Trauern[38]), das im ‚Parzival' keineswegs fehlt, sondern, wie Maurer schön gezeigt hat, als *leit* geradezu mitbestimmende, menschlich-religiöse

---

ist), sondern muß als Sünde von vollem Gewicht (wie bei Schwietering) gesehen werden, weil erst dann deren Verkettung mit dem Heil des Menschen glaubwürdig gemacht werden kann. Daß im Widerspiel zwischen Sünde und Gnade im ‚Parzival' als Hauptmomente „Gesetze der Gattung und des Stils wirksam" sind, darauf hat Deinert verdienstvoll hingewiesen: nicht eine real-existentielle ‚Mischung' von Gut und Bös kann im Parzival dargestellt werden, sondern bloß ein bildhaftes Gemisch „in einem Abwechseln von richtigem und falschem Verhalten" Parzivals (a. a. O.). Wir haben dieses ästhetische Moment zum Erklärgrund von Parzivals Schuld genommen und sind so zu einer ‚Erklärung' gelangt (vgl. oben S. 252 ff.), die vom Einzelnen des dichterisch Darstellungsmöglichen her die Ganzheit der Sünde in den Blick brachte, ohne doch theologisch fragwürdige Konstruktionen bemühen zu müssen: im Gegenteil, das ästhetisch ‚Richtige' erwies sich als theologisch ‚Wahres', eine Konkordanz, die, in mittelalterlicher Kunst wenigstens, apriori anzunehmen war. Ist aber die Sünde von Wolfram ästhetisch-theologisch richtig gesehen, so drängt sich deren Über-wältigung durch Gnade von selbst und rein abfolgemäßig auf, eine Linie, die Wolfram daher auch konsequent ausgezeichnet hat in der Überführung der *tumpheit* Parzivals in Parzivals *diemuot* und simplicitas cordis.

37) Es wäre hier E. Przywaras Gesamtwerk anzuführen, in dem von der ‚Narretei des Kreuzes' immer wieder die Rede ist. Vgl. vor allem: In und Gegen, 22, 24, 72 f., 75, 174, 185, 292 usw.

38) Zur Trauer im Mittelalter vgl. Schlette, Nichtigkeit der Welt 63; Leclercq/Vandenbroucke/Bouyer, La spiritualité du moyen âge 95 (Jonas von Orléans an den König und die Laien: ‚Deine Sünden sind in einem Buche verzeichnet: wische sie aus mit deinen Tränen wie mit einem Schwamm'; De inst. laicali I, 15; PL 106, 152), 104, 106, 131, 144, 148, 215 (der Traktat Rainiers de Liège ‚De lacrimis'), 662—667, 669, 671, 673, 683; Leclercq/Bonnes, Un maître de la vie spirituelle au XIe siècle, Jean de Fécamp, Paris 1946, 89 ff.; zu P. 752, 25 vgl. W. Mohr, Wandel des Menschenbildes in der ma. Dichtung, WW 1. Sonderheft (1952/53) 43 (Ekkehard IV. über den reiselustigen und weltgewandten Mönch Tutilo: in latebris lacrimosus, Cas. Sti Galli, cap. 34). Seltsamerweise werden die Anspielungen in der geistlichen Literatur auf die Artusgeschichten meist mit Emotionen bis zu Tränen verbunden: Peter von Blois, Lib. de confessione sacramentali, PL 207, 1088—1089; Aelred von Rievaulx, Spec., caritas, lib. II, cap. XVII, PL 195, 512 B ff. (vgl. dazu L. Bouyer, La spiritualité de Citeaux, Paris 1955, 175 f.).

Kategorie des Erzählten ist, wird so zum Gradmesser christlicher Innervation, gerade weil es vom Erlöser der Welt vorbildlich und unschuldig gelitten wurde in der Narretei des Kreuzes. Zeitgeschichtlich erscheint diese Haltung als ‚christlicher Simplismus'[39]), der schon im frühchristlichen Sermo humilis[40]) ansetzte, sich über die Topik der (noch nicht genügend als Ausfluß tief christlicher, mit erbsündiger Verfaßtheit verbundener) ‚Demutsformeln'[41]) weiterentwickelte und in ein paar wenigen, wunderbaren Texten eine wahrhaft theologische Dimension erlangte.
Hingewiesen sei nur auf zwei Vertreter dieses ‚antidialektischen', weil in sich schon genug mit Dialektik angereicherten ‚Simplismus' (so daß der scholastischen Dialektik leicht zu entraten war!).
Auch hier sollen bloße Parallelen, und keine Abhängigkeiten, statuiert werden, da sich dieser ‚Simplismus' im Roman originär genug selbst ausdeutet. Und doch ist es unabdingbar, auf diesen ähnlichen Horizont in der zeitgenössischen Theologensprache hinzuweisen, einmal weil es festzustehen scheint, daß der hochmittelalterliche Roman viel tiefer im Sermo humilis des sich auswortenden, frühchristlichen Selbstverständnisses verankert ist als beispielsweise im spätantiken Roman[42]), und dann auch, weil die mittelalterlich allmächtige, ‚klerikale' Geistigkeit in einem weiten Sinn auch für das Selbstverständnis des christlichen Ritters die Kategorien des Denkens und Fühlens (wenigstens was die ‚Ideologie' der *minne* betrifft) bereitstellte und gleichsam als ‚Denk- und Emotionshülsen' dem intern ritterlichen ‚Gebrauch' überließ und überantwortete[43]).

---

[39]) Ein untertreibender Ausdruck für einen komplexen Sachverhalt christlichen Glaubens überhaupt, geschaffen von F. Schneider, Rom und Romgedanke im MA, München 1926, 122 (hier wird vom „Gifthauch der geistigen Pest, des Simplismus" völlig mißverständlich geredet).
[40]) Auerbach, Literatursprache 25 ff.
[41]) J. Schwietering, Die Demutsformel mhd. Dichter, Berlin 1921; neuere Literatur bei Curtius, Devotionsformel und Demut, in: Europäische Lit. und lat. MA, Bern ²1954, 410—416; vgl. neuerdings Schwietering, The origins of the medieval humility formula, PMLA 69 (1954) 1279—1291, und G. Simon, Untersuchungen zur Tropik der Widmungsbriefe ma. Geschichtsschreiber bis zum Ende des 12. Jhs., Arch. f. Diplomatik 4 (1958) 52—119; 5/6 (1959/60) 73—153. Eine bessere Rechtfertigung als Curtius bietet Leclercq (L'amour des lettres 125).
[42]) Was Auerbach (Literatursprache 163) zu bedenken gibt.
[43]) Das wird anschaulich in dem von Josef Eberle herausgegebenen ‚Psalterium profanum' (Lat. und dt., Zürich 1962), wo weltliche Gedichte des lat. Mittelalters in reicher Fülle präsentiert werden (vgl. auch H. Waddell, The wandering scholars, London ⁶1932).
Auf der anderen Seite sind jedoch auch zisterziensische Einflüsse auf den (französischen und deutschen) Artusroman nachweisbar. Vgl. E. Gilson, La mystique

Als erster und mittelalterlich frühester Vertreter christlich-simplistischer Geisteshaltung wäre *Petrus Damiani* zu nennen, Eremit in Fonte Avellana und hoher kirchlicher Würdenträger (Kardinal an der Kurie) im Gegenspiel zu seinem ‚sanctus Satanas', Papst Gregor dem VII. (1020 bis 1085), der den in der Einsamkeit Verborgenen immer wieder im Zwang des Gehorsames auf die politische Bühne seiner Reformtätigkeit berief[44]). Obwohl Damiani an sich bloß Exponent einer umfassenderen, ‚simplistischen' Bewegung war, ist er doch neben der großen Reformergestalt des Papstes Gregor des VII. als der bedeutendste Mann des elften Jahrhunderts anzusprechen († 1072). Seine Ansichten dürfen daher als für jene Zeit exemplarisch gelten.

Eine der tiefsten und schärfsten Auseinandersetzungen der ‚Antidialektiker' gilt der Ambivalenz von Glauben und Wissen (noch enger: von Glauben und Wissenschaft). Es ist — um einen Zusammenhang zwischen Rittertum und monastischer Geistigkeit zu statuieren — eine Version des im höfischen Rittertum sich ausprägenden Gegensatzes zwischen Welt- und Gotteshuld, oder, in einer sachlicheren Formulierung, einer der Aspekte des Problems der Beziehungen zwischen Gnade und Welt. Dieser Konflikt reicht bis in die Väterzeit des Christentums und darf füglich als Konflikt oder besser als polare Spannungsgegensätzlichkeit des Christlichen überhaupt angesprochen werden. Zumeist ist diese ‚Gespanntheit' des christlichen Menschen zum Spannungsgefüge seiner Existenz selbst geworden, so daß schließlich der christliche Mensch als der Ein-fältige, als der Homo simplex, gerade aufgrund dieser gelebten Ineinsfassung und Schwebe aller Duplizität seiner Anlagen und deren Überforderungen in der Nachfolge, erscheinen und so auch ins reflexive Selbstverständnis des Christen eindringen konnte. Damit geschah aber nur, was biblisch vielfach grundgelegt war und sich dem ruminierenden Immer-und-Immer-wiederlesen von selbst erschloß: die Einsicht in die Tatsache, daß die ‚Weisen und Vernünftigen' nicht sehen, nicht hören und schmecken können, wie es mit der selig-vertörten Nachfolge Christi sich verhält, daß es aber den ‚Unmündigen', den ‚Kleinen', Verachteten, Schwachen, ja ‚Dummen' vor-

---

de la grâce dans la Queste del Saint Graal, in: Les idées et les lettres, Paris ²1955, 59—91; M. Lot-Borodine, Les grands secrets du Saint-Graal dans la ‚Queste' du Pseudo-Map, in: Lumière du Graal, Paris 1951, 151—174.

[44]) Die beste Darstellung dieses seltsamen ‚stultus' aus dem 11. Jh. stammt von J. Leclercq (Saint Pierre Damien, Ermite et homme d'Eglise, Rom 1960). Vgl. auch noch Dom della Santa, Ricerche sull'idea monastica di san Pier Damiano, Camaldoli 1961.

behalten ist, zu merken, was ihnen in der demütigen Gestalt des Herrenwortes begegnet (wie es Christus selbst in Mt 11, 26 kündet).
Simplicitas[45]) wird zu einem (biblisch abgesicherten: vgl. z. B. Mt 6, 22: Si oculus tuus fuerit simplex ...) Kennwort theologischer Reflexion und gelebter Nachfolge. Was antik Rückkehr zu einfachem, ländlichem Leben bedeutete — zur antiqua simplicitas, romana simplicitas oder rustica simplicitas —, gewann christlich über eine simplicitas mentis (die noch heidnisch antik verstanden werden konnte) den Sinn geistiger Kindschaft (Hilarius, Ambrosius), da ja schon die Heiligen Schriften sich in bescheidener vilitas, die eine sancta simplicitas einschließt und vermittelt, präsentieren. Seit der Väterzeit läßt sich der Ausdruck ‚sancta simplicitas' nun immer wieder nachweisen, vor allem als reiner, untadeliger Lebenswandel im Herrn.
In der Mystik eines Heiligen Bernhard, eines Peter von Cella[46]) zum Beispiel wird der Ausdruck für die Integrität nicht nur des mystischen Lebens an sich, sondern für die geistige Einheit des kontemplativen Nachfolgedaseins überhaupt gebraucht.
Peter Damiani baut nun geradezu die ihm eigene Sendung, ein Leben in Einsamkeit von aller Welt, ja fern von Klösterlichem gar, auf der stulta sapientia[47]) christlicher Berufung auf; was in seinen Augen wichtig ist, ist das Verlangen nach Gott und diese simplex stultitia, Christus nachzufolgen. Daher sagt er: Cave duplicitatem, esto simplex! Daher das Ideal, zu sein simplex, purus, ac mundanae pravitatis ignarus. Und als Leitspruch: Christi simplicitas me doceat. Die Formel sancta simplicitas weitet

---

[45]) Zum Folgenden vgl. J. B. Metz, Armut im Geiste, GuL 34 (1961) 419—435; P. Antin, ‚Simple' et ‚simplicité' chez S. Jérôme, Revue Bénédict. 71 (1961) 371—381; J. Leclercq, Sancta Simplicitas, Collectanea Ord. Cist. Ref. (1960) 138—148, wo über den Begriff der simplicitas eine eigentliche, wertvolle Bedeutungsgeschichte von der Antike über die Väter bis in den mystischen Sprachschatz eines Hl. Bernhard, Isaac Stella usw. geboten wird. Wir halten uns daran und an: Leclercq, Saint Pierre Damien, Ermite et homme d'Eglise, Rom 1960, 193 ff., besonders, was Peter Damiani betrifft. Über die Schrift Damianis ‚De sancta simplicitate scientiae anteponenda' vgl. P. Lehmann, Die Heilige Einfalt, in: Erforschung des MA's Bd. III, Stuttgart 1960, 213—224 (über Damiani 216 f.). Am Rand (für die neuere Entwicklung des Begriffs ‚Einfalt') vgl. noch W. Stammler, Edle Einfalt, Zur Geschichte eines kunsthistorischen Topos, in: Worte und Werke, Festschrift B. Markwardt, Berlin 1961, 359—383.

[46]) Peter von Cella (1115—1183) erachtet die Demut — was mit der *guoten lêre* des ‚Parzival' übereinstimmen dürfte — als fundamentum conscientiae. Vgl. Leclercq, La spiritualité de Pierre de Celle, Paris 1946, 113, 216.

[47]) Diese und die folgenden Zitierungen siehe Leclercq, Pierre Damien 198. Dort auch die Referenzen.

sich bei diesem Heiligen zu einer integralen Demutstheologie, die sich immer wieder mit heiligem Eifer auf die Torheit der Nachfolge als einziges Maß des Verhaltens und Lebens beruft. Ein konsequent evangelisch ausgerichtetes Denken, Fühlen und Sein (er ist ja uno contentus Evangelio) äußert sich stultologisch, soll der ständige, je-jetzige Rekurs aufs Evangelium lebendige Nachfolge sein. Damianis Dasein ist solche Nachfolge, die selbst und gerade die in der Antike noch vielfach verpönte rusticitas noch heilig spricht: sancta simplicitas, ja sancta rusticitas!

Ähnlich, aber noch pointierter und in einem weiten Sinn theologischer präsentiert sich die geistige Physiognomie *Wilhelms von Saint-Thierry* (1085—1148), eines Zeitgenossen und Freundes Bernhards von Clairvaux, dessen Werke erst in den zwanziger Jahren unseres Jahrhunderts neu entdeckt und seither verschiedentlich ediert wurden: Wilhelm von Saint-Thierry wurde eine eigentliche Entdeckung[48]). Nachdem er lange Zeit vom Licht seines Freundes Bernhard von Clairvaux überstrahlt worden war (sogar sein Hauptwerk, die Epistola aurea, lief unter dem Namen Bernhards), wurde plötzlich erkannt, das Wilhelms geistige Erscheinung durch Bernhards Spiritualität weder ersetzbar noch auch erklärbar war[49]). Denn bei Wilhelm fließt der ganze Strom origenistischer, skotistischer oder ein-

---

[48]) Zu Leben und Werk Wilhelms von Saint-Thierry vgl. J.-M. Déchanet, Aux sources de la spiritualité de G. de S.-Thierry, Bruges 1940; ders., G. de S.-Thierry, L'homme et son oeuvre, Bruges/Paris 1942 (das grundlegendste neuere Werk über ihn); E. Gilson, Notes sur G. de S.-Thierry, in: La théologie mystique de S. Bernard, Paris 1947, 216 ff.; M.-M. Davy, Théologie et mystique de G. de S.-Thierry, I. La connaissance de Dieu, Paris 1954; L. Bouyer, La spiritualité de Citeaux, Paris 1955, 89—154.
Wilhelms Werk liegt bisher in folgenden Ausgaben allgemein zugänglich vor (vgl. auch PL 180): — Meditativae orationes, Edition Davy, Paris 1934; — Epistola (aurea) ad fratres de Monte-Dei, Edition Davy, Paris 1940 (franz. Übersetzung: Davy, Un traité de vie solitaire, Paris 1946; Déchanet, Lettre d'or, Paris 1956); — Speculum fidei, Ed. Déchanet, Bruges 1946; — De contemplatione Dei, De natura et dignitate amoris, Ed. Davy, Paris 1953; — Expositio super Cantica Canticorum, Ed. Davy, Paris 1958; — De contemplatione Dei, Ed. Hourlier, Paris 1959 (SC 61); — Speculum fidei, Enigma fidei, Ed. Davy, Paris 1959; — Deutsche Übersetzung von: De contempl. Dei, De natura ... unter dem Titel: Gott schauen — Gott lieben (von W. Dittrich und von Balthasar, Einsiedeln 1961); — Expositio super Cantica Canticorum, Ed. Déchanet, Paris 1962 (SC 82). (Im Folgenden Zitation mit Angabe des Werkes, des Editors und der dort verwendeten Paragraphenzählung).

[49]) Bouyer nennt Wilhelm „une des plus attachantes personnalités du XIIe siècle, un de ses spirituels les plus profonds et les plus originaux, peut-être son théologien le plus remarquable", a. a. O. 89 f.

fachhin griechischer Mystik ein in das breite Flußbett des mittelalterlichen Augustinismus[50]), eine Befruchtung der mittelalterlichen Augustinismen durch das orientale lumen[51]) von unerhörtem Ausmaß. Das totale Verschwinden Wilhelms in sein Werk ist symptomatisch: humilitas, simplicitas sind seine Lehre; was Wunder, daß diese humilitas ihrem Repräsentanten zu einem faktischen ‚Untergang ins Werk' gedeihen konnte, zu einem Eingehen in den Dienst der Nachfolge, welcher der mittelalterlichen Anonymität das schönste Zeugnis ausstellt[52]).

Wiederum mögen nur ein paar Stellen aus Wilhelms reichem Werk herangezogen werden, und zwar jene, die unmittelbar im Zusammenhang mit stultitia, insania stehen. Stultitia (insania) und *tumpheit* haben rein äußerlich das gemeinsam, daß sie einem unmittelbar klaren Sachverhalt, dem Erfahrungsbereich schlechthin, angehören: sowohl der *tumbe* wie der stultus sind Menschen von geradezu dinglich-formaler Extravertiertheit, beide sind ‚erfahrbarer' als andere Menschen, da sie nicht nur dumm sein können, sondern auch Dummes immer wieder tun. Nicht von ungefähr hat man Wilhelm daher den „Klassiker der mittelalterlichen Erfahrungstheologie" genannt (Balthasar, Herrlichkeit I 276). In der Tat: beinahe jedes seiner Worte ist ident mit der Faktizität eines gelebten und lebbaren Nachfolgedaseins. Aber auch Parzivals *tumpheit* steht unter dem Zwang einer Faktizität, eine Eigentümlichkeit, die durch die dichterische Konzeption nur noch deutlicher wird: Parzivals *tumpheit* ist materiale Unterlage dafür, daß Wolframs Erziehungsroman als dichterisch vorgestellte Schola Humilitatis überhaupt erst demonstrabel wird. Ohne diesen Rekurs auf Parzivals ‚faktische' *tumpheit* bliebe die Erzählung überhaupt überflüssig; es hätte sein Bewenden mit einer abstrakten, d. h. von jedem ‚Leben' abgezogenen ‚Lehre', die kein ritterliches, geneigtes Ohr träfe.

---

[50]) Gregor von Nyssa, Origines und Skotus Eriugena sind neben Augustinus Wilhelms hauptsächliche, geistige Befruchter: vgl. dazu Déchanet, Aux sources.. (siehe S. 296 Anm. 48).

[51]) Der Ausdruck stammt von Wilhelm selbst (Epistola aurea, Ed. Davy 7); vgl. dazu Déchanet a. a. O. 60 ff.

[52]) Wilhelms Werke wurden schon im 13. Jahrhundert dem heiligen Bernhard zugeschrieben, eine Falschmeldung, die sich bis ins 17. Jahrhundert durchhielt (noch bei Mabillon vertreten: 1667). 1719 schrieb zum Beispiel noch Massuet die Epistola aurea nicht dem heiligen Bernhard, aber Guigo dem Kartäuser zu, was wiederum Migne getreulich übernahm (vgl. PL 184, 307 f.). Lehmann (Heilige Einfalt 219) hält sich noch an diese Tradition, während B. Mergell die Epistola aurea sogar noch dem heiligen Bernhard zuschreibt (Der Gral in Wolframs Parzival, Halle 1952, 129). Zur Geschichte der falschen Zuschreibungen vgl. Déchanet, Lettre d'or 12, Anm. 12.

Wilhelms Ausführungen über die Torheit Christi finden sich beinahe immer im Zusammenhang einer evident zu machenden Plausibilität der Nachfolge. Die menschliche ratio gelangt zum Glauben nur im Maße, als sie sich selber demütigt: humiliata sub jugo divine auctoritatis, quanto humilius tanto securius ingrediatur (Speculum fidei, Ed. Davy 31). Das betrifft den ganzen Menschen so gut wie seine einzelnen Fähigkeiten: in ostium fidei, nisi humiliato capite, nullus ingreditur (a. a. O. 11). Nur der Gedemütigte gelangt so ad humilitatem et simplicitatem Christi, erst der pauper spiritu findet jene schwebende Mitte von Anbetung und Gottesfurcht: Pauper vero spiritu, qualium est regnum Dei, cum timore et tremore salutem suam operans, nec ponens in celum os suum, venit ac plorat; et ut admittatur, orat; et cum admittitur, adorat; semper pavidus, ubique trepidus ad arbitrium figuli (= Töpfer) quodcumque voluerit de luto (= Ton) facientis (a. a. O.). Selbst die ‚stumpfsinnigen Dummen' (hebetes) sind von der fides nicht ausgeschlossen (a. a. O. 32), da auch sie affectu pii ac simplicis amoris (a. a. O. 44) sich dem Wehen des Heiligen Geistes überantworten können. Denn ist es nicht so: cum venerit, si te invenerit humilem et quietum, et trementem sermones Dei, requiescet super te; et revelabit tibi, quod aufert Deus Pater a sapientibus et prudentibus hujus seculi (a. a. O. 46)? Das Licht des in die Finsternis und die Unwissenheit dieses Lebens eintretenden Gottes ist den Armen im Geiste bereitet: in tenebris enim et ignorantia vite hujus, pauperibus spiritu ipse est lumen illuminans; ipse trahens caritas; ipse afficiens suavitas; ipse hominis ad Deum accessus; ipse amor amantis ... (a. a. O.). Schon rein die Erinnerung an das, was die humiliata divinitas in der Welt gewirkt hat (a. a. O. 48), gibt dem Menschen wohlwollende Gedanken für Gott ein. Die humiliata divinitas macht den Nachfolgenden empfänglich für die höhere Dialektik seines eigenen Wegs, sie ist eine beredte Aufforderung an ihn: Tu vero amplectere Christum crucifixum; praedestinatis ad ruinam scandalum, sapientibus in oculis suis, stultitia; sed vocatis omnibus et iustificandis, Dei sapientiam, et Dei virtutem; quia quod stultum est Dei sapientius, et quod infirmum, fortius est omnibus hominibus. Si sensum carnis consulis, stultum videtur et infirmum; si autem cum Apostolo sensum Christi habueris, intelliges Verbum Dei summam esse sapientiam; sed stultitiam huius sapientiae esse carnem Verbi; ut quia carnales quique per carnis prudentiam pertingere non valebant ad sapientiam Dei; per stultitiam praedicationis, et fidei simplicitatem, id est per carnem Verbi sanentur. Stultus esto et illuminabitur tibi dispensatio sacramenti absconditi a saeculis, in Deo qui omnia creavit. Infirmare ad infirmum Dei ... (Speculum fidei, Ed. Déchanet, 381a f.). Die den Stolzen und Weisen dieser Welt verborgene Dialektik (die göttliche sapientia quasi stulte fecisse putatur! Enigma fidei, Ed. Davy 13), besagt so einerseits ein echtes Hindurch (dia-als ‚Hin-durch'), andererseits ist aber darin auch ganz scharf die Abständigkeit des Geschöpfs von seinem Schöpfer mitgesagt, insofern selbst durch alle mögliche ‚Ähnlichkeit' zwischen Geschöpf und Schöpfer die noch mächtigere ‚Un-ähnlichkeit' blitzt, so, daß das stultum Dei sapientius, weiser ist als alle menschliche Weisheit der Menschen. Nusquam enim hominis ad Deum comparatio, nec in ipsa similitudine humilitatis. Sicut enim omnipotentis divinitatis incomparabilis est potestas, inscrutabilis majestas, virtus inestimabilis, sapientia incogitabilis, sic cum ad nostra ventum est, infirmum fortius, stultum sapientius, et humile ejus sublimius repertum est omnibus hominibus (Expositio super Cant. Cant., Ed. Davy 94).

Gerade in dieser Abständigkeit zwischen Schöpfergott und Geschöpf kann der Erlöser zum Mittler werden: Ipse enim est mediator noster et sapientia nostra, cujus quod stultum est, fortius est hominibus (De natura et dignitate amoris, Ed. Davy 39). Was eine doppelte Dialektik schien (mit je verschiedenem dia-, als ‚hindurch' und als ‚gegen'), präsentiert sich real und fleischgeworden als ‚Mittler' und Erlöser der Menschen. So darf und kann die Nachfolge keine rein dialektische Angelegenheit sein — sie würde sonst zu einem gnostischen Aufstiegsweg, auf dem via Einsicht in die dialektische Situation des ‚Christlichen' das Christliche selbst faßbar wäre —, sondern ist ‚Praxis', ist Leben selbst. Es gibt daher bei Wilhelm praktische Anleitungen über jugendliches Entbranntsein zum Guten von bezaubernder Anmut. Zum Beispiel diese: „So offenbare der Jüngling — nicht dem Alter, sondern der Tugend nach — nunmehr seine naturgemäße Kraft und Tüchtigkeit. Und er zerstöre nun nicht die der Jugend eigene entzündbare Leidenschaft, wenn auch die Vernunft verbietet, sie zu entweihen. Denn wenn jene von Sinnen sind, die die Liebe entweihen, die ‚dahingehen wie ein Schattenbild', deren Geist dem Geist wilder Tiere und dem Schlachtvieh gleich ist und deren Glieder, nach dem Propheten, den Gliedern von Eseln gleich sind: um wieviel mehr ziemt es denen, die in der Wahrheit der Liebe sind und von ihren geistlichen Gluten hingerissen werden, im Brand der geistlichen Jugend auf ihre Weise von Sinnen zu sein (insanire) ... Höre einen solchen heiligen Wahnwitz (sancta insania): ‚Kommen wir von Sinnen, dann für Gott', sagt der Apostel. Willst du noch mehr solchen Wahnwitz hören? ‚Wenn Du vergibst, so vergib ihnen die Schuld; wenn aber nicht, so tilge mich aus dem Buch, das Du geschrieben hast!' Noch einen? Höre abermals den Apostel: ‚Ich wünschte für Christus verworfen zu sein für meine Brüder.' Klingt das nicht wie Wahnsinn, aber vernünftiger, hingerissenen Geistes etwas, das mit Bestimmtheit unmöglich ist, in der Gestimmtheit festzuhalten: um Christi willen verbannt sein zu wollen von Christus? Das war die Trunkenheit der Apostel bei der Ankunft des Heiligen Geistes, das war der Wahnsinn des heiligen Paulus, als Festus zu ihm sagte: ‚Du bist von Sinnen, Paulus!' ... Gibt es eine größere und überraschendere Torheit, als wenn ein Mensch, der die Welt verließ, im glühenden Begehren, Christus anzuhangen, nun abermals für Christus und wegen der Bande des Gehorsams und der brüderlichen Liebe der Welt anhängt" (De natura et dignitate amoris, Ed. und Übersetzung Dittrich/Balthasar 46 f.; Ed. Davy 8)[53]).

Was hat nun, so möchte man fragen, diese Theologie einer heiligen Torheit mit Parzivals *tumpheit* zu tun? In welche Beziehung lassen sich geistlicher Text und weltlicher Roman zueinander rücken? Gibt es hier überhaupt einen Funkensprung hinüber und herüber?

Zunächst wäre zu antworten mit dem Hinweis auf eine krud motivische Ähnlichkeit zwischen den Ausführungen Wilhelms über die stultitia Dei und jenen Wolframs über Parzivals *tumpheit*: beide haben es mit der ‚Torheit' zu tun, einem Pudendum jeglicher Kultur also, das rein durch Erwähnung schon eine gewisse Besonderung im Kontext geistiger Äußerungen einer Zeit erlangt[54]). Sodann aber ist eine gewisse Analogie der

---

[53]) Ein gewisser Ives hat die in unserem Text genannte sana et sancta insania in seinen Brief an Severinus übernommen (Ives, Epître à Séverin sur la charité. Ed. Dumeige, Paris 1955, § 4).

[54]) Es wäre hier etwa zu bedenken, was für einen Stellenwert die paulinische stultitia crucis vergleichsweise etwa im Verkündigungsbestand heutiger, katholischer und evangelischer Theologie besitzt. Man müßte zum Schluß kommen, daß seit Hamann die christliche Torheit kaum mehr verkündigt worden ist. Erst heute gewinnt sie eine Art Narrenfreiheit in abgelegenen wissenschaftlichen Untersuchungen. Vgl. etwa von evangelischer Seite folgende fundamentalen Untersuchungen: E. Schlink, Weisheit und Torheit, Kerygma und Dogma 1 (1955) 1—22; U. Wilckens, Kreuz und Weisheit, Kerygma und Dogma 3 (1957) 77—108; ders., Weisheit und Torheit, Eine exegetisch-religionsgeschichtliche Untersuchung zu I Kor 1 und 2, Tübingen 1959. Katholischerseits wäre auf das Werk Balthasars, Przywaras und Schliers hinzuweisen. Vgl. K. Rahners unwillige Äußerungen über das Fehlen der Torheit in: Das freie Wort in der Kirche, Einsiedeln 1953, 45, 68. Dazu: Ch. Moeller, Sagesse grecque et paradoxe chrétien, Louvain 1948; J. Daniélou, Message évangélique et culture hélléni-stique aux IIe et IIIe siècles, Tournai 1961.

Die übrige Forschung ist bezeichnenderweise historisch ausgerichtet: E. Behr-Sigel, Prière et sainteté dans L'Eglise russe, Paris 1949/50 (92—103); E. Benz,

beiden, in sich verschieden gearteten Aussagen feststellbar: was bei Wolfram erzählerische, romanhafte Exaltation eines Toren ist, ist bei Wilhelm geistliche Exaltation des sich in der Nachfolge Christi selber als Toren erfahrenden Ich. Gerade darin aber, in der beidseitig feststellbaren Exaltation des Torendaseins als eines besonderen Zugangs zum ‚richtigen' Leben, enthüllt sich tiefer eine inhaltliche Analogie, die weltlichen und geistlichen Tor verbindet, so daß sich der scheinbar ‚weltliche' Weg eines Menschen (Parzivals) in der Tiefe seiner Bedeutungshaftigkeit als ein ‚geistlicher' Weg aufdecken läßt oder ein scheinbar ‚geistlicher' Weg in letzter Analyse als ein ‚welthaltiger' erscheint (eine Paradoxie, die in allen Religionen gilt). Nun ist es ja andererseits nicht so, daß der ‚Parzival' Wolframs des ‚Geistlichen' entbehrte, im Gegenteil, gerade die Sinndeutung vom Letzten her erwies, wie sehr der Herzkern dieses Romans ‚Geistliches' mitmeint und letztlich in seine Totalität als das Entscheidende synthetisch einfügt. Ein Rekurs auf das ‚Geistliche' in zeitgenössischer Erscheinung als zeitgenössisches Denken über Gott und Welt drängt sich so von selber auf, soll das ‚Geistliche' in Wolframs ‚Parzival' nicht in bedeutungsleerer Vereinzelung verbleiben.
Ein Text Wilhelms mag das gemeinte Ineins von Gott und Welt nochmals verdeutlichen. Er schreibt in seinem Brief ad fratres de Monte Dei[55]: „Wenn die Wesenheit der mit den Sinnen begabten Menschen von Gott abgewandt ist, wird sie zur Dummheit, da sie dann übermäßig sich selbst

---

Heilige Narrheit, Kyrios 3 (1938) 1—55; P. Hauptmann, Die Narren um Christi willen in der Ostkirche, Kirche im Osten 2 (1959) 27—49; St. Hilpich, Die Torheit um Christi willen, ZfAskuMyst. (1931) 121 ff.; I. Kologrivof, Essai sur la sainteté en Russie, Bruges 1953 (261—272; 264: diese Form der Heiligkeit wurde durch zwei Deutsche, Prokop und Isidor, nach Rußland gebracht); ders., Les fous pour le Christ dans l'hagiographie russe, Mélanges Viker, Revue Asc. et Myst. (1949) 426—437; I. Rosenthal-Kamarinea, Symeon Studites, ein heiliger Narr, Akten des XI. Internat. Byzantinistenkongresses München 1958, München 1960, 515—520; G. Widengren, Harlekinstracht und Mönchskutte, Clownhut und Derwischmütze, Eine gesellschafts-, religions- und trachtengeschichtliche Studie, Orientalia Suecana 2 (1953) 75, 83—85.
Über abendländische Formen der heiligen Narrheit um Christi willen steht eine Gesamtstudie noch aus. Die Acta Sanctorum wären daraufhin zu untersuchen. Vgl. zum Beispiel das Leben des heiligen Romuald (Saint Pierre Damien, Vie de Saint Romuald, Namur 1962, 51), wo der Heilige den Verrückten bloß mimte, um seinen Mördern zu entgehen. Dieses Motiv simulierter Verrücktheit findet sich, allerdings aus Gründen der Demut, auch in den Vitae patrum (VIII, 4) und bei Cassian (Coll. XVII, 24).

[55]) Der Text wird nach Lehmanns Übersetzung (a. a. O. 219 f.) wiedergegeben. Den lat. Text siehe a. a. O. oder Ed. Davy 28 ff.

zugekehrt und so roh ist, daß sie weder gelenkt werden kann noch will. Wenn sie sich aber hochmütig aus sich selbst herausstellt, wird sie Weltklugheit des Fleisches und hält sich selbst für Weisheit, während sie Torheit ist, gemäß dem Apostelwort: ‚Indem sie sich für weise erklären, sind sie Toren geworden.‘ Weiterhin, auf Gott gerichtet wird sie Heilige Einfalt, das ist der immer ein und demselben zustrebende Wille, so wie es bei Hiob war, der ein einfältiger, gerader, gottesfürchtiger Mann genannt wurde. Im eigentlichen Sinne ist nämlich die Einfalt das vollkommen auf Gott gerichtete Wollen, eines von Gott erbittend, dies erstrebend, nicht aber darum werbend, in der Welt vervielfältigt und erhoben zu werden. Und *Einfalt im Lebenswandel ist die wahre Demut,* die mehr auf das Bewußtsein der Tugend hält als auf Ruhm, da der Einfältige es nicht scheut, weltdumm zu erscheinen, wenn er nur in Gott ist. Und Einfalt ist der eine und einzige auf Gott gerichtete Wille, der noch nicht vernunftgemäß zur Liebe gebildete Wille, die noch nicht erleuchtete Karitas, das ist das glückhafte Lieben. Die Simplizität bedeutet also eine Anfangsstufe des göttlichen Geschöpfes, der einfache gute Wille, gleichsam die ungeformte Masse des zukünftigen guten Menschen, und bietet diese dem Urheber seiner Wandlung zur Formung dar.“ Mit diesen Worten ist, wie Mergell schön gezeigt hat, an die ‚innere‘ Parzivalhandlung gerührt, die schon bei Chrétien grundgelegt ist. „Wenn (Chrétien) Percevals ‚Torheit‘ zum Ausgangspunkt der Entwicklungen des Conte del Graal erhebt, so bleibt dieses Motiv keineswegs bloß auf Äußerliches beschränkt ..., sondern es ist damit zugleich auch der Grund für seine schuldhafte Unterlassung der Gralfrage bezeichnet: *quant del graal ne seüs / cui l'an an sert, fol san eüs* (6413 f.). Zugleich aber wird eben diese ‚Simplicitas‘ seiner Seelenhaltung zur Stufe für Percevals Buße, Wandlung und Vergebung beim Eintritt in die Kapelle des Einsiedleroheims ...“[56]). Bei Parzival ließe sich Ähnliches sagen, mit dem Unterschied vielleicht, daß Parzivals simplicitas/*tumpheit* weniger als *einvalt*[57]) denn als *diemüete* herausge-

[56]) Mergell, Der Gral 129.

[57]) *Einvalt* ist ein Wort, das im ganzen ‚Parzival‘ nur einmal vorkommt (vgl. Senn/Lehmann, Word-Index unter ‚*einvalt*‘), nämlich 689, 27, wo es von Gawan und Parzival nach dem mörderischen Zweikampf heißt: *hiest krumbiu tumpheit worden sleht. / hie hânt zwei herzen einvalt / mit hazze erzeiget ir gewalt,* eine Formel, die nicht wenig an die simplicitas cordis (vgl. Bernhard, De virtute obedientiae, zit. bei Mergell a. a. O. 129) erinnert. Über die hier erwähnte *tumpheit* vgl. oben S. 161 f. — Sowohl Parzivals ‚weltdumme‘ *tumpheit* als auch Gawans höfische *tumpheit* fallen in diesem Kairos einer schließlich minniglich endenden Auseinandersetzung zweier sich vorerst nicht erkennender Freunde ineins.